BLOEDGETUIGE

Van Ted Dekker zijn verschenen:

De dochters van de Beul
Adam
Dri3
Het huis
Obsessie

TED DEKKER

BLOEDGETUIGE

Oorspronkelijke titel: *The Bride Collector*
Vertaling: Jan Steemers
Omslagontwerp: Karel van Laar
Omslagfotografie: Getty Images

ISBN 978 90 435 1857 4
NUR 332

www.kok.nl

1

'Dank u, inspecteur. We kunnen het verder alleen af.'

Special agent Brad Raines van de FBI stond in de brede deuropening van de kleine boerenschuur en speurde het schemerige interieur af. Grijs ochtendlicht viel op een oude houten vloer met een dikke laag stof, waarin talrijke voetsporen te zien waren. Bundels licht schenen door kieren in een verzakt dak.

Een reeds lang leegstaande schuur. Een logische keuze.

'Met alle respect, agent Raines, mijn team staat klaar,' antwoordde de rechercheur van het plaatselijke politiekorps. 'Zij kunnen het onderzoek uitvoeren.'

'Maar dat gaat niet gebeuren, inspecteur Lambert.'

Raines draaide zijn hoofd langzaam terug en nam het allemaal in zich op.

Een enkele rechthoekige ruimte van ruwweg vijf bij twaalf meter. Zinken dak. Binnenwanden van vergrijsde houten planken van vijftien centimeter breed. Tien, twintig, dertig, tweeëndertig aan de smalle kant: pakweg vijf meter hoog. Twee spades en een hooivork op de vloer rechts van hem. Eén venster met vuile, aangeslagen ruiten waar een waas van spinrag voor hing.

In de hoek stond een stoffige houten emmer met een smerig, roestig hengsel. Verspreid op de vloer lagen enkele verroeste oude conservenblikken – Giant-doperwten, met een grotendeels ontbrekend etiket, en Heinz-knakworst –, lang geleden achtergelaten door een kampeerder. Een oud ploegblad rustte tegen de dichtstbijzijnde wand. Een nog oudere werktafel stond links tegen de achterwand.

Allemaal weinig opmerkelijk, en niet de reden van Brads komst.

Het lichaam van de vrouw was vastgelijmd aan de linkerwand, met de armen gespreid, de handen slap van de polsen afhangend. Net als de andere drie.

'... fiat van hoofdinspecteur Lorenzo.' De stem van de rechercheur onderbrak zijn gedachtegang. Lambert was nog niet opgehoepeld.

Brad keek over zijn linkerschouder, waar Nikki Holden, een vooraanstaand forensisch psychologe, met haar grote blauwe ogen naar het lijk stond te staren. Ze ving zijn stuur-die-diender-weg-blik op en draaide zich om naar inspecteur Lambert. Terwijl ze hem aansprak, vestigde Brad zijn aandacht weer op het interieur van de schuur.

'Het spijt me, inspecteur,' zei Nikki op haar redelijkste toon, 'maar ik weet zeker dat u onze positie zult begrijpen. Geef mijn team een paar uur. Als dit niet onze man is, bent u de eerste die het hoort. Uw korps is meer dan behulpzaam geweest.'

Brad keek omhoog om zijn grijns te verbergen. Een van de dakbalken was gebarsten en onthulde de lichtere kleur van de houtkern onder de grijze buitenkant. Pas gebroken.

'Daar baal ik wel van,' zei Lambert. 'Dat wil ik wel even gezegd hebben.'

Brad maakte zijn blik los van de plaats delict om de man een glimlach te schenken. 'Bedankt, inspecteur. Waarvan akte. Deze zaak heeft ook heel wat om van te balen. Als uw mannen de plaats delict zouden kunnen veiligstellen, zou dat nuttig zijn. Ons forensisch team kan hier elk moment arriveren.'

Lambert hield Brads blik een paar tellen vast. Toen wendde hij zich af en richtte zich tot een ondergeschikte achter hem. 'Oké, Larry, stuur de forensische jongens maar weg, dit is nu een FBI-onderzoek. Laat Bill zorgen dat het terrein wordt bewaakt.'

Larry vloekte binnensmonds en schoot een paar strootjes weg die hij had opgelopen van een stapel oude strobalen. Een witte bestelbus zonder logo passeerde het gele afzettingslint en kwam knarsend aanrollen over het grind van de toegangsweg. Het forensisch team van de FBI had een uur nodig gehad om vanaf het regiokantoor in Stout Street, hartje Denver, naar de plaats delict even ten zuiden van West Dillon Road te rijden. Dit lege veld in

Louisville, ruim dertig kilometer ten noordwesten van Denver, aan de Denver-Boulder Turnpike, was duidelijk ooit in gebruik geweest door een landbouwbedrijf.

Brad keek Nikki aan. 'Laat ze buiten beginnen,' zei hij vlak. 'Geef ons een paar minuten. Stuur Kim naar binnen zodra ze arriveert.'

Kim Peterson, de forensisch pathologe, zou bepalen wat het lichaam hun post mortem kon vertellen. Nikki begaf zich zonder commentaar naar het busje.

Brad richtte zijn aandacht weer op de schuur. De keet. Het moordenaarsnest. De rest van het verhaal was hier, in de donkere hoeken. Deze wanden hadden gezien hoe de moordenaar een vrouw koelbloedig om het leven bracht. Die werktafel had hem zijn passies en angsten horen uitdrukken in een wereld die geteisterd werd door zijn dwangmatige impulsen. Een zwijgende getuige van haar smeekbeden om genade. Haar stervensgeluiden.

Zorgvuldig de voetsporen in het stof vermijdend, liep Brad naar de wand waaraan de vrouw was bevestigd, bleef er stilstaan en sloot zich af voor de stemmen van een tiental wetsdienaren buiten. Het geraas van rubberbanden op het asfalt van de hoofdweg, tweehonderd meter verder, vermengde zich met het geluid van zijn ademhaling. Beide vervaagden volledig toen hij al zijn zintuigen richtte op het tafereel dat hij voor zich had.

Haar naakte torso rees bleek op in het schijnsel van een enkele lichtbundel. Als door tovenaarshand leek haar lichaam, met beide armen gespreid, voor de houten wand achter haar te zweven. Twee ronde houten pennen, die een groot deel van haar gewicht droegen, staken uit de wand, onder haar oksels. Haar hielen rustten tegen elkaar, zodat haar voeten een omgekeerde v vormden.

Een witte kanten sluier was zorgvuldig over haar gezicht gedrapeerd, alsof ze een bruid was.

De houding van het lichaam riep een collage van beelden uit de kunstgeschiedenis in hem op – de Venus van Milo, talloze voorstellingen van Christus aan het Kruis, het standbeeld van de Gevleugelde Zege in het Louvre, haar marmerbleke boezem pront naar voren, alsof ze thuishoorde op de voorsteven van een schip uit de oudheid dat door de golven van de Middellandse Zee ploegde.

Maar dit was geen museum. Dit was een plaats delict, en de mengeling van wreedheid en ontluistering die het beeld ademde, riep een golf van misselijkheid in hem op.

Langzaam kwamen zijn analytische vermogens weer terug.

Afgezien van een dun katoenen slipje en de sluier was ze naakt. Blond. Wit. Alles aan het arrangement was symmetrisch. Beide handen waren in een identieke stand gezet, duim en wijsvinger tegen elkaar. Beide schouders, beide heupen waren zorgvuldig gemanipuleerd tot een perfecte balans. Alles, behalve haar hoofd.

Haar hoofd hing licht naar links, waardoor haar lange blonde haar als een waterval over haar linkerschouder viel alvorens onder haar oksels op te krullen. Door de sluier heen kon hij zien dat haar ogen gesloten waren. Geen smetje te zien. Geen spoor van pijn of lijden. Geen bloed.

Alleen serene rust en schoonheid. Ze kon evengoed een door Da Vinci of Michelangelo geschilderde engel zijn. De volmaakte bruid.

De zeventienjarige Brian Jacobs, die om niet nader genoemde redenen na schooltijd met zijn vriendinnetje naar deze plek was gereden, had het vierde in de reeks slachtoffers van de Bruidenvanger gevonden. Brad zag ze liever als engelen.

Toen hij nog wat beter keek, voelde hij vreemde woorden van medeleven in zich opkomen.

Ik huil met je mee, engel. Ik treur om je. Om elke haarlok die nooit meer zal opwaaien in de wind. Om elke glimlach die niemands dag meer zal opfleuren. Om elke blik van verlangen die nooit meer een mannenhart sneller zal doen kloppen. Het spijt me verschrikkelijk.

'Ze is mooi,' zei Nikki achter hem.

Heel even stak het hem dat hij werd gestoord in zijn contact met de vrouw aan de wand. Nikki liep langs hem heen met haar ogen op de vrouw gevestigd en beroerde in het voorbijgaan heel licht zijn arm met haar vingers. Ze ademde rustig, ietwat zwaarder dan normaal. Hij kende de oorzaak: de donkere wateren van de geest van de moordenaar, die ze nu peilde door naar zijn handwerk te staren.

Een moment lang drong het gevoelige karakter van zijn contact met Nikki zich aan hem op... en was toen verdwenen, verdrongen door het beeld dat zij en de dode vrouw opleverden. Een blonde engel die boven een brunette zweefde. De een met in volledige berusting gespreide armen, de ander met de armen over elkaar. De een vrijwel naakt, de ander gekleed in een blauwe zijden blouse met een zwart jasje boven een zwarte rok.

Ze is mooi, dacht hij.

'Eeuwig zonde...' Kim Petersons stem klonk zacht door de schuur, verzuchtend wat de andere twee uit trots niet onder woorden hadden willen brengen. De forensisch pathologe kwam naast Brad staan, diepte een paar witte handschoenen op uit haar tas en zette die toen neer. 'Wat weten we?'

Brad had liever meer tijd alleen met het slachtoffer doorgebracht, maar die kans was verkeken. 'Geen identiteitspapieren. Een uur geleden ontdekt door twee tieners.'

Ze bleven een tijdje zwijgend naar de vrouw staren.

'Ze is mooi,' zei Kim.

'Ja.'

'Dit maakt vier.'

'Daar lijkt het wel op, hè?'

De pathologe liep naar Nikki, die het lichaam peinzend stond te bestuderen.

Kim liet zich op één hiel zakken en tilde de tenen van de vrouw voorzichtig op om beter zicht te krijgen op de onderkant van de voet. 'Zou je ons willen vertellen hoe je denkt dat het gebeurd is voordat ik aan mijn voorlopig onderzoek begin?'

Hij was niet klaar natuurlijk, nog lang niet. Niet zonder een volledige analyse van de nog te verzamelen sporen. Maar hij stond bekend om zijn griezelige vermogen gebeurtenissen accuraat te beoordelen op basis van de vaagste aanknopingspunten. Sinds hij een jaar geleden uit Miami was overgeplaatst naar het FBI-regiokantoor in Denver, had hij drie grote zaken in het Four Cornersgebied opgelost. Op tweeëndertigjarige leeftijd was hij hard op weg naar een hogere positie – een veel hogere, volgens zijn superieuren.

Maar anders dan bij hen hadden zijn drijfveren niets te maken met het beklimmen van een hiërarchische ladder.

'Manspersoon, schoenmaat vierenveertig afgaande op de voetsporen. Ze zijn hier een aardig poosje geweest, misschien een dag...'

'Hoe dat zo?' vroeg Nikki.

In de verte klonken stemmen. Buiten stond een politieagent een nieuwsgierige automobilist te woord en stuurde hem terug naar de hoofdweg.

Het zinken dak boven hun hoofd tikte terwijl het begon af te koelen in de late middag.

'Die geur. Bruine bonen. Hij had honger, dus hij heeft hier gegeten. Je zult het blik niet vinden. Hij zou hier geen DNA-sporen achterlaten.'

'Leefde ze nog toen hij haar hier bracht?'

'Ja. En hij heeft haar op dezelfde manier omgebracht als de anderen, door haar bloed uit haar hielen af te tappen. Geen worsteling. Een zeil onder de tafel heeft het grootste deel van de sporen – lichaamsvocht, huidcellen, haren – opgevangen. Hij heeft bewust niet te veel geweld gebruikt, zal haar op de rand van controle en onderwerping hebben gehouden. Ze heeft voorover gelegen, onder de kalmeringsmiddelen, maar wel bij kennis en volledig bewust toen hij haar hielen verdoofde en doorboorde. Hij zal het bloed op de werktafel en de vloer hebben moeten opruimen, waar het van het zeil af liep. Vervolgens heeft hij de wonden dichtgestopt, haar in positie gehesen en haar lang genoeg vastgehouden tot de lijm tussen haar schouderbladen en de wand gedroogd was. Daarna heeft hij de wonden aan de hielen weer geopend en toegekeken hoe haar bloed afliep naar een emmer van tien liter.'

Dit alles had Brad opgemaakt uit de sporen op de tafel en de vloer, de kring van de emmer onder de hielen van de vrouw en de afwezigheid van kneuzingen. De fysieke sporen hadden een beeld in hem opgeroepen dat even helder was als wanneer hij naar een Rembrandt had gekeken.

'Hij heeft het uit respect gedaan, niet uit woede,' voegde Brad eraan toe.

'Liefde,' zei Nikki.

Hij knikte, hij was zelfs bereid zover te gaan. 'Liefde.'

'Beide hielwonden zijn dichtgestopt met dezelfde vleeskleurige stopverf die we op de andere drie hebben aangetroffen,' zei Kim, terwijl ze overeind kwam. 'En wat voor soort liefde is dit?'

'De liefde van de bruidegom,' zei Brad langzaam, alsof hij zijn woorden proefde voordat hij ze uitsprak.

Special agent Frank Closkey riep hem vanuit de deuropening. 'Meneer?'

Zonder om te kijken stak Brad zijn hand op. 'Geef ons nog een paar minuten, Frank.'

De agent trok zich terug.

Kim zette haar voorlopige onderzoek voort door zachtjes in het vlees van de vrouw te prikken, haar ogen te bekijken, haar haar op te tillen en de achterkant van haar schouders te inspecteren. Maar Brad wist al wat ze zou vinden.

De vraag was: waarom? Wat bewoog de Bruidenvanger? Hoe kwam hij tot zijn keuzes? Welk goed of kwaad dacht hij te doen? Wat was hem aangedaan dat hem ertoe bracht op zo'n manier mensen van het leven te beroven? Wie had hij als zijn volgende slachtoffer uitgekozen? Wanneer zou hij opnieuw toeslaan?

Waar was hij nu?

De vragen maalden door Brads hoofd als één grote vraag die in verschillende kleinere uiteenviel. Sommige waren duidelijker dan andere, maar ze fluisterden allemaal vanuit zijn achterhoofd en prikkelden hem tot luisteren, aangezien in elke vraag al een antwoord besloten lag. Hij moest ze eenvoudigweg zien te vinden en ze uitpakken.

Nikki liep heen en weer met één arm om haar middel en met de vuist van de andere onder haar kin. Hij bedacht ineens dat twee van de slachtoffers, net als zij, brunettes waren geweest. Net als zij hadden ze alle vier een gave teint.

Wat zou er in de moordenaar omgaan als hij op dit moment door een gat in de wand naar Nikki zou staren? Brad onderdrukte de spontane opwelling de wand achter hen te checken om te zien of er inderdaad een gat zat waardoor een enkel oog naar hen loerde.

In plaats daarvan liet hij zijn ogen over Nikki's gestalte dwalen – haar fraaie kuiten, die zich duidelijk aftekenden onder de zoom van haar zwarte rok; haar golvende lange haar, dat als een waterval naar haar schouders daalde; haar heldere ogen, die vol vragen stonden. Haar wijsvinger, die afwezig over haar volle lippen streek. Een perfect symmetrisch gezicht.

Zou de moordenaar enige begeerte voelen?

Nee. Nee, het was geen begeerte, toch? Ze was mooi, maar de wereld wemelde van mooie vrouwen. Iets anders trok de Bruidenvanger aan, zoals ook iets anders Brad nu aantrok, al had hij moeite om er de vinger op te leggen.

Van de talrijke vrouwen met wie hij in de afgelopen tien jaar was uitgegaan, hadden maar vier relaties twee maanden of langer geduurd, en elke ervan was eerder geëindigd dan de vorige. Nikki had hem er ooit van beschuldigd dat hij de donjuan uithing. Zelf vond hij 'kieskeurig' een beter woord. Hij had per slot van rekening smaak.

Na wat hij had meegemaakt moest hij wel kieskeurig zijn.

Nikki was eenendertig. Op haar negentiende getrouwd en zes maanden later gescheiden. Ze had haar psychologiestudie afgerond aan CSU. Heel intelligent, geestig, geneigd tot diepe introspectie bij taferelen die de meeste mensen diep zouden schokken.

Dat zou de moordenaar opwinden, nietwaar? Maar zou het de man opwinden als Nikki het initiatief nam?

Brad dacht van niet.

'Je bent zijn type,' zei Brad.

Nikki keek naar hem terug, nog steeds met haar arm om haar middel. 'Pardón?'

Hij riep zichzelf tot de orde. Dit was een van die talrijke momenten waarop eerlijkheid misschien niet zo verstandig was.

'Ik zat te denken dat ze in zijn smaakprofiel paste. Met "je" bedoelde ik het slachtoffer. "Je bent zijn type", als in: "Zíj is zíjn type."'

Kim redde hem. 'Praat je nu ook al met lijken, Brad? Maak je geen zorgen, ik doe het voortdurend.'

'Je keek mij aan terwijl je het zei,' zei Nikki.

'Dat is zo. Die neiging heb ik.'

'Wat, staren naar vrouwen? Of specifiek naar mij?'

'Allebei, als het zo uitkomt.'

Haar mondhoeken plooiden zich tot een flauwe glimlach. Ze

knipoogde. Het was geen vette knipoog, maar de beweging van haar rechterooglid was onmiskenbaar. Toch?

Nikki keek terug naar de wand en Brad voelde zich vies. In een poging de vrouw aan de wand te helpen had hij op een of andere manier haar privacy geschonden. Maar haar verhaal was nog steeds onbekend en verdiende respect.

Stilte. Berouw. Schaamte.

'Brad?' Franks stem brak opnieuw in.

Brad wendde zich af van de wand en liep naar de deuropening. 'Stuur het team naar binnen. Fotografeer elke centimeter, poeder elk blootliggend oppervlak. Bloed, zweet, speeksel, haar; verpak en label desnoods de lucht. Ik wil vanavond de eerste labuitslagen.'

'Eh... Het is al laat. Ik weet niet of...'

'Hij loert al op een andere vrouw, Frank. We hebben minder dan een week om te voorkomen dat hij die vrouw zijn soort liefde betuigt. Ik wil vanavond de voorlopige uitslagen zien.'

Toch verliet Brad de schuur met de gedachte dat hij betere woorden had kunnen uitkiezen om de urgentie uit te drukken die door zijn zenuwstelsel gierde.

2

FBI-regiokantoor, Stout Street, Denver, 21.00 uur.

Nikki Holden stond naast Brad bij de roestvrijstalen onderzoekstafel in de sectieruimte in de kelder. Terwijl ze toekeek hoe Kim het lichaam voorzichtig op de rug draaide, zag ze dat de pathologe met zorg de huid van de schouderbladen vermeed, die was losgesneden om het lichaam van de wand van de schuur te verwijderen.

Het slachtoffer was een eenentwintigjarige vrouw: Caroline Redik. De naam was bovengedreven toen het lab haar vingerafdrukken had losgelaten op het *Automated Fingerprint Identification System*, beter bekend onder het acroniem AFIS. De gestaag groeiende database omvatte nu iedereen die een paspoort aanvroeg, iets wat Caroline had gedaan voordat ze, één jaar geleden, om vooralsnog onbekende redenen een trip naar Parijs had gemaakt.

Beschermd door een plastic gezichtsmasker zette Kim haar onderzoek gestaag en nauwgezet voort. Er was niet veel wat de drieënveertigjarige vrouw uit het lood kon slaan. Ze stak haar hand met evenveel gemak in een bloederige schotwond als dat ze, wanneer ze het nodig vond, met een welgekozen vraag de samenleving tot op het bot fileerde. Ze hield haar blonde haar kort; makkelijker te onderhouden. Als er één moederfiguur in het kantoor was, dan was het Kim. Haar manier van doen vormde een interessant maar op de een of andere manier passend contrast met haar welbekende voorliefde voor een breed palet van mannen.

Nikki richtte haar aandacht weer op het lichaam. De huid was heel bleek, zo doorschijnend dat de blauwe aderen eronder zichtbaar waren. De vrouw lag languit op haar rug en zag eruit als een etalagepop, met perfect gevormde borsten, een platte buik en slanke heupen. Nikki vond haar eigenlijk nogal aan de knokige kant. Aan de wand in de schuur had haar vlees over haar botten gehangen en had ze er minder mager uitgezien. Liggend op haar rug zag ze er nogal scharminkelig uit.

De ogen staarden naar het plafond, blauw maar levenloos. Onder de felle lampen was haar make-up veel duidelijker zichtbaar dan Nikki in de schuur was opgevallen voordat het sporenteam de plaats delict had verlicht. De met zorg aangebrachte eyeliner en oogschaduw wezen op een vaste, ervaren hand. Was de moordenaar een visagist? Of zelfs een travestiet? Nikki zag uit een van de ooghoeken enkele vage verticale strepen lopen die het perfecte oppervlak ontsierden, alsof de arme Caroline voor de laatste maal had gehuild voordat het laatste laagje make-up was aangebracht.

Nikki dacht terug aan een onderonsje met haar vader toen ze twaalf was. Hij was op zijn knieën gaan zitten, had haar bij haar schouders gepakt en een traan van haar rechterwang geveegd, waar een geboortevlek ter grootte van een stuiver haar huid had ontsierd. 'Je bent mooi, Nikki, en je geboortevlek maakt je alleen maar mooier. Je hoeft hem niet te maskeren. En als de jongens dat niet zo zien, dan komt dat alleen omdat ze domme, prepuberale marionetten van het systeem zijn.' Vervolgens had hij haar op de wang gekust.

De herinnering snoerde nog steeds haar keel dicht, misschien omdat zijn nobele idealen hem niet werkelijk hadden overleefd. Ze had de bruine vlek op haar achttiende operatief laten verwijderen.

Als ze het weer over moest doen, zou ze de vlek dan laten weghalen?

'... medicijnen in haar systeem,' zei Kim. 'Benzodiazepine, hetzelfde psychoactieve sedativum dat hij ook bij de andere drie heeft gebruikt. Meer dan genoeg om haar gevoelig te maken voor suggestie.'

'Geen sporen van seksueel contact?' zei Brad.

'Nee.'

Nikki ving Brads scherpe blik. 'Dat betekent nog niet dat dit geen seksueel gemotiveerde daad was,' bracht ze in het midden.

Hij schonk haar een licht knikje. Meer niet, een simpel teken van erkenning en waardering voor haar inbreng. Grappig hoe hij haar kon opmonteren zonder te weten wat voor uitwerking hij op haar had.

De andere vrouwen van het FBI-kantoor vonden dat hij sprekend op een blonde George Clooney leek, maar dan zo'n tien jaar jonger. Ze kon de overeenkomsten zien. De donkere, eeuwig glimlachende, diep peilende ogen. Het korte haar, het gladde jongensachtige, ietwat langwerpige gelaat. Uiterlijk de perfecte gentleman, nog versterkt door zijn vaak attente en beleefde optreden.

Maar in de praktijk van hun nauwere werkcontacten was ze erachter gekomen dat deze kwaliteiten Brad nog niet tot een zachte of plooibare man maakten. In elk geval had hij scherpere kantjes dan je op het eerste gezicht zou zeggen. Gepolijst aan de buitenkant, met veel aandacht voor detail, maar zelfverzekerd genoeg om zijn zegje te doen wanneer hij zich daartoe geroepen voelde.

Zijn overduidelijke talent voor het aantrekken van vrouwen met zijn jongensachtige charme en zelfverzekerdheid werd alleen getemperd door zijn beruchte weigering zich te binden. Wat hem tot een aanzienlijk mysterie maakte.

Naar Nikki's idee vertoonde hij alle kenmerken van een man met een verleden waarin hij zo diep gekwetst was dat hij gedwongen was muren van zelfbehoud op te trekken. Dat was ook de reden dat ze zich al heel lang verzette tegen het idee dat ze zich tot hem aangetrokken voelde. Zelfs als hij belangstelling voor haar had, zoals ze vermoedde, wist ze niet zo zeker of zíj wel geïnteresseerd was in een man die ze niet helemaal kon plaatsen. Als psychologe had ze de taak om mensen tot op het bot te analyseren, en het feit dat ze daar bij Brad niet in slaagde, knaagde aan haar vanuit een hardnekkig gevoel dat ze op haar tellen moest passen.

Zijn ogen waren zacht en vriendelijk, maar wat er achter die ogen schuilging gaf haar te denken. Het onbekende. Ze had zich al eens eerder in een man vergist en ze was er niet happig op het nog eens te laten gebeuren. En haar opleiding in gedragswetenschap had haar vertrouwen er niet groter op gemaakt.

'Hij lijkt me niet het ongeduldige type,' zei ze. 'Volgens mij genoot hij van de tijd die hij met haar doorbracht.'

Nog een knikje, ditmaal met de blik op het lijk. 'Inderdaad.'

Kim keek op van haar werk en verplaatste haar aandacht naar de andere kant van het slachtoffer. Ze streek met haar wijsvinger over de voet en rondde het gebaar dramatisch af door elke teen even aan te tikken. Niet vies van een stukje theater wanneer de gelegenheid zich voordeed.

'Ze verzorgde haar voeten uitstekend. De nagellak op de teennagels is vers, aangebracht in de afgelopen vierentwintig uur. Maar ze verzorgde haar voeten al heel lang goed, haar hele lichaam trouwens.'

'Hij heeft iets met make-up en pedicure,' zei Nikki.

Een gat van ruim een centimeter, inmiddels bloedeloos en zwart, liep omhoog door de hiel.

'Hij heeft dezelfde boormaat van een halve inch gebruikt, misschien wel dezelfde boor. Dwars door de huid, het hielbot en de *peroneus longus*-pees tot in de binnenste scheenader. Allemaal precies zoals bij de andere drie. Behalve dit.' Kim wees naar de rechterhiel van het slachtoffer. 'Dit is nieuw.'

Ze trok een rolletje bloederig papier van pakweg vijf centimeter lengte tevoorschijn en hield het omhoog tussen duim en wijsvinger. 'Ditmaal heeft hij iets in de rechterhiel achtergelaten.'

Brad stapte naar voren. 'Tekst?'

'Ik zie een paar tekens doorschemeren, ja. Maar ik heb het nog niet afgerold. Ik dacht dat je het wel zou willen zien voordat ik het naar het lab stuurde.'

Brads gezicht werd een tint lichter.

De moordenaar had een boodschap voor hen achtergelaten.

Leidinggevend special agent James Temple zat met zijn handen onder zijn kin gevouwen op de rand van een bureau aan de noordkant van de vergaderzaal en staarde hen met een glazige blik in zijn bruine ogen aan. Nikki leunde met haar armen over elkaar tegen de muur, haar blik gevestigd op de uitvergrote foto van de boodschap van de Bruidenvanger op het scherm. Twee andere FBI-agenten, Miguel Ruffino en Barth Kramer, zaten onderuitgezakt in hun stoel. Ze verdeelden hun aandacht over de boodschap, Temple, Nikki en Brad, die heen en weer liep aan het hoofd van de vergadertafel.

Er was een reden dat deze twee altijd goed maar niet geweldig in hun werk zouden zijn, bedacht Brad. Ze misten de obsessieve persoonlijkheid die nodig was om je ongemeen sterk op een taak te concentreren.

'Dus dit is het,' zei Temple, links van Brad. 'We hebben te maken met een krankzinnige. Een loslopende gek die in schimmige schuren gaten in vrouwen boort om een punt te maken.' Hij keek met een verstrooide blik om zich heen. 'Niet dubbelzinnig bedoeld, natuurlijk.'

Ruffino en Kramer schoten in de lach, maar Nikki wierp de FBI-chef een strenge blik toe en zei: 'Ik zou het niet zo...'

'Bespaar me de psychologische prietpraat.' Temple stond op en stak zijn handen in zijn zakken. 'Als dit niet volslagen krankzinnig is, dan weet ik het niet meer.'

De man was bijna twee meter lang en pezig als een stierslang. Hij schoor zijn hoofd en was trots op zijn lichaam, dat hij in de sportschool regelmatig en rigoureus aftrainde. Hij paste niet in Denver, vond Brad. In het zuidoosten, vanwaar hij een maand tevoren was overgeplaatst, zou zijn houding minder een probleem zijn geweest. Maar hier werden revolverhelden met een scheef oog bekeken, en James Temple was beslist een revolverheld – onstuimig, snel met zijn conclusies en opvliegend van aard.

'Per saldo zijn de meeste moordenaars die een vast patroon volgen mentaal stabiel,' zei Nikki. 'Het zijn goed opgeleide, financieel stabiele, dikwijls goed uitziende, op het oog goed aangepaste mensen. Anders dan massamoordenaars, van wie de wanen superioriteitsideeën in de hand werken, handelen seriemoordenaars vanuit persoonlijk gewin of wraak. Ze doen dat op een berekenende, bedachtzame manier. Niet bepaald het profiel van een volslagen gek.'

'Lees nou eens.' Temple fronste en wees met zijn scherpe kuiltjeskin in de richting van het scherm. 'Iedere idioot kan zien dat deze godsdienstwaanzinnige op zichzelf kickt. Wil je beweren dat jij iets anders ziet?'

Nikki's gezicht werd rood, maar ze vestigde niet de aandacht op de blunder die de man maakte, doordat hij hiermee in feite zichzelf een idioot noemde. Ze keek naar het scherm.

De boodschap was geschreven in zwarte letters, met een dunne balpen. Het witte stuk papier van vijf bij zeven centimeter was langs een scherpe rand afgesneden of afgescheurd, vervolgens verscheidene malen opgevouwen voordat het was opgerold en in Carolines hiel was gestoken, op zijn minst verscheidene dagen nadat het was geschreven.

Brad las het gedicht nogmaals door.

De Schoonheid van Paradijs is verloren
Waar inteligentie zijn centrum heeft
Ik kwam naa haar en ze verbrijzelde de kop van de Slang
Ik zoch tot ik de zevende en mooiste vind
Ze zal rusten in mijn Slangenhol
En ik zal weer leven

'Hij kan amper spellen.'

Brad keek de man aan. 'Het spijt me, James, maar ik zie hier geen imbeciel in.'

De FBI-chef trok een wenkbrauw op en schoof een stoel achteruit om te gaan zitten. Op dit soort momenten kwam Brads reputatie goed van pas. Bovendien had hij in Miami gewerkt voordat hij het Four Corners-gebied imponeerde. Dat maakte James Temple praktisch tot familie, in elk geval in Temples ogen. Hij zou zich wel tweemaal bedenken voordat hij iets wegwimpelde wat Brad te zeggen had.

'O nee? Nou, ga je gang...' Hij maakte een uitnodigend gebaar. 'Help ons uit de droom.'

Nikki verplaatste haar blik naar het donkere raam in een poging haar frustratie te verbergen.

'Ik denk dat Nikki's inschatting juist is,' verklaarde Brad. 'We hebben te maken met een hoogintelligent individu, iemand die precies weet wat hij doet binnen de context van zijn eigen wereld.'

'Dat hij gaten kan boren en zijn troep achter zich opruimt betekent nog niet dat hij niet zo gek is als een deur.'

'Nee,' bracht Nikki in het midden, 'maar zelfs als hij psychotisch is, wil dat nog niet zeggen dat hij een beest is.'

'Ik zie motivatie en intentie,' vervolgde Brad, met een knikje naar de tekst op het scherm. 'Maar het zou een grote vergissing zijn ervan uit te gaan dat de auteur niet precies wist wat hij schreef en waarom hij het schreef.'

'Je bedoelt dat hij zijn volgende zet aankondigt,' zei Temple, met een blik naar het scherm. 'Hoezo?'

'Neem even aan dat dit is geschreven door een ontwikkeld iemand; een dichter met de intelligentie van Hemingway. En geschreven voor ons, met wat grammaticale slordigheden erdoorheen gestrooid om minder intelligent over te komen.'

'Grammatica heeft weinig uitstaande met intelligentie,' zei Nikki.

'Dat besef ik. Maar denk even met me mee. Wat zegt hij eigenlijk?'

'"De schoonheid van *het* paradijs is verloren",' las Nikki. 'De zondeval. Verloren onschuld.'

Temple sloot zijn ogen in een vertoon van ongeduld. 'Oké. Iets minder voor de hand liggend graag.'

Brad knikte naar Nikki. Ze wisselde een onderzoekende blik met hem, knikte dankbaar terug en keek naar het scherm.

'Hij zegt dat waar eens schoonheid, onschuld en intelligentie heersten, dat dat paradijs nu verloren is gegaan. De slang – lees: het kwaad of de duivel – is verantwoordelijk. Van de derde regel ben ik niet zeker. "Ik kwam naar haar en ze verbrijzelde de kop van de slang" zegt me niets.'

Ze keek naar Brad.

'Motivatie,' zei hij. 'Hij, de slang, vernietigde de schoonheid, maar liep daarbij een wond op. Hij is boos. Ga door.'

Nikki knikte. 'Daar kan ik in meegaan. De laatste drie regels lijken vrij rechttoe rechtaan. Hij is uit op een vervanging van het mooie schepsel dat viel, zodat hij weer kan leven.'

'Hij is op zoek naar een partner,' zei Brad. 'Een nieuwe Eva.'

'En wat kunnen we daarmee?' vroeg Barth Kramer.

Temple, die weer was opgestaan, negeerde de man volkomen en begon te ijsberen. 'Oké, ik volg je. Ga door.'

Brad liep op en neer aan de andere kant van de vergadertafel, zijn ogen gericht op de woorden in het handschrift van de moordenaar. Hij zag het helemaal voor zich. Het bureau. Keurig ingedeeld. Perfect geordend. De pen die boven het papier zweefde terwijl de woorden die de man duizend keer had gepreveld door zijn hoofd dreunden, als een koorzang. Een koraal uit een symfonie. Een requiem dat de waarheid donderde, dat eiste gehoord te worden.

Nu was een dergelijke waarheid teruggebracht tot louter woorden op een simpel stukje wit papier, zichtbaar voor zijn grootste vijanden. Het moest aanvoelen alsof je je publiekelijk ontkleedde – griezelig en opwindend tegelijk. De moordenaar gaf zich bloot. Zijn hele leven was hier gecondenseerd, op dit stukje papier.

Brad schraapte zijn keel. 'Zijn moorden zijn ritualistisch van aard en vertegenwoordigen zijn weg naar het leven. Hij handelt niet uit woede. Op geen van de plaatsen delict zijn sporen van woede gevonden.'

De lokale autoriteiten hadden het eerste slachtoffer drie weken geleden aangetroffen in een schuur even ten zuiden van Grand Junction, in de droge Grand Valley, dicht bij de grens van Utah en Colorado. Serena Barker was drieëntwintig jaar oud en de politie was ervan uitgegaan dat ze het slachtoffer van een satanistisch ritueel was. Ze was drie dagen dood en een prairiewolf had in haar linkervoet gebeten.

Het FBI-kantoor in Denver was pas ingeschakeld toen het tweede lichaam werd gevonden, op honderd kilometer ten noordoosten van Denver, in een appartement in de veestad Greeley. Karen Neely, vierentwintig jaar oud. Ook zij was met zorg opgemaakt, bijna smetteloos in haar laatste verschijning. Toen Brad op de zaak was gezet, had hij onmiddellijk kopieën van het dossier bij Grand Junction opgevraagd. Een ijverige rechercheur, Braden Hall, had de zaak minutieus gedocumenteerd. Het leed weinig twijfel dat ze met een seriemoordenaar te maken hadden.

Een week later had de Bruidenvanger zijn derde vrouwelijke slachtoffer gemaakt, in Parker, ten zuiden van Denver. Julia Paxton, twintig jaar, was minder dan acht uur na haar dood gevonden, als een visioen van geperverteerde schoonheid, vastgelijmd aan een muur in haar eigen huis.

Allemaal vrouwen van beneden de vijfentwintig. Allemaal beeldschoon. Vooralsnog was slechts één moord in de pers terechtgekomen – die op Julia Paxton, een bekend lingeriemodel voor Victoria's Secret. Afgezien van de kenmerkende omstandigheden waaronder ze waren overleden, hadden ze geen verband tussen de vrouwen kunnen vaststellen.

Wat de moordenaar betrof: volgens het bewijsmateriaal van de eerdere plaatsen delict moest hij tachtig à negentig kilo wegen. Dit op basis van de diepte van zijn voetafdrukken in de grond. Geen DNA om door het *Combined DNA Index System* (CODIS) te leiden. Geen haren of huidcellen. Geen speeksel, bloed, sperma of latente vingerafdrukken die met de moordenaar in verband waren te brengen.

Hij was in wezen ongrijpbaar, vluchtig. Een schim.

'Zijn motivatie is het zoeken naar leven,' vervolgde Brad, 'niet het zaaien van dood. Hij gelooft dat hij de vrouwen ten leven leidt.'

Temple staarde hem aan. 'Kijk, nu raak je iets waarvan mijn mafkeesantennes op tilt slaan. Vergeef me als ik iemand "ten leven" martelen en ombrengen als het werk van een volslagen krankzinnige beschouw.'

'Misschien psychotisch,' zei Nikki. 'Misschien geestelijk gestoord. Maar niet per se minder intelligent dan een van ons. Het directe verband tussen psychose en intelligentie is in enkele gevallen goed gedocumenteerd. We moeten ervan uitgaan dat de Bruidenvanger intelligenter is dan wie ook in dit vertrek. Als we dat niet doen, lopen we het risico hem ernstig te onderschatten.'

'Dat is je profiel? Onze man is een genie?'

Ze aarzelde. 'Ja.'

Temple sloeg zijn armen over elkaar en leunde tegen het bureau. 'Oké, daar mag je mee aan de slag.'

'Dat is nog niet alles,' zei Brad. 'Hij wil dat wij wéten dat hij het op mooie vrouwen voorzien heeft, dat blijkt overduidelijk uit zijn boodschap. Volgens mij beseft hij drommels goed dat wij zijn poging om onintelligent over te komen zullen doorzien. Hij wil dat we zoeken naar een superintelligent persoon die een voorliefde heeft voor het doden van mooie vrouwen omdat hij door één mooie vrouw is afgewezen. In werkelijkheid is dat niet het geval. Klinkt dat jou als juist in de oren, Nikki?'

Haar blauwe ogen werden groter. Ze knikte afwezig, in gedachten verzonken. 'Griezelig juist.'

Temple trommelde met zijn vingers op de tafel. 'Oké, dan spelen we zijn spelletje mee. We richten het vizier op de mooiste vrouwen in en om Denver.'

'Dat is juist wat hij wil,' zei Frank, die zich tot nu toe wat op de achtergrond had gehouden.

'Ik sta open voor suggesties. Bij gebrek daaraan houden we hem bezig, zelfs als dat betekent dat we het spel volgens zijn regels spelen. Hang het niet aan de grote klok. Het is nergens voor nodig om iedere vrouw die denkt dat ze er leuk uitziet in paniek te brengen. Zijn er bandensporen bij de schuur gevonden?'

'Nee.'

'Is het andere bewijsmateriaal al verwerkt?'

'Tot dusver hebben we geen match. De verse haren, het lichaamsvocht en de vingerafdrukken horen bij het slachtoffer. Met drie andere haarmonsters zijn we nog doende. Ze kunnen afkomstig zijn van iedereen die daar heeft rondgespookt.'

Temple bedankte Frank met een knikje en richtte zich tot de anderen. 'Nog andere ideeën?'

Nikki maakte zich los van de muur en begon heen en weer te lopen. 'Wil je met hem mee spelen? Begin dan bij alle bekende gevallen van geestesziekte in Colorado.'

'Dus nu is hij weer kierewiet?'

'Je luistert niet. Nogmaals: genialiteit en geestesziekte sluiten elkaar niet uit.'

'Maar je bent bereid toe te geven dat hij zo gek als een deur kan zijn.'

Ze ademde langzaam uit. 'Ik denk dat onze man ernstig gestoord zou kunnen zijn, alleen niet volslagen krankzinnig. Misschien is hij psychotisch en lijdt hij aan wanen, wellicht aan acute schizofrenie, maar hij is geen kwijlende idioot.'

‘Dan gaan we er vooralsnog van uit dat hij zowel geestelijk gestoord als een genie is. Zo goed?’

Ze knikte. ‘Degenen die niet complete eenlingen zijn vind je op internet, in de praktijken van psychiaters, op psychiatrische afdelingen. Het is een begin.’

‘Vanaf nu richten we ons zoeklicht op afwijkingen of patronen in psychiatrische klinieken, beschermde woonvormen enzovoort.’ Temple draaide zich om naar Brad. ‘Zet alle middelen in die je nodig hebt. Vergelijk wat we van de Bruidenvanger weten met de dossiers van alle bekende psychopaten die zijn ontslagen uit iedere inrichting in de laatste’ – hij keek naar Nikki – ‘tien jaar?’

‘Te veel gevallen. Geestesziekte is wijder verbreid dan je denkt. In dit land belanden jaarlijks bijna zevenhonderdduizend geesteszieken achter de tralies. Begin met één jaar.’

Temple keek verbluft. Brad vond het vreemd dat de man niet bekend was met deze feiten. ‘Grote genade.’ Hij keek naar de wandklok: bijna 22.00 uur. ‘Goed dan, één jaar. Ik moet weg.’

Brad nam het woord voordat de man in beweging kon komen. ‘We moeten er ook van uitgaan dat hij zeven vrouwen wil doden. “De zevende en mooiste” zou kunnen slaan op zijn laatste doelwit.’

Dat stemde tot nadenken.

‘Tenzij hij er nog drie heeft vermoord zonder dat iemand het weet,’ zei Frank.

‘Als we van het ergste scenario uitgaan, heeft hij er nog drie te gaan,’ zei Brad. Hij keek naar Nikki. ‘En als het slimste jongetje van de klas weet hij dat wij dat weten. Hij wíl dat wij weten dat hij nog drie vrouwen gaat vermoorden.’

‘Dat klinkt zinnig.’

Brad sprak snel verder. ‘Hij zal binnen een paar dagen weer toeslaan. Als het hem een paar dagen kost om zijn slachtoffer te doden, dan is hij waarschijnlijk al voorbereidingen aan het treffen. Het is een korte cyclus voor iemand die moordt om aan een innerlijke dwang te voldoen. Maar de werkwijze van onze man is verstandelijk, niet puur dwangmatig.’

Ze staarden hem aan, met de armen over elkaar.

‘Oké. Ik moet gaan.’ Temple griste zijn mobiele telefoon van de tafel en liep naar de deur. 'We gaan ervan uit dat onze man nu bezig is om ons idioten te slim af te zijn en dat hij een mooie vrouw stalkt die hij in de komende dagen wil vermoorden.' Hij draaide zich terug bij de deur. 'In de naam van alles wat heilig is, roep hem een halt toe.'

3

Zijn naam was Quinton Gauld en op dit moment maakte hij zich op om een dikke, sappige steak te verorberen in Elway's Steakhouse op de hoek van 19th en Curtis, slechts één blok van het FBI-gebouw op Stout Street, Denver-centrum, Colorado, Verenigde Staten van Amerika, Noord-Amerika, de Wereld, het Heelal, het Oneindige.

De gedachte dat hij zo dicht bij de enige mensen was die in staat waren om zijn plannen in de war te sturen, bracht hem in een calculerende stemming. Het was tijd voor reflectie en zelfonderzoek, tijd om zich te doordrenken van de sappen der waarheid.

En na een dergelijke introspectie voelde Quinton zich alleszins tevreden.

De kelner, een lange blonde vent met een beginnend buikje en puntige ellebogen, zette een aardewerken bord voor hem neer met behulp van een roomkleurige pannenlap die om de rand was gevouwen om te voorkomen dat zijn handpalm en vingers hetzelfde lot ondergingen als de lap rundvlees. Zijn naam was Anthony.

'Voorzichtig, het bord is gloeiend heet.'

'Dank je, Anthony.'

'Alles naar wens?'

'Ik zal het je zo laten weten.'

'Weet u zeker dat u er niets bij wilt? Groente? Brood?'

'Ik heb alles wat ik wil, Anthony.'

'Iets te drinken misschien?'

'Ik heb water, Anthony. Water spoelt een steak uitstekend weg na al dat bloedvergieten.'

De kelner glimlachte minzaam. Kennelijk waardeerde hij de

manier waarop Quinton het slachten van een koe beschreef. Maar Quinton doelde op Caroline, niet op de koe. Caroline was geen koe en ze was niet geslacht.

Ze was een van Gods lievelingen en ze was aangeboord. En daarna leeggebloed.

Zegen me, Vader, want ik heb gezondigd.

Quinton pakte zijn vork en omvatte hem met zijn grote, knokige hand. Hij wachtte een moment en staarde naar de gouden manchetknoop aan het boord van zijn overhemd. Een duimbreed wit, dan begon het blauwe Armani-pak, gereserveerd voor bijzondere gelegenheden.

Hij werkte nooit in pak met das, omdat hij dat te beperkend vond. Hij gaf de voorkeur aan naaktheid, waaraan alleen een zwarte onderbroek afbreuk deed.

Hij keek een moment gefascineerd naar de glimmende vork tussen zijn vingers. Groter dan de doorsnee vork. Een echte mannenvork. Zijn eigen vingers waren langer dan de meeste, zeker tweeënhalf centimeter langer. Puur afgaande op zijn handen zou je zijn lengte op twee meter tien schatten. In werkelijkheid was hij niet langer dan een meter negentig.

Hij draaide zijn pols, in de ban van de aanblik van vlees tegen metaal: gevoelloos oppervlak omhelsd door zacht vlees. Ooit had hij zijn handen te groot en te lomp gevonden, wezensvreemde aanhangsels aan het eind van lange botten. Daarom had hij besloten om bijzondere zorg aan zijn handen te gaan besteden, en gaandeweg was hij ze oprecht gaan waarderen. Ze hadden hun eigen unieke schoonheid, een onderwerp waarin hij veel meer was ingevoerd dan de meeste mensen. Hij had zich door verschillende Aziatische vrouwen tweemaal per week een manicure en pedicure laten geven, bijna een jaar lang nu, en de resultaten waren indrukwekkend.

Quinton bewoog zijn wijsvinger. Toen nogmaals. Probeerde de boodschappen te volgen die zich met een snelheid van zestig meter per seconde over de neuronen in zijn brein verspreidden voordat ze via zijn zenuwbanen werden afgevuurd naar de spieren in zijn hand. Op ditzelfde moment spoedden kleine pakketjes energie zich van zijn brein naar zijn hand met heldere, precieze opdrachten, en toch was hij zich er totaal niet van bewust hoe of wanneer zijn brein de cyclus begon of beëindigde. Hoe beslissing instructie werd. Hoe instructie in beweging werd omgezet.

Het brein was een mysterie voor de meeste mensen, en vooralsnog ook voor Quinton Gauld.

Het kwam bij hem op dat zijn meditatie op de subtiele facetten van het leven een volle minuut of meer had geduurd. Geen slechte zaak, want per slot van rekening was hij hier om te genieten. Geen enkel genot haalde het bij het vermogen van de geest zich te amuseren.

En al de tijd dat hij zijn hand en het bestek erin had bestudeerd, was hij zich perfect bewust geweest van al het andere dat omging in Elway's eetpaleis.

De barman met zijn zilveren oorringetjes, die zijn excuses had gemaakt nadat hij bier had gemorst op de handen van een vrouwelijke gast. Hij bood haar een gratis drankje aan. Ze sloeg het af, maar verachtte hem om zijn slordigheid. Ze was een echte koe, die zich door misleidende stemmen in haar hoofd had laten wijsmaken dat haar zwarte polyester pantalon niet te strak was, ook al was ze in de afgelopen drie maanden vijf kilo aangekomen door de pillen die ze slikte. Quinton hield het erop dat depressie haar demon was.

De twee nieuwe gasten, één met een stel vlegelachtige kinderen, die het pand hadden betreden sinds hij zijn vork had opgepakt.

Het getrouwde stel twee tafels verder, dat kissebiste over de prijs van een nieuw busje en of het een blauw of een grijs busje moest worden. Zwart was te besmettelijk. Nee, wit was te besmettelijk. Heel even overwoog Quinton hen een handje te helpen om een wat ruimere kijk op het woord 'besmettelijk' te verwerven.

De aantrekkelijke serveerster in haar mouwloze witte topje, die glimlachte terwijl ze zijn tafel passeerde. Ze vond hem interessant. Knap. Een echte gentleman, aan zijn houding en voorkomen te zien. Hij maakte dit niet alleen op uit haar blik. Vrouwen zeiden altijd iets over deze bewonderenswaardige trekken. Deze – haar naamschildje identificeerde haar als Karen met een C, of Caren – viel waarschijnlijk evenzeer op zijn postuur. Ze zeiden dat grootte er niet toe deed, maar de meeste vrouwen hadden wel degelijk hun voorkeuren als het om grootte ging. Caren viel op grote mannen.

Er zat een vlieg gevangen in het raam aan zijn rechterhand.

Nog honderd andere prikkels hadden zijn brein bereikt terwijl hij de vork aanschouwde. Niet in de laatste plaats de geurige dampen die van zijn gegrilde steak opstegen.

Quinton hield zijn vork in zijn linkerhand, met één vinger op de brug om hem te stabiliseren, en sneed door het malse vlees met een gekarteld mes dat ter beschikking was gesteld door Jonathan Elway, de befaamde quarterback van de Denver Broncos, die volgens Quintons research van drie dagen terug, toen hij het restaurant voor deze gelegenheid zorgvuldig had geselecteerd, inderdaad een lieveling was geweest onder al Gods kinderen.

Zegen me, Vader, want ik heb gezondigd.

Een man met een benijdenswaardige kracht en intelligentie, die in staat was om een met lucht gevulde leren zak met zo'n precisie en kracht door de lucht te slingeren dat weinig verdedigers hem aan zagen komen, laat staan konden verhinderen dat hij de beoogde vanger bereikte.

Op zijn door God gegeven terrein was Jonathan Elway, aan de rest van de wereld bekend als John Elway, een god geweest. Hij was niet zo dom dat hij zichzelf als een god zag, zoals de meeste mensen die hun zielige fantasietjes wilden uitleven. Hij wás een god, waarschijnlijk zonder het zelf te beseffen.

Quinton bracht de eerste hap vlees naar zijn mond, trok het malse brokje met zijn tanden van de vork en sloot zijn ogen. De smaak was kostelijk. Het geschroeide korstje gaf met een zacht krakje toegang tot de sappige vezels eronder. Sap stroomde zijn mond in en verzamelde zich onder zijn tong terwijl hij zijn kiezen diep in het vlees liet zinken.

Zo kostelijk en bevredigend dat hij zichzelf een zachte kreun toestond. Hij kauwde nog tweemaal, nog steeds met gesloten ogen, om alle andere visuele prikkels buiten te sluiten. Het genot verdiende een duidelijker uitdrukking van waardering. Gefluisterd ditmaal.

'Mmmm... Mmmm... Verrukkelijk.'

Het was belangrijk om niet gemaakt te zijn. Met valse pretenties bagatelliseerde je alleen maar wie je werkelijk was. De meeste mensen hielden een façade op, in een poging hun eigen fouten en zwakheden te compenseren. De hele wereld was gemaakt, bevolkt door mensen die een rol speelden waarmee ze alleen de dwazen voor de gek hielden. Triest genoeg droegen ze hun façades al zo lang met zich mee dat ze het zelf niet meer in de gaten hadden.

Ik ben een succesvol zakenman – kijk maar naar de Rolex aan mijn pols.

Ik ben een geweldig minnaar en kostwinner – kijk maar naar mijn afgetrainde lijf met spierbundels op alle juiste plekken.

Ik zit lekker in mijn vel – zie maar hoe nonchalant ik rondloop in een slobberige trainingsbroek en een T-shirt.

Ik ben een nul. Maar zeg het alsjeblieft tegen niemand.

De stem van de vlegelachtige jongen, die nu in een zitje aan de andere kant van het eethuis zat, ging Quinton door merg en been. Hij bedwong een grimas van ergernis. Het was belangrijk om niet gemaakt te zijn, maar het was minstens zo belangrijk om de persoonlijke levenssfeer van anderen te eerbiedigen. De jongen verstoorde de balans van rust en vrede in de zaal. Ongetwijfeld zouden alle andere gasten, tot op de laatste man of vrouw, dolgraag een sok of laars in de keel van de jongen proppen, als ze niet zo bang waren om hun ware gezicht te laten zien.

Hij sloot zich af voor de jongen en concentreerde zich op het ballet van smaken dat door zijn mond danste. Hij begon te kauwen, met krachtige kaakbewegingen die de sappen vrijmaakten in zijn mond en keel. En slikte diep.

De details van zijn eerdere activiteit, die hij nu vierde door te breken met een streng vegetarisch dieet, kwamen hem opnieuw voor de geest. Zijn uren met Caroline waren bevredigend geweest, zoals alle grote prestaties bevredigend waren. Maar hij had aan het bloedvergieten geen lichamelijk genot ontleend.

Maar het verorberen van de steak... Dat was inderdaad net seks. En omdat Quinton sinds die verschrikkelijke nacht zeven jaar geleden geen enkele seksuele bevrediging had gekend, koesterde hij elk ander zingenot dat hem eraan herinnerde dat lichamelijk genot inderdaad een groot geschenk was.

Het nieuws van Carolines dood zou de wereld spoedig voor een enkele vraag stellen. Wie is het? Wie is het? Is het mijn buurman, is het de vakkenvuller bij de supermarkt, is het de rector van de middelbare school?

Mensen waren voorspelbaar. Als robots. Bordkartonnen figuren met overbodige franje, veel te veel franje. Er was maar één mens die er werkelijk toe deed, en op dit moment was *híj* dat. Alles om hem heen was decor. Hij was de enige echte speler op dit toneel.

Het publiek had slechts oog voor hem, de anderen waren slechts figuranten. Dat gold voor de hele heidense bende, maar slechts weinigen waren moedig genoeg om deze ene prachtige, bittere waarheid te begrijpen of toe te geven: diep vanbinnen geloofden ze allemaal dat ze het middelpunt van het heelal waren.

Maar op dit moment was Quinton dat, en hij was verstandig genoeg om deze waarheid te omhelzen.

God had Quinton Gauld uitverkoren. Simpel. Onbetwistbaar. Definitief.

En dat bracht Quinton op de taak die voor hem lag. Nog drie, naar zijn goeddunken. De mooiste het laatst.

De jongen in het zitje verderop mekkerde dat hij geen doperwtjes lustte. Een groente waar niets mis mee was, maar dat was iets wat die donkerharige knaap, die tien of elf leek, weigerde in te zien, deels omdat de vader hem in plaats van uitleg afleiding bood. 'Een sorbet misschien, Joshie? Kreeft misschien, Joshie?'

Quinton sneed nog een stukje vlees af en deed zich eraan te goed. Zalig gewoonweg. Zelden had hij zo van vlees genoten. Maar de jongen ondermijnde de ervaring en Quinton voelde de regressie op zijn psyche drukken. 'Joshie' was gek van woede, en zo te zien zonder goede reden. Zijn geest werkte gewoon niet goed. Ging naar de filistijnen. Verrot nog voor hij in het graf lag.

Er waren nog maar weinig dingen die Quinton van de wijs konden brengen. Hij had zijn geest lang geleden getemd. Een dokter had ooit geconstateerd dat hij aan een schizoaffectieve stoornis leed, een geestelijke aandoening die gepaard ging met complicaties als een denkstoornis en bipolaire stemmingswisselingen. Vijf jaren van zijn leven waren voorbijgegaan in een mist van zware medicatie, totdat hij in stilte in opstand was gekomen tegen de onderdrukking.

De aandoening was zijn grootste geschenk, geen ziekte. Hij gebruikte nog steeds een zeer lage dosis medicatie vanwege de tics – een natuurlijk bijproduct van een supergeladen geest; overigens steunde hij op zijn eigen, aanzienlijke scherpte en inzicht.

Op dit moment vergde het elke vezel van zijn geduchte intellect om kalm te blijven. Het blokje gegrilde koe in zijn mond smaakte nu meer naar karton dan naar vlees. Na zijn opmerkelijke prestatie van eerder vandaag jubelden de hemelen, maar de ratten op aarde tastten volledig in het duister. Er was geen respect meer op de wereld.

De vader stelde voor dat Joshie een time-out nam om erover na te denken, en de jongen rende blèrend naar de toiletten. Geen van de andere gasten leek erg verontrust door het tafereel.

Het hele minidrama was meer dan Quinton bereid was te verdragen. Hij legde zijn mes kalm neer, depte zijn lippen met zijn servet zevenmaal af, mondhoek voor mondhoek, een gewoonte die hem hielp om zijn gedachten op een rijtje te zetten, nam nog een gulzige slok van het gezuiverde water, legde een biljet van honderd dollar op de tafel en stond op.

Met een knikje en een glimlach naar de serveerster die op hem viel, begaf hij zich naar het toilet.

Het was belangrijk om niet op te vallen in de massa en tegelijkertijd een niet-gemaakt leven te leiden. Een authentiek leven. Authentiek, maar daarom nog niet trots en aanstootgevend. Dat was het probleem van de jongen: hij viel op in de massa, gedroeg zich alsof hij een verwend koninkje was dat een sorbet at terwijl de rest van het rijk het met doperwten moest doen.

Quintons uitdaging was hoe de jongen tot inzicht te brengen zonder dezelfde vergissing te begaan en de aandacht op zich te vestigen. Hij wilde en mocht niet in de schijnwerpers staan, zeker nu niet.

Met een blik over zijn schouder, die uitwees dat niemand anders haast had om zich te ontlasten van eten of drank, betrad hij de toiletten. De deur viel met een zachte klik achter hem dicht.

De jongen stond voor het urinoir en stootte een lang gejammer uit dat misschien paste bij een begrafenisstoet, maar niet hier. Niet na het aanbod van een sorbet.

Erop gebrand zijn boodschap snel over te brengen, liep Quinton naar de wc-hokjes, keek in beide om zeker te zijn dat ze alleen waren en liep op de jongen af.

Hij tikte Joshie op de schouder. De jongen sloot zijn rits en draaide zich snel om, hapte naar adem en slikte zijn irritante gejammer in.

'Waarom huil je, ventje?' vroeg Quinton.

Joshie bekwam van de eerste schrik en vertrok zijn mond tot een smalende streep. 'Bemoei je met je eigen zaken,' zei hij. Toen maakte hij aanstalten om langs Quinton heen te lopen.

Quinton wist het nu: de jongen was zwaar gestoord. Misschien wel geestesziek, maar waarschijnlijker gewoon tot in de kern verrot. Ingrijpen was zowel redelijk als noodzakelijk, wilde de jongen nog enige hoop hebben om goed aangepast de volwassenheid te betreden.

Quinton stak zijn hand uit om hem tegen te houden. 'Niet zo snel, jongeman. Ik stelde je een vraag en ik verwacht een antwoord.'

Hij duwde de jongen terug en pakte hem bij zijn schouder.

'Au! Laat me los!'

'Stel je niet zo aan,' zei Quinton kalm. 'Knaap,' voegde hij eraan toe, omdat het woord de hele zin een klank gaf die bij de gelegenheid paste. En dit was een zeer gepaste gelegenheid. 'Vertel me waarom je het recht meende te hebben om zo te jammeren. Als je me het juiste antwoord geeft, laat ik je er misschien met een waarschuwing van afkomen.'

De jongen verzette zich tegen Quintons greep. 'Laat me los, idioot!' De mond van de jongen vertrok. Had deze knaap dan geen greintje fatsoen in zijn lijf? Had hij zelfs maar een vage notie met wie hij te maken had?

Quinton kneep hard en boog zich naar voren om niet te hoeven schreeuwen. Hij fluisterde hem streng toe: 'Iemand gaat een dezer dagen een kogel door je hoofd jagen. Onder andere omstandigheden zou ik die taak op me nemen. Je bent niet de enige snotneus op de wereld, en de waarheid is dat de meeste mensen je liever zouden afmaken dan naar jouw jammergat te luisteren.'

De jongen staarde geschokt naar hem op. Een donkere kring verspreidde zich over zijn kruis. Kennelijk had hij zijn blaas toch niet zo grondig geleegd.

'Wees voorzichtig met wat je hun vertelt. Ze zullen toch niet geloven dat ik je geslagen heb. Je gezicht is al zo rood als een biet van je babygemekker. Maar als je wel verklapt dat ik je geslagen heb, kom ik je in je kamer opzoeken als je ligt te slapen en ruk ik je tong uit.'

Maar de jongen deed wat de meeste mensen op momenten van crisis doen. Hij werd zichzelf. Hij begon moord en brand te schreeuwen.

Quinton haalde met gecalculeerde kracht uit en sloeg met de vlakke hand tegen de kaak van de schreeuwlelijk. Als hij de jongen niet bij de schouder had gehad, zou de klap hard genoeg zijn aangekomen om Joshie door de toiletruimte te laten vliegen, maar niet genoeg om zijn kaak of nek te breken.

Krak!

'God zegene je, jongen, want je bent een zondaar.'

Het was genoeg om de jongen de mond te snoeren – en van zijn stokje te laten gaan. Hij duwde het slappe lijf van de jongen naar de hoek en zette het klem tussen de muur en het urinoir.

Tevreden dat hij tot hem was doorgedrongen, liep Quinton naar de spiegel, verschikte zijn kraag, trok aan zijn manchetten tot zijn overhemd precies de juiste hoeveelheid wit toonde, streek over zijn linkerwenkbrauw, die in de commotie op een of andere manier uit de plooi was geraakt, en verliet de toiletten.

Niemand in de lawaaierige eetzaal gunde hem meer dan een vluchtige blik. De hele tent zou juichend zijn opgesprongen bij het nieuws dat Joshie in slaap was gevallen bij het urinoir. Als ze allemaal lang genoeg duimden, zou de jongen op een dag achter het stuur in slaap vallen, door een brugreling crashen en in een rivier storten om een kille dood te vinden.

Quinton voelde zich dubbel goed na zijn ingrijpen. Hoewel hij zijn steak niet helemaal had kunnen opeten, had hij zowel Joshie als de rest van de onderkruipsels in dit etablissement weten te helpen zonder zelfs maar een wenkbrauw van een van hen te krenken. Behalve bij Joshie natuurlijk. Bij die knaap had hij heel wat meer dan een wenkbrauw gekrenkt.

Quinton liep tussen de tafels door en oogstte slechts de terloopse waarderende blikken die de best ogende burgers te beurt vallen. Maar heel weinig mensen beseften hoeveel psychotische leden van de samenleving hen, elke dag opnieuw, in de supermarkt of in een restaurant passeerden. Wat hun nog meer angst zou aanjagen was hoeveel gewone mensen geestelijk gestoord waren en dat zelf niet wisten.

Quinton knipoogde naar de serveerster terwijl hij naar de uitgang liep. Vervolgens bedankte hij Anthony voor het heerlijke maal. Bij de voordeur werd hij vriendelijk begroet door de gastvrouw.

'Was alles naar wens?'

'Ja. Jazeker, Cynthia. Heb je toevallig gesteriliseerde tandenstokers?'

Ze wierp een blik op de transparante kom met tandenstokers, reikte toen onder de toonbank en haalde een doos tevoorschijn waarin elke tandenstoker afzonderlijk in plastic was verpakt. Ze glimlachte samenzweerderig.

'Dank je.' Hij telde er zeven uit en knikte. 'Voor mijn vrienden.'

'Geen probleem. Neem de hele doos als u wilt.'

'Nee, dat kan ik niet doen. Ik betwijfel of John het op prijs zou stellen dat hij bestolen werd.'

Ze lachte. 'O, dat zal wel meevallen. Meneer Elway is heel genereus.'

'Nou, afgaande op de kwaliteit van zijn steaks beknibbelt hij niet, dat wil ik wel beamen. Een hele fijne avond, Cynthia.'

'Dank u. Rij voorzichtig.'

Hij stopte bij de buitendeur en keek achterom. 'O, dat vergat ik nog bijna. Ik denk dat er op het toilet een jongen in slaap is gevallen.'

'Heus?'

'Ik weet het niet zeker, maar ik kreeg de indruk dat hij sliep.'

Hij groette met een nonchalant handgebaar. 'Hoe dan ook, nogmaals bedankt.'

Toen was hij buiten, alleen in het donker. Hij haalde diep adem, vol waardering voor de rijke geur van schroeiende steak die uit de keukenafvoer van het etablissement kwam.

De autokeuze van een man was veelzeggend. Hij had ooit gehoord dat een steenrijke man, wiens naam hij bewust had verdrongen, ervoor had gekozen om in een oude pick-uptruck te rijden in plaats van in een Mercedes. Quinton had meteen geweten dat de man óf hopeloos onzeker óf volslagen krankjorum was. Niemand die goed in zijn vel zat zou zijn best doen om zijn rijkdom te verbergen, tenzij hij veronderstelde dat anderen een hekel hadden aan rijke mensen of mensen die rijk wilden zijn, zodat ze een vermomming nodig hadden.

Quinton had oog voor de noodzaak van subtiliteit, iets wat Joshie pas een paar minuten geleden had begrepen. Maar in een pick-uptruck rondrijden terwijl je honderd miljard waard was, was allesbehalve subtiel. Als de man niet onzeker was, dan was hij flink in de war als hij dacht dat je een gewone man werd als je je voordeed als een gewone man. Zo mogelijk trok een dergelijk excentriek gedrag nog meer de aandacht dan als de man eerlijk tegen zichzelf was geweest. Misschien verlangde hij naar de extra aandacht, niet bereid om een zoveelste rijke man in een dure wagen te zijn, en werd hij gedreven door onzekerheid, niet door waanzin.

De cirkelredenering achter het geheel kwam met een misselijkmakende dreun aan. Quinton had heel wat tijd besteed aan het overdenken van de vraag en was nooit tot een definitief antwoord gekomen.

Hij liep om het restaurant heen naar zijn Chrysler M300 en zag dat er een BMW M6 naast zijn wagen was geparkeerd. Met een prijskaartje van meer dan honderdduizend dollar was de M6 het duurste BMW-model, een overdrijving van het testosteron van welke eigenaar dan ook. Het kleine M6-symbool was het enige teken dat de voorbijganger vertelde dat deze wagen veel duurder was dan zijn goedkopere, overigens identieke broer.

Niettemin was de styling subtiel. Een redelijke keus in extravagantie. Hij speelde even met de gedachte de banden van de M6 door te snijden, maar verwierp het idee toen als de fantasie van een kleingeestiger man.

Quinton putte genoegen uit de wetenschap dat hij geen rancune of jaloezie koesterde jegens lieden die pretendeerden dat ze belangrijker waren dan hij. Hoewel hij er geen aandrang toe voelde, zou hij op ditzelfde moment elke bank kunnen binnenlopen of door Wall Street kunnen wandelen en worden begroet met hetzelfde soort warmte en respect dat iedere geslaagde zakenman ten deel viel. Toch ontleende hij geen overmatig plezier of leedvermaak aan dat feit.

Met hetzelfde gemak kon hij in een van zijn vele identieke grijze pantalons stappen, een van zijn blauwe overhemden met korte mouwen aanschieten, een trouwring aan zijn vinger schuiven, zijn oudere groene Chevy pick-up pakken, waaraan hij de voorkeur gaf boven de M300, en in elke bar of in elke rij voor de kassa van een supermarkt worden aangezien voor een doodgewone, respectabele burger.

Quinton trok zijn colbert uit en installeerde zich in zijn wagen. Voordat hij naar huis ging, zou hij naar Melissa Langdons huis rijden. Ze zou binnen een halfuur arriveren. Als hij voortmaakte, kon hij haar voor zijn.

Het kostte hem een volle vijfentwintig minuten om zich over de I-25 in zuidelijke richting een weg te zoeken naar de C-470 en vervolgens noordwaarts over de Santa Fe Drive naar de wijk waar Melissa Langdon woonde. Hij bracht de wagen tot stilstand in een zijstraat van Peakview, ver genoeg uit de buurt om geen verdenking te wekken van de kant van het blauwe huis, maar dichtbij genoeg om haar komen en gaan te kunnen observeren.

De nacht was stil en er was geen straatverlichting die de duisternis verstoorde. De meeste huizen in deze wijk hadden van die garages voor twee auto's die in de praktijk maar één wagen konden herbergen, zodat veel bewoners gedwongen waren hun tweede auto op hun oprit of op straat te parkeren. Zijn zwarte M300 stond tussen een stuk of tien vergelijkbare voertuigen die hun werk er voor die dag op hadden zitten.

Hij keek in zijn spiegels, eerst de rechter, toen de linker, toen nogmaals in de rechter en de linker. Elke keer deed hij zo meer informatie op en speurde hij verder de straat af. Hij zag de witte Mustang, de brandkraan, het kruispunt, de rij jeneverbessen twee huizen terug, de kat die een straat terug bij het verkeerslicht de weg overstak.

Maar geen mensen. Geen onraad.

Nadat hij zijn spiegels zevenmaal had gecheckt, zette Quinton de motor af en liet de nachtelijke stilte de Chrysler binnenkomen. Hij diepte een van de tandenstokers op en ontdeed hem van de plastic verpakking, waarbij hij zorgvuldig het scherpe houten puntje vermeed dat hij in zijn mond zou steken. Vervolgens begon hij de ruimten tussen zijn tanden systematisch te reinigen.

Voor hem stond het blauwe huis van Melissa Langdon in alle rust te wachten, slechts verlicht door een enkele verandalamp. Een rechthoekige bungalow op een perceel van ruwweg vierhonderd vierkante meter. Zeven ramen aan de straatkant, inclusief de badkamer naast de grote slaapkamer. De achtertuin was groot, maar Melissa was te druk in de weer met het serveren van drankjes en crackers op tien kilometer boven zee om zich bezig te houden met kavelgroottes.

De laatste keer dat Quinton achter het huis had gelopen, had het onkruid kuithoog gestaan. Een kat was zo onverwacht uit de ondergroei gerend dat hij achterover was gevallen. Hij had het dier diezelfde nacht nog de nek omgedraaid, maar niet zonder daarbij verscheidene lelijke schrammen op te lopen. Grappig toch dat het afmaken van een hersenloos schepsel gevaarlijker was gebleken dan het laten leegbloeden van diverse volwassen mensen. Na de daad had hij het dier onder zijn voorband gelegd om het er te laten uitzien alsof het per ongeluk was overreden. Hij zat er niet op te wachten dat de eigenaren hun gewurgde kat achter Melissa Langdons huis aantroffen en er aangifte van deden bij de politie.

Sommigen zouden zich misschien afvragen waarom God juist voor Melissa had gekozen. Ja, ze was mooi, dat kon iedere man zien, maar zelfs Quinton had de stewardess niet meteen herkend toen ze voor het eerst door het gangpad was komen aanlopen en hem had gevraagd of hij iets wilde drinken. Maar tegen het eind van die vlucht had hij het geweten. God had zijn keus gemaakt, via Quinton.

Melissa was lieftallig en haar glimlach was oprecht, anders dan die van de meeste vliegende hoeren die het luchtruim van de vrije wereld bezoedelden. Ze had een rond, vriendelijk gezicht dat werd omlijst door steil blond haar dat tot haar schouders reikte. Haar blauwe rok viel naadloos over haar smalle heupen. Ze hield haar robijnrood gelakte vingernagels kort, maar zorgvuldig gemanicuurd en haar vingers bewogen met gratie, alsof elke aanraking een streling was. Ze gebruikte ook regelmatig desinfecterende doekjes tijdens de vlucht.

Maar de ultieme waarheid stond in haar groene ogen. Onbezoedelde onschuld. Diep als een junglepoel. Melissa was een van de lievelingen.

Omdat hij zijn ogen niet van haar kon afhouden, had hij uiteindelijk zijn zonnebril op moeten zetten, en tegen de tijd dat het toestel landde, was zijn overhemd kletsnat van het zweet en trilde zijn linkerhand. Hij had een knikje en een vriendelijke glimlach van haar gekregen toen hij van boord ging en hij had haar zijn hand toegestoken om haar te bedanken.

Ze had hem aangenomen en geschud. Haar koele droge huid had hem rillingen van genot bezorgd. Hij was zo afgeleid geweest door die aanraking, dat hij verkeerd was gelopen en de *security area* had verlaten voordat hij zich herinnerde dat hij een aansluitende vlucht had. Hij was gedwongen geweest terug te gaan door de security en had zijn aansluiting gemist.

Quinton wist dankzij het rooster dat hij vorige week van haar ladekast had meegenomen, dat haar vliegtuig uit New York pakweg een uur geleden op Denver International Airport was geland, vertragingen daargelaten. Hopelijk zou ze geen omwegen maken voordat ze naar huis kwam.

Hij kon het vlees op zijn adem ruiken toen hij op zijn hand ademde. Toen hij de vorige – Caroline – had gevraagd of ze de geur van zijn adem aangenaam vond, had ze hem een betraand knikje geschonken. Nadat hij zo lang als hij zich kon heugen Colgate had gebruikt, was hij drie dagen geleden overgeschakeld op Crest en...

Lichtbundels scheerden over de straat. Melissa's blauwe Civic passeerde zijn M300.

Quinton voelde zich zwakker worden. Iets vanbinnen schrok terug bij het vooruitzicht van de ophanden zijnde kick. 'Zegen me, Vader. Zegen me.' Hij slikte diep en bleef doodstil zitten kijken hoe ze de oprit op reed. De garagedeur ging open en sloot zich weer achter haar wagen.

Zijn bruid was thuis.

4

Maart in Denver. Het kon de ene dag koud zijn en de volgende warm. Net als rechercheren, bedacht Brad. Je spoor kon elk moment doodlopen of een andere kant op wijzen. Meestal als gevolg van vrij basaal speurwerk, het vergaren van bergen gegevens en het zorgvuldig doorvlooien ervan.

Een arts had hem ooit verteld dat het stellen van een medische diagnose een kwestie was van het uitsluiten van potentiële ziekten tot je de waarschijnlijkste kwaal overhield die de symptomen verklaarde. Met recherchewerk was het net zo.

Zolang je verdachten in het onderzoeksproces elimineerde, boekte je vooruitgang. Het was soms Brads enige troost bij de genadeloze druk waaronder hij werkte.

In het geval van een seriemoordenaar zoals de Bruidenvanger veranderde de wetenschap dat de dader zou doorgaan het werk van een simpel eliminatieproces in een schaakpartij. Om succes te boeken baseerde je je niet alleen op gegevens uit het verleden, maar probeerde je ook vooruit te kijken.

Het anticiperen op de volgende zet van een moordenaar betekende dat je je in hem probeerde te verplaatsen. Natuurlijk niet omdat dat zo leuk was. Niemand met enige bedrevenheid of gezond verstand zou daar ooit verlangend naar uitzien. Je deed het alleen omdat het noodzakelijk was.

Brad had zich voor een afzakkertje geïnstalleerd in McKenzie's Pub, één straat van zijn appartement in de binnenstad, vervolgens de rest van de nacht alleen doorgebracht en zich woelend en draaiend verplaatst in de geest van de Bruidenvanger.

Hij was vroeg wakker geworden en al op weg naar de badkamer geweest om een douche te nemen, popelend om terug te keren naar de plaats delict, toen hij erachter kwam dat het pas drie uur in de ochtend was. Hij was weer onder de dekens gekropen, had zijn tweede kussen tegen zich aan geklemd en nagedacht over waanzin.

Krankzinnigheid. Geestesziekte.

De Bruidenvanger.

Inmiddels was het zeven uur – hij had zich verslapen na zijn slapeloosheid in de kleine uurtjes. Gedoucht, geschoren en gekleed in een blauwe pantalon en een wit overhemd goot hij nu zijn half leeggedronken kop koffie door de gootsteen, spoot er een scheut citroenfris achteraan en spoelde het weg.

Terwijl hij zijn overhemd dichtknoopte, slenterde hij naar het raam en keek uit over de stad.

Zijn appartement was op de vierde etage van een gebouw van tien hoog bij Colfax. Een driekamerappartement met ramen van vloer tot plafond die aan de buitenkant een spiegelende coating hadden. 's Nachts kon je zelfs met de lichten aan onmogelijk naar binnen kijken, terwijl Brad vanaf zijn plek bij de gootsteen over de ontbijtbar heen een weids uitzicht had over het centrum van Denver.

Tegen de horizon speelde een rij pieken van de Rocky Mountains kiekeboe met de contouren van een drukke, glimmende skyline. Naar het zuiden kon hij zich de verre top van Pikes Peak voorstellen. Als hij zich rechtsom naar het noorden draaide, kon hij ook een glimp opvangen van de massieve hellingen van Longs Peak, de kroon van het Rocky Mountain National Park en de ruwe noordgrens van de massieve bergketen.

Hij zuchtte. Ergens tussen de twee grenzen en binnen de stedelijke agglomeratie die zich voor hem uitspreidde, werd de moordenaar waarschijnlijk eveneens wakker.

Tragisch genoeg gold dat ook voor zijn volgende slachtoffer.

Ik zie, ik zie wat jij niet ziet. Passend voor een speurder. Passend voor een moordenaar. Hoeveel uren, dagen had de moordenaar zich achter het verduisterde glas van zijn auto of busje verscholen en op anderen geloerd – op potentiële slachtoffers, op vrouwen die zijn aandacht verdienden omdat ze in een bepaald profiel pasten? Mooi, zwak, argeloos, onschuldig.

Op wie loer je nu? Wiens vredige wereld van hoop zul je binnenkort kapotmaken?

Hij draaide de kraan dicht en keek snel rond in de keuken. Smetteloos. Zoals het hele appartement. Het meubilair van de woonkamer was gebouwd rond chromen frames met strakke lijnen en zwartfluwelen bekleding. Glazen tafels, maar niet van het goedkope soort dat verkrijgbaar was bij de eerste de beste Rooms to Go. Brads smaak was aan de dure kant. Een genereuze erfenis stelde hem in staat die smaak te bevredigen.

Twee grote urnen bij de muur ertegenover waren gevuld met gekleurde rietstengels. Niets extravagants, maar degelijk, goed geplaatst en goed onderhouden. Zo had hij zijn leven het liefst. Ordelijk, zodat hij overzicht kon houden in een ongeorganiseerde en chaotische wereld.

Hij controleerde de kraan om zeker te zijn dat die echt goed dicht was. Wierp een blik op de Movado aan zijn pols. Zag dat hij nog ruim de tijd had. Belde naar Nikki's mobiel, liet een bericht achter met het verzoek of ze om negen uur op de plaats delict wilde zijn. Toen richtte hij zijn schreden naar zijn slaapkamer voor schoenen. Een zweem van oranje textiel trok zijn aandacht terwijl hij zich bukte naar het derde paar zwarte leren mocassins.

Een vrouwelijk kledingstuk. Hij herkende het onmiddellijk. Het was Laurens oranje topje, een restant van haar bezoek van drie weken geleden. Hoe het achter zijn hangende pantalons was beland en daar was blijven liggen zonder eerder zijn aandacht te trekken was hem een raadsel.

Hij raapte het niemendalletje op en dacht terug aan de details van die nacht. Hij kende Lauren nu bijna een jaar, een adembenemende vrouw die een etage lager woonde. Ze werkte als modeconsulente bij Nordstrom, in de binnenstad. Luchthartig, zorgeloos en één brok sensualiteit. Hun relatie was vrijblijvend, niet intiem, en hij had geen ambitie om een goede vriendschap te verpesten.

Maar die nacht... Die nacht was het interessant geworden. Na de volgende morgen had hij haar wijselijk niet opgebeld.

Hij keek nogmaals op zijn horloge: nog steeds tijd genoeg. Hij vouwde het kledingstuk op, schoof het in een gele envelop en schreef met een dunne viltstift een briefje aan Lauren: 'We moeten gauw eens bijpraten.'

Met het zachtleren diplomatenkoffertje dat hij gisternacht had ingepakt, liep hij de trap af naar Laurens appartement, klemde de envelop onder haar deur en nam toen de lift naar de begane grond.

De moordenaar woonde hoogstwaarschijnlijk in een appartement of een huis waar zijn komen en gaan op vreemde uren onopgemerkt bleef. Of was hij een type dat juist opviel, een soort Ted Bundy, die zich aanpaste aan een buitenwijk of stad, waar hij hartelijk werd begroet door nietsvermoedende buren en winkelpersoneel?

'Morgen, meneer Raines.' Mason, een van een zestal bewakers die elkaar afwisselden aan de balie, knikte hem toe.

Brad wierp een blik op de blauwe lucht. 'Zo te zien wordt het een mooie.'

'Dat is zeker. Daar kan Miami een puntje aan zuigen. Maar in januari zou u willen dat u terug was in Florida.'

'Je vergeet dat ik er hier al een winter op heb zitten...'

'Da's waar. Minneapolis dan.' Mason grijnsde.

Brad verliet de parkeergarage onder het gebouw en ging op weg naar Maci's, een ontbijt- en lunchcafé. Hij keek weer op zijn horloge; 7.23 uur. Omdat hij geen haast had om het verkeer te lijf te gaan, pakte hij een krant bij de voordeur en liet zich door Becky, de eigenaresse, een plaats bij het raam aan de achterkant wijzen. 'Amanda komt zo bij je, Brad.'

'Dank je, Becky.'

Amanda kwam naar hem toe in dezelfde gele jurk en witte schort die alle serveersters droegen, een kokette outfit die een vleugje landelijkheid moest uitstralen, maar waarin de achtentwintigjarige, gescheiden Amanda meer op een verpleeghulp leek.

'Koffie met een zoetje,' zei ze, terwijl ze een kop en een kommetje met Stevia-zoetstof voor hem neerzette.

'Fijn dat je het nog weet.'

'Je mag er dan goed uitzien, schat, maar dat betekent niet dat ik meteen in katzwijm val zoals de rest van de dames die je aan het lijntje houdt.'

Ze grinnikte en hij lachte om zijn blos te verbergen. 'Is dat een complimentje of een tik op de vingers?'

'Uh-huh. Ik zie nog geen ring aan je vinger.'

'Ik vermoed dat ik niet het type ben dat zich in een relatie stort.'

'Ik kan het je niet kwalijk nemen.' Haar geflirt kwam voort uit familiariteit. De veiligheid die het hem bood was een van de dingen die hem zo aan Maci's Café bevielen. Maar zo flirterig als vandaag was ze nooit eerder geweest.

'Ik kom zo met je uitsmijter. Aan twee kanten gebakken, dooiers heel, twee sneetjes volkorentoast, halve sinaasappel, gepeld. Komt voor elkaar.'

Hij schonk haar een glimlach en bedankte haar. Ze vertrok met een geamuseerde grijns. Dit was thuis. Hoewel hij pas een jaar in Denver was, hadden zijn leefgewoonten hem zo vaak naar dezelfde restaurants, winkels en benzinestations gevoerd dat hij een vaste waarde in hun wereld was geworden.

Als de Bruidenvanger psychotisch was, echt geestesziek, zou hij meer moeite hebben om zich aan te passen aan normale sociale contexten. Tenzij zijn intelligentie de instabiliteit van zijn geest compenseerde.

Brad verliet Maci's om 7.44 uur, reed noordwaarts de Denver-Boulder Turnpike op en arriveerde om 8.29 uur op de plaats delict bij 96th Street. Hij parkeerde zijn BMW naast een patrouillewagen, pakte zijn koffertje en liep naar de dienstdoende politieagent bij een geel afzettingslint.

'Morgen.' Hij toonde zijn legitimatie. 'Brad Raines, FBI.'

'Morgen, meneer.'

'Alles rustig?'

'Sinds ik om zes uur het stokje overnam wel, ja. Dit is een eind van de bewoonde wereld.'

'Ik wil in alle rust rondkijken. Laat niemand door behalve Nikki, oké?'

'Oké.'

Hij stapte over het gele lint en liep over het grind naar de schuur. Bedacht dat het geluid van zijn voetstappen op het grind net zo moest klinken als het geluid dat de moordenaar had gehoord toen hij naar de schuur liep. Maar hij had Caroline bij zich gehad. Had ze de gang zelf gemaakt? Of had hij haar gedragen? Er waren op haar lichaam geen vezels gevonden die erop wezen dat hij haar had ingepakt. Geen plekken aan haar polsen die suggereerden dat ze zich tegen boeien had verzet. Bedwelmd, maar genoeg voor zo'n complete meegaandheid?

Wat vertel je hun? Hoe krijg je hen zover dat ze zich aan je onderwerpen?

De ruimte was zoals hij hem de laatste keer had gezien, minus het lichaam, waarvan de ruwe vorm nu in krijt was afgetekend.

Hij schoof de enige aanwezige stoel naar de werktafel en haalde verscheidene boeken over geestesziekte, zijn laptop en een boormachine tevoorschijn. Op de muur naast de omtrek van het lichaam prikte hij A4-formaat foto's van ieder slachtoffer – de foto van Caroline op de plek waar haar lichaam had gehangen. Rond elke foto pinde hij er nog een stuk of twaalf die hun engelachtige gedaanten en doorboorde voeten toonden.

De boormachine vond een plek op de tafel.

Hij schreef de bekentenis van de Bruidenvanger op de wand ernaast met een vers krijtje.

De Schoonheid van Paradijs is verloren
Waar inteligentie zijn centrum heeft
Ik kwam naa haar en ze verbrijzelde de kop van de Slang
Ik zoch tot ik de zevende en mooiste vind
Ze zal rusten in mijn Slangenhol
En ik zal weer leven

Brad legde het krijtje op de tafel en deed een stap naar achteren, vouwde zijn handen voor zijn kin en staarde naar zijn benadering van het werk van de Bruidenvanger. De schuur, de vrouwen, de boormachine. De bekentenis.

Wat was er door zijn hoofd gegaan toen hij de boormachine voor de eerste keer oppakte, het boorijzer tegen vlees drukte en voelde dat het bot raakte? Als een tandarts die naar zijn doel drilt.

Naar bloed, in dit geval. Hij haalde diep adem en ging zitten. Het dak kraakte terwijl het uitzette onder de hitte van de zon. Hij dompelde zich onder in het tafereel, zonder haast te maken om waarheid te persen uit wat nog niet te zien was.

Uit zijn eigen geest.

Een paar momenten voelde Brad zich, hoe vaag ook, de Bruidenvanger worden. Of op zijn minst dat hij eerst met de ene voet, dan met de andere in de schoenen van de Bruidenvanger stapte.

'Ik ben psychotisch,' fluisterde hij hardop. 'Niemand weet dat ik psychotisch ben – waarom?'

'Omdat je er normaal uitziet,' zei Nikki's stem zachtjes achter hem.

Ze was vroeg.

Hij sprak zonder zich om te draaien. 'Morgen, Nikki.'

'Morgen. Goed geslapen?'

'Niet echt, nee.'

'Ik ook niet.'

Hij had alleen willen zijn, maar hij voelde zich getroost door haar antwoord.

'Ik kies mooie vrouwen,' zei Brad, nog steeds in de rol van de moordenaar. 'Zeg me waarom, zonder te veel na te denken.'

Ze kwam naast hem staan. 'Omdat je jaloers bent.'

'Ik dood uit jaloezie, waarom?'

'Omdat iemand je het gevoel heeft gegeven dat je lelijk bent.'

'Als het doden van mooie vrouwen me een beter gevoel geeft over mezelf, waarom misbruik ik hun lichaam dan niet?'

Nikki aarzelde. Ze was de eerste geweest die deze vorm van brainstormen had gebruikt, een manier om de geest te prikkelen tot gedachten die soms alleen bovenkwamen als je jezelf dwong om snel en spontaan te reageren.

'Je laat hun schoonheid intact, maar rooft hun ziel.'

'Waarom roof ik hun ziel?'

'Om je eigen innerlijk mooi te maken.'

'Waarom tap ik hun bloed af?'

'Omdat het bloed hun levenskracht bevat. Hun ziel.'

'Nee, ik tap hun bloed af om hen mooi te maken,' zei hij.

Nog een aarzeling. Brad voelde parels zweet uitbreken bij zijn haargrens. Het was nog steeds allemaal giswerk. Nikki stapte in de rol van ondervrager.

'Waarom doorboor je hun hielen?'

'Omdat het het laagste punt in het lichaam is, grotendeels ongezien, zodat het hun schoonheid niet aantast.'

'Waarom moet je zo nodig zeven mooie vrouwen doden?'

'Omdat zeven het getal van volmaaktheid is. Het getal dat voor God staat.'

'Vrees je God?'

'Ja.'

'Ben je gelovig?'

'Diep.'

'Ben je een christen?' vroeg ze.

'Ja.'

'Katholiek?'

'Nee.'

'Protestant?'

'Nee.'

'Waarom niet?'

'Dat zijn allemaal leugenaars. Niet in staat in praktijk te brengen wat ze anderen voorhouden.'

'Jij daarentegen brengt de waarheid wél in praktijk?'

'Helemaal. Dat maakt me juist zo bijzonder. Daarom dood ik, om trouw te zijn aan mezelf.'

'Waarom zeven vrouwen?'

'Dat zei ik al: omdat zeven een volmaakt getal is.'

Teruggrijpen op eerdere punten garandeerde een vorm van intellectuele eerlijkheid die normale ondervragingstechnieken weerspiegelde. Een simpel hulpmiddel voor hen beiden.

'Oké, laten we het eens hebben over hoe je je slachtoffers uitkoos. Waarom...'

'Ze zijn geen slachtoffers.'

'Wat zijn ze dan?'

'Ik doe hen geen pijn.'

Ze zweeg, waarschijnlijk omdat hij haar vragen niet had beantwoord.

'Waarom is het paradijs verloren?' vroeg ze.

'De schóónheid van het paradijs is verloren. De onschuld is aangetast.'

'Waar heeft intelligentie zijn centrum?'

'In de geest. De onschuld van de geest is verloren gegaan.'
'Ben jij de slang?'
'Nee.'
'Wie verbrijzelde de kop van de slang?'
'Zij.' Brad knikte naar de wand met foto's van de plaatsen delict.
'Heeft ze je gekwetst?'
'Ja.'
'Maar jij bent niet de slang. Bén je de slang?'
'Nee. Niet altijd.'
'Waarom dood je haar?'
'Om opnieuw te kunnen doden.'
Alleen was dat niet wat Brad bedoelde te zeggen. Hij stak zijn hand op en dacht na over zijn antwoord.
'Om opnieuw te kunnen dóden of om opnieuw te kunnen léven?' vroeg Nikki. '"Ze zal rusten in mijn Slangenhol. En ik zal weer leven." Zijn gedicht lijkt erop te wijzen dat hij dit doet om weer te kunnen leven.'
'Ik bedoelde te zeggen: "Om weer te kunnen leven."'
Ze staarden allebei naar de bekentenis aan de wand.
'Maar als hij de rol van de slang speelt in dit verhaal van hem dat zichzelf waarmaakt, ligt het voor de hand dat hij doodt om weer als de sláng te kunnen leven en opnieuw te doden,' zei Nikki.
'Ja.'
Ze keek hem aan. 'Dus dan zou Temple gelijk kunnen hebben. We zoeken naar een aan wanen lijdende schizofreen die in een psychose is geschoten.' Ze veegde een lange lok donker haar van haar wang en beroerde afwezig het kuiltje tussen haar hals en haar kaak. Lange, delicate vingers, Franse manicure.
Hij had Nikki's aandacht voor ogenschijnlijk onbeduidende details altijd aantrekkelijk gevonden. Ze leefde haar leven met passie, en om eerlijk te zijn met veel meer energie dan hijzelf gewoonlijk kon opbrengen. Elke dag liep ze een uur lang hard, naar eigen zeggen om in balans te blijven. Maakte lange dagen van twaalf uur. Leek energie over te hebben om er een actief nachtleven op na te houden, als alle verhalen klopten, en hij had geen reden om te geloven dat ze onjuist waren.

Hun relatie was altijd zuiver platonisch gebleven. Er waren momenten dat Brad zijn terughoudendheid betreurde.

'Misschien,' zei Brad. 'We hebben gisteravond vastgesteld dat hij waarschijnlijk psychotisch is.'

'Jullie misschien. Ik ben niet overtuigd. Een geesteszieke seriemoordenaar is atypisch, afgezien van geestesziekte als gevolg van ernstig trauma aan de frontaalkwab door hoofdletsel. Overigens zijn bijna alle moordenaars die een vast patroon volgen goed uitziende, welbespraakte mannen die een modaal tot hoog inkomen verdienen. Bijna allemaal moorden ze vanuit een seksuele drang of een behoefte aan wraak. In beide gevallen zijn de meesten ernstig beschadigd door hun moeder en reageren ze dat af door hun toevlucht te nemen tot gedrag met een ritualistisch karakter dat hun dwangmatige behoefte aan bevrediging of wraak verlicht. De omgeving, niet psychose, vormt de meeste seriemoordenaars. Dit is niet het profiel van een geesteszieke.'

Hij wist dit alles natuurlijk, maar speurwerk was een exercitie in het herhalen van details om er nieuwe waarheid aan te ontfutselen.

'En toch wijst de boodschap op grootheidswaan, wat een vorm van psychose is.'

'Ja,' zei ze.

Hij keek naar de boormachine en liep heen en weer. 'Zijn moorden lijken niet seksueel gemotiveerd, ze hebben een ritualistisch karakter. Hij lijdt aan grootheidswanen. Hij is intelligent. Hij moordt om daarna nog meer te moorden, omdat hij, in zijn denken, als hij zijn rol niet vervult, niet kan blijven leven wanneer hij die rol niet langer kan spelen.'

'Juist,' zei ze. 'En wat die rol ook is, het is niet de rol van beul of bestraffer. Hij denkt dat hij zijn slachtoffers een dienst bewijst. Hij houdt van ze.'

Ze bleven een volle minuut staan zwijgen.

'Oké. We gaan de psychiatrische afdelingen van de staatsziekenhuizen in het Four Corners-gebied doorspitten,' zei Nikki. 'Beschermde woonvormen, verpleegtehuizen, staatsgevangenissen, veroordelingen van geesteszieken... Dat is een hele berg gegevens.'

'Frank heeft er al zes mensen op gezet. We hebben een verzoek ingediend voor extra assistentie van de regiokantoren in Cheyenne, Colorado Springs en Albuquerque. Ik heb hem gevraagd om de bekentenis met alle gekoppelde databases te vergelijken. Onze man heeft deze boodschap achtergelaten omdat hij wil dat wij iets vinden.'

'Mee eens.'

Hij zette zijn handen in zijn zij en liet zijn blik over de wanden van de schuur dwalen. 'Intussen zitten wij hier met de mysteries, verscholen op zijn werkplek.'

Nikki knikte. 'Word je het nooit zat?'

'Het veldwerk?'

'Het steeds opnieuw proberen om méér te zien dan wat iemand je toestaat te zien.'

Een merkwaardige woordkeus.

'Neuh, dat kan ik niet zeggen.'

'Ik bedoel, zeg nou zelf, we hebben allemaal onze mysteries, toch? We leiden ons leven en laten mensen alleen zien wat we willen dat ze zien. Het kost jaren om iemand te leren kennen, zelfs in een huwelijk. Niet dat jij daar over kan meepraten, Brad.'

Het laatste was er met een goedmoedige grijns uitgekomen.

'En zelfs dan,' ging ze verder. 'Hoeveel getrouwde mensen komen niet voor een verrassing te staan als er een diep, duister feit wordt onthuld over een partner die ze dachten te kennen?'

'Je hoort het mij niet ontkennen,' zei hij, hopend dat hij het hele moeras had ontweken. 'Iedereen heeft wel iets te verbergen.'

Ze knikte. 'Klassiek existentialisme. Uiteindelijk is ieder mens alleen. We zijn allemaal behept met onze eigen complexiteit, die we proberen te ontrafelen, maar intussen worden we geconfronteerd met ons eigen isolement. Daar krijgen we allemaal een keer mee te maken. Daarom leunen zovelen op het geloof, een relatie die niet afhangt van een ander mens.' Ze sloeg haar armen over elkaar en keek hem onderzoekend aan. 'Dus hoe zit het, Brad? Wat voor mysteries verberg jij?'

Eerst wist hij niet zeker of hij haar goed had verstaan. Ze waren altijd openhartig tegen elkaar geweest, maar nooit bemoeizuchtig. Hij wist niet zo goed wat hij hiervan moest vinden.

'Ik wil niet peuren,' zei ze. 'Niet te diep in elk geval.'

Een glimlach verzachtte haar gelaat en haar blauwe ogen stonden zo warm dat hij haar plotseling alles wilde vertellen. Hoe hij als student aan de Universiteit van Texas in Austin verliefd was geworden op een jonge tennisspeelster die Ruby heette, in die wilde, zorgeloze dagen toen de wereld voor het grijpen lag en iedereen die hen samen zag het wist. Hoe haar ogen sprankelden en haar lach over de tennisbaan schalde, hoe volledig hij zich aan Ruby had gegeven.

Over haar zelfmoord.

De gedachte eraan bracht een bekende brok naar zijn keel. Het had Brad drie jaar gekost om achter de geheimen te komen die hadden geleid tot Ruby's beslissing zich van het leven te beroven.

'Ga maar na, Brad. De moordenaar speelt met ons. Hij peilt ons. Tart ons, prikkelt ons, daagt ons uit hem een halt toe te roepen. Mijn taak is de handschoen op te pakken en hem op zijn eigen terrein te verslaan. Zijn ware aard bloot te leggen. Dus hoe krijg je iemand zover dat hij zijn geheimen prijsgeeft?'

Ze sprak over de moordenaar, maar evengoed over Brad.

Hij wees naar de muur met een knikje. 'Dit soort mensen doen wat ze doen uit pijn, en een klein deel van mij kan dat volgen. Niet hoe ze op die pijn reageren, natuurlijk, maar de pijn zelf. Laten we het erop houden dat ik heb liefgehad en de pijn van een verschrikkelijk verlies heb ervaren. Een vrouw die ik ooit kende. Daarom kan ik me erin verplaatsen.'

Hij zweeg, niet wetend waar hij naartoe ging. Plotseling voelde hij zich slecht op zijn gemak.

Na een korte stilte kwam Nikki naar hem toe en beroerde zijn schouder om haar medeleven te betonen. Maar ze leek zich niet goed raad te weten met de situatie, en hij had hetzelfde. Ze haalde haar hand weg en keek naar de wand.

'Je hebt er nooit iets over gezegd. Ik had geen idee.'

'Weet ik. We hadden het over lang gekoesterde geheimen, weet je nog?'

Ze knikte. Een lange stilte daalde tussen hen neer en Brad deed niets om hem te verbreken.

'Het spijt me dat je dat hebt moeten doormaken,' zei ze ten slotte.

'Maak je geen zorgen. Iedereen heeft het wel eens moeilijk.'

Maar daar was hij niet zo zeker van. De pijn was zo hevig geweest dat hij niet meer had willen leven. In zekere zin voerde hij zelfs nu zijn eigen persoonlijke campagne tegen de dood. Nu hij erbij stilstond, was hij daarom bij de FBI gegaan..

'Maar je hebt gelijk,' zei hij, een eerdere draad van hun gesprek oppakkend. 'Wederzijds begrip berust voor een deel op zelfonthulling.'

Ze keek hem aan en grinnikte toen om zijn woordkeus.

'Als het ware...' Zo, dacht hij opgelucht, terug op bekend terrein. Poseren. Hun gebruikelijke territorium.

Zijn mobiele telefoon rinkelde. Dankbaar voor de onderbreking nam hij op.

Het was Frank. De staf was op een interessante treffer gestuit bij het vergelijken van de boodschap van de moordenaar met de databases van de psychiatrische instellingen.

'Heb je ooit gehoord van een instelling met de naam Centrum voor Welzijn en Intelligentie?'

'Nee, ik geloof het niet. Wacht even.' Brad vroeg aan Nikki of zij er wel eens van had gehoord. Ze staarde even naar het plafond en schudde toen haar hoofd.

'Het is een particuliere longstay instelling in de heuvels ten zuiden van Boulder, die alleen geesteszieke patiënten met een hoog IQ opneemt,' zei Frank. 'Voor zover we kunnen nagaan.'

Brad keek naar de wand. De bekentenis. Een enkele regel dijde uit in zijn gezichtsveld. Waar inteligentie zijn centrum heeft. *Centrum voor Welzijn en Intelligentie.*

Nikki volgde zijn blik en zag wat hij zag.

'Het zoekprogramma heeft de woorden "centrum" en...'

'Ik snap het, Frank. Sms me het adres en laat de directie weten dat we eraan komen.'

'Komt voor elkaar.'

Hij klapte het toestel dicht.

'Denk je dat het iets is?'

'Het is een aanknopingspunt,' zei hij. 'Hij speelt met ons, ja? Nou, laten we dan meespelen.'

5

Volgens het departement van geestelijke gezondheidszorg van Colorado telde de staat drieënvijftig gecertificeerde en gereguleerde psychiatrische instellingen, uiteenlopend van psychiatrische afdelingen van staatsziekenhuizen tot beschermde woonvormen en verpleegtehuizen.

Het Centrum voor Welzijn en Intelligentie stond te boek als een tertiaire, gespecialiseerde zorginstelling, particulier beheerd en niet-gecertificeerd.

Sinds de ene staat na de andere tussen 1960 en 1990 tal van krankzinnigengestichten en ziekenhuizen had gesloten, waren psychiatrische patiënten die niemand hadden die hun zorg op zich nam of regelde, op straat terechtgekomen. Velen belandden achter de tralies, volgens sommige schattingen de helft.

In de loop der tijd had een aantal instellingen de draad weer opgepakt, maar er bestond geen nationaal zorgstelsel ter vervanging van de belabberd geleide gestichten waar het land ooit van wemelde. Er was meer aan de hand, véél meer, als Brad naging wat hij had opgestoken toen hij in Miami gestationeerd was. Sommigen zeiden dat de slechte behandeling van geesteszieken een van de weinige overgebleven duistere geheimen van de Verenigde Staten was. Niemand wilde hen opsluiten in dure instellingen. Maar er was ook niemand met een doeltreffend alternatief gekomen. Dus waren ze maar onder het tapijt geveegd. Met andere woorden, ze waren gedumpt in de straten en stegen van de moderne steden.

Ze lieten Nikki's wagen achter bij de plaats delict en reden naar het oosten, richting Eldorado Springs. De kleine stad lag aan de voet van de Rocky Mountains, zo'n tien kilometer ten zuidwesten van Boulder.

De Eldorado Springs Drive zocht zich kronkelend een weg door de met dwergeiken en kleinere pijnbomen begroeide voetheuvels.

'Ik ben hier nog nooit geweest,' zei Nikki.

'Ik ook niet.'

De banden zoemden over het asfalt van de tweebaansweg.

'Mooi,' zei ze.

'Vredig.'

'Hmmm.'

Geestesziek. Brad piekerde over het woord. Het raadsel van de geest, verborgen in de plooien van heuvels, ver van de verwikkelingen van het stadsleven. Niets in het serene landschap herinnerde hem aan de moordenaar. Nog geen halfuur geleden hadden ze voor een wand gestaan waarop een gestoorde figuur een vrouw had gelijmd van wie hij de hielen had doorboord en het bloed had afgetapt. Nu reden ze door Gods land. De ongerijmdheid van de twee beelden creëerde een vaag gegons in Brads brein.

Terwijl Brad reed, wierp Nikki een blik op het schrijfblok waarop ze aantekeningen had staan van haar telefoongesprek met de directrice van het CWI, Allison Johnson.

'Er is iets vreemds aan haar.'

'Aan de directrice?'

Nikki tuurde voor zich uit. 'Daar is onze weg. Vóór het dorp, zei ze. Naar het zuiden via een onverharde weg. Drie kilometer.'

Brad nam gas terug en draaide de BMW een bochtige grindweg op. 'Afgelegen.'

'Ik denk dat dat het idee is. Het is een particuliere instelling, voorbehouden aan mensen die zich de pittige kosten voor kost en inwoning kunnen veroorloven. Vroeger was het een nonnenklooster. Er is een soortgelijke instelling in Colorado Springs. Iets in de gezonde lucht wat ooit zorgverleners en patiënten aantrok.'

'Is het op religieuze grondslag?'

'Dat weet ik eigenlijk niet. Maar het zou me niet verbazen; de katholieke kerk heeft een lange geschiedenis op het gebied van gezondheidszorg.'

'Je zei dat ze vreemd was.'

Nikki knikte. 'Misschien is "vreemd" het verkeerde woord. Begrijp me niet verkeerd, ze toonde zich heel gastvrij. Ze klonk alleen nogal excentriek.'

'Misschien zit er bij haar ook een draadje los,' zei Brad. 'Maar misschien geldt dat wel voor iedereen,' voegde hij er haastig aan toe om niet neerbuigend te klinken.

'Ze zei dat ze alleen hoogintelligente patiënten accepteren.'

Brad wist niet goed wat hij daarvan moest denken.

Ze reden een bocht om en zagen het grote toegangshek onmiddellijk. Een wit bord boven het zware metalen hek liet geen ruimte voor twijfel: CENTRUM VOOR WELZIJN EN INTELLIGENTIE. En eronder stond iets als een motto: HET LEVEN DOET JE NOOIT TEKORT.

Een hoge omheining liep in beide richtingen weg van het toegangshek; het soort omheining dat beelden van concentratiekampen opriep, compleet met prikkeldraad en schrikdraad. Erachter lag een lange, geplaveide oprijlaan omzoomd met gladgeschoren gazons en rijzige pijnbomen. Brad glimlachte goedkeurend. Het Centrum voor Welzijn en Intelligentie kon doorgaan voor een luxe kuuroord.

Hij reed naar het wachthuisje en toonde zijn legitimatie. 'Brad Raines en Nikki Holden. We hebben een afspraak met Allison Johnson.'

De geüniformeerde man, wiens naamschildje zei dat hij Bob heette, knikte en raadpleegde zijn dagstaat.

Brad wees naar het prikkeldraad. 'Een knap stukje afrastering.'

'Het is niet zo onheilspellend als het eruitziet.' De bewaker gaf hem hun legitimatiepasjes terug. 'Het prikkeldraad en de monitors zijn vorig jaar geïnstalleerd, nadat een inbreker twee bewoners had verkracht.' Hij drukte op een knop en de hekken rolden terug. 'Rechtdoor de oprijlaan op. De parkeerplaats voor bezoekers ligt aan uw linkerhand. U vindt Allison in de receptie.'

'Dank je, Bob.'

'Graag gedaan.' Hij ging zitten en reikte naar zijn telefoon, waarschijnlijk om hun komst aan te kondigen. Een roman van Brad Meltzer lag geopend onder handbereik. Volop tijd om te lezen hier.

Ze reden tussen de bomen door naar een kleine ronde keerplek met een witte natuurstenen fontein in het midden. Rechts van hen stond een vrouw in een gele bloemetjesjurk en met een grote zonnehoed op haar hoofd struiken bij te knippen die waren gesnoeid tot perfect vormgegeven poedels: een moederhond met drie kleinere pups in haar kielzog. De vrouw zwaaide terwijl ze passeerden, onderbrak toen haar werk om hen gade te slaan.

'Knap,' zei Brad.

'Heel knap.'

'Is ze...'

'Duidelijk.'

Hij stopte op een parkeervak voor bezoekers en stapte de schone, koele berglucht in. Boven hen tjilpten vogels. Aan de nabije horizon verhief zich een muur van bergen die in de schaduw lagen van een vrolijk zonnetje. Een luide, verre stem bereikte hen van dieper op het terrein. Toen Brad achteromkeek, ving hij de blik van de vrouw in het geel, die hem nog steeds met intense belangstelling gadesloeg.

Ze moest zijn blik als een uitnodiging hebben opgevat, want ze kwam meteen naar hen toe lopen. Nikki stond nog aan haar kant van de auto toen de vrouw bleef staan en van de een naar de ander keek. Ze zag er opgewekt en onschuldig uit, was misschien in de zestig, met grijs haar en heldere ogen.

Haar blik bleef op Brad rusten. 'Jij bent prachtig gebouwd. Ik weet wel raad met je, hier meteen in de struiken. Zou je voor me willen poseren? Hoe vind je mijn poedels? Ik ben er vanmorgen aan begonnen, omdat Sami zei dat hij een hekel aan honden had. Ik ben dol op honden en ook op duiven, maar er gaan zevenentwintig duiven in één poedel. Poedels zijn niet zoals ratten, want ratten planten zich snel voort en eten crackers. Mijn lievelingscrackers zijn natriumvrij.'

Ze zei het allemaal met een warme glimlach.

'Dank je, Flower.' Een andere grijsharige vrouw, waarschijnlijk begin vijftig, was uit het administratiegebouw verschenen. Ze bezat de magere, compacte gelaatstrekken die veel bewoners van de heuvels typeerden. Doordringende groene ogen, smalle polsen met een stuk of tien zilveren armbanden van een uiterst verfijnd ontwerp. Ze droeg een spijkerbroek en een witte blouse. Om haar nek hingen drie zilveren hangers, waarvan een met een kruis dat was ingelegd met bergkristallen. Ze zag eruit als een vrouw die zich had voorgenomen om alles uit het leven te halen waar ze recht op had, maar bereikte het effect zonder protserig over te komen.

'Ik denk dat deze aardige meneer een aanwinst voor ons voorgazon zou zijn. Wat een vriendelijk aanbod.' Ze keek Brad met schrandere ogen aan en knipoogde. 'Wat zegt u ervan, meneer Raines? Het zou haar maar een halfuur kosten, ze weet van wanten.'

Hij was compleet overdonderd. Dit moest Allison Johnson zijn. Meende ze het serieus?

'Niet?' vroeg ze. 'Hebben we haast?'

'Eigenlijk wel, ja.'

De directrice richtte zich tot Flower, die het vonnis roerloos starend stond af te wachten. 'Het spijt me, Flower, hij heeft haast. Kun je hem uit het hoofd doen?'

Er verscheen een brede grijns op Flowers gezicht. Ze draaide zich zonder een woord om, marcheerde naar de heggen, bleef na tien passen stilstaan en nam met haar handen zijn maat op om zijn lengte en verhoudingen in te schatten. Toen liep ze met verende tred verder.

'Welkom op het CWI,' zei Allison. 'Volgt u mij.'

Allison Johnson kwam op Brad over als een vrouw die alles al eens gezien had en er zowel onaangetast als onverstoorbaar onder was gebleven. Een wijze vrouw die haar ervaring met gratie droeg. Hij merkte dat ze hem onmiddellijk voor zich had ingenomen, met een gemak dat hem een beetje van zijn stuk bracht.

Ze ging hen voor naar een vertrek dat er meer uitzag als een huiskamer dan als een receptie. Twee met ruitjesstof beklede stoelen met hoge rugleuningen en een goudkleurige sofa omringden een ovale houten salontafel. Een niet-brandende open haard onder een groot schilderij van een mediterraan kustdorp domineerde de bakstenen muur naast de sofa. Grote ramen keken uit op een binnenplaats waarachter een tweede groot gazon lag, ook met een fontein, plus verscheidene smeedijzeren bankjes en twee grote esdoorns. Er slenterden een paar bewoners rond, sommige gekleed in spijkerbroek, andere in keurige pantalons en één iemand in wat eruitzag als een nachthemd of een kiel.

Allison keek hen aan. 'Wilt u binnen zitten, of zou u liever met me over het terrein wandelen?'

'Nou...' Brad voelde zich nog steeds merkwaardig uit balans.

'Ze bijten niet, special agent Raines. Mijn kinderkens zijn zelden gewelddadig.'

'Zelden?'

'Kom nou – we hebben toch allemaal wel eens een driftbui?'

Brad knikte naar het gazon. 'Na u dan maar.'

'Een goede keus.' Ze draaide zich om en liep door een glazen deur naar buiten. 'We zijn erg trots op ons tehuis.' Een licht briesje ruiste door de bladeren van de machtige esdoorns boven hen. De ambiance was heel sereen. Kalmerend.

'Nou, meneer Raines, vertelt u me maar hoe ik u kan helpen.'

'Dit is Nikki...'

'Een forensisch psycholoog die met u samenwerkt. Ja, dat vertelde ze me al. Ik vermoed dat ze meer notie heeft van wat zich hier afspeelt dan de meeste mensen.' Ze liet een korte stilte vallen. 'U bent op zoek naar een moordenaar?'

Hij kreeg ineens een merkwaardig verwarrend gevoel. Hij voelde dat hij werd aangestaard. Hij keek om zich heen en zag dat alle ogen van de bewoners die op het terrein stonden of zaten nu op hen gericht waren. Hij besefte ineens dat hij en Nikki momenteel de aapjes in de dierentuin waren, niet andersom. In de ogen van de bewoners was *híj* de indringer in een volstrekt normale wereld.

'Ja. Een seriemoordenaar die we de Bruidenvanger noemen. Hij heeft in de afgelopen maand vier vrouwen om het leven gebracht. We hebben redenen om aan te nemen dat hij van plan is er nog drie te doden. Ons team heeft een boodschap die hij achterliet gekoppeld aan gegevens over psychiatrische instellingen in de staat en toen een link met uw kliniek gevonden.'

'Residentie,' zei ze. 'En gebruikt u alsjeblieft niet de termen "patiënt" of "geesteszieke" waar ze bij zijn. Dat valt niet goed bij de aapjes.' Ze glimlachte en knipoogde. 'Mag ik hem zien?'

'Wat?'

'De boodschap.'

Brad ving Nikki's peilende blik op. Ze leek gefascineerd. Misschien geamuseerd. Hij haalde een kopie uit zijn binnenzak en overhandigde hem aan de directrice. Ze las de tekst al lopend en gaf hem toen terug. Haar glimlach werd zachter, maar hij zag dat haar blik was opgeklaard.

'Hoe vermoordt hij ze?' vroeg ze.

'We hebben nog niets hiervan in de openbaarheid...'

'Ik zwijg als het graf, FBI.'

'Goed dan. Het lijkt erop dat hij vrouwen uitkiest die hij als mooi beschouwt, om ze vervolgens zo op te maken dat ze er smetteloos uitzien. Vervolgens boort hij een gat in hun hielen, lijmt ze tegen de muur en laat ze leegbloeden.'

'Hemel. Dat is een afschuwelijk beeld, nietwaar? Zijn boodschap suggereert een geval van klassieke schizofrenie. Waarom denkt u dat hij hoogintelligent is?'

Nikki antwoordde. 'Ondanks kennelijke grootheidswanen, waar zijn boodschap op wijst, is hij duidelijk in staat om de kenmerkende fouten te vermijden die anderen in dit soort zaken maken. Zonder de boodschap zouden we ons niet direct concentreren op iemand met een geschiedenis van geestesziekte. Zoals u waarschijnlijk weet, zijn de meeste seriemoordenaars niet geestesziek.'

'Afgezien van zijn gebruik van de woorden "centrum" en "intelligentie" heeft u dus geen reden om enig verband met ons Centrum te vermoeden,' zei Allison. Ze wees naar een rond gebouw aan de overkant van het gazon. 'Dat is de Rotonde, onze ontmoetingsplek. Spelletjesruimte, gemeenschapszaal, televisie, kantine, het is allemaal centraal gelegen. Links en rechts ervan zijn twee vleugels, een voor mannen en een voor vrouwen. We bieden een rooster en een omgeving met een structuur die onze bewoners helpt om verwarring te vermijden. Ons hoofddoel is het bevorderen van hun maatschappelijke re-integratie door hen te helpen om met hun talenten en uitdagingen te leren leven. De wereld is een vijandige omgeving. We hopen hun de vaardigheden bij te brengen die ze nodig hebben om er hun weg in te vinden met behulp van alle gaven en talenten waarmee God hen gezegend heeft.'

'Gezegend?' zei Nikki. 'Vergeef me mijn vrijpostigheid, maar is dat niet een beetje naïef? Het grootste deel van de mensheid ziet geestesziekte als een vloek.'

'Precies. Dat is nu net de clou van het geheel. Wij bedienen niet meer dan zesendertig bewoners tegelijk en we zijn heel zorgvuldig in ons toelatingsbeleid. Geen strafblad. Zij of hun naasten moeten zich zowel de volledige verblijfskosten kunnen veroorloven als de kosten voor begeleiding en medische zorg die we hun verschaffen. Ze moeten een hoog intelligentieniveau hebben en dat bewijzen aan de hand van een reeks basistests die we zelf afnemen. Momenteel heeft meer dan de helft een IQ dat hen als genieën classificeert. De meesten zijn buitengewoon creatief. In de ogen van de wereld zijn ze gek. In onze ogen zijn ze hoogintelligente individuen. Of vindt u van niet?'

Nikki trok haar wenkbrauwen op. 'Als u het zo stelt... zie ik uw punt. Waarom alleen de intelligenten?'

'Ah, waarom! Ja, natuurlijk, waarom.'

Allison verliet het tegelpad en koerste af op de stam van de grote esdoorn, met een knikje naar een jongeman die hen vanaf een bankje aanstaarde. Zijn geruite hemd was tot bovenaan dichtgeknoopt. 'Hallo, Sam. Hoe gaat het met je vanmorgen?'

'Tweehonderddrieënzeventigduizend,' zei hij. 'Plus of minus driehonderd.'

'Geweldig.'

'Minder bladeren vandaag. De wind. Ja, goed, ik ben goed, Allison Johnson.'

Allison zuchtte. 'Niet dat ik niet zou willen dat we ze allemaal konden opnemen. Mensen die als geestesziek worden aangeduid, worden al veel te lang als oud vuil behandeld. Eerst opgesloten in gestichten, toen in gevangenissen. Teruggebracht tot schimmen door thorazine in de jaren vijftig, nu verstoken van medicatie en aan hun lot overgelaten, totdat ze een gevaar voor anderen blijken en in de gevangenis belanden. Naar verluidt staat minstens een derde van alle gedetineerden als gestoord te boek. Ik heb het niet over stoornissen die zich vroeg in het leven openbaren, zoals autisme of achterlijkheid. Puur mensen met een psychose, iets wat zich later openbaart. Het komt veel voor. Weet u welk percentage van de wereldbevolking aan een vorm van schizofrenie lijdt?'

'Bijna één op de honderd,' zei Nikki.

'Nul komma zeven procent om precies te zijn. In ons land lijden bijna drie miljoen mensen aan een vorm van chronische geesteziekte. In Colorado alleen al zijn er naar schatting zeventigduizend onbehandelde gevallen. De zorg voor geesteszieken is veel te duur en in de opinie van de meeste mensen is de ziekte hoe dan ook onbehandelbaar. Je kunt ze volstoppen met dopamineonderdrukkers en ze de mist in sturen, maar de ziekte zelf kun je niet behandelen. Het is als het blind maken van iemand die te veel ziet, of iemand met een gebroken been in slaap brengen zodat hij niet struikelt en ten val komt. Vooralsnog kan alleen de geest de geest behandelen. En dat, FBI, is waar wij op het toneel verschijnen.'

'Hun intelligentie compenseert hun ziekte,' opperde Nikki.

'Bijna goed, maar niet helemaal. Neem nou Flower, die u net voor het gebouw ontmoette. Haar diagnose is schizoaffectieve stoornis – zowel bipolair als psychotisch, een denkstoornis die zich soms uit in de ideeënvlucht die u hoorde. Soms amusant, altijd fascinerend. Als Flower een gemiddelde intelligentie had, zou haar gave, zoals wij het verkiezen te noemen, het leven heel moeilijk voor haar maken. Zonder medicijnen en een zorgzame familie zou ze op straat kunnen eindigen: dakloos zoals zovele anderen in dat soort situaties. Maar ze is extreem intelligent en haar geest bezit de capaciteit om met haar ongebruikelijke gaven om te gaan. We coachen haar, helpen haar om met haar begaafdheid om te gaan, zodat ze niet alleen maar staande blijft, maar haar talenten met de wereld kan delen.'

'Door heggen te snoeien.'

'O, dat is het minste van Flowers vele talenten. Velen van 's werelds grootste geesten behoren tot deze groep. John Nash, de schizofrene professor uit de film *A Beautiful Mind*, is welbekend. Maar velen hebben een geestesziekte gehad: Abraham Lincoln, Virginia Woolf, Beethoven, Leo Tolstoj, Isaac Newton, Ernest Hemingway, Charles Dickens... om er een paar te noemen. In het

Centrum voor Welzijn en Intelligentie bieden wij een omgeving die de John Nashes van de wereld toestaat zichzelf te zijn. Acceptatie, facilitering en zeer zorgvuldig gereguleerde medicatie die op het individu wordt toegesneden.'

Brad wierp nogmaals een taxerende blik om zich heen. Het leek bijna te mooi om waar te zijn.

'Ik begrijp dat dit vroeger een nonnenklooster was,' zei Nikki. 'Bent u nog steeds een religieuze instelling?'

'Religieus? We krijgen wel enige aanvullende steun van de katholieke kerk, als u dat bedoelt. Maar we zijn niet officieel aan enige organisatie verbonden. Het Centrum is particulier bezit en wordt particulier beheerd. Het is het geesteskind van Morton Anderson, een rijke zakenman. Zijn zoon, Ethan, was op eenentwintigjarige leeftijd in de gevangenis beland nadat een psychose hem ertoe dreef een huis van een Congreslid binnen te gaan en zich te hullen in de kleren van diens vrouw. Ze vonden hem aan een dinertje bij kaarslicht, in zijn eentje, gekleed als vrouw. Vóór de aanval stond hij op het punt om summa cum laude af te studeren aan de Universiteit van Colorado. Zoals ze zeggen is de grens tussen gekte en genialiteit heel dun.'

'En volgens u in sommige gevallen afwezig,' zei Brad.

'Uiteraard. Helaas heeft de wereld enkele van de grootste geesten die God ons heeft geschonken in kooien opgesloten. De meeste zeer briljante of creatieve mensen komen vreemd over op gewone mensen. Genieën zijn vrijwel altijd paria's. De intelligenten worden gepest op het schoolplein. Ze bezien de wereld door andere ogen en worden gemeden. Ze worden bijna allemaal op zijn minst eenzaam, op zijn ergst opgesloten. Het ligt in de aard van de mens om de status-quo aan te moedigen en mensen die anders tegen het leven aankijken te schuwen.'

Allison nam plaats op een bankje en vouwde haar handen in haar schoot. 'Los daarvan zijn verscheidene leden van onze staf, ikzelf incluis, ooit non geweest. Maar terug naar uw moordenaar. Hoe kan ik u van dienst zijn?'

Brad ging naast haar zitten en liet het aan Nikki over om de bewoners te bestuderen, die hun belangstelling voor hen hadden verloren en hun eerdere activiteiten hadden hervat. Een man in een blauwgestreepte badjas speelde een soort hinkelspel, waarbij hij elke hink met een 'hup' gepaard liet gaan.

Hink. 'Hup.' Hink. 'Hup.'

De man stopte en wees naar de lucht. 'Dat is wat ik aldoor al zei, jij driedubbel overgehaalde debiel! Ik weet wanneer de hemel naar beneden komt en ik weet hoe hoog ik kan springen!' Toen weer een hink en een 'hup'. Dit was de man die ze vanaf het parkeerterrein hadden gehoord.

'Aangenomen dat we te maken hebben met een intelligente seriemoordenaar die geestesziek is,' zei Brad, 'en zijn woordkeus in aanmerking genomen, moeten we de mogelijkheid onder ogen zien dat hij op een of andere manier verbonden is met het Centrum.'

'U zoekt naar een voormalige bewoner die na zijn ontslag hier deze brute daden is gaan plegen.'

'Zoiets.'

'Een psychotische man die aan grootheidswanen lijdt. Iemand met gewelddadige neigingen, is dat het?'

'Ja.'

Allison fronste nadenkend. Brad zag dat haar gezicht zelfs met een frons leek te glimlachen. 'In de acht jaar van ons bestaan zijn er honderden gekomen en gegaan. De meeste bewoners vertrekken binnen zes maanden. Sommigen zijn langer gebleven. Een handvol is hier vanaf het begin. Ik kan me maar zeven of acht gevallen herinneren die ooit gewelddadige neigingen hebben vertoond.'

'En hoe zit het met degenen die een neiging tot terugval hebben getoond?' zei Nikki.

'Tja, daar zit 'm nou net de kneep. De nazorg is natuurlijk vrijwillig, en de ziekte kan zich in de loop der tijd verder ontwikkelen. Het is moeilijk te voorspellen zonder...'

Ze knipperde met haar ogen en keek Brad stralend aan.

'Detectivewerk, huh? Ik denk dat u Roudy wel zou willen ontmoeten.'

'Roudy?'

Allison stond op, verrukt door haar eigen idee. 'Natuurlijk! Roudy is een van onze bewoners. Hij is een echte detective. En hij is hier al vanaf het begin. Hij herinnert zich alles over iedere bewoner die door onze poort is gekomen.'

Nikki ving zijn blik op en knikte. 'Oké. Klinkt veelbelovend.'

Brad wist niet goed hoe veelbelovend, want Allison leek meer gefascineerd door haar vakgebied dan door het oplossen van de zaak. Maar hij zag geen kwaad in het idee.

'Of nog beter, Eden,' zei Allison, nu volledig enthousiast over het idee.

'Eden?'

'Ja, Eden. Als u geluk hebt, zal ze zelfs met u willen práten. Kijk, dat is met recht een bijzondere, beste mensen. Zij kan dingen zien die velen niet kunnen zien.' Allison ging op weg naar het ronde gemeenschapsgebouw tussen de beide vleugels. Al lopend keek ze achterom. 'U zult hen geweldig vinden, dat kan ik u beloven. Maar zeg niet dat ik u niet gewaarschuwd heb.'

6

De Rotonde, zoals Allison de centrale ontmoetingsplek had genoemd, was een atrium met zitbanken, fauteuils, snoepautomaten, bloemenschilderingen op de muur en twee platte plasmatelevisies, die manisch opgloeiden aan tegenoverliggende wanden. Ronde tafels met houten stoelen stonden in groepjes over de grote ruimte verspreid. Een centrale gashaard, die volgens Allison nooit echt warm werd, en twee bars completeerden de ruimte.

Aan één uiteinde gaf een bord boven een gebogen deur aan dat er een kantine achter lag. Een brede gang leidde naar het andere eind van het gebouw. Buiten lag een visvijver, afgedekt voor de veiligheid van de bewoners, in het zonlicht te glimmen.

Een stuk of twaalf bewoners zaten in de grote ruimte aan de ronde tafels, voor de televisies (die allebei herhalingen van *I Love Lucy* toonden) en aan een lange eetbar. De helft draaide zich om en staarde naar Brad en Nikki toen ze binnenkwamen. De rest ging te veel op in iets anders.

'Mensen, zeg eens hallo tegen onze gasten,' riep Allison.

Als één man, duidelijk gerepeteerd, riepen ze in koor: 'Hallo, gasten.'

Een zwarte man, die groter was dan de meeste footballspelers, keek op van een van de ronde tafels waar hij over een schaakpartij gebogen zat. 'Hallo, gasten.' Zijn stem dreunde als een basgitaar. Sommigen grinnikten.

'Ga je lekker, Goliath?' riep een magere man uit het groepje dat rond de televisie zat. 'Leuk om de gasten drieënhalve seconde nadat ze begroet wilden worden eens te begroeten.'

'Zo kan hij wel weer, Nick,' zei Allison. 'Je denkt toch niet dat Goliath dom is?'

'Ik zei niet dat hij dom was.'

'Ben je uit op een revanche?'

Stilte.

'Hij is zelf ook niet zo slecht,' zei Goliath. Hij keek naar Nick en schonk hem een brede grijns. 'Maar ik begrijp jou wel, Nick. Jij was de beste en ik heb je tien partijen achtereen verslagen.'

Een vrouw gierde van het lachen bij de televisie, waarop Nick zich omdraaide om te zien wat hij gemist had. Goliath boog zich weer over zijn schaakpartij en verplaatste een pion.

'Heeft iemand Roudy of Eden gezien?' vroeg Allison.

'Roudy is in zijn kantoor,' zei iemand.

Allison leidde hen door de zaal naar de gang. Een oudere vrouw met donker haar, dat eruitzag alsof het 's nachts dienstdeed als rattennest, volgde Brad met haar ogen.

Brad ging bij zichzelf te rade en realiseerde zich eindelijk wat hem het meest aan dit oord verontrustte. Op de een of andere manier zat de vreemdheid van het Centrum niet in de vreemdheid van de bewoners, maar in het gebrek daaraan. Ieders gedrag raakte een bekende snaar in zijn eigen geest en resoneerde op tal van vertrouwde manieren. Hij kon ze kinderlijk, luidruchtig, grillig, onhebbelijk of honderd andere dingen noemen, maar het waren allemaal trekjes die hij in zichzelf herkende.

'Is hij goed?' vroeg Brad.

'Goliath? Wereldklasse. Hij schaakt tien uur per dag op een slappe dag. Onze uitdaging is hem te helpen zijn gave op andere gebieden toe te passen.'

'En hoe vordert dat?'

Ze grinnikte. 'Hij heeft contact gehad met een laboratorium dat kankeronderzoek verricht. Het schijnt dat sommige onderdelen van de medische wetenschap veel weg hebben van een schaakspel. Dus ga maar na.'

'Waar is al het personeel?' vroeg Nikki.

'Overal. Ze dragen geen uniform. We zijn er.'

Ze betraden een klein klaslokaal met een whiteboard en tien lessenaars. Een bank stond onder een raam dat uitzicht bood op de fontein op het gazon. Er waren drie mensen in het vertrek: op de bank lag een man van middelbare leeftijd, gekleed in een zwarte zijden kamerjas en donzige witte pantoffels. Een jonge blonde vrouw van amper twintig jaar liep nagelbijtend heen en weer voor het witte bord. En een man met een sikje, in een corduroy broek en een vlinderdas, leunde achteruit tegen het docentenbureau.

Ze hadden duidelijk niet verwacht gestoord te worden. Een moment lang staarde het drietal Allison en haar twee gasten aan alsof ze buitenaardse wezens zagen die het moederschip aan de grond hadden gezet. De twee mannen kwamen langzaam in beweging. Het meisje grijnsde.

'Hallo, vrienden,' zei Allison. 'Mag ik jullie onze gasten voorstellen.'

'Hallo, gasten.'

'Iets voor ons?' zei de man met de vlinderdas, terwijl hij nadenkend over zijn sikje streek.

'Jazeker, Roudy. Ze willen je graag spreken.'

'Echt? Maar natuurlijk. Hoor je dat, Cass? Ze komen om mij te spreken.'

Cass, de man in de zijden kamerjas, stond op en streek, zonder zijn ogen van Nikki af te wenden, zijn kamerjas glad. 'Zij is vast meer geïnteresseerd in wat ík te zeggen heb.' Hij stapte naar voren en bekeek Nikki met één opgetrokken wenkbrauw en een scheve grijns.

'Dit gaat niet over jou, Cass,' sprak Roudy berispend. 'Hou je in, man. Een beetje respect. Waarover? Mij spreken waarover? Wilt u zeggen dat deze heer en deze dame van de FBI zijn?'

Het meisje bij het whiteboard giechelde en sloeg meteen een hand voor haar mond om het geluid te smoren. 'Ik ben Andrea,' zei ze liefjes.

'We noemen haar Brains,' zei Roudy. 'Maar ik veronderstel dat dat geen enkele rol in uw oordeel speelt, wel? U komt om mij te spreken en ik zal besluiten of u mij genoeg interesseert om u mijn assistentie aan te bieden.'

'Hoe heb ik het nu, Sherlock?' vroeg Allison, die op hun gepingpong inhaakte alsof het een kolfje naar haar hand was. 'Vertrouw je me niet meer? Ik zou hen niet hier hebben gebracht als ik dacht dat ze je niet zouden interesseren.'

'Dat is waar. Ik vertrouw u, mevrouw. En ze interesseren me.' Hij speelde met zijn vlinderdas. 'Het was gewoon bij wijze van spreken, een uitsteltactiek om hun aandacht te scherpen terwijl ik trachtte vast te stellen of mijn deductie juist was. En, was die juist?'

Brad had moeite om een grijns te onderdrukken, maar slaagde er toch in. 'Hoe raadt u dat zo?'

'Aha!' Roudy knipte met zijn vingers. 'Ik wist het! De FBI klopt weer aan. En hoe zou ik het ook níét raden? Jullie komen elke dag om mijn opinie bedelen. Zijn wij Britten werkelijk zo slim? Mist de Amerikaanse geest iets waardoor u wel gedwongen bent uw heil over de grote plas te zoeken?'

De man in de zijden kamerjas was alleen geïnteresseerd in Nikki. Hij was op haar toe gestapt terwijl Roudy zijn verhaal hield. Hij nam haar hand en bracht die, nog steeds in haar ogen starend, naar zijn lippen en drukte er een kus op.

'Mijn naam is Enrique Bartholomew. Ze noemen me Casanova. Hebt u wel eens gehoord van Casanova?'

'Ja, onze Cass is een echte rokkenjager,' zei Andrea met een stem waar de ironie vanaf droop. Ze stond nerveus te draaien als een schoolmeisje dat nodig naar het toilet moet. Brains, noemden ze haar. Een savante?

Met Nikki's hand nog in de zijne draaide Enrique zijn hoofd naar Andrea. 'Alsjeblieft, Brains, ga nu niet ontkennen dat ik jou tot de vrouw heb gemaakt die je bent.' Hij draaide zijn hoofd terug naar Nikki en bezag haar met een nog wellustiger blik. 'U bent verrukkelijk.'

Stilte.

Brad glimlachte en gaf Nikki inwendig de eer die haar toekwam; ze wist hoe ze een impertinente spreker moest aanstaren tot hij zijn ogen neersloeg, of een ongemakkelijke stilte moest laten vallen, wanneer de gelegenheid erom vroeg.

'Ze zijn gekomen om mij te spreken, Enrique,' snauwde Roudy.

'En ik ben degene die je vertelde dat als je je naar de rol kleedde, je geloofwaardiger overkomt. En kijk eens wie we nu op de thee krijgen.'

Hij drukte zijn lippen opnieuw op Nikki's hand, deed toen een stap terug en knipoogde naar haar. Brad was verbaasd dat ze geen bezwaar maakte. Haar smetvrees kon niet wedijveren met haar interesse in een nieuw studieobject.

'Kijk wie we nu op de thee krijgen?' herhaalde Roudy vol weerzin. 'Ze komen elke week, idioot.'

'Ze noemen me Brains,' zei Andrea, in haar eigen wereld, met haar ogen nog steeds op Brad gericht, nog steeds in de rol van het verlegen meisje. 'Ik geloof dat ik toe ben aan een douche.'

De uitwisseling was uitgelopen op een storm van woorden. Toen leken ze hun kruit verschoten te hebben.

'Heeft iemand Eden gezien?' vroeg Allison.

Ze staarden hen alleen maar aan en schudden hun hoofd.

'Het lijkt me dat jullie drieën een heel eind zullen komen.' Ze knikte naar Brad. 'Dit is special agent Brad Raines en zijn partner mevrouw Holden. Ik laat jullie een poosje alleen. Wees alsjeblieft behulpzaam, Roudy. Deze mensen zijn inderdaad van de FBI en zouden graag met jullie van gedachten willen wisselen over een zaak.'

'Een zaak! Kostelijk.' Roudy begon driftig op en neer te lopen. 'U bent op het juiste adres, dat kan ik u verzekeren.'

Er sprongen tranen in Andrea's ogen en ze leek zich maar amper goed te kunnen houden. Ze was licht en zorgvuldig opgemaakt en haar blonde haar was keurig geborsteld. De eerste kennismaking was zo snel gegaan dat Brad haar eenvoudige schoonheid niet had opgemerkt. In tweede instantie viel er niet aan te ontkomen.

'Het is goed, Andrea,' zei Allison.

Andrea's ogen schoten naar een lege hoek. 'Daar denkt Betty heel anders over.'

'Natuurlijk. Maar Betty heeft het mis. Luister naar Brad.' Ze wreef over Brads arm. 'Hij heeft een goed hart.'

Andrea schonk Brad een vluchtige blik terwijl ze met een bevende vinger langs haar neus streek.

'Auditieve hallucinatie,' fluisterde Allison, zo zacht dat Brad haar amper hoorde. Ze bedoelde dat Andrea stemmen hoorde. Een ervan had haar zojuist iets verteld wat haar op de rand van tranen had gebracht.

‘Ik ben in de receptie als u klaar bent. Neem alle tijd die u nodig hebt.’

De directrice glimlachte en liet hen alleen.

Brad haalde diep adem. Hij vond het hele scenario zenuwslopend en fascinerend tegelijk. En dat was zwak uitgedrukt. Het kostte hem zelfs enige tijd om te bedenken waarom ze ook al weer naar het Centrum voor Welzijn en Intelligentie waren gekomen.

Roudy, alias Sherlock, stapte naar voren en stak zijn hand uit. ‘Ik sta nu volledig tot uw beschikking.’

Brad pakte de hand aan en schudde hem. ‘Dank je, Roudy. Ik zou het zeer op prijs stellen als jullie ons alle drie hielpen.’

Roudy – teleurgesteld of beledigd, dat kon Brad niet uitmaken – keek naar de anderen.

‘Uiteraard zou jij de leiding nemen,’ zei Brad. ‘Maar eerst zou ik wat meer willen weten over de mensen die we inschakelen. Mogen we jullie een paar vragen stellen?’

‘Gaat u ons betalen?’ vroeg Andrea.

Roudy stak een vinger in de lucht. ‘Vanzelfsprekend. Ze herkennen kwaliteit wanneer ze die zien. Mijn tarief is twaalfhonderd dollar per uur.’

‘Dat is maar elf cent,’ zei Andrea.

Afgezien van Enrique, die Nikki nog steeds met een schelmse grijns opnam, draaiden ze zich allemaal naar haar om.

‘Per seconde,’ lichtte Andrea defensief toe. ‘Drieëndertig cent per minuut, in drie delen verdeeld. Als ik hier wegga, koop ik een nieuwe auto en een huis, plus wat mooie kleren.’ Haar gezicht betrok en uit haar rechteroog biggelde een traan. Met een korte snik veegde ze het vocht van haar wang.

‘Sorry. Sorry, sorry.’

‘Het geeft niet...’

‘Kletskoek!’ riep Andrea. Toen weer met een zachte stem: ‘Sorry. Sorry, sorry. Ik ga eerst even douchen.’

‘Breng eens een beetje respect op, Brains. Hij heeft mij de leiding gegeven en dit kan ik niet dulden.’ Roudy zuchtte. ‘Goed dan, ik zal het honorarium delen. Twaalfhonderd dollar, over ons drieën verdeeld.’

Ze gingen zo snel, schakelden zo vlot van het ene punt naar het andere, met gezichten die steeds wisselende emoties uitdrukten, dat Brad een beetje verbouwereerd was. Hoe kinderlijk ook, ieder van hen bezat vermogens die hem op de een of andere manier een onthand gevoel gaven.

Het zijn waarschijnlijk genieën. Het was allemaal een beetje overrompelend.

'Ik weet niet zeker of we iets meer kunnen bieden dan onze dankbaarheid,' zei Brad.

Zowel Roudy als Andrea keken beteuterd. Zelfs Enrique draaide zich om.

'Maar ik zal het navragen. Op zijn minst kunnen jullie ons misschien helpen om de levens van de volgende slachtoffers van de Bruidenvanger te redden.'

'De Bruidenvanger?' Roudy stapte naar voren, een en al oor. 'Vertel me alles wat u weet. Is het een seriemoordenaar?'

'Eerst hebben wij een aantal vragen,' zei Brad met opgestoken hand. 'Dat is redelijk, toch?'

Andrea's blik schoot over zijn schouder. Brad draaide zich om, evenzeer door het instinctieve gevoel dat er iemand binnenkwam als door de blik van het meisje.

Een jonge, tengere vrouw, ongeveer midden twintig, stond in de deuropening. Haar vlassige bruine haar, met een scheiding in het midden, omlijstte verfijnde trekken – een klein neusje en een fijn pruilmondje – en lichtbruine ogen, die sprankelden van leven.

Brad nam haar snel op. Klein, iets meer dan een meter vijftig. Een afgedragen blauw T-shirt met een Nike-logo op haar borst. Een spijkerbroek waarvan de zoom een paar centimeter te hoog boven oude witte canvas gympen hing.

Ze stond met beide armen langs haar zijden, onverstoorbaar maar broos, alsof een sterke windvlaag haar zo weg kon blazen. De huid van haar armen was bleek en hij kon haar vingernagels niet zien, maar de nagels van haar duimen waren afgekloven. Anders dan Andrea droeg ze geen make-up, zelfs niet een klein beetje om de paar rode acneplekjes op haar voorhoofd weg te werken.

De peilende ogen van de nieuwkomer leken door Brad heen te kijken. Haar gezicht stond uitgestreken, alsof ze twijfelde of ze hun aanwezigheid goedkeurde.

‘Dat is Eden,’ zei Roudy.

‘Betekent dit dat we het honorarium met ons vieren moeten delen?’ vroeg Andrea met een bezorgd gezicht. ‘Dat is maar acht komma drie cent per seconde.’

‘We gaan de FBI helpen om een zaak op te lossen,’ zei Roudy. ‘En Eden is een kei in dode mensen.’

Brad was er niet zeker van of het door Allisons eerdere opmerkingen over Eden kwam, of door de manier waarop de jonge vrouw hem nu aankeek, maar zijn hart begon sneller te kloppen en hij merkte dat hij zijn ogen niet van haar kon afhouden. Eden.

Ze brak haar starende blik af, liep om hem heen en ging naast Andrea staan. Toen keek ze Brad opnieuw aan, nog steeds met twijfel in haar ogen.

Nogmaals bekroop Brad het gevoel dat hij door de konijnengang was gevallen en bij Alice in Wonderland was beland. De verzekering van de directrice dat dit allemaal hoogbegaafde individuen waren, had zijn blik vertroebeld. Bij het horen van deze bizarre uitwisseling zou een wildvreemde denken dat dit viertal niet helemaal spoorde.

En dat was ook zo, bracht hij zichzelf in herinnering, met een nu afbrokkelend gevoel van zekerheid. De klassieke symptomen van schizofrenie waren allemaal aanwezig: de paranoia, het horen en zien van niet-bestaande dingen, de stemmen, de dreigementen. De dwangmatige behoefte te douchen zoals verwoord door Andrea, de grootheidswanen waar Roudy en Casanova blijk van gaven.

‘Ik denk niet dat Allison er bezwaar tegen zal hebben dat er nog iemand bij ons team komt,’ zei Nikki. ‘Bedankt voor je komst, Eden. Dat is een mooie naam. Zeg maar Nikki.’

Ze reageerde niet.

Het was Brad onmiddellijk duidelijk dat deze pretentieloze tegenhanger van Andrea misschien prima in haar vel zat, maar onzeker was over hoe anderen tegen haar aankeken. Ondanks haar kalmte leken er golven van kwetsbaarheid van de jonge vrouw af te slaan, als hitte die opstijgt van een woestijnweg.

Hij knikte haar toe. ‘Hallo, Eden.’ Toen naar hen allen: ‘Laten we opnieuw beginnen, oké? Vertel ons wie jullie zijn. Wat je... gaven zijn.’

'O dat, o dat!' flapte Roudy eruit. 'U wilt weten wat ons allemaal getikt maakt, is dat het?'

'Nee,' corrigeerde Nikki, terwijl ze een stap naar voren deed. Ze leek volledig op haar gemak in hun gezelschap. 'We weten dat jullie allemaal bovenmatig intelligent zijn. En dat ieder van jullie zeldzame gaven heeft. Of had de directrice het bij het verkeerde eind wat dat betreft?'

Ze keken haar allemaal aan alsof ze taxeerden of ze wel serieus was. Kennelijk kwamen ze tot de conclusie dat dat zo was, want ze begonnen allemaal tegelijk te praten, behalve Eden.

Nikki glimlachte en sloeg haar armen over elkaar. 'Laten we beginnen bij jou, Roudy.'

'Uiteraard.' Hij wisselde een blik met het nieuwe meisje. 'De directrice heeft mij de leiding gegeven, Eden.' Ze zei niets terug, dus ploegde hij door.

'Ik ben een meter negenenzeventig lang, veertig jaar oud en ben al acht jaar gestationeerd op deze geheime locatie. Sommigen zouden mijn temperament cholerisch noemen, en het is waar dat ik een geboren leider ben, maar mijn voornaamste vaardigheden zijn perceptie en deductie. De meeste doorsnee zaken, het soort waarvoor de FBI regelmatig mijn advies inroept, laten zich gemakkelijk ontcijferen met behulp van een algoritme dat me helpt om de belangrijkste gegevens te isoleren. Ik ben betrokken bij verscheidene langeretermijnoperaties, die ik niet vrijelijk mag bespreken.'

Hij nam een pauze om zijn vlinderdas te verschikken. Zijn broek was drie centimeter te kort en onthulde zwarte leren schoenen waarvan één een veter miste. Als deel van zijn grootheidswaan had hij kennelijk Sherlock Holmes als zijn modevoorbeeld gekozen. Toch kwam hij op Brad niet over als het type dat met een vergrootglas en een pijp zou rondlopen.

'Dank je, Roudy.' Nikki keek naar Casanova, die zonder verdere aanmoediging het woord nam.

'Mijn naam is Enrique Bartholomew, tweeëndertig...'

'Achtendertig,' zei Roudy.

Zonder onderbreking vervolgde hij: 'Of achtendertig, ik vergeet het. Ze zeggen dat ik schizofreen ben, maar ik vertel de dames dat alle krijgers en minnaars schizofreen zijn. Allison vertelt me dat niet alle vrouwen waardering kunnen opbrengen' – hij gebruikte zijn grote handen om zijn volledige bedoeling te schetsen – 'voor een ervaren, onbevreesde minnaar. Maar ik denk dat ze ongelijk heeft. Wat zeg jij, Nikki?' Een schalkse glimlach.

Brad vroeg zich af hoeveel vrouwen Casanova door de jaren heen een mep hadden verkocht.

'Ik weet het niet, Enrique. Maar de man in wie ik geïnteresseerd ben is zowel sterk als zachtaardig.'

'Cass probeerde aan te pappen met de vrouw van de president, toen zij Denver bezocht,' zei Andrea met een sluw lachje. 'Ze hebben hem in de gevangenis gezet.'

Enrique glimlachte alleen maar terug. 'Ze was niet al te snugger,' zei hij. 'Nauwelijks een echte vrouw te noemen. Ik kan me niet herinneren wat ik in haar zag. Heb je vanavond iets te doen?'

'Ja. Maar bedankt voor het aanbod. En jij, Andrea?'

'Negentien. Ik ben hier nu een jaar. Manisch-depressief, bipolair. Dwangstoornis. Volgens zeggen *savante extraordinaire*, maar dat is overdreven.'

'Nonsens,' zei Roudy. 'Ze is de slimste van het hele stel. Het loutere feit dat je aandacht aan je lichaam besteedt maakt je nog niet tot een idioot.'

Andrea grijnsde verontschuldigend. Ze wapperde met haar gemanicuurde, groengelakte nagels. 'Ik mag me graag... goed verzorgen.'

'Je doucht graag.'

'Soms.'

'Hoe vaak?'

'Vandaag?'

'Ja,' zei Nikki.

'Twee keer.'

Het was tien uur in de ochtend.

'En doe je elke keer opnieuw je nagels en je haar?'

'Ja.'

'Ze is schoon en vlijmscherp,' zei Roudy. 'Slimste informant die ik ooit heb ontmoet.'

Brad keek naar Eden, die het prima leek te vinden om hen te

laten praten zonder een mening ten beste te geven. 'En jij, Eden?'

Ze wisselde een blik met de anderen, keek toen naar Brad. Hij kon niet uitmaken of ze verlegen of sceptisch was. 'Eh... Wat is er aan de hand?'

'O, sorry, ik ben Brad Raines van de FBI. Dit is Nikki Holden, forensisch psycholoog. We zijn hier om na te gaan of jullie ons kunnen helpen om meer te weten te komen over een moordenaar die de Bruidenvanger wordt genoemd.'

'Ik heb nog nooit gehoord van een moordenaar die de Bruidenvanger wordt genoemd,' zei ze. 'Ik ken niemand met die naam.'

'Dat is de naam die wij hem hebben gegeven.'

'Meer details,' zei Roudy, die weer aan het ijsberen was geslagen. 'Ik moet alles weten wat u weet, wil ik u kunnen helpen. Schoenmaat?'

Brad besloot hem zijn zin te geven. 'Vierenveertig.'

'Uh-huh. Geschat gewicht op basis van voetafdrukken?'

'Tachtig à negentig kilo.'

'Laat hij secreties achter?'

'Nee. Geen lichaamsvocht op de plaatsen delict. Geen haren, geen huidcellen, geen vingerafdrukken, niets.'

'Hebt u het dossier bij u?' Hij stak zijn hand uit.

'Nee.'

'Eden heeft nog niets over zichzelf verteld,' wierp Andrea in het midden.

'Geen dossier? Hoe verwacht u dan dat ik u van dienst kan zijn?' wilde Roudy weten.

'Wat doet hij met de vrouwen?' vroeg Enrique.

Brad keek van de een naar de ander. 'Hij doodt ze. Hij maakt ze op, zodat ze er mooi uitzien, en dan doodt hij ze en laat hun lichaam vastgelijmd aan de muur achter.'

Er viel een diepe stilte.

Andrea's gezicht verkrampte en ze begon in haar hand te huilen. 'Sorry. Sorry, sorry.'

'Het is akelig om te horen, ik weet het. Kent een van jullie een huidige of voormalige bewoner die in dit profiel zou kunnen passen? Roudy, de directrice vertelde ons dat jij je iedereen herinnert die hier is geweest.'

'Ik geloof dat ik toe ben aan een douche,' zei Andrea. 'Mijn hele huid jeukt, weet je. Maat vierenveertig, pakweg een meter vijfentachtig. Grote handen, zou met gemak hun nek kunnen breken. Zo iemand wordt hier niet toegelaten. Hij brengt make-up bij ze aan?'

Brad aarzelde. 'Ja.'

Andrea begon weer te huilen, wat ditmaal gepaard ging met een zacht klauwen naar de make-up op haar gezicht.

'Het is oké, Dre,' zei Eden. Het was de eerste keer dat ze uit zichzelf het woord nam. Haar stem was helder en zacht, maar zeker en autoritair tegelijk. 'We zijn hier veilig. Dit is thuis. We hebben bewakers en we hebben Allison. En Roudy en Enrique zouden nooit toestaan dat ons iets overkwam, toch?'

'Nooit,' zei Roudy. Enrique fronste.

Andrea liep op Eden af en stak het meisje haar hand toe. Eden nam hem aan en wreef over haar schouder. 'Laat je niet bang maken. Doe gewoon alsof het maar een verhaal is.'

'Eden schrijft romans,' zei Roudy. 'Maar ik moet zeggen dat ik me eerlijk geen bewoner herinner die aan uw beschrijving voldoet – aangenomen dat u een persoon bedoelt die een neiging tot dit soort geweld vertoont. Maar als u me het dossier ter hand zou stellen, zou ik vrijwel zeker enig licht op de zaak kunnen werpen.'

'Weet u zeker dat u vanavond bezet bent?' vroeg Enrique. Hij keek naar Nikki.

'Ja. Maar nogmaals bedankt.' Ze glimlachte.

Brad haalde diep adem, plotseling besprongen door het overweldigende gevoel dat de tijd doortikte. Een seriemoordenaar was onverbiddelijk op weg naar zijn volgende moord en hier stond Brad kostbare uren te verspillen in het gezelschap van een viertal psychiatrische patiënten. Het begon overduidelijk te worden dat, hoe fascinerend en begaafd ze ook mochten zijn, Roudy en consorten niet zouden helpen om de moordenaar een halt toe te roepen.

'Eden heeft nog niet gezegd wat ze doet,' zei Andrea.

Brad knikte, al nam hij zich voor om spoedig te vertrekken. Maar Andrea leek vastbesloten. 'Ze heeft gelijk. Wil je ons iets over jezelf vertellen, Eden?'

Ze bloosde. 'Ik denk niet dat ik u kan helpen.'
'Ze ziet dode mensen,' zei Roudy.
Psychotische hallucinaties, dacht Brad. Eden deed geen enkele poging om het te ontkennen.
'En zielen,' voegde Andrea eraan toe.
'Je bedoelt geesten?'
Ze haalde haar schouders op. 'Zoiets.'
'Als ze het lichaam van de vrouw aanraakt, kan ze zien wie haar vermoord heeft,' zei Andrea. 'Dat klopt toch, Eden?'
'Ik betwijfel het sterk. Alsjeblieft, Dre, je kletst maar wat.'
'Het is wáár.'
'Hoe lang ben je hier nu, Eden?'
'Zeven jaar. Ik ben hier op mijn negentiende gekomen.'
Iets aan dit meisje – deze vrouw – was anders. In tegenstelling tot de anderen hield ze haar geheimen voor zich.
'En er komt niets in je gedachten wanneer ik beschrijf wat we van deze moordenaar weten? Geen mannen die je misschien hebt leren kennen?'
Ze dacht een seconde na. 'Nee.'
Andrea was duidelijk niet tevreden. 'Eden wantrouwt mannen. Ze is beschadigd.' Ze begon weer te huilen en Eden troostte haar.
Brad vroeg zich af hoe het moest zijn om een van deze vrouwen te zijn. Hoe het moest zijn om met hen te leven. Hij had de afgelopen twaalf jaren van zijn leven getreurd om het verlies van Ruby, een engel uit de hemel. Ze was van hem weggerukt en hij was ingestort. Sindsdien was hij op zoek naar een vervangster voor Ruby, maar door de herinnering aan haar kon hij niet openstaan voor anderen, die altijd in haar schaduw zouden staan.
Maar zijn pijn viel ongetwijfeld in het niet bij de geheime pijn die Eden meedroeg. Wat voor omstandigheden hadden haar hier gebracht, naar deze instelling voor de vergetenen? Wie hield er van deze verloren vrouw? Welke hoop was haar baken op haar reis door het leven?
Er ging een golf van empathie door hem heen, gevolgd door een steek van schaamte. Vergeleken met deze vrouw had hij een leven als een vorst. Toch leefde hij zijn leven als iemand die omziet in spijt. Vol zelfmedelijden.

De emotie was zo sterk dat hij een moment lang dacht dat de anderen het zouden zien, ondanks zijn beste pogingen niets te laten merken. Hij keek weg.

Nikki pakte de draad van het gesprek op. 'Sommigen zeggen dat het mogelijk is om dingen over mensen op te pikken. Hun... energie te voelen, zelfs nadat ze overleden zijn. Misschien bedoel je dat, Eden.'

'Ik weet niet hoe ik het doe, ik zie het gewoon. Mijn dokters zeggen dat het visuele hallucinaties zijn. Dat ik psychotisch ben, dat ik aan schizofrenie lijd. Ik zie een beeld en ik kan niet uitmaken of het een herinnering is of een product van mijn verbeelding.'

'Ja, zo zullen artsen daartegenaan kijken. Maar jij bent het daar niet mee eens?'

'Zoals ik al zei, weet ik het niet. Ik weet alleen wat ik zie.'

'Slik je medicijnen?'

'Nee.'

'Ik wel,' zei Andrea. Haar mooie gezichtje betrok opnieuw, ze dreigde weer in tranen uit te barsten.

'Ze komt net uit een korte manische periode,' zei Eden zonder een spoor van ergernis of neerbuigendheid. Ze draaide zich om naar Andrea en vroeg met oprechte bezorgdheid in haar stem: 'Wil je nu een douche nemen?'

'Ik moet wel, Eden. Ik moet nu echt weg. Sorry. Sorry, sorry.'

Ze rende het lokaal uit en stond zichzelf eindelijk toe in snikken uit te barsten.

'Betekent dit dat we de twaalfhonderd dollar niet krijgen?' vroeg Roudy. 'Breng me het dossier en leg me alle onderzoeksgegevens voor. Geloof me, het zal de best bestede twaalfhonderd dollar worden die de FBI ooit heeft uitgegeven.'

'U, vrouwe,' zei Enrique, terwijl hij Nikki's hand pakte, 'bent hier te allen tijde welkom. Ik zal op u wachten en u de hemel tonen.'

Ditmaal haakte Nikki haar hand om Brads elleboog. 'Maar ik heb al een minnaar, Enrique. Maar het blijft een aardige geste.'

De grijns week niet van zijn gezicht. Hij was niet uit het veld geslagen. Brad wilde de onverstoorbare bewoner een stiekeme high five toezenden.

Toen hij naar Eden keek, zag hij dat ze hem aanstaarde met haar heldere bruine ogen. Om haar gezicht hing een waas van geheimzinnigheid, alsof ze een van die geesten was die ze scheen te zien. De dubbelzinnigheid ervan fascineerde hem op slag.

Wat ging er om achter die ogen?

Nikki excuseerde hen en ze liepen terug naar de receptie, waar ze Allison aantroffen. Ze had al een lijst van alle CWI-bewoners van de afgelopen acht jaar geprepareerd, compleet met diagnose, medicatie, prognose bij vertrek, plus alle nazorg.

'Zo. Heeft u iets gehad aan ons speurdersteam?'

'Het was verhelderend,' zei Brad. 'Maar nee, geen doorbraak, vrees ik. Eden is interessant. Ze beweert geesten te zien?'

Allisons gezicht klaarde op. 'Hebben jullie Eden ontmoet? Geweldig! Eén hand op een slachtoffer en ze kan je vertellen hoe de persoon gestorven is.' Ze wendde haar blik af alsof ze zichzelf op een domme fout betrapte. 'Maar ja, dat zou onmogelijk zijn. Ze zou nooit de moed kunnen opbrengen.'

'Ik betwijfel of de FBI ermee zou instemmen.'

'Waarmee? Met zo'n dwaasheid? Dat is het punt niet, FBI. Het punt is dat ze aan twee ernstige fobieën lijdt, waaronder agorafobie. Haar angst om haar veilige basis hier te verlaten houdt haar nu al zeven jaar binnen onze hekken gevangen.'

Hij was bekend met die slopende angst. In feite was het een verrassend veel voorkomende angst – hij herinnerde zich een zaak uit Miami. Een vrouw die in haar appartement was gestorven van de honger omdat ze bang was om de deur uit te gaan, om welke reden dan ook, zelfs om eten te kopen. Hij had er zelf ook enige ervaring mee gehad, onmiddellijk na Ruby's dood. Alleen al de gedachte de buitenwereld tegemoet te treden, zelfs om de zon in te gaan, was ondraaglijk geworden. De angst was na een paar weken overgegaan, maar hij had er een gezonde sympathie aan overgehouden voor mensen die ermee te kampen hadden.

'Het is geen onbekend verschijnsel bij onze bewoners. Ze zijn door de wereld verstoten, verbannen, en worden zo vreemd aangekeken dat ze zich alleen op hun gemak voelen als ze alleen zijn, of binnen de eigen gemeenschap. Net zoals strenggelovigen die zich afzonderen. Ze bewegen zich niet buiten de eigen kring uit angst met de nek te worden aangekeken.'

'Wat is haar verhaal?'

Allison keek hem met opgetrokken wenkbrauwen aan. 'Dat moet u aan haar vragen.'

'Is ze schizofreen?'

'Eerlijk gezegd ben ik daar nog steeds niet zeker van. Voordat ze onder onze hoede kwam, was de diagnose van de psychiater van het staatsziekenhuis schizofrenie en bipolaire stoornis. Behalve aan agorafobie lijdt ze ook aan een diepgeworteld wantrouwen jegens mannen – dat zijn haar voornaamste problemen.'

'En haar wanen? De geesten die ze ziet?'

'Wanen?' Allison draaide zich om en begeleidde hen naar de deur. 'Dat is nu net de vraag, nietwaar, meneer Raines?' Ze tikte tegen haar slaap. 'Of het puur tussen haar oren zit.'

Flower was te verdiept in haar onvoltooide sculptuur van Brad om iets te merken toen ze haar voorbijreden.

7

Quinton Gauld was de vier fundamentele regels van het leven pas sinds kort gaan accepteren. Het afgelopen jaar om precies te zijn. En omdat hij pas eenenveertig jaar oud was, had hij nog steeds tijd om de toepassing van die regels te perfectioneren.

Dit geruststellende besef had hem meer geluk en opluchting gebracht dan hij in zeven jaar had gevoeld, sinds hij zo bruut was afgewezen door de eerste vrouw die hij uitverkoren en bemind had. Hij kon haar denkfout nog steeds niet bevatten.

Wees een vogel zijn eigen donzige veren af?

Verstootte een auto zijn grommende motor?

Hakte een vrouw haar eigen mooie hoofd af?

En toch, ondanks die onomstotelijke waarheden, had ze Quinton afgewezen. Hem van zich afgeschud. Haar eigen hoofd afgehakt toen hij had aangeboden haar hoofd te zijn. Zijn enige troost had gelegen in zijn conclusie dat ze geestesziek moest zijn. Erger: haar ziel was ziek, want ze had Gods keuze verworpen.

Wat hem bij de eerste van de vier regels bracht. Hij draaide zich om naar de spiegelwand in zijn slaapkamer en zei het hardop, zodat de drie pruikloze etalagepoppen rechts van hem het duidelijk konden horen.

'Wat schoonheid is wordt niet gedefinieerd door de mens, maar door God. Alleen Hij bepaalt wie de mooiste is.'

Hij wierp een blik op de zeven keramische poppen op zijn kast, die hem met grote geboeidheid gadesloegen: die in de roze jurk, die in de blauwe, de groene, de zwarte (zijn favoriet), de lavendelkleurige, de gele en de witte. Bij het zien van hun lege blikken legde hij hun de regel nog maar eens uit, voor het geval ze de betekenis niet volledig begrepen.

'Niet corrupte politici. Niet galmende predikanten. Niet Stomme buren met een hoofdletter S. Niet Hollywood. Niet ik. Niet jij. Niet moeder. Niet zuster. Niet broer. Niet leraar of leerling, pooier of popster. God en God alleen, die allen vergeeft die hebben gezondigd, als ze Zijn regels opvolgen, definieert schoonheid.'

Een theatrale pauze.

'Zelfs de mooiste, die Lucifer heet. Ook hem vergeeft Hij.'

Quinton liep zijn inloopkast in, ontdeed zich van de zwarte badjas en hing hem aan de haak achter de deur. Zijn voorbereidingen voor het werk dat hem wachtte waren zowel verkwikkend als bemoedigend gebleken. Zoals altijd had hij de hele dag gevast en zichzelf een klysma gegeven. Het was belangrijk dat zijn lichaam rein was, van binnen en van buiten.

Hoewel hij de steak die hij over een paar dagen zou consumeren al kon proeven, zou hij zich tot dan toe inhouden en zich slechts voeden met de melk en bonen die hij zo adequaat en voedzaam had bevonden voor wat hij nodig had. Daarna zou hij misschien teruggaan naar John Elway's steakhouse – per saldo was de ervaring bevredigend geweest.

Hij stapte in een zwarte Armani Exchange-slip, het enige type dat hij bezat. Het merk omvatte hem stevig, maar sneed de bloedsomloop niet af zoals het merk Tabitha, dat hij na amper een uur vol walging had verbrand. Het was geen wonder dat hij zo lang geen seksuele bevrediging had gekend. De maatschappij spande samen om hem van zijn mannelijkheid te beroven.

Hij stak zich in witte sokken en zijn gebruikelijke grijze pantalon en lichtblauwe overhemd. Op momenten als dit was het belangrijk om er respectabel uit te zien zonder de aandacht te trekken. Bruine schoenen van Sketchers. Hoewel de kleren hem op zijn gemak stelden, voelde hij zich eigenlijk overal op zijn gemak. Het was ongetwijfeld een van de voornaamste redenen waarom hij een streepje voor had bij God. Hij kon zich aanpassen en zich overal thuis voelen.

Behalve natuurlijk wanneer er vervelende blagen in de buurt waren. Of wanneer zijn nagels vies waren. Of wanneer het weer te heet of te koud was, of wanneer de vloerbedekking niet schoon was, of eigenlijk ook wanneer honderd andere onvolkomenheden zijn bevrediging in de weg stonden. Om echt eerlijk te zijn (iets waar hij altijd de grootste waarde aan hechtte), was hij alleen op zijn gemak wanneer alles in de perfecte orde verkeerde die God oorspronkelijk bedoeld had.

Wat prima was, want het was Quinton Gaulds missie om weer orde op zaken te stellen. Zelfs zijn eigen onvolkomenheden, waarvan sommige zich pas nu verrieden, waren onderhevig aan verbetering met dit werk. Hij was een werk in uitvoering op weg naar perfectie.

Zegen me, Vader, zegen me, Vader, want ik heb gezondigd.

Hij verliet zijn slaapkamer en bekeek zijn appartement met een geoefend oog. Orde en regels brachten een symmetrie in het leven aan die balans en vreugde mogelijk maakte. Dat was ook de reden waarom hij zichzelf een uur tevoren een manicure had gegeven. En waarom alle rode sierkussens op zijn met perzikkleurig fluweel beklede zitbank daar niet uit de losse pols op waren gemikt, maar zorgvuldig waren gerangschikt met aandacht voor harmonie en schoonheid.

Geen smetje op de muren – hij schilderde ze elke drie maanden opnieuw met de geurloze verf die nu verkrijgbaar was bij Home Depot. Aan elke muur hing een grote spiegel, zodat hij zichzelf vanuit alle strategische hoeken kon bekijken.

Hij bukte zich om een ongerechtigheid op te rapen, een wit donsveertje dat door een van de kleinste rafelende naden van de kussens moest zijn gepiept. Was het tijd om de kussens te vervangen? Het spul dat tegenwoordig werd gemaakt, was goedkope troep, merendeels uit China. Of uit Washington, D.C.

Quinton deponeerde het veertje in een grote urn die hij als offervat voor dit soort verdwaalde zaken gebruikte. Die idioten op de psychiatrische afdeling hadden geïnsinueerd dat hij aan een dwangstoornis en schizofrenie leed. Het waren leugenaars, en hij had hun pillen alleen ingenomen om ze om de tuin te leiden. De waarheid was dat hij hun zelfs met zijn hersens op zijn rug gebonden nog te slim af kon zijn.

Hij liep in zeven gelijke stappen naar de keuken en vroeg zich af hoe de kleine Joshie van het restaurant zich nu voelde, na de waardevolle levensles die hij van oom Quinton had gekregen. De kleine bofkont. Beter nu dan op straat, waar het eerder een moker op zijn hoofd dan de zachte kant van een hand zou zijn die de les inpeperde.

Maar de ware winnaar zou Melissa worden, de stewardess die haar ware levensdoel zou ontdekken over – hij wierp een blik op de klok aan de muur – twee uur en eenentwintig minuten, om klokslag twee uur vannacht.

Zijn zenuwen zonden een opgewonden rilling naar zijn staartbeentje en vervolgens weer omhoog langs zijn ruggengraat. Een moment lang had hij het gevoel dat hij op de reling van een brug stond met een bungeekoord aan zijn enkels, klaar om zich onverschrokken in de diepte te storten. Maar hij had een betere manier gevonden om te vliegen.

Zegen me, Vader, want ik heb gezondigd.

De regels. Altijd de regels. Schoonheid wordt gedefinieerd door God. Alleen Hij bepaalt wie de mooiste is. Waar, o zo waar.

Maar er was meer. Er was nog een regel: regel nummer twee. Want Quinton had pas sinds kort ontdekt dat God lievelingen had. God had sommigen meer lief dan anderen. Hij was diep begaan met Zijn schepping en zou alles doen om indruk te maken op Zijn lievelingen.

Sterker nog: er was één lieveling. Eén mens die in feite zo geliefd was dat de rest niet eens voorkwam op Gods lijst van zaken die Zijn aandacht waardig waren.

De Schepper was gefixeerd op één.

Quinton opende de deur naar een voorraadkamer waarvan de wand volstond met keurige rijen *baked beans* van Hornish. Zijn lievelingsmerk, vanwege de zoetige siroop. Hersenvoer.

Hij pakte de Hitachi-boormachine en sloot de deur. Hij had het 0,5 inch boorijzer in water gekookt om het te ontsmetten voor Melissa. Geen bacterie te vinden op de schroefdraad.

Ja, God was geobsedeerd door één persoon, zoals Hij ooit een fixatie voor Lucifer had gehad. Alle heerscharen van hemel en hel hadden vanaf hun verheven, onbelemmerde positie omlaag gekeken en die ene gadegeslagen die door God het hof werd gemaakt.

De rest van de schepping had slechts bestaan als een toneel voor Zijn hofmakerij. Alle anderen waren slechts figuranten.

Hemel en hel waren razend benieuwd: zou de uitverkorene Gods liefde beantwoorden?

Hij legde de boormachine in een zwarte koffer, naast het kalmerende middel. De rest van wat hij nodig zou hebben was al keurig ingepakt. Hij sloot de koffer en liet zijn blik door de kamer gaan. Hoe lang het duurde voor hij terugkeerde hing af van Melissa. Een dag, misschien drie dagen.

Tevreden dat alles in orde was doofde Quinton de lichten en daalde af naar de garage, waar de groene Chevy pick-up op hem wachtte.

Hij kroop achter het stuur en grinnikte om het onhoorbare debat dat in hem woedde, tussen hemzelf en een ongeziene tegenstander.

Stel het je voor, achterlijke idioot. Stel je een seconde lang voor (en ik weet dat het niet meevalt, omdat je nu eenmaal minder intelligent bent dan ik), maar stel je een paar momenten voor dat het allemaal om jou draait.

Jij bent het middelpunt van alles. Jouw keuzes zijn de enige die tellen. Net als Neo uit The Matrix, *Quintons lievelingsfilm, word je op een dag wakker en ontdekt dat jíj de uitverkorene bent.*

Waanzinnig, maar o zo waar. Jij bent Zijn bruid. De lieveling van God.

Maar nu komt waar je pas echt van zal flippen, Neo, jij stomme idioot. Dit is Regel Twee: in Gods oneindige hoedanigheid kan Hij meer dan één lieveling hebben zonder dat anderen hun status verliezen.

Ja, Neo. Jij bent de lieveling, de uitverkorene. Maar ik ook.

Net als iedere andere levende ziel die op deze vervloekte aardkloot rondwandelt.

En de regels zijn voor hen allemaal hetzelfde. Helaas zijn de meesten te ver heen om te beseffen hoe belangrijk ze wel zijn in het spel dat leven heet.

Tot voor kort had Quinton alle menselijke wezens gehaat vanwege hun volslagen waardeloosheid. Toen was hij erachter gekomen dat het tegendeel waar was. Dat ze allemaal, tot op de laatste man, vrouw en kind, oneindig waardevol waren. Hierdoor was hij hen op slag gaan haten, omdat ze dus even belangrijk waren als hij.

Maar nu hoefde hij niet langer stil te staan bij zulke mysteries. Hij had een rol te spelen. Hij was Gods engel. Een messias, uitgezonden om Gods meest geliefden te helpen zich bij Hem te voegen in eeuwige zaligheid.

Aangezien ieder mens de mooiste was in Gods oneindige vermogen tot liefhebben, mocht Quinton er zeven selecteren, Gods heilige getal. Hij zou er zeven bij God afleveren, een symbolisch gebaar van dienstbaarheid waarvoor hij rijkelijk zou worden beloond. Helemaal op het eind zou hij zijn voortplantingsvermogen terugkrijgen. Zijn lichaam, nu in rust als een beer in winterslaap, zou uit een diepe sluimer verrijzen en zich met zijn eigen bruid verenigen.

Hij had één bruid verloren toen ze hem afwees. Hij zou dat onrecht herstellen en nooit toelaten dat het nog eens gebeurde.

Quinton reed de groene Chevy opgewekt fluitend het parkeerterrein af. Zijn gevoel van eigenwaarde en vastberadenheid was nu bijna overweldigend. Hij bewoog op vleugels. Hij zwaaide naar Mary, een alleenstaande moeder die twee appartementengebouwen verder woonde. Hij had haar een keer geholpen met haar boodschappen, omdat hij zich afvroeg of ze een geschikte bruid zou kunnen zijn.

Uiteindelijk draaide het allemaal om de zevende, de mooiste van al, en ze was hem zo bekend als zijn eigen adem. Maar bij de eerste zes, het getal van de mens, was het aan hem om de keus te maken. Aan hem om ze van alle menselijkheid te ontdoen zodat God ze als Zijn bruiden kon aanvaarden.

Melissa, de mooie jonge vrouw, stond op het punt om bruid te worden, de vijfde uitverkorene. Als ze wist wat Quinton wist, zou ze wellicht ook dronken van vreugde en verwachting zijn.

Iets in Quinton wist dat de meeste mensen zijn redenering ietwat vreemd zouden vinden. Misschien zouden ze zelfs denken dat hij krankzinnig was, dat vond hij best. Mensen hadden een buitengewoon vermogen tot stupiditeit. Ze hadden ooit gezworen dat de aarde plat was, dat de poolijskappen spoedig verdwenen zouden zijn, dat Quinton niet goed bij zijn hoofd was.

Allen waren even misleid. Onwetend, kinderlijk, lichtgelovig, gemanipuleerd, dwaas, STUPIDE, met hoofdletters.

Soms kon Quinton er niet bij dat Hij hen allen liefhad. Zijn hart was inderdaad zo groot als de oceaan. Als het aan Quinton had gelegen, zou hij een pistool met zes miljard kogels hebben gepakt, keurig in 's werelds grootste magazijn gevat, en ze allemaal, één voor één, hebben afgeschoten.

Bij de gedachte begonnen zijn handen te beven op het stuur. Hij moest vechten om door het waas voor zijn ogen heen te kijken en zichzelf weer onder controle te krijgen.

Het kostte hem een uur om het blauwe huis te bereiken. Hij parkeerde de pick-up op een leeg terrein aan het eind van een groene gordel achter het huis en zette de motor af. Zeven blikken in zijn spiegel overtuigden hem ervan dat hij alleen was, al had hij om één uur in de nacht niet anders verwacht. Hij had alles bij elkaar zes uren achter het huis doorgebracht, achter elke boom en struik gestaan, op zijn buik rondgetijgerd om het terrein te testen en zich al doende op deze nacht verheugd.

Geen straatverlichting hierachter. Geen maan vannacht.

De sterke neiging om een deuntje te fluiten bedwingend, trok hij de douchemuts stevig over zijn hoofd, stapte in dezelfde laarzen die hij bij elke ontvoering had gedragen en trok vervolgens een paar verse rubber handschoenen aan.

Hij stapte uit de truck en drukte het portier met weinig meer dan een klik achter zich dicht. Deed hem op slot met zijn sleutel. Een overwoekerd voetpad kronkelde tussen verspreide bomen, dunne, miezerige schimmen die eruitzagen alsof ze waren aangeplant toen de projectontwikkelaar de wijk uit de grond stampte. Aan weerszijden gingen er huizen schuil achter de bomen; hij kon hun schuttingen en verduisterde achterveranda's zien.

Op momenten als deze voelde hij zich één met de hele natuur, even onzichtbaar als een middernachtelijke bries en even volmaakt toegerust voor zijn missie. Geen sterveling kon hem daar door het duister zien rondwaren en geen mens was zo gek dat hij hem kon tegenhouden.

Quinton stapte bedaard over het pad, zijn zintuigen perfect afgestemd op zijn omgeving. Vermoedde een van de bewoners dat er nu al weken een man achter hun huis rondhing, loerend vanuit het donker?

Waarschijnlijk niet. Ze waren lievelingen, maar domkoppen tegelijk, die veel te veel op hun eigen vlees vertrouwden. Voor hem uit, aan zijn rechterhand, kwam Melissa's huis in beeld, en een enorme golf van voldoening rees in hem op. Hij tuurde opgetogen voor zich uit. Donkere ramen. Ze lag al te slapen.

Een beeld van haar hiel, met zijn boor licht tegen haar eeltige huid gedrukt, verspreidde kippenvel over zijn nek en schouders. De basis van zijn ruggengraat tintelde en zijn ademhaling versnelde.

Zegen me, zegen me, zegen me, zegen me, zegen me, zegen me, zegen me, Vader.

Hij naderde de rand van Melissa's blauwe huis, nauwelijks meer dan een schaduw op een maanloze nacht. Vanuit de Googlesatelliet was het huis niet te onderscheiden. Vanuit Gods gezichtspunt was het louter een puntje, vervolgens een vlekje onder een miljoen vlekjes, amper te onderscheiden van een boom. Vervolgens – als je verder inzoomde – een computerchip, dan een postzegel en pas op het laatst een huis. Op de laatste satellietfoto reed er een zwarte auto voorbij.

Niemand tuurde omlaag, niemand anders dan God kon weten wat er in het bed in het piepkleine huis lag te slapen. Slechts één uit zes miljard, maar vannacht de enige.

Geselecteerd door niemand minder dan Quinton Gauld zelf.

Hij stond stil, als een kleine boom in het donker, en bleef een moment staan kijken, een moment dat zo lang duurde dat ieder ander mens de roerloosheid onmogelijk had kunnen volhouden. Toen ritste hij zijn gulp open en urineerde in een kleine plastic fles, die hij vervolgens weer in zijn zak stak.

Lange tijd stond hij daar al starend details te repeteren en te delibereren.

Brad Raines. Nikki. Nikki, Nikki, Nikki.

Zijn gedachten verplaatsten zich naar de zevende. Je weet het, hè, Brad? Dat ik haar ga ontvoeren omdat ze mij toebehoort? Dat ze naar me toe zal komen omdat ze de zevende is?

Wat de FBI-agent onmogelijk kon weten, was dat hij louter een marionet was. Hij had precies zo op de boodschap gereageerd als de bedoeling was. Slim, dat moest Quinton hem nageven. Briljant zelfs. Maar Quinton vertrouwde juist op dat intelligentieniveau.

Brad zou waarschijnlijk moeten sterven om bij acht uit te komen, maar dat was een klein offer. Een dat zelfs de agent graag zou brengen, als hij eenmaal begreep hoe mooi ze wel was.

Quinton zette de gedachten opzij en liep in gedachten om haar bed heen. In gedachten plaatste hij zich op centimeters van de uitverkorene, zo dichtbij nu dat zijn aanwezigheid door de wereld als een illegale inbreuk, als een schending van haar privacy zou worden beschouwd. Een schending die brutaal genoeg was om een gil aan haar te ontlokken, mocht ze te vroeg wakker worden. Toch hoorde hij daar thuis, wachtend in het donker, genietend van de bitterzoete pauze voor haar ontvoering.

Niet langer bereid te wachten besloot Quinton dat hij de bruid een halfuur eerder zou ophalen. Hij keerde terug naar de truck, zette de plastic fles met zijn urine onder de stoel om hem later weg te doen en haalde de chloroform tevoorschijn. Voordat ze begreep wat er op het spel stond, zou ze misschien schrikken van zijn verschijning. Hij moest haar veilig naar de plek van zijn keuze, dicht bij de stad Elizabeth, transporteren voordat hij aan zijn werk kon beginnen.

Tien minuten later stond hij aan de rand van haar achtergazon. Geen geluid van protest. Geen nieuw huisdier, geen slaapwandelaar of nachtbraker, geen blaffende buurhond. Perfect. Hij liep naar haar slaapkamerraam en gluurde langs de lamellen. Besefte Melissa dat er een smalle kier tussen haar jaloezieën en het raamkozijn was die de eerste de beste toestond een reep van de kamer te zien, inclusief een deel van haar bed? Misschien had ze het geweten en de schouders opgehaald, in de zekerheid dat ze bijzonder was, immuun voor de buitenwereld.

Hij ontwaarde lange golvende lijnen in het schemerduister. Het kostte hem een volle minuut om te begrijpen dat hij haar benen onder het gebloemde dekbed zag. Ze was thuis, zoals hij had geweten, maar haar aanblik hielp hem toch zich te ontspannen.

Hoewel Melissa nachtsloten had en een alarmsysteem met adequate contacten aan alle ramen en deuren, activeerde het opensnijden van de ruit in het raam van de garderobe, hoewel tijdrovend, geen alarm. Hij klom naar binnen, voorzichtig, om te voorkomen dat hij het kozijn aanraakte en een van de contacten activeerde.

Geholpen door een klein zaklampje dat hem genoeg licht gaf om bij te werken, bracht hij een paar druppels krachtlijm aan op de randen van het uitgesneden glas en zette de ruit weer op zijn plaats. Van buitenaf zou geen voorbijganger ooit opmerken dat ermee was gerommeld.

Nu hij veilig in het huis van de lieveling was, bleef Quinton een paar minuten gehurkt zitten om kalm te worden. Hij ademde de warmere lucht in, die vervuld was van de unieke geuren van het dagelijkse bestaan van de vijfde. Hij rook een kruidige geur die vanuit de keuken kwam aandrijven; een late afhaalmaaltijd. Hij bespeurde stof dat opwervelde door de activiteit van een onzichtbare plafondventilator, nijver zoemend in het donker. Hij ving zelfs een vleug van haar parfum op, waarvan hij het profiel niet was vergeten sinds die eerste ontmoeting weken geleden.

Eindelijk richtte hij zich op, heel voorzichtig om zijn knieën niet te laten kraken. Hij had het huis vanuit elk raam bestudeerd en was goed bekend met de indeling. Hij bevond zich in de inloopkast van de logeerkamer aan de noordkant. Er liep een gang langs de woonkamer naar de grote slaapkamer, waar Melissa nu droomde van alles behalve het wonderbare lot dat haar op het punt stond ten deel te vallen.

Hij haalde het kleine flesje chloroform en een prop watten uit zijn zak, opende de deur een klein beetje en glipte de logeerkamer in. Hij had de kamers opgemeten en de afstanden keer op keer geoefend, zodat hij zelfs nu, in het pikkedonker, wist hoeveel stappen het was naar de deur, hoeveel door de gang, hoeveel naar haar bed.

Quinton zette ze allemaal, langzaam en steels. Hij wachtte een moment buiten haar slaapkamerdeur voordat hij aan de deurknop draaide.

Geen slot. Natuurlijk niet. Melissa mocht dan favoriet en adembenemend zijn, maar ze was nog altijd knap stom. Toch hield hij van haar zoals God van haar hield.

Toen hij de deur ver genoeg geopend had om zijn lichaam door te laten, sloop hij naar binnen. Een lichtgrijze gloed van de stad werkte zich voorbij de jaloezieën en bood een zweem van licht. Genoeg voor Quinton om haar gedaante te zien, langzaam rijzend en dalend in vredige sluimering.

Hij was er nu, op de plek waarover hij de afgelopen dagen obsessief had gefantaseerd. Hij liet de brede glimlach in zijn borst de oneindige details van zijn succes verzwelgen: de verrukkelijke nabijheid, het gevoel van macht, de amper draaglijke spanning vooraf.

Het verbaasde hem altijd hoe nietsvermoedend ze waren. Slapend in hun eigen saaie nesten, onbewust van het feit dat er een hogere roeping in het leven bestond. Als makke schapen in een hok. Zes miljard.

Maar hij kwam voor die ene.

Quinton doordrenkte de prop watten, stak de fles weer in zijn zak en verzette twee stappen toen de kamer ineens in licht baadde.

Hij bleef abrupt stilstaan, met de stinkende prop in zijn rechterhand. Melissa staarde hem met ronde groene ogen aan, het haar in de war en slierend over haar linkerwang. Haar hand lag nog steeds op de lichtschakelaar.

Ze droeg een wit masker van schrik dat elke gil leek te hebben gedempt. Maar Quinton wist dat haar stilzwijgen niet zou voortduren. Wat nu? Hij had dit nog nooit bij de hand gehad. Ze moest al die tijd wakker zijn geweest.

'Sorry,' zei hij. 'Ik denk dat ik in het verkeerde huis ben.'

Dat gaf haar juist genoeg denkvoer om niet te gillen.

'Sorry. Ik moet het verkeerde... Is dit nummer 2413?'

Ze slikte en sloot haar mond. Maar ze was nog steeds te geschrokken om te antwoorden. Haar blik daalde af naar de prop in zijn hand.

'Oké, ik ga nu weg,' zei hij met een stem die plotseling zwak en uitgeblust klonk. 'Het spijt me ontzettend dat ik zo binnenstier. Over gênant gesproken. Hoewel u echt een mooie vrouw bent.'

Hij gaf zichzelf op zijn kop voor die laatste opmerking.

'Wauw, nu geneer ik me helemaal. Als u me kunt laten zien hoe ik buiten kom.' Hij keek over zijn schouder naar de deur. Intussen verspreidde de geur van chloroform zich door de kamer. 'Kunt u me zeggen hoe ik hier wegkom?'

'Ga weg!' schreeuwde ze.

Hij stak zijn hand op. 'Nee, nee, doe dat nou niet. Het spijt me, ik wil alleen...' Quinton wees naar haar raam. 'Kijk!'

Ze keek. Kinderlijk, maar het werkte.

Hij dook toe, terwijl haar ogen even waren afgewend. Spande en ontspande elke spier in zijn lichaam, onwrikbaar op haar gefocust. Greep haar knie en wierp zijn volle vijfennegentig kilo op haar tengere lijf, de hand met de prop watten paraat.

Maar Melissa was niet alleen een waardige favoriet vanwege haar uiterlijk. Ze rolde snel weg. Gillend.

Hij rolde met haar mee, maar ze was eerder bij de overkant van het bed en sprong eraf. Haar flanellen pyjama was geel met kleine witte vlinders. Als dat niet schattig was!

Quinton stak zijn handen omhoog. 'Nee, niet weglopen. Jij bent de bruid. Hij wil jou, je moet...' Maar ze stormde al om het bed naar de openstaande slaapkamerdeur.

Hij stortte zich op haar op het moment dat ze het voeteneind passeerde. Zijn hand ving een handvol stof van haar zachte flanellen pyjamabroek en bracht haar onder een geluid van scheurende stof tot stilstand.

Ze deinsde terug en kreunde van paniek. Maar Quinton was al op de been en hing boven haar. Hij bracht de prop watten omlaag en drukte hem tegen haar mond om haar te kalmeren en in slaap te brengen zodat dit niet zo'n moeilijke onderneming zou worden.

Melissa wrong naar links en slaakte een kreet. Maar de kreet werd ruw in de kiem gesmoord door een luide bons. In haar poging te ontsnappen was ze met haar hoofd tegen de hoek van haar ladekast geslagen.

De vrouw ging neer als een dood hert. Onmiddellijk welde er bloed op uit een wond aan haar slaap.

'Nee...' Bij de aanblik van de ontsiering kwam zijn maag in opstand. 'Wat... Wat doe je nou?' Hij voelde woede opkomen en het bloed steeg naar zijn gezicht. 'Waar ben je mee bezig?'

Hij voelde een golf van misselijkheid oprijzen terwijl hij naar de smet op haar overigens gave gezicht staarde. Ze had het verpest! Ze was met haar domme hoofdje tegen de ladekast geknald en had haar smetteloze gelaat beschadigd. Wat moest hij nu? Een moment lang dacht hij zelfs dat hij over haar heen zou kotsen. Hij drong de zure golf terug, maar kreeg toen te kampen met een zeer sterke aanvechting haar in het gezicht te stompen.

Langzaam bracht hij zichzelf weer onder controle. Het was een tegenvaller, maar er was geen man overboord. Met een beetje geluk had niemand haar korte kreet gehoord. En zelfs als dat wel zo was, draaide die zich hoogstwaarschijnlijk al weer op zijn andere zij om verder te slapen, in het volste vertrouwen dat het geluid niets om het lijf had. Melissa verkeerde in elk geval weer in diepe rust. Voor de zekerheid drukte hij de prop watten tegen haar mond en telde tot tien.

Toen stak hij de prop in zijn zak, wierp het meisje over zijn schouder, vertrok door de achterdeur en trok die stevig achter zich in het slot.

8

De uren tikten genadeloos door en één dag werd twee dagen.

Brad Raines zat op de zaak als een moederkloek, wetend dat er wel degelijk iets gaande was, ook al was het nog onzichtbaar. De moordenaar lag niet rustig in zijn bed te slapen. Zijn wrede oogst ging onverdroten voort.

Het FBI-team had het bewijsmateriaal uitgekamd op zoek naar een aanknopingspunt dat de kloof tussen jager en prooi zou kunnen dichten. Maar er was niets nieuws van betekenis naar voren gekomen.

Brad stond alleen in zijn kantoor uit het raam te staren naar de auto's die drie verdiepingen lager voorbijreden. Hij en zijn team hadden alles wat ze nodig hadden, een mantra waar Brad naar leefde. Ergens in de papieren op zijn bureau zat een sleutel verscholen die de zaak kon openbreken: een stipje, een paasei, een woord dat meer zei dan je op het eerste gezicht zou denken.

Brad was van het Centrum voor Welzijn en Intelligentie teruggekeerd met een onbehaaglijk gevoel dat hem niet losliet. Seriemoorden in verband brengen met lieden zoals Roudy Sparks of Andrea Mertz – of de andere bewoners die hij op het CWI had ontmoet – was als een bankroof aan een tienjarig kind toeschrijven. Ze waren in staat tot uitbarstingen die bij wanen hoorden, maar hun wrede ziekte was gewoon niet te rijmen met gecalculeerde patronen van gewelddadigheid.

Hij had op het CWI *slachtoffers* ontmoet, niet daders die in staat waren tot brute moord. Maar er was meer geweest, een sluipend besef dat hem achtervolgde.

In hun ogen had hij een klein deel van zichzelf gezien.

De openbaring kwam neer op wat Nikki had gezegd, kort voordat ze het telefoontje kregen dat hen opdroeg het CWI een bezoekje te brengen. De notie dat ieder mens in feite alleen op de wereld was, geconfronteerd met de complexiteit van het leven. En omdat alle mensen alleen waren, voelden ze zich onzeker. Niet bemind zoals dat zou moeten. Niet werkelijk gewenst. Verstoten. Poseurs op een subtiel maar diep niveau.

Alle mensen waren op zichzelf teruggeworpen, alleen, of ze het nu wilden toegeven of niet. De verstandigsten en flinksten slaagden erin dat feit te erkennen en ermee te leven. Meer ervaren volwassenen hadden manieren gevonden om zich staande te houden, maar velen, zo niet de meesten, voelden het nog steeds. Jongere volwassenen vermoedden het diep in hun botten en hunkerden naar zingeving. Sommigen trokken zich terug uit die onzekerheid om te overleven.

Enkele trieste voorbeelden trokken aan hem voorbij.

Een vrouw die als kind was misbruikt, niet in staat haar man in een wederzijds bevredigende seksuele relatie te betrekken, omdat ze de schutting die ze had opgetrokken niet kon laten zakken. Een man die zijn hele leven te horen had gekregen dat hij tekortschoot, nu veilig weggekropen in zijn eigen schulp, bang dat zelfs de mensen die het dichtst bij hem stonden het zouden merken.

Sommigen maskeerden hun onzekerheid door te overcompenseren met praten, praten, praten. Of eten. Of sporten. Of verslavingen. Of belachelijk gedrag om aandacht te krijgen.

In de afgelopen drie dagen was Brads wereld aan alle kanten een woestijn van slachtoffers geworden. Iedereen – en niet alleen Nikki, Frank en Kim, Mason in de lobby of Amanda in Maci's Café – nee, iedereen was een eenzaam slachtoffer van de complexiteit van het leven; Brad vroeg zich af achter welke mysteries ze zich verscholen. Welke geheimen en angsten stonden borg voor hun eenzaamheid?

Je bent een mooi meisje, Amanda. Slank en fit. Ben je constant aan het lijnen om jezelf te verbeteren? Heb je een hekel aan jezelf? Of hou je van jezelf en betreur je het dat anderen je niet méér waarderen?

Wie was de skateboarder die op de reling bij zijn appartement oefende werkelijk? Een jongeman die niet bereid was om echt te gaan leven omdat hij nog niet tevreden was met wie hij was? Het leven was voor hem nog steeds een repetitie voor de een of andere echte test, die een maand of een jaar, misschien wel vijf jaar weg lag. Wanneer hij slaagde, zouden zijn gelijken hem echt waarderen. Hem in hun hart sluiten zelfs. Hij zou zijn betekenis vinden.

Het probleem was dat die dag nooit zou aanbreken. Iedereen maakte zichzelf óf nog steeds wijs dat het geluk vlak om de hoek lag, óf leefde met het angstige vermoeden dat de pot met goud aan het eind van de regenboog louter fantasie was. Dat je in werkelijkheid alleen was in een jungle en dat de regenbogen in werkelijkheid illusies waren.

Dus dan was het leven een breinbreker, nietwaar? En de meeste mensen waren gehandicapt. Mentaal.

Ziek.

Brad tikte met zijn wijsvinger op de vensterbank. Onzin natuurlijk. Dit was gewoon zijn manier om met zijn eigen onzekerheden om te gaan. Anders dan de meesten was hij tenminste in staat om de waarheid te zien. Toch was ook hij gedoemd dezelfde monsters – tekortkomingen, onbeduidendheid en isolement – het hoofd te bieden die iederéén het hoofd moest bieden.

Als Nikki het volledige verhaal kende, zou de psycholoog in haar zeggen dat hij een man was die gevangen zat in de diepe wanhoop dat hij nooit een vrouw zou vinden die het haalde bij de ene zielsverwant die hij had liefgehad en toen was kwijtgeraakt.

Een plofje achter hem rukte hem uit zijn overpeinzingen. Frank stond gebogen over een gele map die hij op Brads bureau had laten vallen.

'De rest is allemaal uitgesloten. Drie namen zijn we nog aan het natrekken, maar van dit stapeltje zijn er nu negen dood. Tien zitten in de gevangenis, voornamelijk draaideurgevallen. Vijf zitten in andere vormen van beschermd wonen en twaalf zijn gereintegreerd in de samenleving en leiden een normaal leven met familie of vrienden. Geen spoor van de moordenaar.'

Op zijn aanwijzing had Nikki de bewoners op Allison Johnsons lijst van ontslagen gevallen bestudeerd en er drieënveertig uitgevist die ze in staat achtte tot gewelddadig gedrag. Van hen had het team er zesendertig opgespoord en als mogelijke verdachte uitgesloten.

Hij knikte fronsend. 'Oké. Spoor de overige zeven op.'

'Is al gebeurd. Het wachten is op het eindrapport.'

Brad knikte en Frank vertrok.

Hij drukte op de intercomknop op zijn telefoon. 'Nikki, kun je even naar mijn kantoor komen?'

Hij nam plaats in zijn stoel, sloot twee geopende mappen op zijn bureau en legde ze keurig op elkaar. Zes boeken die hij had doorgenomen stonden zij aan zij bij zijn elleboog. *The Center Cannot Hold*, een autobiografie van een schizofreen. Een paar aangrijpende boeken over de de-institutionalisering van de geesteszieken. Een boek dat gehakt maakte van de omstreden atypische psychotrope medicijnen, een tweede dat ervoor pleitte. *Mad in America*, een geschiedenis van de behandeling van geestesziekte in de Verenigde Staten.

Drie vulpotloden lagen in een houten bakje naast de Bruidenvanger-dossiers. Overigens was zijn bureau leeg. De rest van zijn kantoor was even keurig geordend.

Hij pakte een van de potloden, legde zijn ene been over het andere en tikte met de plastic behuizing op het formicablad van het bureau.

Nikki klopte op zijn openstaande deur. 'Riep je mij?'

'Ga zitten.'

Ze liep naar binnen en ging in een van twee stoelen tegenover zijn bureau zitten. Spijkerbroek vandaag. Witte sandalen die fraai contrasteerden met haar roodgelakte teennagels. Ze had gisteravond of vanmorgen een pedicurebehandeling gehad. Haar voet begon langzaam rondjes te draaien.

Hij keek omhoog en zag dat ze hem zat op te nemen. Zo, in spijkerbroek en witte blouse met korte mouwen, had ze met haar donkere golvende haar wel iets weg van Ruby, vond hij. Een paar momenten vergat hij zijn ogen af te wenden en tegen de tijd dat hij besefte dat hij haar aanstaarde, had hij zichzelf verraden.

Het leven is een breinbreker, dacht hij. *En welke mysteries verberg jij, mijn beste?*

Zijn blik dwaalde af naar de stapel dossiers. 'De tijd begint te dringen.'

'Als je bedoelt dat hij weer zal toeslaan, heb je waarschijnlijk gelijk. Ik weet niet wat we nog meer kunnen doen.'

'We kunnen verder kijken dan de drieënveertig mensen die je uit de CWI-archieven hebt geplukt.'

Ze knikte. 'Ik zal er meer bij betrekken, maar het is hoogst onwaarschijnlijk...'

'Dat besef ik. Maar er ontgaat ons iets.'

'Op het CWI?'

'Misschien. Ik weet het niet.'

Ze knikte. 'De plek laat je niet onberoerd, hè?'

'Het Centrum voor Welzijn en Intelligentie.' Hij legde het potlood weer neer. 'Het ziet er niet naar uit dat daar een verband met de zaak te vinden is.'

'Maar je hebt er iets anders gezien,' zei ze. 'Je bent vaker in psychiatrische instellingen geweest. Strafinrichtingen voor krankzinnigen. Het bonzen van hoofden op toiletten, de permanente suïcidebewaking, de kreten van profeten die verkondigen dat Jezus bij de eeuwwisseling zal wederkeren. Maar dit was anders.'

'Ze waren... Ik weet niet...'

'Menselijk,' zei ze.

Het klonk zo wreed.

'Nee, meer dan dat.' Wat kon hij zeggen? *Ik had het gevoel alsof ik in een spiegel keek?* Dat was niet helemaal waar, maar hij kon niet ontkennen dat hij iets merkwaardig vertrouwds had gezien.

Nikki stond op, liep naar de deur en sloot hem. 'Het punt is, Brad, dat ik je snap. Ik weet dat je goed bent in wat je doet vanwege de pijn die je drijft. Ik weet dat ze je niet loslaten, omdat je contact met hen hebt gemaakt op een niveau dat je in verwarring brengt.' Ze liep naar zijn bureau, legde haar handen plat op het oppervlak en boog zich naar voren. 'Hoe doe ik het tot zover?'

Plotseling wilde hij dat ze alles wist. Dus vertelde hij het haar.

'Ze heeft zelfmoord gepleegd, Nikki.'

'Wie?'

'Ruby. Ze heeft zichzelf van het leven beroofd. Alles was perfect. We zouden na ons afstuderen gaan trouwen. Ze hield van me en ik was smoorverliefd op haar. Op een nacht heeft ze pillen ingenomen en er een eind aan gemaakt.' Zijn stem brak van emotie. 'Ze vond zichzelf niet mooi genoeg.'

Nikki ging weer zitten. 'Wat vreselijk voor je.'

'Het heeft enige tijd geduurd voordat ik het begreep – de details zijn nu niet belangrijk. Ze vond zichzelf niet mooi genoeg, terwijl ze prachtig was. En niet alleen in mijn ogen.' Hij trok zijn bovenste rechterlade open en haalde een foto van twaalf bij achttien tevoorschijn waarop Ruby, met een tennisracket in haar hand haar donkere haar naar achteren wierp. Hij schoof hem naar Nikki toe.

Ze pakte de foto op. 'Je hebt gelijk, ze was prachtig. Het spijt me, ik had geen idee.'

'Het heeft even geduurd, maar ik denk dat ik eindelijk de impact begin te begrijpen die haar dood op me heeft gehad.'

Ze schoof de foto naar hem terug en leunde achterover in haar stoel. 'En je ziet hetzelfde in de bewoners van het CWI. Het heeft mij ook aangegrepen.'

Ze keek hem onderzoekend aan. Maar niet zoals een psychoanalyticus zou doen, tenzij ze verliefd werd op haar patiënt. Ze was de enige vrouw aan wie hij het ooit had verteld.

'Wat zegt je intuïtie?' vroeg ze.

'Waarover?'

'Over mij.' Haar lippen plooiden zich. 'Over Roudy en consorten, natuurlijk.'

'Ja, natuurlijk. Mijn intuïtie? Die zegt me dat ik nogmaals met hen moet praten.'

'Doe dat dan. Praat met hen.'

'Met welk doel? Er is geen verband met de zaak.'

'Gebruik hen.'

'Hoe?'

'Gebruik Roudy. Gebruik hen allemaal.'

'Voor de zaak?'

'De directrice leek te denken dat ze nuttig zouden kunnen zijn. Je moet er een zijn om er een te kennen, toch? Dus rekruteer een paar schizofrenen om ons te helpen een schizofreen te vinden.'

'Aangenomen dat hij inderdaad schizofreen is.' Het idee leek een beetje vergezocht, zelfs voor zijn doen. 'Klinkt meer als een casestudy dan als een onderzoek.'

'Misschien. Heb je nog andere bruikbare aanknopingspunten? Schakel Eden in. Wie weet, misschien weet ze iets.'

'Geesten...'

Nikki haalde haar schouders op. 'Ik zeg alleen: vertrouw op je intuïtie, Brad. Die vertelde je dat de moordenaar een aanwijzing in zijn bekentenis zou achterlaten. De eerste plek waar zijn boodschap ons bracht was het CWI. Dus ga erop door. Ik ben psycholoog, maar ik heb in mijn loopbaan dingen gezien waar je haren recht van overeind zouden gaan staan. Geesten zien is bij lange na niet het bijzonderste.'

'Raad je me aan om een helderziende in te schakelen?'

'Waarom niet? Zie jij een andere weg? Allerlei politiediensten hebben in tal van zaken helderzienden gebruikt, met fascinerende resultaten.'

Hij keek haar scheef aan, geïntrigeerd. 'Ik had je niet aangezien voor het zweverige type.'

'Dat ben ik ook niet, geloof me. Maar er is een heleboel aan het leven wat ik niet begrijp. De enige suggestie die ik doe, is dat je op je intuïtie vertrouwt. Die heeft je naar het CWI geleid. Naar Roudy. Eden. Volg je intuïtie.'

'Mijn intuïtie vertelt me helderzienden te vergeten.'

'Maar niet om het CWI te vergeten. En bij uitbreiding de bewoners van het CWI.'

Haar suggestie voelde meer aan als permissie. Ze was niet zijn superieur, maar met die permissie op zak voelde hij zich merkwaardig geneigd er gebruik van te maken.

Nikki schonk hem een meewarige glimlach. 'We hebben allemaal zo onze frustraties, Brad. We zien allemaal onze eigen tekortkomingen terug in anderen. Voor de goede orde, ik mag je graag, met frustraties en al.'

De lucht voelde zwaar.

'Ben je vanavond bezet?' vroeg hij.

'Eigenlijk wel, ja,' zei ze. 'Maar morgenavond ben ik vrij.'

Hij had zich voorgenomen nooit dit pad met haar in te slaan, maar dat was eerder. Gewoon een etentje, verder niets.

'Hou je van vis?' De telefoon ging en hij nam op. 'Raines.'

'We hebben weer een lijk gevonden.'

De verlaten schuur stond verscholen tussen bomen aan het eind van een ongeplaveide weg ten westen van Elizabeth, Colorado. Zonder de makelaar die het perceel die ochtend met een gegadigde was komen bezichtigen, zou het lichaam misschien een week of langer onopgemerkt zijn gebleven.

Zo zag het er op het eerste gezicht uit, maar Brad betwijfelde of de moordenaar zou hebben toegelaten dat zijn werk zo lang onopgemerkt bleef.

Het rijbewijs van Melissa Langdon lag op de grijze plankenvloer binnen de kring in het stof waar een emmer had gestaan die haar bloed had opgevangen. De plaats delict was een open boek.

Melissa was ontvoerd, vermoedelijk vanaf het op haar rijbewijs vermelde adres, waar Brad een team op afstuurde. Vervolgens was ze waarschijnlijk naar een andere locatie gebracht, gedrogeerd en voorbereid, toen hierheen vervoerd voor de finale daad. Net als op de andere locaties was er geen spoor van een worsteling.

Melissa was aan de wand bevestigd, wit en naakt, afgezien van een slipje van hetzelfde merk dat op Caroline was aangetroffen, en een identieke sluier die over haar gezicht was gedrapeerd. Ze was opgehangen aan twee houten pinnen onder haar oksels en vastgelijmd aan de wand.

Daarna ontdaan van haar bloed.

Dezelfde uitgekiende presentatie, dezelfde engelachtige scheve stand van haar hoofd, dezelfde make-up. De lippenstift was waarschijnlijk van hetzelfde merk dat ze eerder hadden geïsoleerd – een rode kleur genaamd Calypso, vervaardigd door Paula Dorf. Nadat hij hen van hun bloed had ontdaan, leek de moordenaar hun iets van kleur terug te willen geven.

Nikki was met Frank en het grootste deel van het team op het regiokantoor gebleven om lijsten door te nemen die zich uitstrekten van het CWI tot andere psychiatrische instellingen die in de afgelopen drie jaar geweldplegers hadden ontslagen.

Kim Peterson, forensisch patholoog, had zich bij Brad gevoegd op de plaats delict. Ze zat op één knie en tuurde onder de rechterhiel van het slachtoffer, waar het gat met vleeskleurige stopverf was opgevuld.

'Nu?' vroeg ze. 'Of in het...'

'Nu,' zei Brad.

Ze legde een grote plastic zak op de vloer en peuterde de stopverf los. Het viel op het plastic, gevolgd door een dun sliertje bloed. De moordenaar had waarschijnlijk vijftien of twintig minuten gewacht tot het grootste deel van het bloed omlaag was gezakt, maar in de vlezige delen van het lichaam bleven resten achter. Horizontale aderen en haarvaten zouden niet makkelijk leeglopen, zelfs niet als ze gemasseerd of leeggezogen werden.

'Heb je iets?'

Kim reageerde door met haar pincet vijf centimeter aan opgerold bebloed papier tevoorschijn te trekken.

'Kun je het hier openmaken?'

Ze pelde het rolletje open, voorzichtig om te voorkomen dat ze eventuele latente vingerafdrukken op het papier verstoorde, hoewel ze allebei wisten dat er geen op zouden worden aangetroffen.

Kim las de boodschap stoïcijns voor: '"Pas op wie je je liefde geeft. Ik zou zomaar alle schoonheden kunnen doden. Ik ben intelligenter dan jij. Zegen me, Vader, want ik zal zondigen. O ja, dat zal ik."'

'Dat is alles?'

'Ja.' Kim keek naar hem op. 'Is dit persoonlijk?'

'Nee, niet dat ik weet. Nee, dat zou niet kunnen...'

De moordenaar was vast niet iemand uit zijn eigen verleden die terugkwam om hem te achtervolgen. De moordenaar was er gewoon achter gekomen wie er aan de zaak werkte en speelde met hem. Jutte hem op.

Pas op wie je je liefde geeft. Ik zou zomaar alle schoonheden kunnen doden.

'Wat zie je verder nog?'

'Hetzelfde laken een pak.' Ze stopte de boodschap in een zakje en stond op. Ze gebaarde naar het lichaam. 'Het melkzuur bouwt zich op, rigor mortis is aan het inzetten, maar niet langer dan, pak 'm beet, tien uren. Ze is nog steeds vrij soepel. Ik zou zeggen dat ze gisternacht is overleden.'

'Vier dagen na de vorige.'

'Vier dagen. Ze heeft een lelijke wond aan haar slaap die hij met veel zorg heeft weggewerkt. Het lijkt erop dat ze óf haar hoofd heeft gestoten óf dat hij een klap heeft uitgedeeld.'

'Nee, hij zou niet het risico nemen haar te verwonden. Hij wilde haar intact hebben. Oké, onderzoek het lichaam en de plaats delict verder. Laat me weten of je nog iets anders vindt. Ik ben telefonisch bereikbaar.'

'Okido.'

Brad stapte de schuur uit en klapte zijn BlackBerry open. Het kostte hem twee minuten om Allison Johnson op het Centrum voor Welzijn en Intelligentie aan de lijn te krijgen. Ze was kennelijk bij een bewoner en er was enig aandringen voor nodig om haar te spreken te krijgen.

'Hallo, FBI. Hebt u uw man al gevonden?'

'Nee. Hij heeft een ander meisje te grazen genomen. Ze hangt aan de wand in de schuur achter me.'

De lijn bleef even stil. Ze zuchtte diep.

'Ik zou graag nogmaals met een van uw bewoners spreken, mevrouw Johnson. Als u er geen bezwaar tegen hebt.'

'Nee, natuurlijk niet. Ik heb er geen bezwaar tegen. Zoals ik al zei, is Roudy veel beter dan zijn fratsen suggereren.'

'Eigenlijk zou ik Eden willen spreken.'

'O? Niet Roudy?'

'Nee. Eden, als u het goedvindt.'

'Jaagt u nu op schimmen?'

'Nee. Ik volg mijn intuïtie. Is ze beschikbaar?'

'Ik weet vrijwel zeker van wel.'

'Mooi. Ik kan er binnen een uur zijn. En, mevrouw Johnson...?'

'Ja?'

'Deze keer zou ik Eden alleen willen spreken.'

'Dat zou een probleem kunnen zijn. Ze vindt het eng om alleen te zijn met mannen, zoals ik al zei.'

'Dat realiseer ik me. U zou in de buurt kunnen blijven, maar ik zou echt graag met haar willen spreken... onder vier ogen. Als dat niet mogelijk is, heb ik daar uiteraard begrip voor.'

Allison aarzelde.

'Ik zal zien wat ik doen kan.'

9

De beeltenis van Brad die Flower in de hoge heester had uitgeknipt, was voltooid, maar de kunstenares zelf was nergens te bekennen. De verrassend realistische gelijkenis maakte dat hij bleef stilstaan voor een tweede blik op de oprijlaan. Hij stelde zich voor wat ze met klei of steen zou kunnen doen. Flower was echt getalenteerd.

Een man in een geruite broek ving hem op in de receptie. 'Bent u van de FBI?' vroeg hij, terwijl hij zijn hand uitstak. Hij had een neus als een snavel, maar omdat zijn ogen straalden maakte hij eerder een grappige dan een verwaande indruk.

'Ja.' Brad schudde hem de hand.

'Jonathan Bryce. Allison wacht op u, volgt u mij maar.'

Hij leidde Brad naar de achterkant van het gebouw, waar de enorme esdoorns hun takken over het vredige, nu vrijwel uitgestorven gazon uitspreidden. Ze liepen naar de hoge vleugel ten zuiden van de Rotonde, waar ze drie dagen eerder Roudy en consorten voor het eerst hadden ontmoet.

Welke verhalen, welke mysteries, welke obsessies gingen er schuil achter de bakstenen muren die zich voor hem uitstrekten? Zo rustig en vredig, maar toch zo ver verwijderd van de normaliteit. De wereld van de geesteszieken. De hoogbegaafden. Er liep een rilling over zijn rug.

'Behoort u tot het personeel?'

'Ik ben een van de verpleegkundigen,' zei de man. 'Vooral voor de medicatie.'

'Ik dacht dat het CWI niet zo tuk was op medicijnen.'

'Zijn we ook niet. Maar soms is het onze beste optie.'

'Gewoon niet zo vaak als in andere instellingen,' zei Brad.

'Deze kant op.' Jonathan draaide zich om op de stoep en zwaaide naar twee vrouwen op een bankje, die hen met grote belangstelling opnamen. Ze zwaaiden allebei terug en glimlachten breed. 'De Pointer-tweeling. Dat is nog eens een verhaal.'

'Dat wil ik wel geloven. Waarom staan jullie anders tegenover medicatie dan de meeste andere instellingen?'

'Vergelijk het met een gebroken been. Als iemand een been breekt, weten we hoe we het zo moeten zetten dat het lichaam zichzelf kan genezen. Maar geestesziekte is nog steeds een mysterie.' Hij illustreerde zijn bedoeling door met zijn handen een bol te vormen. Zijn ogen schitterden. 'Ten eerste weten we niet noodzakelijkerwijs waar begaafdheid ophoudt en ziekte begint, dat is verwarring nummer één. Zelfs wanneer we een diagnose kunnen stellen, bijvoorbeeld ernstige bipolaire stoornis, weet niemand hoe de botten moeten worden gezet, als het ware. We hebben geen idee hoe we de geest weer op orde moeten brengen. We kunnen hem niet repareren, we kunnen alleen een deel van de pijn wegnemen. Snapt u?'

'Dus jullie behandelen de symptomen, niet de ziekte.'

'Precies. Je zou kunnen zeggen dat wij van het CWI aspirine geven waar veel psychiaters kalmerende middelen zouden voorschrijven.'

'En is dat beter voor de patiënt?'

'Alsjeblieft, zeg. Weet u hoe die middelen werken?'

'Niet echt, nee.'

'Er zijn geen medicijnen die specifiek geestesziekte behandelen, zoals ooit werd gedacht. De zogenaamde antipsychotische wondermiddelen zoals aripiprazole remmen de serotonine- en dopamineafgifte in de hersenen, waardoor symptomen zoals wanen en hallucinaties worden bestreden. Prima. Maar deze nieuwe middelen hebben ook een lange lijst van bijwerkingen die veel patiënten – let wel, niet allemaal – ondraaglijk vinden.'

'Maar ze zijn dan toch tenminste stabiel? Beter af?'

'Hangt ervan af wat je met stabiel bedoelt. Het verschilt per persoon. Voor sommigen zijn de medicijnen levensreddend. Bij anderen gaat het ten koste van hun algehele gezondheid. Een recente brede studie wees uit dat van vijftienhonderd schizofrene patiënten slechts zo'n vijfentwintig procent de bijwerkingen op de lange termijn draaglijk vond.'

'Wat voor soort bijwerkingen?'

'Van alles. Beroerten, ernstig gewichtsverlies, hartklachten, spijsverteringsproblemen, spastische darmen, seksuele disfunctie, gezichtsbeharing, huiduitslag, oogklachten, enzovoort, enzovoort, enzovoort.' Hij klonk als een medisch woordenboek. Maar ja, ondanks de vreemde kleding was hij verpleegkundige. Dat beweerde hij tenminste.

En hij was nog niet klaar. 'Maar het ergst zijn misschien nog de emotionele problemen die er vaak mee gepaard gaan. Toxische psychose, delirium, verwardheid, desoriëntatie, hallucinaties, depressie, wanen. Het punt is dat neuroleptische medicijnen de neurale processen afremmen zoals de slaap activiteit afremt. Maar een mens moet leven. Je kunt moeilijk alsmaar slapen.' Hij wees naar een glazen deur. 'Hierlangs.'

'Dank u.'

'Dus gebruiken we medicijnen, maar we doen dat met een wakend oog, in de hoop dat er snel betere opties komen, en we bieden een omgeving die iedere patiënt het gevoel geeft dat hij gewenst en bijzonder is.'

Jonathan stopte bij de deur. 'Interessant feit waar niemand raad mee lijkt te weten: in minder geïndustrialiseerde landen, zoals Colombia en India, herstelt meer dan zestig procent van de schizofrene patiënten volledig binnen twee jaar. Zij steunen op familie, religie en andere niet-medische behandelingen. Geen medicatie. In Amerika is het herstelpercentage veel minder dan een derde, en dat met behulp van antipsychotica. Wat zegt u daarvan?'

'Hm.'

'U vindt haar binnen. Een fijne dag.'

Brad bedankte hem opnieuw en liep een kleine lobby binnen, die nu leeg was.

Allison kwam uit een zijdeur. 'Hallo, FBI.' Ze droeg vandaag een blauwe jurk. Zilveren sieraden en schoenen met hoge kurkhakken. Ze had haar haar anders zitten, naar achteren, in een paardenstaart, maar duidelijk met zorg. Dezelfde aanstekelijke glimlach. Een engel op zich, in dienst van gekwetste zielen.

'Wel, wel, wel, is dit niet uw geluksdag?' vroeg ze.

'O? Ik wou dat hetzelfde kon worden gezegd van Melissa.'

Allisons wenkbrauw schoot vragend omhoog. 'O?'

'Het meisje dat we vanmorgen hebben gevonden.'

'O. Verschrikkelijk. Afschuwelijk. Ik stel voor dat u er niet over rept tegen Eden.'

'Dus ze gaat akkoord?'

'Ja, maar niet zonder enige overreding van mijn kant. U hebt zoveel tijd als ze u wil geven. Helaas zit ik krapper in mijn tijd en ik zal hier moeten wachten terwijl u met haar praat. Dus zullen we het houden op vijftien minuten?'

'Een halfuur.'

'Wat bent u precies van plan haar te vragen?'

'U zei dat ze een gave had.'

Allison dacht daarover na.

'Laten we het erop houden dat mijn opties en tijd uitgeput beginnen te raken.'

Ze knikte. 'Oké, FBI. Een halfuur.'

Brad stapte de deur door en betrad een ruimte met een groot raam, Coca Cola- en snoepautomaten en een zithoek die uitkeek op een aan de wand gemonteerde platte televisie.

Eden stond bij een aanrecht naar hem te kijken toen hij de deur achter zich sloot. Ze droeg dezelfde te korte spijkerbroek en canvas gympen die ze bij zijn vorige bezoek aan had gehad. Een grijs sweatshirt hing om haar tengere, een meter vijftig metende gestalte. Haar donkere haar zag er nog steeds vlassig uit – hij vermoedde dat ze er elke dag van de week hetzelfde uitzag. Niet vies, maar ook geen toonbeeld van hygiëne.

'Hallo, Eden. Goed je weer te zien.'

'Hallo.' Haar stem klonk gespannen. Nerveus.

Hij stond een moment stil, verdiept in het weinige wat hij van haar geschiedenis wist. Iets in haar jeugd had haar gebroken. Ze was bipolair, maar Allison had gezegd dat de eerste diagnose van schizofrenie onjuist zou kunnen zijn. Dat ze misschien niet aan hallucinaties leed, maar echt geesten zag. Dat idee leek nu belachelijk. Eden zag eruit als een beschadigde jonge vrouw die moest worden verteld wanneer het tijd was om onder de douche te gaan. Meer niet.

'Dank je wel dat je me te woord wil staan,' zei hij. 'Kunnen we erbij gaan zitten?'

'Zeker. Neemt u plaats.'

Hij liep om de bank heen en ging zitten. Ze maakte geen aanstalten om zich bij hem te voegen.

'Wil jij niet gaan zitten?'

'Niet echt,' zei ze.

'Oké. Je vraagt je waarschijnlijk af waarom ik juist met jou wil praten.' Zodra hij de woorden had gezegd, wilde hij ze terugnemen. 'Niet dat mensen niet met je zouden willen praten, natuurlijk. Het is gewoon zo dat ik FBI-agent ben en teruggekomen ben met het verzoek om speciaal met jou te praten. Dat zal ongetwijfeld een beetje spannend zijn.'

'Het is goed, meneer. Ik...'

'Je mag wel gewoon Brad zeggen. Mijn naam is Brad Raines.'

Ze aarzelde. 'Ja, meneer Raines. Het is begrijpelijk dat u denkt dat ik me ongemakkelijk voel bij uw verzoek mij te spreken. Of met een van ons. De meeste mensen zouden liever zien dat wij niet bestonden. Het is moeilijk voor ons om mensen te vertrouwen die ons niet mogen, dat zult u zich ongetwijfeld kunnen voorstellen.'

Hij was verrast door haar welbespraaktheid. Ze klonk een beetje als Allison, duidelijk haar mentor.

'Dat kan ik me voorstellen, ja. Voel je je ongemakkelijk?'

'Ja. Maar ik zou niet zover gaan als Andrea of Roudy.'

'O? Wat zeggen die dan?'

'Roudy denkt dat u een sluwe vos bent die hem wil passeren. Per slot van rekening heeft hij als eerste zijn hulp aangeboden, en iedereen weet dat hij behoorlijk goed is in wat hij doet.'

'Wat doet hij dan zoal?'

'Verbanden leggen die de meeste mensen ontgaan.'

Niet gek. Misschien moest hij inderdaad nog maar eens met Roudy praten.

'En wat zei Andrea?'

Eden sloeg haar armen over elkaar. 'Zij zei dat u een lekker ding bent en dat u me alleen maar opzoekt om me in bed te krijgen.'

Brad slaagde er niet in een korte hinnik te onderdrukken. 'Nou, zeg dan maar tegen Andrea dat ik haar compliment heel vleiend vind, maar dat het haar niet zal helpen om mij in bed te krijgen.'

Opnieuw wilde hij de woorden terugnemen. Maar er verscheen een begin van een glimlach op haar gezicht, dus ging hij verder in plaats van een stapje terug te doen.

'Van de andere kant, als ik de vrouwen niet had afgezworen, zou ik jullie allebei...'

'Zeg het niet,' riep ze eroverheen.

Hij knipperde met zijn ogen.

'Die opmerking over Andrea was grappig. Laat het daarbij. Vertelt u me liever wat ik voor u kan doen. Ik zal mijn best doen u te helpen.'

'Nou, ik weet niet wat je denkt dat ik bedoelde, maar je zit er waarschijnlijk naast. Ik ben niet hier om misbruik van iemand te maken, geestelijk, lichamelijk of psychisch. Ik probeer gewoon het ijs te breken.'

Ze staarde hem zo lang aan dat hij zich heel even afvroeg of ze een van haar hallucinaties zag.

Hij liet haar staren. Ten slotte liet ze haar afwerend gevouwen armen zakken en nam plaats op de armleuning van een gestoffeerde fauteuil tegenover hem. 'Sorry daarvoor. Normaal gesproken ben ik niet zo...' ze wiebelde met een slappe hand, 'gespannen. Ik weet niet wat u denkt, meneer Raines, maar ik ben niet zoals sommigen van de anderen hier. Niet dat ik daar trots op ben. Ik zou best iets van hun talenten willen hebben, schizofreen of niet. Maar het geval wil dat ik niet schizofreen ben. Ik kamp wel met een bipolaire stoornis. Ik neem aan dat u het verschil kent.'

'Ja. In grote lijnen.'

'Bipolaire stoornis, vroeger manische depressiviteit genoemd, is een stemmingsstoornis die wordt gekenmerkt door perioden van manische pieken die zich afwisselen met meestal langer durende depressieve dalen. Het is erfelijk. Er zijn wel medicijnen voor, maar ik heb een hekel aan de bijwerkingen, dus neem ik ze niet en worstel me door de cycli heen. Sommige mensen trekken dat niet. Ik gelukkig wel.'

'Dat is een goede zaak.'

'Vanzelfsprekend. Schizofrenie is een denkstoornis. Een vorm van psychose die zich meestal voor het eerst openbaart in de late tienertijd en voor in de twintig. Men vermoedt dat schizofrenie te maken heeft met de manier waarop dopamine en serotonine in de hersenen werken, maar niemand weet echt of het meer om een chemische onevenwichtigheid gaat of om de receptoren in de hersenen.'

'Je lijkt goed op de hoogte.'

'Ik lees de medische tijdschriften. Ze tasten allemaal in het duister, geloof me. De meeste psychotische aandoeningen zoals schizofrenie gaan gepaard met wanen – paranoïde wanen of grootheidswanen; hallucinaties – visueel, auditief enzovoort; of andere denkstoornissen die de verwerking van ideeën in de geest verstoren. Versnelde spraak, ontspoorde gedachten, wartaal, dat soort dingen. Kunt u dat allemaal plaatsen?'

'Ja.' Brad vatte een nieuw respect op voor Eden.

'Schizoaffectieve stoornis is in wezen een combinatie van een stemmingsstoornis, zoals bipolaire stoornis, en schizofrenie. Gewoon om een paar termen te verhelderen. Ik heb een stemmingsstoornis – ben bipolair – maar gek ben ik beslist niet.'

Ze liet zich van de gestoffeerde armleuning in de fauteuil glijden. 'Dus wat kan ik voor u doen?'

Nu hij hier in haar bruine ogen keek en naar haar bondige uitleg luisterde, zag Brad een geheel andere persoon voor zich dan hij een paar dagen eerder had gezien.

'We hebben vanmorgen een nieuw slachtoffer gevonden. Een meisje dat Melissa heet. Een paar jaar jonger dan jij, begin twintig.'

Eden staarde hem alleen maar aan.

'Ze was dood. De moordenaar heeft haar bloed afgetapt en haar op theatrale wijze voor ons achtergelaten.'

'Dat is knap ziek.'

'Daar ben ik het mee eens.'

Ze leunde achterover in de fauteuil en sloeg haar benen over elkaar. 'Wie zou zoiets kunnen doen?' Haar ogen werden vochtig en ze wendde ze af.

Zelf had hij een brok in zijn keel.

'We dachten dat de moordenaar misschien een geschiedenis had bij het Centrum voor Welzijn en Intelligentie, maar we hebben niets gevonden.'

'Waarom wilt u dan met mij praten?'

'Eerlijk? Ik weet het niet zo goed. Ik volg mijn intuïtie. Iets wat Allison de vorige keer zei.' Hij sloeg zijn benen over elkaar, zodat hij haar houding spiegelde. 'Kun je me wat meer over je gave vertellen?'

Haar ogen staarden in de zijne. 'Mijn hallucinaties, bedoelt u.'

'Allison beweert dat het geen hallucinaties zijn.'

'Maar ik zie hier geen Allison,' zei ze. 'Ik zie hier alleen u en mij. Vertel me niet dat u in geesten gelooft.'

'Nee. Maar ik weet nu ook hoe krachtig percepties en intuïties kunnen zijn. In mijn vakgebied zou een computer beter zijn in het onderzoeken en ontcijferen van bewijsmateriaal, ware het niet dat de menselijke factor belangrijker is. Intuïtie, onderbuikgevoelens. Ik geloof niet in geesten, maar ik geloof wel dat sommige mensen een buitengewoon vermogen hebben om dingen waar te nemen die anderen ontgaan.'

Ze knikte. 'Latente inhibitie.'

'Wat is dat?'

'Waarom bent u zo bang voor vrouwen?'

'Sorry?'

'U draagt geen ring.'

'Ik ben niet getrouwd, maar dat...'

'U verzorgt uw haar en nagels onberispelijk.'

Hij wierp een blik op zijn vingers, even helemaal van zijn à propos.

'U draagt dezelfde broek die u dinsdag droeg en uw appartement is smetteloos. Als u zich ertoe kon brengen een vrouw te vertrouwen, zou u haar misschien in uw leven toelaten, maar er is te veel in uw wereld dat u wilt beschermen. Te veel orde en comfort. Uw sofa is paars, het venster achter u staat open naar een andere wereld, en als u er met honderd kilometer per uur op af raast, bent u buiten en vliegt u door de ruimte met de engelen, die u vragen of u een kopje thee zou willen voordat u kennismaakt met de Roush.'

'Roush?'

'Ja.'

Ze keken elkaar zwijgend aan. Hij had geen flauw benul wat voor een mythisch creatuur een Roush kon zijn, maar dat deed er niet toe.

'Zwart,' zei hij. 'Mijn sofa is bekleed met zwart fluweel.'

'Sorry daarvoor,' zei ze blozend. 'Het vensterverhaal schoot eruit. Ik wilde het niet hardop zeggen.'

Maar ze had gelijk over de rest, bedacht hij, en nu gebruikte ze zijn aarzeling om de rest van haar verhaal te corrigeren.

'Maar wat de rest betreft zat ik dicht in de buurt,' zei ze. 'Wilt u weten hoe ik het weet?'

'Iets in die trant.'

'Geesten,' zei ze.

'Je...' Hij wierp een blik naar links, waar haar blik eerder naar toe was verschoven. 'Zie je hier... geesten?'

'Nee, niet nu. Hoewel er drie minuten geleden een langs het raam liep. Maar dat was puur verbeelding.'

'Dus... Ik ben de draad kwijt. Help me een handje.'

'Zo nu en dan zie ik "spoken"' – ze tekende aanhalingstekens met haar vingers – 'vanwege mijn lage latente inhibitie. Bij de meeste mensen wordt de stroom van prikkels waaraan hun zintuigen zijn blootgesteld – beelden, geluiden, aanrakingen, geuren, ideeën – geremd. Hun geest richt zich alleen op wat hij belangrijk vindt. Als een filter. Latente inhibitie is het perceptiefilter van de geest.'

'En lage inhibitie, of deze latente inhibitie, is een storing in dat filter,' gokte hij.

'Extreem creatieve mensen – kunstenaars, schrijvers en zo – zien vaak meer dan anderen. Niet alles ervan is echt. Ik kijk naar u en zie een stroom van details die de meeste mensen op het eerste gezicht over het hoofd zouden zien. Ik kijk naar het raam en zie een ander universum. Een deel van wat ik zie is verbeelding, een ander deel echt. Volgens Allison maakt een hoge intelligentie het iemand met een lage latente inhibitie mogelijk om de extra prikkeling doeltreffend te verwerken. Maar zonder een hoge intelligentie kan de stroom van ideeën en indrukken zenuwslopend zijn.'

'Zoals wat je zei over het venster naar een ander universum...'

'Ja, bijvoorbeeld.'

'En de geest die je een paar minuten geleden zag?'

Ze haalde haar schouders op. 'Maar ik heb er een paar gezien die echt waren, voor zover ik kon vaststellen.'

'Maar je zou het niet weten,' bracht hij naar voren. 'Voor de waarnemer is een hallucinatie onmogelijk te onderscheiden van een werkelijk beeld.'

'Nee, deze zijn anders,' zei ze met een zachte stem, alsof ze bang was de een of andere onbekende balans in de ruimte te verstoren. 'Ik hallucineer niet.'

Ongeacht haar ware geestestoestand was Eden duidelijk briljant. In dit kleine pakketje had God kans gezien een geest te planten die Brads eigen geest deed duizelen van ontzag. Hij ontkwam er niet aan zich een beetje geïntimideerd te voelen.

'Nou, je bent anders dan ik verwachtte,' zei Brad.

'Hm. Wat verwachtte u dan, een raaskallende gekkin?'

'Nee.' Hij verborg zijn gêne met een korte lach. 'En wat verwachtte jij, een monster?'

Nu glimlachte ze in ernst. Het onthulde een volmaakt wit gebit. Net als haar bipolaire stoornis waarschijnlijk geërfd.

'Nou, vertel eens op, meneer Raines, wat verwachtte u?'

'Ik weet het niet. Niet iemand die zo welbespraakt is, om te beginnen. Ik begrijp dat je romans schrijft?'

'Een paar. Maar ze stellen niets voor.'

'Hoe weet je dat?'

'Zelfs als ze wel iets voorstellen, zijn ze alleen mijn wereld. Ze zullen dit centrum nooit verlaten. Ik kan niet schrijven wanneer ik medicijnen gebruik.'

'Allison vertelde me dat je aan agorafobie lijdt?'

Haar mond verstrakte en ze friemelde met haar vingers, plukte afwezig aan een van haar vingernagels, die tot op het vlees was afgebeten. 'Dat klopt.'

'Ben je nooit van het terrein af geweest?'

'Nee.'

Ze leek niet over haar angst te willen praten. Dat was een probleem, gegeven het idee waarmee hij speelde.

'Iets anders? Andere angsten of handicaps?'

'Nu begint u als een psychiater te klinken.'

'Nee, zo bedoelde...'

'Kan ik u vertrouwen?' zei ze abrupt.

'Natuurlijk kun je me vertrouwen.'

'Omdat de laatste keer dat iemand zei dat ik hem moest vertrouwen ik de deur opendeed en de loop van een pistool in mijn mond geschoven kreeg.'

Ze zei het zonder met haar ogen te knipperen.

'Vertrouw me dan maar niet.'

Haar blik werd wazig en ze keek terug naar het raam over zijn schouder. 'Afgezien van het pistool kan ik me verder niets van het gebeurde herinneren. Mijn vader was een heel strenge man. Excentriek, rijk. Hij was ervan overtuigd dat we allemaal samenspanden om zijn geld in te pikken en het aan de duivel te geven. Hij leed aan paranoïde schizofrenie.' Haar vingers trilden in haar schoot.

'Ik... Het spijt me.'

'Hij probeerde me dood te schieten nadat hij me een maand had opgesloten. Hij heeft mijn moeder en mijn broer doodgeschoten en dacht dat hij mij ook had gedood voordat hij zichzelf overhoopschoot.' Haar glazige ogen draaiden naar hem terug. 'Maar mijn oudere zus, Angie, was het huis al uit, dus zij is de dans ontsprongen. Ze woont in Boulder en bezoekt me wanneer ze kan. Maar ze begrijpt dat ik hier moet blijven.'

Het verhaal overdonderde hem en hij wist niet zo snel hoe hij moest reageren. 'Het spijt me,' zei hij bij gebrek aan beter.

'Niet nodig. Ik heb het overleefd. Uiteraard, ik ben immers hier? Ik herinner me alleen de duisternis en dat hij op de deur klopte en me smeekte open te doen. Smeekte me open te doen omdat hij van me hield. Toen het pistool, en dat is het zo'n beetje. De rest heb ik van horen zeggen.'

'Het spijt me ontzettend, Eden.'

'U vroeg of ik nog andere angsten of handicaps heb. Die heb ik inderdaad. Mnemofobie. Angst voor herinneringen. De echt akelige dingen die gebeuren kan ik me niet herinneren.' Er welden tranen op in haar zachte bruine ogen, maar ze rolden niet over haar wangen. 'Ik voel de gevoelens, dus weet ik dat er iets verschrikkelijks is gebeurd, maar ik kan me niet herinneren wat precies.'

'Misschien is dat een goede zaak.'

'Ja. Misschien.'

'Hoe zit het met de dingen die zijn gebeurd sinds je hier bent? Herinner je je die wel?'

'Ja.'

Hij was sprakeloos. Hij was hier niet gekomen in de verwachting dat zijn hart zou worden gebroken, maar nu hij Eden gevangen zag tussen de kaken van zo'n wreed monster, net als de fauteuil die haar leek te verzwelgen... wilde iets in hem op haar af vliegen en haar omhelzen en verzekeren dat ze bij hem veilig zou zijn.

Zonder haar twee fobieën zou Eden het Centrum waarschijnlijk al lang geleden hebben kunnen verlaten. Wie weet hoe ze er vandaag voor zou staan als ze die fobieën niet had. Getrouwd, moeder van een paar kinderen, werkzaam op Wall Street. Bij de FBI – ze had er zeker aanleg voor. In feite zou Edens unieke kijk op de wereld wel eens heel waardevol kunnen zijn voor elke recherche- of inlichtingendienst.

Maar haar ziekte maakte het haar moeilijk om hem te accepteren. Zolang de mogelijkheid bestond dat hij het spreekwoordelijke pistool achter de deur in zijn handen had, zou ze hem niet kunnen vertrouwen.

Tenzij hij zich ontwapende en het pistool aan haar gaf.

'Ik was ooit verliefd op een vrouw die Ruby heette. Ze was mooi. Donker haar, net als jij, ongeveer dezelfde lengte. Vrij klein, één bonk energie, weet je. We speelden samen in het tennisteam van de Universiteit van Texas. Maar ze vond zichzelf niet mooi en ze pleegde zelfmoord. Ik denk niet dat ik er ooit overheen ben gekomen. Ik heb dit maar aan één ander mens verteld.'

Hij liet de bekentenis in de lucht hangen en keek naar haar gezicht.

'Vindt u mij mooi?' vroeg Eden.

Brad had alles verwacht behalve deze reactie, maar hij zag onmiddellijk de verbanden die ze legde. Zelfmoord, dood, hartzeer – het waren allemaal dingen waarmee ze uiterst vertrouwd was en die ze uit zelfbehoud buitensloot, zoals ze akelige herinneringen buitensloot. In plaats daarvan concentreerde ze zich op het feit dat hij een mooie vrouw had verloren.

Toen hij niet onmiddellijk reageerde, sprak ze verder.

'Nee,' zei ze, 'maar dat geeft niet. Ik heb geen flauw benul van schoonheid. Ik weet alleen dat ik nergens anders op mijn plek ben dan hier. Dit is mijn thuis. Mijn eigen vader heeft me afgewezen, de wereld wijst mensen zoals ik af. Ik weet niet hoe ik mooi moet zijn of wat voor kleren ik moet kopen of hoe ik moet voorkomen dat ik ga stinken.'

Haar woorden overdonderden hem, maar hij wist niet hoeveel van wat hij voelde empathie was en hoeveel respect.

'Ik denk niet dat je je realiseert hoe vrouwen buiten zijn, omdat je al zo lang hier bent,' zei hij ten slotte. 'Het is niet allemaal goud wat er blinkt.'

Ze keek hem aan met die mysterieuze bruine ogen. 'Het moet pijn hebben gedaan,' zei ze rustig.

Het ademen viel hem ineens zwaar. Ze sprak op een wetende toon die maakte dat de haartjes in zijn nek overeind kwamen.

'U vraagt zich nog steeds af hoe ze een eind aan haar leven kon maken als u haar leven de moeite waard maakte.'

De woorden voelden aan als een stomp in zijn maag. Hij kreeg een prop in zijn keel en hij wendde zich af om een golf van verdriet te onderdrukken die door de kracht van haar woorden omhoogkwam.

'Het geeft niet,' zei ze. 'Ik worstel ook met zelfwaardering.'

En toen was ze stil. Maar op dat moment, of ze het nu wel of niet zo had bedoeld, kreeg Brad het gevoel dat ze hen tot gelijken had gemaakt. Dragers van hetzelfde afschuwelijke geheim. Zielsverwanten in zekere zin, hoe absurd dat ook mocht klinken.

En toen zette hij het gevoel opzij, vermande zich en schonk haar een beleefde grijns. 'Doen we dat niet allemaal?' zei hij. 'Het leven kan een hel zijn.'

Ze gaf geen antwoord, maar haar ogen weigerden zich los te maken van de zijne.

Brad bracht zijn gedachten terug naar het doel van zijn komst. De moordenaar liep vrij rond en Brad was hier om hem te stoppen, niet om in zijn eigen verleden te zwelgen.

Hij schraapte zijn keel. 'Misschien kun je me helpen. Om eerlijk te zijn wist ik niet zeker wat ik verwachtte toen ik hierheen kwam. We beginnen door onze mogelijkheden heen te raken, en als we geen manier vinden om de moordenaar een halt toe te roepen, gaat hij nog meer vrouwen vermoorden. Maar nu ik je heb ontmoet, denk ik dat je ons misschien zou kunnen helpen om het leven van een onschuldig meisje te redden.'

'U probeert me te manipuleren. Maar als u het zo stelt, hoe kan ik weigeren?'

'Ik probeer je niet... "Manipuleren" is een te sterk woord. Wat zou jij in mijn situatie doen? Het leven van een meisje staat op het spel.'

'Ik betwijfel of ik kan helpen. U lijkt intelligent genoeg, waarom hebt u mij nodig?'

'Omdat je misschien intelligenter bent dan je denkt. Omdat we hier zijn. Omdat ik het gevoel heb dat ik op een geest jaag en jij geesten ziet.'

Ze knikte. 'Oké. Wat kan ik doen?'

'Allison zei dat je dingen ziet over de doden. We hebben een dode vrouw.'

Ze keek naar haar vingers in haar schoot en slikte. 'Soms gaan er hier mensen dood, de ouderen. Een paar keer heb ik iets gezien. Ik denk dat ik het laatste zag wat zij zagen.'

Het klonk krankzinnig, maar Brad had al eens eerder een rapport over een vergelijkbaar paranormaal fenomeen onder ogen gehad. Over iemand die op een of andere manier in staat was om contact te maken met de meest verse herinneringen die in het brein van een overledene waren opgeslagen. Hij had het als onzin afgedaan.

'Schimmen,' zei hij.

Ze keek bezorgd op. 'Ik zou bij haar moeten zijn. In dezelfde ruimte. Ik moet ze aanraken.'

Brad knikte. 'Ik kan je verzekeren dat ik je persoonlijk zou vergezellen en...'

Ze stond op. Haar gezicht was bleek. 'Nee. Nee, ik kan hier niet weg.'

Instinctief stond hij op en deed met uitgestoken hand een stap naar haar toe. Maar ze schoot naar links en rende als een bang konijntje om de stoel heen.

'We zouden de jaloezieën dicht kunnen laten, je zou zelfs niet weten...'

'Nee. Geen denken aan.' Ze keek schichtig naar het raam. 'U begrijpt het niet, ik kan hier niet weg.'

De kleur was uit haar gezicht verdwenen – ze zag er nu uit alsof ze inderdaad een geest had gezien. Ze vloog de kamer uit en sloeg de deur achter zich dicht.

Brad rukte zich los uit een moment van verstarring, sprong over de stoel en gooide de deur net op tijd open om haar vluchtende gedaante in de gang te zien verdwijnen.

Toen was ze weg.

Allison stond op uit haar stoel aan de andere kant van de lobby. Glimlachend.

Altijd glimlachend.

'Dat ging goed,' zei ze. 'Misschien verandert ze nog van gedachten.'

'Denkt u?'

'Nee.'

10

'Hoe bedoel je: "Ik heb nee gezegd"?' Roudy liep met driftige passen over het gazon en trok met beide handen aan zijn sik. 'Dat is een schandaal, mijn beste. Ze vragen je of wij hen kunnen helpen en jij wimpelt het af?' Hij draaide zich om en keek Eden met een boze frons aan. 'Je zelfzuchtigheid en ongevoeligheid zullen mijn reputatie nog ruïneren!'

Ik zie jou en je spoken, Sherlock, en op dit moment schreeuwen ze naar mij, dus zal ik ze negeren. Scheer je weg, spoken, of ik verjaag jullie allemaal met een machtswoord dat dieper in mij leeft dan in jullie. Het zit op je schouder als een vlinder, Sherlock, dus pas op je tellen.

Ze dacht de woorden alsof ze water waren dat door haar geest vloeide. Brandstof voor haar ziel. Het fantaseren zat in haar bloed. Ze had lang geleden ingezien dat het onbegonnen werk was om de stroom van ideeën en beelden te stoppen en dat het beter was te proberen ze te sturen.

... want die vlinder is in werkelijkheid een draak!

'Je reputatie beperkt zich tot deze plek, Roudy,' zei Eden rustig. 'Ze willen dat ik het terrein verlaat.' Haar keel voelde aan alsof er een knoop in was gelegd. Als ze niet oppaste, zou ze ter plekke in tranen uitbarsten. 'Je weet dat ik dat niet kan.'

Andrea liep rood aan en zwaaide woest met haar arm. 'Ongevoelige ploert! Hoe durf je Eden over te halen ons te verlaten!' Haar gezicht vertrok van pijn. 'Dat is pas zelfzuchtig. Jij denkt alleen maar aan je...'

Ze draaide zich naar rechts en schreeuwde in het niets: 'Kop dicht, kop dicht, kop dicht!'

Eden besteedde geen enkele aandacht aan de denkbeeldige stem die Andrea van streek maakte. Waarschijnlijk een stem die haar iets vertelde over hoe dom ze was, de meest voorkomende auditieve hallucinatie die ze had. Maar er was daar niets.

Ik kan het niet, ik doe het niet, het zou mijn einde worden. Ik ben daar slijk. Ik ben koeienmest in de buitenwereld. De gedachten gierden door Edens hoofd.

Het verschil tussen Andrea's hallucinaties en de geesten die Eden 'zag' was dat Andrea geen onderscheid kon maken tussen werkelijkheid en verbeelding. Eden kon dat wel. Haar 'spoken' waren meestal gewoon het product van een overactieve verbeelding. Zoals de geest die ze achter het raam had gezien toen ze met de FBI-agent sprak. En de gedachten die ze nu kreeg waren geen hoorbare stemmen.

Maar bij sommige gelegenheden had ze de zogenaamde spoken echt gezien, het was geen inbeelding geweest. Zes keer om precies te zijn. Twee van die keren waren geweest toen ze een dode had aangeraakt.

Ze stonden onder een van de espenbomen aan de zuidkant van het terrein, waar Eden hun na afloop van haar ontmoeting verslag zou uitbrengen. De plek bood enige privacy en een smeedijzeren bankje, dat nu leeg was. Enrique was er nog niet – waarschijnlijk was hij bezig een vrouwspersoon zijn bed in te praten, hoewel ze allemaal wisten dat zoiets Allisons goedkeuring behoefde.

Roudy duwde een rond brilletje zonder glazen op de brug van zijn neus. 'Dat ik mijn werk híér doe, doet niets af aan het feit dat de hele recherchegemeenschap van mijn methoden profiteert. Waarschijnlijk bestuderen ze mijn casussen aan elke universiteit en in elk regionaal FBI-kantoor in het land. Om nog maar te zwijgen van de Engelsen, de Fransen, de Israëli's... allemaal! Ze hebben me nodig. Probeer hun dat niet af te pakken.'

Andrea was in alle staten. 'Je mag me niet alleen laten, Eden!'

'Ik ga niet weg. En ik zég niet dat je werk niet in de buitenwereld wordt gewaardeerd, Roudy. Maar ben je zelf bereid om de wereld in te gaan? Zou jij deze plek verlaten om colleges te geven aan universiteiten?'

'Als het me gevraagd werd, uiteraard! Ieder van ons moet zijn roeping volgen. Ik twijfel er niet aan dat de dag zal komen dat ze me vragen om naar Moskou of Londen te reizen om een halt toe te roepen aan de laaghartige daden van de een of andere harteloze schurk die aan de beste der besten is ontsnapt.' Hij ademde zwaar en gejaagd. 'Dit is jouw moment, Eden. Sta op!' Hij maakte een vuist en schudde hem alsof hij een generaal was die zijn troepen toesprak.

Ik kan niet, ik ben slijk. Ik ben dood. Ik ben daar doodgegaan! dacht ze in paniek. 'Doe jij dat maar. Jij bent zo slim, waarom ga jij deze zaak niet voor hen oplossen?'

'Omdat jij me uit de schijnwerpers verdrongen hebt! Nu willen ze jou. Het is verraad van de hoogste orde. Woordbreuk! Misschien wel hoogverraad!'

'Doe niet zo dom.'

Roudy keek gekwetst. 'Je beschuldigt me van domheid?'

'Nee. Ik zei: "Dóé niet zo dom." Beschuldig me niet van verraad, dit heeft niets te maken met verraad. Ik heb agorafobie. Ik zou instorten als ik één voet buiten de poort zette, dat weet je. Waarom vraag je me iets te doen wat mijn krachten te boven gaat? Moedigt Allison jou aan om niet langer Sherlock te zijn? Nee. Dus hou op met eisen dat ik iets doe wat ik niet kan opbrengen.'

Roudy staarde een moment terug naar Eden, toen bromde hij wat, draaide hun beiden de rug toe en sloeg mokkend zijn armen over elkaar. De discussie liep dood.

Ze was alleen maar zo wanneer de angst haar tot het uiterste dreef. Ze haatte ruzie. Haatte het dat ze het gevoel had dat ze tekeer moest gaan tegen Roudy, haatte het dat Andrea huilde. Haatte het dat ze zich zo had laten gaan tegenover Brad Raines.

Ze dacht terug aan haar ontmoeting met hem.

Je bent een knappe man, Brad. Knapper dan goed is voor jou of voor mij, want het betekent dat ik nooit zal voldoen in jouw ogen, wat weer betekent dat jij hier voor jou bent, niet voor mij. Je wilt me gebruiken en me vervolgens afdanken. Ik ben gewoon een aapje in je dierentuin dat een paar kunstjes mag doen. Gooi me een banaan toe en ik spring op en neer. Wil je het aapje kussen, meneer Raines?

De laatste gedachte overviel haar zo dat ze met haar ogen stond te knipperen.

'Het bevalt me niets,' zei Roudy. 'Je had erop moeten aandringen dat ik erbij kwam. Dit zou allemaal anders zijn gelopen als ik erbij was geweest om je te beschermen.'

Andrea sprong erbovenop. 'Hij heeft geprobeerd je te versieren, hè, Eden?'

Jij bent de schoonheidskoningin, Andrea. Jij bent degene op wie ze allemaal vallen. Allemaal verwarren ze jouw gladde huid en lange blonde haar en blauwe ogen en volle lippen en gelakte nagels en slanke figuurtje met schoonheid, en ze willen je allemaal kussen. Jij bent hun aapje, niet ik.

'Ik wíst het!' riep Andrea, krampachtig ineengedoken alsof ze een sprong ging maken. 'Wat heb ik je gezegd?'

'Doe niet zo belachelijk. Hij heeft niets gedaan wat daarbij in de buurt komt.'

'Omdat hij weet dat hij overtroffen is,' kondigde Enrique aan, die van achter kwam aanlopen. Hij bleef stilstaan naast Roudy en knipoogde naar Eden. 'Maar als je wilt, kan ik je wel een paar tips geven. Je leren hoe je de man meer op zijn gemak kunt stellen met je vrouwelijkheid.'

'Ze heeft geen behoefte aan jouw nonsens,' snauwde Andrea. 'Ze moet die man zo ver van zich af houden als mogelijk is voordat hij toeslaat. Ik zei al dat dit zou gebeuren, zeg niet dat ik jullie niet gewaarschuwd heb.'

'Meneer Raines heeft niets van dien aard gedaan,' zei Eden. 'Hij was een perfecte gentleman.'

Andrea stak haar gemanicuurde, roodgelakte vingernagel vermanend in de lucht. 'Vertrouw nooit een perfecte gentleman.'

'Nonsens,' wierp Enrique tegen. 'Bedoel je dat niemand míj moet vertrouwen?'

'Jullie maken me horendol!' zei Roudy, die kennelijk genoeg gemokt had. 'Dit gaat niet om mannen en vrouwen en al dat soort onzin, dus willen jullie je alsjeblieft een beetje inhouden? Het is heel simpel. We moeten snel een beslissing nemen, voordat het te laat is.'

Enriques wenkbrauw schoot omhoog. 'Voordat wát te laat is?'

'De FBI, bij monde van de heer Brad Raines, heeft ons vanmorgen benaderd en zich per abuis tot de verkeerde persoon gewend met een verzoek tot assistentie in een zaak. Ze hebben Eden gevraagd om met hen mee te gaan om een lijk te onderzoeken, het vijfde slachtoffer van de Bruidenvanger. Maar,' zei hij met een beleefd gebaar naar Eden, 'onze vriendelijke spokenjaagster, die tussen haakjes volhoudt dat ze in geen enkel opzicht mentaal labiel is, raakte in paniek. Klaarblijkelijk is ze mentaal zo stabiel dat ze niet over haar agorafobie heen wil stappen in het belang van het volgende slachtoffer van de Bruidenvanger. Dus is de FBI nu vertrokken en zal er spoedig nog een meisje de dood vinden. Ben ik iets vergeten, Eden?'

Je vergat het venster dat leidt naar de volmaakt vredige ruimte vol engelen die me begeleiden naar mijn rechtmatige plek aan de voeten van de koning die zijn prinses in het wit heeft ontboden. Ja, Roudy, ik ben een prinses, hoe ik er hier ook uitzie.

'Je vergat dat die FBI-knakker niet te vertrouwen is,' zei Andrea.

Eden maakte zich los uit haar fantasieën. 'Nee, dat is niet waar, Andrea.' Waarom het arme meisje zich zo in dit punt vastbeet, was een beetje een raadsel. Wist ze iets wat de rest van hen niet wist? 'Waarom blijf je dat roepen terwijl ik je heb verteld dat hij een gentleman was? Hij leek zelfs oprecht bezorgd.'

'Omdat hij je zal kwetsen, Eden. Geloof me, uiteindelijk zullen mannen je altijd pijn doen. Weet je hoeveel mannen mij door de jaren heen hebben geprobeerd te versieren?'

Nee, dat weet ik niet, maar ik kan het me voorstellen, want jij bent mooi en niet bang om mannen dichtbij te laten komen. Wanneer jij de kastdeur opendeed, stopte jouw vader niet een pistool in je mond. Jij bent een bloem onder het geboomte, een roos voor de bijen, een ster aan de hemel. En ik ben de opgedroogde modder op de zijde van een koeienromp als het om mannen gaat.

'Nee,' zei Eden.

'Ze hebben vaak geprobeerd me te versieren. Ze reageren altijd pissig als ik het uitmaak.'

Stilte. *En?*

Maar er kwam geen 'en'.

Roudy greep zijn haar met beide handen. 'Kom bij de les, mensen! De tijd tikt door. Er is weer een meisje vermoord.'

'Waarom brengen ze het lichaam niet gewoon hier?' vroeg Enrique. 'Het kan nooit kwaad om vrouwelijk naakt in de buurt te hebben.'

Roudy stompte tegen zijn schouder. 'Ongepast.'

'Je bent ziek,' zei Andrea. 'Ziek in je hoofd. Wat zei ik nou over mannen?'

Het kwam Eden voor dat Andrea overdreven koppig was op het punt van mannen. Óf ze wist echt iets over Brad Raines wat de rest van hen niet wist, óf ze voelde zich op een of andere manier bedreigd door zijn verzoek om Eden te zien. Zou het kunnen dat haar weerstand onbewust op jaloezie berustte? Stel je dát voor: Andrea jaloers op Eden!

Ze had altijd het gevoel gehad dat ze niet aan Andrea kon tippen. En dat was ook geen wonder: het meisje was prachtig. Zelfs haar kuren trokken mannen aan, in plaats van ze af te stoten. Ze was een veilig speeltje in de ogen van de meeste mannen – mooi en verleidelijk, zij het te bizar om haar als een serieuze huwelijkskandidate te beschouwen. En flirten kon ze ook.

Eden, daarentegen, had zelfs nooit gedacht aan flirten. En toch was Andrea jaloers?

'Ik denk dat hij wel te vertrouwen is,' zei Eden.

Ze keken haar allemaal aan, duidelijk verrast door de opinie.

'En ik denk dat er misschien iets zit in wat Enrique zei,' vervolgde ze.

Enrique glimlachte. 'Zo mag ik het horen, mijn beste.'

Andrea schudde haar hoofd. 'Ik zeg het je, Eden, en niet omdat ik jaloers ben, dat is het niet: kerels als hij zijn hartenbrekers en je zult je een hoop hondenpoep voelen als dit allemaal voorbij is.'

'Ik waardeer je bezorgdheid, liefje. Maar Roudy heeft een goed punt. Ik moet hen helpen als ik dat kan. En Enrique heeft gelijk: als ze het lichaam hier willen brengen, zal ik mijn best doen om hen te helpen.'

'Die hocus pocus is waardeloos,' snauwde Roudy. 'Er is grondig speurwerk nodig, geen spiritueel gedoe. Laat hem het lichaam bij mij brengen, met het dossier.'

'Jij krijgt het dossier, ik krijg het lichaam,' zei Enrique.

Eden wendde zich af en liep naar het midden van het terrein.

'Waar ga jij heen?' vroeg Roudy. 'We moeten een meisje redden.'

Eden draaide zich om. 'Nee, Roudy. Ík moet een meisje redden. En nee, Casanova, je kunt het lichaam niet krijgen, dat is een ziek idee. En ja, Andrea, ik zal voorzichtig zijn. Maak je geen zorgen, mijn hart zal niet worden gebroken. Hij haalt zijn neus voor me op. Letterlijk. Waarschijnlijk stink ik ook. Het hele idee is krankzinnig. Niet grappig bedoeld.'

Dat legde hun het zwijgen op.

Eden liet hen staan.

11

Brad bracht de middag op het FBI-kantoor in Denver-centrum door met het opjagen van Kim Peterson bij haar autopsie en het uithoren van het forensisch lab over het bewijsmateriaal dat in en om de schuur bij Elizabeth was verzameld. Correctie: hij probéérde Kim zover te krijgen dat ze haast maakte met de lijkschouwing (die, zo kwamen ze overeen, uit een zorgvuldig onderzoek van Melissa's hoofdwond en haar hielen zou bestaan – een onderzoek van haar inwendige organen was niet nodig) en probéérde Bill, de labtechnicus die de monsters van de plaats delict onderzocht, uit te horen. In beide gevallen lieten ze hem merken dat hij hun alleen maar voor de voeten liep.

Het bezoek aan het CWI was een fiasco geworden. Wat had hem bezield? Zijn vreemde gesprek met Eden leek wel in een ander universum te hebben plaatsgevonden. En op de een of andere manier zat hem dat dwars. Het feit dat hij drie uren van zijn dag had uitgetrokken om erheen te rijden en met een gestoord meisje te praten dat geesten zag, stak als een angel in zijn vlees. Aan het hele gedoe had hij een geïrriteerd gevoel overgehouden, en hij wist niet goed waarom.

Om de zaken nog ingewikkelder te maken wees de boodschap van de Bruidenvanger erop dat hij Brad in de gaten had gehouden. In de gaten híéld. Hij merkte dat hij aan elke blik, aan elke auto die hij op de weg passeerde, aan iedere collega twijfelde. Hij ijsbeerde door het regiokantoor terwijl hij zijn hersens afpijnigde om beelden te vinden van iemand die hem bespiedde, op straat, in de cafetaria, zijn gebouw, overal.

Pas op wie je je liefde geeft.

Hoe kende de Bruidenvanger hem? En was dat wel zo? Misschien was hij er op de een of andere manier achter gekomen dat Brad de leiding over de zaak had, en probeerde hij de FBI bezig te houden. Zand te strooien in de raderen van het onderzoek.

'Alsjeblieft, Brad, ze ligt pas een halfuur op de tafel,' zei Kim.

'Hij loopt vrij rond, Kim. Op ditzelfde moment loert de moordenaar op het zesde meisje en ik moet weten of hij ons meer heeft gegeven.'

'Dat heeft hij. De boodschap.'

Ja, de boodschap. Nikki was ermee bezig.

Brad knikte naar het witte lichaam dat met het gezicht omhoog op de onderzoekstafel lag. 'De wond aan haar voorhoofd.'

'Het wordt het eerste wat ik onderzoek, maar ik zal je niet veel meer kunnen vertellen dan dat ze haar hoofd waarschijnlijk aan een aanrecht of een kast heeft gestoten.'

'Dat weet je al?'

'Nee, het is giswerk, zoals veel van mijn werk, Brad. Wat is er met je?'

'Laat eens zien.' Hij liep naar het hoofd van de vrouw, dat werd verlicht door een lamp van vijfhonderd watt. Haar haar was van haar voorhoofd af gelegd, zodat hij kon zien waar de make-up bij haar haargrens vervaagde. Kim had het gebied boven haar slaap schoongemaakt, waardoor een beurse plek en een scherpe snijwond bloot waren komen te liggen.

'Je kunt zien dat de bloeduitstorting in wezen rechthoekig is en hier aan de wond grenst.' Kims gehandschoende vinger volgde de wond voorzichtig. 'Ze heeft zich gestoten aan, of is geraakt door, iets vierkants en plats met een rand die scherp genoeg was om de huid te beschadigen. Een aanrecht of de rand van een bureau.'

'Een ontsnappingspoging. Ze is met haar hoofd tegen haar ledikant of een kast aan gekomen.'

De telefoon aan de muur rinkelde en Kim nam op en sprak in de hoorn. Ze knikte, bedankte een labtechnicus en keek Brad aan.

'Kast,' zei ze. 'Ze hebben monsters van haar haar en haar bloed gevonden op de rand van de kast aan het voeteneind van haar bed. Deze vrouw is bijna weggekomen.'

'Misschien.' De make-up was aangebracht met een zorgzame,

ervaren hand. De moordenaar had niet zomaar wat foundation op het gezicht aangebracht om imperfecties te verdoezelen. Hij accentueerde met grote zorg de eigen schoonheid van zijn slachtoffer. Een visagist.

Hij beroerde haar witte wang. Koud. Als stopverf.

Kim sprak kalm. 'Hij maakt gebruik van een foundation van Maybelline, bijna wit, die vooruitloopt op de kleur van hun huid na overlijden, zodat ze er dood bijna perfect uitzien. Bij leven zag ze er waarschijnlijk uit alsof ze een wit masker op had.'

'Dezelfde make-up?'

'Ik vermoed van wel, maar ik heb nog geen bevestiging van het lab.'

Brad bekeek de huid van de vrouw. Een zweem van rouge, maar slechts genoeg om haar gezicht... menselijk te maken. De eyeliner zag eruit alsof die was aangebracht met een laserapparaat in plaats van door een mensenhand. Een vleugje grijze oogschaduw. Rode lippenstift...

Zijn gedachten dwaalden af naar het beeld van Eden, verdrinkend in de enorme fauteuil, als een lappenpop met vlashaar. Haar bruine ogen leken in zijn hoofd te kruipen. Ze achtervolgden hem nog steeds. Ze had Brad in dertig seconden evenveel over hemzelf verteld als hij in vijf jaar over zichzelf had ontdekt. Misschien meer.

'Ze is prachtig.'

Brad draaide zijn hoofd om. Nikki was binnengekomen. Ze had een fotokopie van de laatste boodschap van de moordenaar in haar hand. Ze keek op van het lichaam op de tafel en zocht zijn blik.

'"Pas op wie je je liefde geeft",' zei Nikki, terwijl ze hem het papier aanreikte. Ze citeerde de woorden van de Bruidenvanger uit het hoofd. '"Ik zou zomaar alle schoonheden kunnen doden."'

'Daar is hij al mee bezig.'

Ze leek niet tevreden met Brads poging het dreigement weg te wuiven. 'Ik ben intelligenter dan jij. Zegen me, Vader, want ik zal zondigen.'

Brad wierp een blik op het papier en zag dat ze de boodschap woordelijk had herhaald, behalve het einde. *Pas op wie je je liefde geeft. Ik zou zomaar alle schoonheden kunnen doden. Ik ben intelligen-*

ter dan jij. Zegen me, Vader, want ik zal zondigen. O ja, dat zal ik.

'En we zijn hier om hem een halt toe te roepen.'

'Zit het je niet dwars?' wilde ze weten.

'De hele zaak zit me dwars.'

'En deze boodschap tilt de zaak naar een heel nieuw niveau. Hij maakt jouw betrokkenheid persoonlijk en richt een rechtstreeks dreigement tegen je beminden.'

'Dan hoeven we ons geen zorgen te maken. Ik ben niet getrouwd en ik heb geen vriendin.'

Secondelang hielden ze elkaars blik vast, verloren in de mysteries achter de zaak. Achter de Bruidenvanger. Achter de boodschap van de moordenaar. Achter deze zwijgende uitwisseling tussen hen.

Nikki sprak zonder het oogcontact te verbreken. 'Kan ik je even spreken? Buiten?'

Hij keek naar Kim, die hen met een opgetrokken wenkbrauw excuseerde. 'Laat je door mij niet weerhouden. Ik heb genoeg te doen.'

Nikki pakte zijn arm en leidde hem naar de gang in de kelder. Ze liep naar de trap die naar de kantoren en het lab leidde, en stapte een voorraadkamer in. De deur viel achter hen dicht.

'Nou, wie is het?' vroeg ze.

'Ik weet niet... Wat bedoel je? Wie de moordenaar is?'

Maar ze had die blik in haar ogen die een volwassen man zijn diepste angst kon laten bekennen, en Brad wist dat ze het over hen beiden had, niet over de moordenaar.

Erger nog, ze wist dat hij dat wist. 'Je weet waar ik het over heb. Ben je het ermee eens dat dit betekent dat de Bruidenvanger je in de gaten houdt?'

'Ik heb al stappen genomen om surveillance te regelen op waarschijnlijke locaties.'

'Zo dom is hij heus niet,' zei ze. 'We moeten ervan uitgaan dat hij je volgt en dat hij een aantal dingen over je persoonlijke leven weet.'

'Zoals?'

'Zoals van wie je houdt.'

Dus... hij had gelijk. Ze was bang dat de boodschap op haar

sloeg. Dat het dreigement tegen haar was gericht.

En om eerlijk te zijn kon Brad er niet zeker van zijn dat ze ongelijk had. Om te beginnen wist hij niet zeker wat zijn gevoelens voor Nikki werkelijk waren, en hoe dan ook wist hij niet goed hoe iemand anders zijn gedrag naar haar zou interpreteren. Het was duidelijk dat Kim vermoedde dat hij en Nikki een meer dan vluchtige belangstelling voor elkaar hadden.

'Je bedoelt dat je onze eetplannen voor morgenavond wilt afzeggen,' zei hij. 'Je wilt niet dat iemand die kijkt het verkeerde idee krijgt en denkt dat jij...'

Nikki stapte naar voren en smoorde zijn woorden met een kus. Haar lippen waren warm en zacht en ze was niet zachtzinnig. Hij was zo overdonderd dat het niet bij hem opkwam om de kus te beantwoorden voordat ze zich terugtrok.

'Nee, idioot, ik wil niets afzeggen.' Haar gezicht was rood van schaamte. 'Sorry. Sorry, dat was ongepast.'

'Nee, het geeft niet. Je hebt gelijk.'

'Gelijk waarin?'

Hij wist het niet precies.

'We moeten ervan uitgaan dat hij je als een potentieel doelwit ziet. Ik heb al naar de politie van Denver gebeld. Ze zorgen dat er vannacht een surveillancewagen bij je appartement staat. De agent zal je naar en van je werk begeleiden. Ik stel je onder bewaking.'

Ze deed een stap terug. 'Wanneer wilde je me dat gaan vertellen?'

'Nu. Zodra ik klaar was met Kim. Sorry, ik hoop niet dat je...'

'Nee, het is goed. Overkill misschien, maar... ik waardeer de gedachte.'

Zijn mobiele telefoon rinkelde. Frank. Hij klapte het toestel open. 'Hallo, Frank.'

'Ik heb de directrice van het Centrum voor Welzijn en Intelligentie aan de andere lijn. Ze zegt dat een bewoner genaamd Eden ermee heeft ingestemd het lichaam te bekijken. Op één voorwaarde: dat je het naar haar toe brengt. Ze zegt dat jij wel weet waar ze het over heeft.'

'Dat is onmogelijk.' Het duizelde hem. Het was toch van de

gekke om een lichaam naar een vrouw te brengen die dingen beweerde te zien als ze een lijk aanraakte. Er waren massa's redenen om het niet eens te overwégen, te beginnen met het feit dat Melissa's verslagen moeder over een paar uur naar het mortuarium kwam om het lichaam van haar dochter te identificeren.

Maar er was nog een reden die Brad nu bezighield. Eden.

Er was iets aan Eden wat hem niet losliet. En bij gebrek aan andere logische wegen die naar de moordenaar zouden kunnen leiden... waarom niet? Ja, er waren massa's redenen om het niet te doen, maar in het licht van zelfs een minieme kans de zaak op te lossen voelden die plotseling triviaal aan.

'Ik zal het haar zeggen,' zei Frank.

'Nee.' Brad hield Nikki's blik vast. 'Nee, zeg haar maar dat het goed is. Vertel haar dat we over twee uur bij haar zijn.'

De avond begon af te koelen, versneld door schaduwen van de bergketen die naar de stad kropen. Quinton Gauld stond tussen twee rotsblokken op een richel die uitzicht bood op het terrein beneden en tuurde door een verrekijker. Het Centrum voor Welzijn en Intelligentie.

Dit was de derde keer in drie dagen dat Brad Raines naar het afgelegen oord was gereisd, en Quinton had hem op twee van die gelegenheden vanaf ditzelfde uitkijkpunt geobserveerd.

Hij wist een paar dingen over het Centrum voor Welzijn en Intelligentie. Bijvoorbeeld dat de instelling bedoeld was voor mensen zoals hij. Intelligent en begaafd. Maar als hij de halvegaren over het terrein zag dwalen, merkte hij dat hij walgde bij het idee dat iemand deze dwazen in de waan zou brengen dat ze zelfs maar in de verte op hem leken.

Je had God, je had de engelen, je had mensen, je had honden en je had insecten. Een mens moest weten waar hij thuishoorde. Die mafkezen in de diepte met hem vergelijken was het vergelijken van een kind dat op een plastic toeter blies met een maestro die Beethovens Vijfde Symfonie dirigeerde. Het waren mensen als deze die mensen zoals hij een slechte naam gaven.

Toch gebeurde er iets fascinerends met de FBI-agent. Hij had de door Quinton geplante aanwijzingen opgepikt en zich in een uitputtend onderzoek van psychiatrische instellingen gestort dat Raines naar dit kleine landgoed in de voetheuvels had geleid.

En terwijl zij zich in hun 'onderzoek' begroeven, had hij de vijfde lieveling onder hun speurende neuzen vandaan geplukt. Dat was belangrijk, dat hij het als het ware onder hun neus deed. God bewoog zich onder de collectieve neus van de meeste onwetende mensen, net als engelen en demonen.

En Quinton Gauld. Toen hij de rood-witte ambulance uit het stadsmortuarium had zien vertrekken, was hij onmiddellijk door een tiental vragen bestormd. Gingen ze een lijk ophalen of wegbrengen? Wás de ambulance wel bestemd voor een lijk?

Ze zouden Melissa toch niet zo snel vervoeren?

Behoedzaam was hij de ambulance in zijn Chevy pick-up gevolgd. Zodra hij hun bestemming had vastgesteld, had hij snel een kortere route genomen en zichzelf in een positie gebracht om hen te zien arriveren. De ambulance kwam tot stilstand op de keerplek voor het gebouw. Een chauffeur en nog iemand, die Quinton snel als agent Raines identificeerde, stapten vooruit en achteruit de wagen.

Alleen al het idee dat zijn perfecte maagd bij dit gekkenhuis werd afgeleverd, om welke reden dan ook, stuitte hem tegen de borst. Er was geen reden voor, dus zijn angsten waren ongegrond. Hij zag spoken, de angstbeelden van een lager schepsel. Hij was bezig als een demon in plaats van als een engel. Hij gaf de FBI-agent niet genoeg eer, want zelfs de FBI zou zijn mooie, bijna niet te evenaren bruid niet hierheen slepen alsof ze een stuk slachtvee was.

Als ze mijn bruid op deze manier de nacht in hebben gezeuld, zweer ik dat ik zal zondigen. Vergeef me, Vader, maar ik zweer op Uw heilige naam dat ik dan zal zondigen.

Raines en de broeder trokken een brancard uit de wagen. Quinton voelde een beklemming op zijn borst. Aan het dunne matras was een lichaam vastgesnoerd en hoewel er een wit laken over haar gezicht was getrokken, kon Quinton de neus onderscheiden. En zelfs van deze afstand wist hij, zonder de geringste twijfel, dat hij door de verrekijker naar de vijfde lieveling staarde.

Onder in zijn hoofd ontstak een gezoem dat hem in beslag nam alsof een hand zich in zijn schedel verhief en zijn vingers om zijn brein legde. Een hand die onder stroom stond. Gods hand.

Het was vele maanden geleden sinds Quinton zo'n gloeiende, duizeligmakende razernij had gevoeld. Hij was zo geconcentreerd op de brancard die over het tegelpad werd gereden – het schudden van haar lichaam, de stroom bacillen over haar gedaante, de deur van het centrum die openging om haar binnen te laten – dat hij zich slechts vagelijk bewust was dat zijn eigen lichaam beefde. Een onsamenhangend gemompel rolde uit zijn mond, een woordenbrij over God en de dood en schoonheid en lievelingen die veel te ingewikkeld was om door iemand anders dan hemzelf te worden begrepen.

Het lichaam verdween naar binnen. Quinton kwam tot zichzelf en staarde nog eens tien minuten voor zich uit, waarin hij God smeekte hem nog een blik te gunnen; nog één glimp van haar lichaam. Niets.

Hij liet de verrekijker zakken, hurkte en begon heen en weer te wiegen. Hij wist dat dit gedrag geliefd was bij labiele figuren die een ritme zochten voor hun ongecontroleerde gedachten, maar niemand kon hem zien, dus gaf hij toe aan de troostende beweging.

Dit veranderde alles. Nee, niets. Ja toch. Alles. Niets voor het ophanden zijnde karwei, maar alles ten opzichte van hoe die taak vervuld kon worden. Zoals bij elk groots doel waren er geduchte tegenkrachten, en voor de eerste maal had Quinton er oog in oog mee gestaan. Nu hij uit zijn tent was gelokt, zou de moordzuchtige vijand ongetwijfeld een rol gaan spelen.

Hij had Raines op de proef gesteld, hem getart met een simpele boodschap: 'Pas op wie je je liefde geeft, want ik zal zondigen.' De FBI-agent had toegehapt als een slang. Waarom? Waarom had Quinton zich gedwongen gevoeld de man te paaien? Omdat de slang een hof nodig had; zelfs God had een publiek nodig.

Hij sloot zijn ogen en probeerde zichzelf te kalmeren. Na een paar minuten begon zijn hartslag af te nemen.

Oké dan, meneer Raines, ik accepteer je uitdaging. Oké, Rain Man. Ik neem je handschoen op. Hou me tegen, jij heidense heksendokter. Want ik ben vast van plan jou tegen te houden.

12

Roudy zat in de hoek van zijn kamer, met zijn knieën tegen zijn borst. Zijn haar zag eruit alsof er die nacht een tornado doorheen was geraasd, zijn gezicht was even wit als een gebleekt laken, zijn lippen bewogen in een snel, onhoorbaar gefluister. Eden stond in de deuropening met de klink in haar hand, aan de grond genageld door de verandering in hem. Het kwam niet vaak voor dat dit soort depressie zich van Roudy meester maakte, maar als het gebeurde, zakte hij heel diep weg.

'O nee.' Andrea staarde over Edens schouder naar de puinhoop in de kamer. Roudy's witte beddenlakens lagen in een slordige hoop naast drie boeken die opengeslagen waren achtergelaten. Op het bureau stond een kom onaangeroerde Cheerio's, omringd door gemorst ontbijtgraan uit een omgevallen gele doos.

'O nee, o nee...' Andrea was zelf wakker geworden in een staat van verschrikkelijke angst, en bij het zien van Roudy in deze toestand zou ze waarschijnlijk nog dieper in haar eigen angst en ellende wegzakken.

'Het is oké, Andrea,' zei Eden zachtjes, terwijl ze de kamer in stapte.

'Nee, nee, nee.' Ze liep rakelings langs Eden heen en vloog naar de hoek, viel op haar knieën en sloeg huilend haar armen om Roudy heen. 'Sorry, sorry.'

Roudy mompelde zacht, maar gaf verder geen teken dat hij zelfs maar merkte dat ze zijn kamer waren binnengekomen.

Eden stopte in het midden van de kamer. Ze was gekomen om Roudy te vertellen dat de FBI haar nodig had. Dat zij, Eden Founder, het simpele vierentwintigjarige meisje dat op zeventienjarige leeftijd volgens de artsen haar eerste psychoseaanval had gehad, eindelijk door iemand van buiten op waarde werd geschat. De wereld had háár, Eden, nodig.

De FBI had een dode vrouw gebracht.

Het was zowel opwindend als angstaanjagend. Ze deden een beroep op haar, Eden. Special agent Brad Raines, een echte man, die zijn kleren streek en eau de toilette gebruikte en die een ster in de echte wereld was, had háár nodig.

Ze was gekomen voor Roudy's enthousiaste steun – of misschien een beetje van zijn jaloezie, eerlijk gezegd wist ze niet welk van de twee. In plaats daarvan trof ze dit aan: een hoopje ellende, een man beroofd van zijn gevoel van eigenwaarde. Er viel niets van hem te verwachten, en heel even had ze de pest aan hem omdat hij er zo hulpeloos en zwak bij zat, kreunend van ellende.

Om de zaken erger te maken zou Andrea hem achternagaan, zodat Eden in haar eentje in haar kleine schijnwerper kon staan, waardoor het helemaal geen schijnwerper meer was.

Toen Roudy niet op Andrea's gejammer reageerde, zonk het meisje neer op de vloer, rolde zich op tot een bal en bleef zachtjes doorhuilen.

'De FBI brengt me een lichaam, Roudy,' zei Eden. 'Ze hebben mijn hulp nodig. Misschien zou jij ook kunnen helpen.'

Op enig ander moment zou Sherlock opgaan in zijn eigen grootheidswanen, heftig gebarend heen en weer lopen en eisen dat hij erbij mocht zijn. Zonder zijn hulp zou alles verloren zijn. Hem er niet bij betrekken zou misdadig, ja, strafbaar zijn.

Andrea zou hem afsnauwen en zeggen dat hij zich met zijn eigen zaken moest bemoeien. Dat dit Edens moment was voor een beetje aandacht, hoewel ze allemaal wisten dat meneer Raines maar op één ding uit was. Maar het was tenminste iets.

In plaats daarvan werden ze allebei geteisterd door de monsters die in hen leefden.

Edens medeleven met Roudy won het van haar eigen behoefte aan aandacht. Diepe depressie was een beest dat velen hier plaagde, een slopende ziekte die soms onder controle kon worden gebracht met medicijnen, maar nooit ten koste van menselijke aanraking en liefde.

De FBI kon wachten.

Eden liep naar Roudy toe, ging op haar knieën zitten en wreef hem zachtjes over zijn rug. De enige keer dat ze een man kon vasthouden was wanneer hij gebroken was en troost nodig had.

'Het is oké, Roudy. Het komt goed. Het gaat wel weer over.'

Hij kreunde alleen maar.

'Je moet snel beter worden, Sherlock. Ze zullen je nodig hebben. Ze zijn ten einde raad en zullen de beste nodig hebben.'

Hij begon zich te ontspannen, toen sloeg hij langzaam zijn opengesperde ogen op en keek haar aan. Ze geloofde dat zijn verstand werkte en hem toeschreeuwde dat hij haar wijsheid moest erkennen, maar voorlopig hadden zijn emoties de overhand.

Ze kuste hem op het voorhoofd en legde beide armen om zijn schouders. 'Dit is de prijs die we betalen voor het feit dat we zo goed zijn in wat we doen, toch? Maar het geeft niet, want je helpt heel veel mensen, Roudy. Ik ben heel trots op je. Wij allemaal.'

Hij werd slap en ze liet hem tegen zich aan leunen. Andrea keek op van de vloer als een puppy die ook wat aandacht wilde. Eden streelde haar haar. 'We zijn trots op jullie allebei.'

Ze bleven verscheidene lange minuten op de vloer zitten om de pijn zijn loop te laten vinden, en een poosje vergat Eden dat ze op weg was geweest naar het administratiegebouw. Haar vermogen troost te brengen aan een paar mensen hier op het CWI, was het grootste deel van haar identiteit geworden. De aandacht van de FBI, hoe vleiend ook, was slechts een recente en waarschijnlijk voorbijgaande afleiding in haar wereld.

Maar ze zaten te wachten. Brad zat te wachten.

'Ik moet weg, maar ik kom terug,' zei ze ten slotte. 'Dit zal voorbijgaan, Roudy. En als het zover is, zullen we je nodig hebben.'

Andrea werkte zich op haar knieën, kwam overeind en liep als een zombie de kamer uit. Op weg naar haar eigen kamer, ongetwijfeld om een douche te nemen.

'Ik ben de beste,' mompelde Roudy.

Eden richtte haar aandacht weer op de man die naar de muur staarde. 'Ja, dat ben je. En dat ben je altijd geweest.'

Hij keek haar met trillende lippen aan. 'Vertel hun dat het me spijt. Ik voel me niet zo goed. Het spijt me ontzettend, misschien later.'

'Ik zal het zeggen.'

Ze stond op, gaf hem twee klopjes op zijn schouder en vertrok. Ze trok de deur achter zich dicht, liep snel de gang door en haastte zich door de Rotonde. Becky Horner stond in het midden van de ruimte voor zich uit te staren, haar haar getoupeerd tot een afrokapsel. Flower zat bij de muur iets op het raam te tekenen en staarde naar Eden, samen met een stuk of zes andere bewoners. Was haar reputatie haar vooruitgesneld?

Een moment lang stond ze in de verleiding terug te rennen naar de kamer en bij Roudy te blijven, waar ze thuishoorde. Wat verbeeldde ze zich wel? Dat ze de dode vrouw zou aanraken en de naam van de moordenaar zou ophoesten? Ze wist bijna zeker dat ze hen zou teleurstellen. Om de waarheid te zeggen was ze alleen om hém in dit gedoe meegegaan.

Om meneer Raines. De eerste man in haar herinnering die iets van interesse in haar had getoond die verderging dan het soort dat Casanova op routinebasis aanbood.

Maar ze wachtten op haar. Ze had zich in de nesten gewerkt. Ze had A gezegd en nu moest ze B zeggen.

Ze liep over het tegelpad naar de receptie. De verpleger, Jonathan, stond haar op te wachten. 'Hallo, Eden. Ze zijn naar de keuken.'

'Achter de Rotonde?'

'Iets over koeling. Allison zei dat ze je daar zouden treffen.'

'Hebben ze het lichaam naar de keuken gebracht?' Ze was perplex. Het zou betekenen dat ze terug moest door de Rotonde! Jonathan moest de bezorgde blik op haar gezicht hebben gezien.

'Kom, ik breng je wel naar de leveranciersingang.'

'Dan kom je langs het hek,' zei ze.

'Het is óf om de vleugel óf door de Rotonde. Jij mag het zeggen.'

'Oké, dan maar om de vleugel.' Maar ze vond het nooit prettig om zo dicht bij het hek te komen, de enige barrière tussen haar en de buitenwereld.

Jonathan leidde haar terug over het gazon, rond het gebouw en opende de ingang die werd gebruikt voor het afleveren van goederen. 'Kun je het van hier af vinden?'

'Ja.'

'Oké, tot ziens.'

'Ja. Tot ziens.'

Op dit moment voelde ze zich allesbehalve een medium. Ze zou zichzelf volledig voor schut zetten.

Eden liep door een gang die bezaaid was met kartonnen dozen met olijfolie en soep, een paar kisten met uien en aardappelen. Ze stapte door de achterdeur van de keuken en keek om zich heen.

Ze keek uit op een ruimte met een groot roestvrijstalen kookeiland in het midden. Kookgerei en pannen hingen aan rekken erboven. De ovens stonden ertegenover, tegen de rechtermuur, en links was een inham die naar een koelcel leidde. Nergens een lijk te zien, dus nam Eden aan dat ze het in de koelcel hadden gezet.

Brad Raines stond rustig met Allison te praten, allebei met hun rug naar haar toe, iets over de financiering van het centrum en de kosten om het draaiende te houden. Hij was een kop groter dan Allison en zijn blonde haar was keurig bijgeschoren rond zijn oren en in de nek boven zijn kraag. Hij droeg een wit overhemd met opgerolde mouwen. Zwarte broek en zwarte schoenen. Een riem. Keurig, tot in de puntjes verzorgd.

Eden bleef staan waar ze stond, bewust van het feit dat ze niet verwachtten dat ze via de achterkant zou binnenkomen. Ze kon zich nog omdraaien en wegglippen, dan vermeed ze de gêne hem weer onder ogen te moeten komen nadat ze was weggerend. Dacht hij dat ze niet goed bij haar hoofd was? Dat moest wel. Ze had hem de les gelezen en was toen gevlucht bij de loutere suggestie dat ze haar veilige haven zou verlaten.

Was ze misschien echt niet goed bij haar hoofd? Nee, dat was ze wel, dat wist ze best. Maar ze was geïntimideerd door de man aan de andere kant van de keuken. Hij was van een compleet andere orde. Hij, het toppunt van perfectie, stak letterlijk en figuurlijk met kop en schouders boven haar uit.

Hij had haar met oprechte belangstelling gadegeslagen. En was dat niet de ware ironie? Het sloeg nergens op dat hij haar met enig soort belangstelling bekeek, aangezien ze die noch verdiende noch wilde. Ze was slijk in zijn wereld.

Eden had geen volwassen ervaring in die wereld, en nu ze naar Brad keek, kwam het bij haar op dat de enige manier om met hem om te gaan was door hem naar haar niveau te halen, al was het maar een klein beetje. Niet door gemeen tegen hem te zijn, maar door te doen alsof ze zijn gelijke was, misschien zelfs in enkele opzichten superieur.

Was dat ook niet wat ze had gedaan tijdens het grootste deel van hun eerste ontmoeting? Ze had zichzelf beschermd door afstandelijk en uit de hoogte over te komen. Ze moest dat weer doen, anders liep ze het gevaar in te storten waar hij bij stond.

Ze mocht hem niet laten merken hoe leuk ze hem vond.

Eden hapte naar adem en trok zich snel terug in de gang. Hoe kon ze zoiets denken? Het was natuurlijk niet waar. Het was een giller. Ze mocht hem, maar niet op die manier.

Allison riep. 'Eden?'

De gedachte dat ze zich aangetrokken voelde tot deze man joeg haar angst aan. Het maakte dat ze zich een worm voelde, want ze wist drommels goed dat hij zich er nooit, onder geen enkele omstandigheid, toe zou brengen genegenheid terug te geven aan een onderkruipsel als zij.

'Ben je daar?'

Ze moest zichzelf onder controle krijgen!

Eden haalde diep adem, streek afwezig over haar haar en stapte de keuken in. Ze keken allebei haar kant op. Ze bedacht dat ze iets moest zeggen wat iets anders liet zien dan de angst die ze voelde, maar in plaats daarvan bleef ze stilstaan en staarde hen aan.

Meneer Raines (want ze kon hem niet langer Brad noemen) glimlachte. 'Hallo, Eden.'

'Hallo.'

'Dank je wel dat je gekomen bent.'

Zoals hij naar haar keek... Ze wist dat het gewoon normaal en vriendelijk was. Hij had per slot van rekening haar hulp nodig, daarom deed hij aardig. Maar het was zo gemakkelijk om zijn blik te interpreteren als iets wat verderging. Als interesse. Ze moest zichzelf in de hand houden!

'Nou, ik betwijfel sterk of ik enige hulp kan bieden,' zei ze terwijl ze naar voren liep. Ze hoopte maar dat hij niet zag dat haar handen een beetje trilden. 'Maar om u te helpen dit uit uw gedachten te zetten en weer tot de orde van de dag over te gaan, zal ik mijn kunstje voor u vertonen.'

'Kunstje?'

'Kunstje, show, als het beestje maar een naam heeft. Ik zal voor aapje spelen in deze kleine dierentuin die u hebt opgezet, zodat u weer tot het echte werk kunt overgaan.'

'Eden...' zei Allison op waarschuwende toon.

'Sorry, maar het is waar, toch?'

Meneer Raines leek met de mond vol tanden te staan. Eden putte daar enige bemoediging uit. Ze mocht dan niets voorstellen in zijn wereld, hier was ze wel degelijk iemand. Roudy en Andrea waren misschien zelfs trots op haar.

'Dus waar is het lichaam?'

Vanwaar ze nu stond was de koelcel rechts om de hoek en meneer Raines riep naar iemand. 'Bob?'

Even later reed een broeder met een stethoscoop om zijn nek een brancard naar binnen. Het lichaam was bedekt met een wit laken, maar er lag onmiskenbaar een vrouwelijke gedaante onder.

Eden staarde naar het lichaam en liet haar gedachten dwalen door de verborgen plooien van het verhaal achter wat haar ogen zagen.

Ik zie hoe de vrouw van het laken verrijst, haar benen van de brancard af zwaait en achterwaarts naar de deur beweegt. Het laken wordt een jurk aan haar tengere lijf. Terug door de deur, dan snel door de stad naar haar eigen huis en naar binnen, waar een man op haar wacht. Ze kust de man en draait met hem rond alsof ze dansende geliefden zijn. Maar dan komt hij nogmaals rond en zie ik dat hij helemaal geen man is. De vrouw kust een gorilla die plotseling zijn hoektanden ontbloot en...

'Eden?'

Ze keek op naar Allison. 'Wat?'

Ze staarden haar aan. Ze moest zich concentreren. Ze voelde paniek opkomen, maar slaagde erin het gevoel terug te dringen.

'Er zijn te veel mensen hier.'

De ambulancebroeder wisselde een blik met meneer Raines, die knikte. 'Ik ga wel even naar buiten,' zei de man en liet hen drieën achter bij het lichaam.

'Zo beter?' vroeg Allison.

Meneer Raines – Brad voor zijn intimi, voor zijn vrienden, collega's en minnaressen – stond haar te observeren. Ze moest zich goed houden.

'Ja, veel beter.' Ze deed een stap naar voren. 'Wat wilt u precies dat ik doe, meneer Raines? Dat ik een lijk bepotel waar u bij staat?'

'Eden!'

'U hebt gelijk, dat sloeg nergens op,' zei ze, gruwend van haar woordkeus. 'Sorry, dat is niet wat ik bedoelde.'

'Geeft niets,' zei meneer Raines. 'Geloof me, ik ben dankbaar dat je hebt besloten ons te helpen. Ik realiseer me dat dit ongebruikelijk is. Ik voel me zelf ook een beetje onthand.'

'Waarom? Omdat u niet gewend bent om met aapjes te werken?'

'Nou nee, dat is niet wat ik dacht.'

'Maar het is op zijn minst ten dele waar. U zou zich nooit op uw gemak voelen in het gezelschap van mensen zoals wij. Wij zijn te bizar voor u.'

Allison probeerde haar weer bij te sturen. 'Alsjeblieft, Eden, dit is niet het moment voor...'

'... brute eerlijkheid?' zei ze eroverheen. 'Nee, niet waar echte mensen bij zijn.'

Nog terwijl ze het zei, hoorde Eden de onvriendelijkheid van haar eigen woorden en wilde ze ze terugnemen. Ze leken zelfs Allison te schokken. Ze staarde Eden lange tijd aan terwijl Brad van de een naar de ander keek.

'Je hebt gelijk,' zei Allison. Toen richtte ze zich tot meneer Raines: 'Ze heeft gelijk. Dit hele gedoe is absurd. U gebruikt haar voor uw eigen zelfzuchtige doeleinden zonder haar eigen behoeften te respecteren. Ik denk dat dit allemaal een vergissing is. Misschien kunt u beter vertrekken.'

Wat? Nee! Nog niet.

'Het spijt me.' Brad – meneer Raines – leek perplex. De arme man moest denken dat hij de schemerzone had betreden. 'Ik dacht dat we een afspraak hadden. We hebben nogal wat in het werk moeten stellen om het lichaam hier te brengen.'

'Maar dat is nu net het probleem,' zei Allison. 'Voor jullie is dit in de eerste plaats werk. Waar blijft Eden in het hele verhaal? Ik denk dat we ook haar behoeften in deze uitwisseling moeten betrekken, vindt u niet?'

'Ja, natuurlijk. Maar ik was me er niet van bewust dat we daarin tekortgeschoten waren.'

Het kwam bij haar op dat ze haar allebei als een kind behandelden. Ze was geen kind. 'Ik heb geen behoeften waaraan u tegemoet kunt komen, meneer Raines. En het laatste waar ik om verlegen zit is dat jij voor koppelaarster gaat spelen, Allison.' Te veel informatie. Ze bleef maar blunderen! 'Ik heb niet de geringste interesse in dat aspect van deze ontmoeting. Maar u bent het hele eind hierheen gekomen, dus laten we het afmaken.'

Voordat ik je vraag me vast te houden, Brad, omdat de waarheid is dat ik elk wakend moment zou dromen over een man als jij, als ik het mezelf toestond. Ik zou mezelf op een offeraltaar leggen om met jou door de ruimte te zweven. Maar dat kan ik niet, dus zal ik dat niet, nooit.

Nonsens! Het was gewoon niet waar!

Ze liep om het roestvrijstalen eiland heen en naderde de brancard.

'Het spijt me, Eden. Echt, we hoeven dit niet te doen als je je niet op je gemak voelt.' Brad, ja Brad, want hij heette Brad, ging aan de andere kant van het lichaam staan. Allison leek van zins te blijven staan waar ze stond.

'Het is al goed, meneer Raines. Ik weet gewoon niet precies wat u van me verwacht.'

'Je zei dat je al eens eerder... geesten hebt gezien... Een paar keer. Twee keer. Toen je in contact kwam met lichamen van overledenen.'

'Ja. Maar ik moet u zeggen dat de meeste "geesten" die ik zie gewoon producten van mijn verbeelding zijn.' Blauwe vlinders, die door het raam achter je fladderen en onder heerlijk gezang het heelal in zeilen. 'Ik kan niet verklaren wat ik zag of waarom ik het zag.'

'Wat zag je dan?'

Ze aarzelde, zoekend naar de herinnering. 'Ik zag de gestalte van een ambulancebroeder die zich over een vrouw heen boog en tegen haar zei dat alles goed zou komen. Ik zag zijn geest.'

'Of de laatste herinnering die de overledene aan hem had,' zei hij vriendelijk, met oprechte belangstelling.

Ze knikte. 'Of haar herinnering aan hem.'

De uitwisseling gaf haar ineens kracht. En Brad Raines was een mooie man. Ze kon niet doen alsof hij dat niet was. Het was geen wonder dat Andrea zo argwanend was. Zijn gezicht was glad, als van een jongen, hoewel hij krachtige kaken had en misschien dertig was. Zijn bruine ogen leken op donkere barnstenen, zijn lippen waren glad en zijn haar zag er zacht uit. Ze zou het willen aanraken in haar dromen over hem.

Ze schaamde zich dat ze hem nog steeds aanstaarde. Waarom keek hij niet weg? Was hij zo verbaasd dat ze de moed had naar hem terug te staren, ook al kon ze niet aan hem tippen? Was hij verbaasd dat ze haar plaats niet begreep, als de poetslap die hij gebruikte om zijn schoenen te laten glimmen? Hoe waagde ze het in zijn ogen te staren!

Het moment van stilte strekte zich uit en Eden bedwong de neiging om weg te rennen.

'Dank je dat je dit wil doen, Eden,' zei Brad. 'Ik besef hoe lastig dit voor je is, en ik wil dat je weet dat ik niet iets bepaalds verwacht. Het is niet erg als je niets ziet.'

Dat was aardig van hem. En hij leek het te menen.

'Maar we zijn hier nu toch, dus waarom zouden we niet een poging wagen?'

Ze knikte.

Brad pakte de rand van het laken tussen zijn vingers en trok het omlaag. Haar ogen bleven rusten op zijn nagels, hoe schoon die waren. Schoon en netjes zijn moest belangrijk voor hem zijn. Zelf wist ze niet hoe dat moest, en ze haatte zichzelf erom.

'Haar naam is Melissa,' zei Brad.

Eden knipperde met haar ogen en keek naar het mooie, deegwitte gezicht van de dode vrouw. Er zat een wond boven haar rechterslaap. Perfecte lippen, perfecte huid.

Ze haatte Melissa.

Maar dat was belachelijk. Ze haatte niemand, zelfs haar eigen vader niet. Wat bezielde haar? 'Ze is gisternacht gestorven,' zei Brad.

Haar hoofd begon zich te vullen met de omstandigheden rond de dood van de vrouw, abstracte beelden die voortkwamen uit haar eigen verbeelding. De dansende minnaar en de mensaap die haar gezicht afbeet.

Eden wist plotseling niet zeker of ze hiermee door kon gaan. Bij mnemofobie was er slechts een smalle grens tussen de angst voor akelige herinneringen en de angst voor het scheppen van nieuwe akelige herinneringen, en hoewel ze het allemaal met Allison had doorgespit, voelde ze nu die oude vingers van angst in zich omhoogreiken.

Ík had daar moeten liggen, dacht ze. *Ík zou dood moeten zijn, in plaats van deze mooie vrouw. Ik bén niet eens een vrouw, niet echt.*

Maar ze was hier en hij wachtte, en de angst hem teleur te stellen was even groot als haar angst om een akelige herinnering te creëren door zo'n mooi dood lichaam aan te raken. Dus strekte ze haar hand uit, probeerde haar bevende vingers stil te houden, wat niet lukte, en beroerde zachtjes Melissa's witte wang.

Ze voelde alleen de bloedeloze huid, afgekoeld door de kille lucht in de koelcel. Ze zag geen geesten. Geen visioenen. Zelfs geen beeld dat voortkwam uit haar eigen overactieve verbeelding. Alleen een dood meisje op een brancard dat koud aanvoelde.

Eden liet haar vingers op het gezicht liggen en keek naar Brad, die zijn ogen opsloeg en haar nieuwsgierig aankeek.

Wat verwachtte je dan? Dat er een vlinder uit haar mond zou komen op het moment dat ik haar aanraakte? Dat er een kikker uit mijn shirt zou springen? Dat er een geest uit haar zou opstijgen? Ik verdien het nergens aan om hier bij je te zijn, dus mag ik nu terugkruipen naar mijn hoek? Ik zal een poosje wiegen en kreunen als een braaf aapje.

'Het spijt me,' zei ze.

'Niets, hè?'

'Ik zei het al.'

'Helemaal niets? Zelfs geen... gedachte?'

'Niets.' Ze trok haar hand weg. 'Het sp...'

Maar ze kwam niet zo ver dat ze "het spijt me" zei, want op dat moment werd het zwart voor haar ogen. In de duisternis weerklonk een stem die haar toesprak. *'Ik ga een paar kleine gaten in je hielen boren, ongeveer een halve inch in doorsnee. Maar maak je geen zorgen, zodra je bloed is afgelopen, zal ik ze weer dichtstoppen. Je zult nog steeds mooi zijn. Perfect. Oké?'*

Een vrouwenstem: *'Oké.'* Melissa's stem, alleen voelde het alsof hij van Eden kwam, want op dit moment wás Eden Melissa.

Haar geest kwam in opstand en duizelend tastte ze naar iets om zich aan vast te houden. Vlees vulde haar hand. Melissa's vlees. Maar Eden was nu volledig in paniek en had het gevoel dat ze ging vallen, dus hield ze zich stevig vast.

'Melissa?' Een mannenstem vulde haar hoofd. Zíjn stem. Kende ze deze stem? Had ze deze stem al eens gehoord, deze hete adem op haar wang gevoeld?

Een gezicht vulde haar innerlijke beeldscherm. Zíjn gezicht. Een knap, gebeiteld gezicht, met krachtige jukbeenderen en donker haar. Ogen die oprecht waren en glimlachten terwijl hij een gehandschoende hand naar haar wang bewoog en met zijn duim over haar huid streelde.

'Zo mooi, mijn beste. Je bent Gods lieveling, vergeet dat niet. En dat maakt je tot mijn lieveling, want je was verloren, maar nu ben je gevonden. Ík heb je gevonden. Zie me maar als God, dat zal je helpen.'

Afgrijzen om het geluid van die vertrouwde stem overspoelde Eden en beroofde haar van haar adem. Ze probeerde haar hand weg te trekken, maar haar vingers klemden zich vast aan het koude vlees van het lichaam alsof ze naar meer zochten. Iets in haar wilde meer weten.

Eden slaakte een gil en deinsde met al haar kracht terug. Haar hand kwam vrij en het duister verdween, maar nu wankelde ze naar achteren en struikelde. Botste tegen de oven achter haar en viel op de grond.

De harde klap sloeg de lucht uit haar longen en brak haar gil af. Ze lag sidderend op de gladde betonnen vloer. Allisons kalme stem ging naar haar uit, maar Eden greep al naar haar buik, op zoek naar de veilige plek.

De witte mist, waar alles wat slecht was haar niet zou vinden. Langzaam werkte ze zich ernaartoe, kruipend, wanhopig tastend naar de veiligheid voordat de monsters haar benen grepen en haar de duisternis in trokken.

O, God, red me. Laat ze me niet te pakken krijgen. Neem me in Uw armen, houd me vast, laat het kwaad me niet verslinden. Alsjeblieft, wijs me niet af!

Ze krabbelde overeind en kroop op handen en voeten naar voren terwijl de eerste flarden van witte mist haar passeerden. Ze lag rillend op de keukenvloer, en twee stemmen, een mannenstem en een vrouwenstem, probeerden haar te kalmeren, maar inwendig betrad ze de mist.

De monsters hapten naar haar hielen, rukten een van haar schoenen af. Ze kroop sneller, op geschaafde knieën nu. En toen was ze in de mist en zigzagde ze naar links en rechts om haar laatste achtervolgers af te schudden.

Bebloed, buiten adem en te zwak om nog een centimeter verder te kruipen, zakte ze in elkaar en omhelsde de aarde, opgelucht, oneindig opgelucht. Ze had het gered. De duisternis was verdwenen. Ze was veilig in de mist die haar al zo lang beschermde. En Eden begon te huilen van dankbaarheid.

Langzaamaan daalde er kalmte over haar heen, als de liefdevolle adem van God. De monsters waren verdwenen. Ze kon zich niet eens meer herinneren hoe ze eruit hadden gezien.

Dank U. Dank U, mijn Heiland. Dank U dat U mijn pijn wegneemt.

Brad stond achter Allison, die op haar knieën op de vloer zat en Eden troostte en over haar rug wreef. 'Rustig maar, lieverd. Neem je tijd, het komt allemaal goed.' Eden lag zachtjes huilend op de vloer.

Hij wilde iets doen, op de een of andere manier helpen, maar hij wist niet hoe. Wat er ook precies was gebeurd, hij was noch getraind, noch voorbereid op dit soort situaties. Zijn professionele grenzen voelden benauwend aan. Het waren domme grenzen, bedoeld om onwetende mensen te helpen omgaan met het gecompliceerde leven.

Eden was óf in een psychose geschoten die gepaard ging met een krachtige hallucinatie, óf ze had echt contact gemaakt met iets, iets bedreigends waar ze onmiddellijk en heftig op had gereageerd.

Geesten bestonden niet. Maar het idee dat ze louter gehallucineerd had, bestempelde zijn gesleep met het lichaam tot een dwaasheid. Het feit dat hij het lichaam hier had gebracht betekende dat hij bereid was te overwegen dat Eden contact kon maken met die zogenaamde geesten, hoe onmogelijk het ook leek.

Onderweg hiernaartoe had hij zich ettelijke keren afgevraagd waarom hij daartoe bereid was. Het was zeker niet omdat hij plotseling een geloof in het bovennatuurlijke had ontwikkeld. En ook niet omdat ze wel eens geluk zouden kunnen hebben.

In feite had hij het voor háár gedaan. Voor Eden. Vanwege de manier waarop ze eerder die dag uit het raam had gekeken en hem over een andere wereld had verteld. Omdat haar ogen hem één keer hadden gescand en hem toen met verontrustende kalmte en precisie hadden verteld wie hij was.

Er school mysterie in haar ogen. Het was alsof haar geest echt toegang had tot een andere wereld en hem één blik in die wereld had vergund. In Eden.

Hij had het lichaam gebracht omwille van Eden. Omdat ze de kans verdiende om af te maken wat hij haar gevraagd had te doen. Nadat hij het gevraagd had, kon hij haar besluit hem te helpen niet negeren. Wat hij verder ook deed, hij kon Eden niet kwetsen. Ze had al te veel geleden.

Dus had hij het lichaam gebracht. En ondanks haar bewering dat ze niets zou zien, had Eden iets gezien.

Wat nu? Hij wilde haar de helpende hand toesteken en haar geruststellen zoals Allison deed, maar dat zou ongepast zijn. Hij was een FBI-agent, niet haar therapeut.

Allison keek hem aan. 'Het is oké. Gewoon een afweermechanisme. Het is de manier waarop ze ermee heeft leren omgaan.'

'Komt het weer goed?'

'Natuurlijk.' Allison streek liefdevol een lok haar van Edens wang en deed hem achter haar oor zoals ze bij haar eigen dochter zou kunnen doen. Eden werd rustiger. 'Elk brein heeft zijn zekering. Elk circuit heeft een resetmodus. Hoe krachtiger de computer, hoe beter de firewall moet zijn. Een van onze bewoners heeft me dat geleerd.' Ze glimlachte en bekeek Eden met vriendelijke ogen. 'Eden heeft een krachtige geest. Ze beschermt hem gewoon.'

Voor de eerste keer sinds hij hier kwam overwoog Brad de mogelijkheid dat hij een wereld had betreden met mensen van wie de geest niet zieker was dan de zijne, maar gewoon groter – en die daarmee moesten leren omgaan. Net als bij Eden was hun geest zo krachtig dat ze speciale systemen nodig hadden die een kleinere geest, zoals de zijne, niet nodig had.

'Wat is er gebeurd?' vroeg hij.

'Nou, zoals ik u vertelde, ziet ze geesten Vertel me niet dat u niet in geesten gelooft, meneer Raines.'

Hij wist niet wat hij zeggen moest.

'Geen zorgen. Leren liefhebben is belangrijker dan over geesten leren.'

'Wat ze zag...'

'Is nu waarschijnlijk foetsie,' zei Allison. 'Helaas ziet het ernaar uit dat haar ervaring een akelige was. Dat betekent dat er waarschijnlijk een man in voorkwam. Misschien wel de moordenaar. Waarschijnlijk is haar brein de ervaring hier en nu aan het uitwissen. Haar afweermechanisme is niet altijd nuttig, maar zolang ze het nodig heeft...'

Edens ogen gingen plotseling open en ze ging zitten als een klein kind dat uit een stevig middagdutje ontwaakt. Ze staarde hen aan en keek toen verward naar de vloer.

'Wat is er gebeurd?' Haar ogen bleven op de brancard rusten en er verscheen een blik van herkenning in. 'Het is gebeurd, hè? Ik heb iets gezien.'

'Ja, ik denk het wel.' Allison streek over haar haar.

Eden duwde Allisons hand weg en krabbelde overeind. 'Nu ik compleet voor schut sta...'

'Er is niets om je voor te generen,' zei Brad. 'Het was het proberen waard.'

'Dan vermoed ik dat het tijdverspilling is geweest. Als ik al iets heb gezien, kan ik me niet herinneren wat het was.'

'Herinner je je dat je haar aanraakte?'

'Ja. En ik herinner me ook dat ik mezelf hier voor gek zette voordat ik het lichaam aanraakte, maar dat is het enige wat ik me kan herinneren. Het spijt me dat ik u niet kan helpen, meneer Raines. Dit is allemaal een vergissing geweest.' Ze klonk geëmotioneerd. 'Misschien kan Roudy u helpen.'

Brad voelde zijn hart ineenkrimpen van medeleven. Eden liep naar de deur en deed haar best haar schouders recht te houden, maar ze liep alsof ze zelf een geest was.

'Eden, alsjeblieft...'

Ze vertrok zonder om te kijken.

13

'Zo. Dus dit is jouw honk?' Nikki slenterde door de woonkamer met een glas pinot grigio in haar hand en bekeek de inrichting waarvoor Brad had gekozen. Vrouwen waren altijd geïnteresseerd in zijn smaak, voor een deel omdat zijn keuzes zo weloverwogen waren. De meeste mannen, zo kwam het Brad voor, hadden geen verfijnde voorkeuren. Ze hadden wel een eigen smaak, zeker wel, vooral als het ging om auto's en vrouwen. Maar als je ze naar stoffen en kleuren, naar vrouwenkleding, verftinten en accessoires vroeg, zouden de meesten onverschillig hun schouders ophalen.

'Ik had geen idee dat je zo metroseksueel was.' Ze nam een slokje van haar wijn. Op hun zogenaamde date hadden ze twee uur doorgebracht in restaurant Trulucks onder het genot van krabbenpootjes en twee kreeftenstaarten. Een tweede lange dag na het fiasco op het CWI had alleen maar méér doodlopende sporen opgeleverd en een rustig etentje met Nikki was een welkome afwisseling geweest.

Brad zette de fles terug in de ingebouwde wijnkoeler onder het aanrecht en pakte zijn eigen glas. 'Zwart fluweel en chroom zijn niet bepaald vrouwelijke materialen,' zei hij.

'Zei ik vrouwelijk? Maar je hebt gelijk, "metro" is het verkeerde woord.' Ze keek naar het anderhalf meter hoge Toscaanse bloemenschilderij boven twee stoelen tussen de urnen.

'Ja, niet echt modern, ik weet het,' zei hij, terwijl hij naar haar toe liep. 'Ik mag graag...' zei hij met zijn glas naar de kamer gebarend, 'stijlen een beetje mixen. Ik weet het, bij de combinatie van modern en Toscaans zouden de meeste interieurontwerpers wanhopig met hun ogen rollen. Maar alles is bewust geselecteerd.

De bank komt uit Frankrijk, van een ontwerper die Trudeau heet. Zijn chroomwerk is heel gewild. De urnen waren ooit museumstukken in Mexico, niet heel kostbaar, maar wel originelen.'

'En het schilderij?'

'José Rodriguez. Ook een origineel. De andere schilderijen zijn dat ook. Niet overdreven duur, gewoon zorgvuldig geselecteerd.' Hij knipoogde en hief zijn glas.

'Dus je houdt van origineel.'

'Dat zou je kunnen zeggen.'

'En strekt die smaak zich ook uit tot vrouwen?'

Ze had het over zichzelf. Maar het eerste beeld dat bij Brad opkwam was van een kleinere vrouw, frêle, met lang, donker haar en een bleke huid. Ze beet op haar nagels en nam misschien twee keer per week een bad, als ze daartoe werd aangemoedigd. Haar geest was een oceaan van mysterie, en hoewel ze het zelf niet wist, had ze hem met één blik voor zich ingenomen.

Nikki nam nog een slokje en zette haar glas op de salontafel van geslepen glas. 'Omdat ik je eerder zou hebben aangezien voor het type dat voor perfectie gaat. Ik bedoel, moet je dit appartement zien.'

'Nou ja, ik heb het graag netjes.'

'Netjes? Oké, maar dit is niet netjes.' Ze maakte een wegwerpend gebaar om het woord 'netjes' te beklemtonen. 'Dit is onberispelijk.'

'Ik hou niet van stof.'

'En hoe ziet je kast eruit? Je gaat me toch niet vertellen... Al je sokken liggen keurig op rij. Gesorteerd op kleur.'

Brad voelde dat hij bloosde. Gelukkig brandden er maar twee lampen in de woonkamer. Hij slaagde erin een verontschuldigende glimlach te produceren. 'Het maakt het makkelijker om alles te vinden.'

'Het is meer dan dat, toch? De manier waarop je je kantoor zo ordelijk houdt, de manier waarop je je bureau afveegt, de manier waarop je keer op keer dossiers doorneemt, ze leest en herleest. We hebben een term voor mensen zoals jij.'

'Ja, dat heb ik me laten vertellen.'

'Borderline dwangmatige persoonlijkheid. Let wel, niet stoornis, maar persoonlijkheid. Groot verschil. Gelukkig.'

Hij schokschouderde ongemakkelijk.

'Het is oké, meneer Raines. Ik vind uw aandacht voor detail toevallig aantrekkelijk en vertederend.' Ze liep op blote voeten naar de gordijnen, omdat ze haar zwarte pumps bij de deur had achtergelaten. 'Je houdt van origineel. Maar je houdt ook van perfect. Dus wat is het? Of zit dát ertussen, je zoektocht naar het perfecte origineel?'

Ze schoof de gordijnen open en twee beelden troffen Brad meteen. Nikki's strakke lijf, gegoten in een kort, mouwloos zwart jurkje, scherp afgetekend in de heldere lichten van Denver – een visioen met een eigen soort perfectie.

En het stuk papier dat aan de buitenkant van het raam was geplakt.

Nikki hapte naar adem. Brads aandacht verschoof naar het stuk papier. Binnen het tijdsbestek van een enkele ademtocht wist hij wat het was. De Bruidenvanger. De moordenaar had een manier gevonden om een boodschap aan de buitenkant van zijn raam te plakken, vier hoog boven de straat.

Buiten zíjn raam? Waarom? Hoe?

Brad nam snel een aantal mogelijkheden door. Een glazenwasserslift. Hij had het op deze manier gedaan om bewakingscamera's te vermijden. Een glazenwasser op klaarlichte dag, of een of andere reparateur. Een bouwinspecteur. Hoe het ook was aangepakt, het was niet eenvoudig geweest.

Deze boodschap was dus belangrijk voor de moordenaar. Aangenomen dat hij van hem kwam.

'Brad?'

Hij maakte zich los van de gedachte die hem in zijn greep had, zette zijn glas neer en kwam achter Nikki staan. Het witte papier zag er donkerder uit door het getinte glas, maar het was bovenaan en onderaan met Scotchtape vastgeplakt en het handschrift van de Bruidenvanger was onmiskenbaar.

Ze proberen mij te doden, ja, iedereen probeert mij te doden. Maar het voordeel van God-zijn is dat ik van gedachten kan veranderen. Waarom heb je mijn bruid verplaatst, Rain Man?

Mijn beurt. Heb jij onlangs nog iets gedood? De slang wacht in de hof, op zoek naar een nieuwe bruid om hem te vergezellen in het hol. Perfect paar. Juist.

Verloren Eden. Je moet er een zijn om er een te kennen. Om te weten wie de gek is. Wanneer de pop in het hele spel zit. Nog duister? Wil pop dat ik me voor je verstop? Nee, ik ben niet ziek, ik ben gewoon beter dan jij.

Ik ben de zonneschijn en jij de regen.

Brad voelde een koude rilling over zijn rug lopen. Hij staarde naar het handschrift en herlas de boodschap.

Hij wist niet wat hij zeggen moest. Dit kwam wel heel dichtbij.

'Ideeënvlucht, maar zodanig gecontroleerd dat het een vreemd soort samenhang houdt,' zei Nikki met een trilling in haar stem. 'Hoe heeft hij dat papier hier gekregen? Hij moet zijn gezien.'

'We zullen het natrekken en bewakingstapes uit de omgeving bekijken, maar ik weet zeker dat hij zijn sporen heeft uitgewist.'

'Niemand kan hier naar binnen kijken?'

'Nee.'

'Maar hij weet duidelijk waar je woont. Voor hetzelfde geld heeft hij ons vanavond bespied. Misschien wel nu!' Ze klonk een beetje gejaagd. Niet vreemd, alles in aanmerking genomen, maar niet echt iets voor haar.

Brad speurde het kantoorgebouw aan de overkant af. De meeste ramen waren donker, slechts een paar waren verlicht. Een parkeergarage vier gebouwen naar rechts zou een goed uitkijkpunt zijn voor iemand met een sterke verrekijker. Maar niets daarvan deed ertoe. 's Nachts zouden de ramen van zijn appartement er van buitenaf zwart uitzien.

Hij klapte zijn telefoon open, belde de dienstdoende FBI-agent en verzocht hem zo snel mogelijk een sporenteam te sturen.

Nikki liep met de handen in de zij heen en weer voor het raam terwijl ze de boodschap herlas. 'Dit wordt te gek. Wat vind jij?'

Het was niets voor hem om snel verontrust te zijn, maar dit ging ver. Brad legde zijn telefoon met trillende handen op de salontafel, staarde toen terug naar de boodschap en deed zijn best om het prikken in zijn nek te negeren.

Verloren Eden. De Bruidenvanger verwees naar het oudtestamentische verhaal over de slang in de hof van Eden. Het verloren paradijs. Verloren onschuld. Maar het verband tussen dit gebruik van de naam en Brads contact met Eden op het CWI had iets griezeligs.

'Eden,' zei Nikki.

'Ja. Eden. Wie is Pop?'

Ze keek hem bezorgd aan. 'Hij weet dat je haar hebt opgezocht?'

'Niet noodzakelijk. Maar hij weet kennelijk dat we het lichaam hebben verplaatst.'

'Laten we eens aannemen dat hij naar haar, naar Eden, verwijst.' Ze sprak snel en gespannen. 'Dus maakt hij eerst een vage toespeling op de vrouwen in je leven, mogelijk op mij. Dan ga jij naar het CWI met het lichaam van zijn slachtoffer en doet hij veel moeite om een boodschap achter te laten, ditmaal met een rechtstreeks dreigement. Dus hoe zit het, is hij nu gefixeerd op jou? Op iedere vrouw met wie je in contact komt?'

Het was niet ongewoon dat seriemoordenaars ongezonde fixaties ontwikkelden jegens mensen die ze als hun tegenstanders zagen. In het denken van psychopaten lag de schuld voor hun geruïneerde leven niet bij hun eigen gedrag, maar bij degene die hun vermogen om dat gedrag te ontplooien bedreigde.

'Hij weet dat ik hem een halt probeer toe te roepen. Hij ziet mij als een vijandige concurrent, en in zijn wereld betekent dat vrouwen.' Brad keek naar haar. 'Hoe klinkt dat?'

'Het is moeilijk te zeggen hoe krankzinnigen denken.' Ze keek hem aan. 'Vertel me meer over Eden.'

'Wat bedoel je?'

'Doe me een lol. Ik bedoel, je hebt haar gezien – hoe vaak, drie keer nu? Je hebt de helft van ons etentje over haar gepraat. Als ik niet wist wie ze was, zou ik bijna jaloers worden.'

Wat? De onthulling kwam uit de lucht vallen.

'Ze is deel van de zaak. We hebben haar maar een paar minuten besproken.'

'Nou ja, bij wijze van spreken. Niet dat ik het recht heb om jaloers te zijn.' Ze lachte geforceerd. 'Hoor mij nou, ik ben gewoon zielig. Ze is...'

'Ze is wát? Een kneus? Echt? En aan ons mankeert niets?'

Nikki's rechterwenkbrauw schoot omhoog. 'Hè?'

Het was zijn toon. Het ene moment wimpelde hij Eden weg en het volgende leek hij voor haar op te komen. Op een vreemde manier had hij het gevoel dat hij wel voor haar móést opkomen. Ze was weerloos. Verstoten door een wereld die haar geweld had aangedaan.

'Kom op, natuurlijk heb ik met haar te doen.' Zo, dat was eruit. 'Wie zou dat niet? Ze is het slachtoffer van het monster in ons allen.'

Nikki knikte. 'Ik heb ook met haar te doen, met hen allemaal. Maar er is een verschil tussen medeleven en genegenheid. Ik hoop dat je dat begrijpt.'

'Eigenlijk denk ik niet dat het óf medeleven óf genegenheid is.' Hij bestudeerde de boodschap opnieuw. 'Ik denk dat het meer respect is.'

'In welk opzicht?'

'Ze ziet dingen die ik niet zie. Ze is de scherpste observator die ik ooit heb ontmoet. Een natuurtalent.'

Nikki wendde haar blik af. 'Daar kan ik inkomen.' Maar haar toon was niet geruststellend. Haar reactie wees er eerder op dat ze iets heel anders dacht.

'Ik ben gewoon een beetje verontrust door dit alles.' Ze wapperde naar de boodschap. 'Het punt is dat deze vent geen grapjes maakt. Hij verhoogt de druk op de ketel en denkt er niet aan het op te geven.'

'Tenzij...'

Ze kwam naar hem toe en las de boodschap over zijn schouder. De geur van haar parfum was nog steeds plezierig: een zweem van kruiden en bloemen. Hij voelde haar adem dicht bij zijn oor. 'Tenzij wat?' Het geluid van haar stem, licht en helder. Hij was een dwaas, nietwaar? In tal van opzichten was Nikki de perfecte vrouw voor hem. Hij zou werk van haar moeten maken, ongeacht de zaak.

Brad schraapte zijn keel. 'Weet je wát krankzinnig is?'

Ze haalde twee keer adem voordat ze antwoordde. 'Wij.'

'Hier staan we, oog in oog met het werk van een psychopaat die vijf vrouwen heeft vermoord, van wie twee in de afgelopen week. We staren allebei naar een boodschap die mij bedreigt en in plaats van de boodschap te analyseren, lopen we te kissebissen.'

Ze zuchtte. 'Je hebt gelijk. Sorry, het komt door alle stress. Ik heb vannacht nauwelijks een oog dichtgedaan.'

'Nou, je hebt morgen een vrije dag. Geniet ervan. Ga je moeder opzoeken. Intussen staat er een surveillancewagen buiten je appartement.'

'Dit lijkt me niet iemand die zich daardoor zou laten weerhouden.' Ze wuifde het weg. 'Maak je geen zorgen, ik kan op mezelf passen. Dus terug naar de oorspronkelijke vraag: tenzij wat?'

'Ik dacht: tenzij hij van gedachten is veranderd. In plaats van een andere vrouw...'

'... heeft hij jou in zijn vizier,' maakte ze zijn zin af. 'Hij heeft dit veranderd in een spelletje met jou.'

'"Ik ben niet ziek, ik ben gewoon beter dan jij",' las hij. '"Ik ben de zonneschijn en jij de regen."'

Nikki pakte haar glas weer op en nam peinzend een slokje, walste de wijn en nam nog een slokje. '"Je moet er een zijn om er een te kennen." Vertrouwt ze je?'

'Wie?'

'Eden. Ze is jong en ontvankelijk.'

'Ze is maar een paar jaar jonger dan wij.'

'Niet in ervaring. Ze is waarschijnlijk verkikkerd op je. Idolaat zelfs.'

Waar. Edens gebrek aan subtiliteit in de manier waarop ze hem op afstand had gehouden, was in feite een teken dat ze iets voor hem voelde. De gedachte was naderhand verscheidene malen bij hem teruggekomen.

'Zo naïef is ze nu ook weer niet,' zei hij.

'O, ik zou er niet op rekenen. Je bent een knappe, sterke man, en je had haar nodig. Dat is een behoorlijk sterk afrodisiacum.'

'Dus nu zijn we dáár weer terug? Wat bedoel je nou eigenlijk?'

Nikki liep naar het papier. 'Misschien weet ze meer dan ze loslaat.'

'Niet bewust.'

'Dat kun je niet weten. Nog niet.'

Het idee was stuitend, maar hij kon het niet helemaal wegwuiven. Maar hij kon Eden op zijn minst het voordeel van de twijfel geven. 'Ik betwijfel het.'

Ze draaide zich naar hem toe. 'Laat hun dan het dossier zien. Laat hun de boodschappen lezen. Ik zei het al eerder en nu heeft *híj* het gezegd: "Je moet er een zijn om er een te kennen." Het verband is misschien indirect, maar het CWI is nu direct met deze zaak verbonden, en voor hetzelfde geld ligt de sleutel opgesloten in Edens hoofd. Gebruik hen allemaal.'

Brad had de mogelijkheid al overwogen, hoe mager de redenering erachter ook was. Roudy zou het zeker toejuichen. Maar Eden was een ander verhaal.

'Ik betwijfel of ze me zou willen ontvangen...'

'Alsjeblieft zeg! Je hebt haar om je vinger gewonden! Ze speelt gewoon met je.'

'Ik denk niet dat je het begrijpt. Zo is ze niet.'

'Ze is een vrouw. Ik snap vrouwen. Gooi je charme in de strijd, vraag het met een twinkeling in je ogen. Ze zal toehappen, geloof me.'

'Jij stelt voor dat ik haar inpalm?' Hij wendde zich af en schudde zijn hoofd. 'Dat kan ik niet maken. Ze is... Nee.'

'Ik bedoel niet dat je moet liegen. Linksom of rechtsom moet je erachter komen wat ze weet. Wat ze zag toen ze het lichaam aanraakte. Ze is je enige aanknopingspunt.'

'Ik kan haar hoofd niet zomaar openpeuteren en haar gedachten lezen!'

'Luister naar jezelf, Brad. Waarom al die scrupules? Dat is niets voor jou.'

Ze had natuurlijk gelijk. Hij wist niet precies waarom haar suggestie hem zo tegenstond, maar de gedachte Eden van streek te maken, om welke reden dan ook, voelde niet goed. Ze had al genoeg geleden.

Hij plofte neer op de sofa en staarde naar het papier dat aan de buitenkant van het raam was geplakt.

'Win haar vertrouwen. Zorg dat ze zich openstelt,' zei Nikki. 'Ze zou wel eens meer kunnen weten dan ze beseft.'

14

Twee volle dagen waren voorbijgegaan sinds Eden een poging had gedaan om in contact te komen met een dode vrouw en jammerlijk had gefaald. Roudy was die eerste middag uit zijn zwarte mist herrezen en tegen zonsondergang weer even druk en onuitstaanbaar geweest als anders. Ze had de avond in haar eentje op haar kamer doorgebracht, met de deur op slot, en had het *klop, klop, klop* van haar vrienden genegeerd die langs bleven komen en aanklopten. Ze waren niet onbeleefd genoeg om te bonzen, maar de klopjes hadden net zo goed verwijten kunnen zijn.

'Kom op, Eden, wat hebben we nou gezegd?'

'Ik had hen kunnen helpen, Eden! Ik ben degene die ze werkelijk nodig hebben.'

'Hij wil alleen in je slipje komen, Eden! Wat heb ik je gezegd?'

'Ga weg!' riep ze uiteindelijk.

Twintig minuten later waren ze terug. *Klop, klop, klop.*

Maar Eden was niet op haar achterhoofd gevallen. En ze was ook niet geesteszięk. Ze had wat problemen met fobieën in verband met haar verleden en ze was bipolair, ja, dat wel. Maar ze was niet psychotisch en ze was niet krankzinnig. Langzaam slaagde ze erin uit het diepe gat te krabbelen waarin ze zich had gestort nadat ze aan de afschuwelijke beproeving in de keuken was ontsnapt.

In de loop van de avond ging ze zich ergeren aan haar gemok en joeg ze zichzelf uit bed. Ze pakte haar gele notitieboek en potlood en ging door met haar werk aan *Verloren wegen*, de roman waar ze twee weken eerder aan was begonnen. In dit stadium was het nog grotendeels gekrabbel, alleen losse ideeën en zinnen, een leidraad voor wanneer ze klaar was om op de computer aan het eigenlijke verhaal te beginnen.

Er was een aanmerkelijk verschil tussen denken en schrijven. Schrijven was niet gewoon het op papier zetten van interessante ideeën. Het was een eigen soort denken, dat pas op gang leek te komen wanneer de pen contact maakte met de pagina, of haar vingers met het toetsenbord.

Maar vanavond leek zelfs die trouwe band geen bruikbare gedachten of gevoelens op te leveren. Na een uur gaf ze het op.

Hongerig warmde ze een kom noedels op in de magnetron. Ze woonde in haar eentje in een tweekamerappartement dat gerieflijk, zij het spaarzaam, gemeubileerd was. Een tweepersoonsbed en een bureau in de slaapkamer; een bruine zitbank in de woonkamer; een kleine keukenhoek zonder kooktoestel, maar er was zowel een koelkast als een magnetron, het enige wat ze ooit gebruikte.

Ze surfte een halfuur op internet met behulp van de kleine grijze Compaq-computer die het Centrum ter beschikking stelde aan alle bewoners die zich wisten te gedragen in de virtuele wereld. Ze wilden niet dat iemand die zwaar depressief was zelfmoordvideo's op YouTube zette, toch? De computer was haar venster op de wereld, maar ze vond weinig in de wereld wat haar echt interesseerde, dus gebruikte ze hem voornamelijk om informatie op te zoeken over onderwerpen die haar interesseerden, zoals geestesziekte en religie en natuur.

Katten en honden vrolijkten haar op. Als er één ding was waar ze naar verlangde, dan was het een hond. Een golden retriever, of misschien een labrador. Maar huisdieren waren verboden, dus moest Eden het doen met foto's of video's, die haar altijd een glimlach wisten te ontlokken.

Verwarmd door de kom noedels en opgevrolijkt door een webvideo van een kat die een vlinder aan de andere kant van een raam probeerde te vangen, schoof Eden om één uur in de ochtend onder de dekens en viel in slaap. Een zwarte dag lag achter haar, maar ze had al vele zwarte dagen overleefd.

Ze ontwaakte in een grijze stemming, opnieuw achtervolgd door haar mislukking. Maar ze was vastbesloten zich er niet door te laten neerdrukken, dus waagde ze zich naar buiten. Haar vrienden gaven haar ongeveer een uur de tijd. Een uur waarin ze haar onderwierpen aan openlijk starende blikken, maar de blikken verlengden zich tot aanhoudende blikken van verwijt, tot Roudy eindelijk besloot dat ze lang genoeg hadden gewacht en dichterbij kwam.

Eden wilde er niet over praten. Ze maakte haar positie duidelijk: als ze haar gezelschap wilden, mochten ze geen woord zeggen over de FBI, meneer Raines of de zaak-Bruidenvanger.

'Heeft hij iets geprobeerd?' wilde Andrea meteen weten.

'Wat zei ik nou net? Niets over meneer Raines.'

'Ik zei niet "meneer Raines". Ik zei "hij".'

'Maar je bedoelde meneer Raines. Ik wil er niets meer over horen, in welke termen dan ook.'

Casanova stak een vinger op. 'Heeft iemand iets geprobeerd?'

'En niets over mijn niet-bestaande liefdesleven. Punt uit. Geen vragen meer, afgelopen.'

'Wat?' riep Roudy. 'Ik heb nog geen enkele vraag gesteld. Zij allebei één. Ik eis een gelegenheid om de getuige te ondervragen!'

'Nee. Geen denken aan.'

De rest van de dag was Eden bij haar besluit gebleven. Toen Roudy die avond op haar deur klopte, begroef ze haar hoofd onder haar kussen tot hij vertrok.

Maar vandaag was een nieuwe dag en ze had eindelijk genoeg afstand van haar nederlaag genomen om zich open te stellen. Het had per slot van rekening zo zijn voordelen om in het middelpunt van de belangstelling te staan, en haar weigering van de dag ervoor om hun zelfs maar een snipper informatie te geven had hen alle drie in alle staten gebracht. Ze was praktisch een beroemdheid. Ze gedroegen zich alsof ze de loterij hadden gewonnen toen ze aankondigde dat ze om negen uur naar Roudy's kantoor zou komen om haar stilzwijgen te verbreken.

Nu zaten ze daar: Casanova, die een slechte ochtend had en amper in staat was zich te concentreren op hun discussie; Andrea, die hard op weg was naar een depressieve cyclus; Roudy, die tegen het bureau aan zat als de leeuwenkoning die eindelijk zijn plek gevonden had als de leider van de jacht; en Eden, die hun zojuist had verteld wat ze zich van het gebeuren kon herinneren en die plotseling wenste dat ze haar mond had gehouden over haar vermoeden, hoe vaag ook, dat Brad Raines haar interessant vond.

'Wat heb ik je gezegd?' zei Andrea.

'Hoe vaak ga je ons daar nog aan herinneren?' vroeg Roudy met een verstoorde blik naar Andrea. 'We hebben te maken met de misdaad van de eeuw en het enige waar jij aan kunt denken is of een hoge ome van de FBI Eden leuker vindt dan jou.'

Andrea stak haar hoofd uit haar depressie en keek gepikeerd naar hem terug. 'Dat is niet waar. Ik ben gewoon meer geïnteresseerd in haar dan in een dood meisje dat we geen van allen kennen. Niet dat ik het meisje niet beklaag, maar ik geef meer om Eden. Nietwaar, Eden? Dat is toch logisch?'

Eden zuchtte. 'Kijk, dit is nu waarom ik jullie niets wou vertellen. De waarheid is, Roudy, dat dit niet de misdaad van de eeuw is, tenminste niet wat ons betreft. De FBI is gekomen, kreeg waarvoor ze kwam, wat niets was, en is vertrokken. Wij zijn nog steeds hier. Ons leven gaat door binnen deze muren. Er ís geen FBI-man meer. Het is allemaal verleden tijd. Over en uit.'

In zijn waan van wereldberoemd detective kon Roudy dit onmogelijk bevatten. In zijn denken was hij het enige obstakel tussen de moordenaar en het volgende arme slachtoffer.

Zijn gezicht werd rood en zijn wangen beefden terwijl hij sprak. 'Hoe durf je onschuldige slachtoffers op te geven die voor de wolven zijn geworpen?'

Eden legde haar hand op zijn schouder. 'Luister, Sherlock, je krijgt beslist een nieuwe zaak toegewezen. Een belangrijkere zaak die tientallen slachtoffers omvat.'

'Probeer me niet te verleiden.'

'Ik ben de verleider hier,' mompelde Cass met neergeslagen blik, ver weg.

'Dat doe ik ook niet. De keus is aan jou, maar je bent elders nodig. Als de FBI besluit dat je niet gekwalificeerd bent om dat andere, belangrijkere onderzoek te leiden, zullen ze het je laten weten. Maar ik denk dat je het aankunt.'

Hij knipperde met zijn ogen. 'Niet gekwalificeerd? Dit is een flagrante poging tot verdraaiing van de feiten.'

'O ja? Als de FBI jou terug wil op de Bruidenvanger-zaak, zullen ze komen soebatten, dat kan ik je beloven. Maar dat zullen ze niet, want ze zijn weg. Je bent veel te belangrijk om je vast te pinnen op meneer Raines.' Toen voegde ze eraan toe, ook voor haarzelf: 'Dat zijn wij allemaal.' Ze geloofde dat evenzeer als dat ze geloofde dat ze eigenlijk een aapje was.

Roudy keek verbluft. Hij bond in, gedwongen om de mogelijkheid althans te overwegen.

'Geef dan tenminste antwoord op mijn vraag,' drong Andrea aan.

'Dat zal ik. Als we allemaal kunnen beloven dit boek te sluiten.'

Niemand maakte bezwaar, wat op zich al een soort bevestiging was.

'Welke vraag?' vroeg Eden.

Andrea keek naar Enrique. Ze leek te aarzelen, wat niets voor haar was. 'Ik wil gewoon weten of je met hem mee zou zijn gegaan?'

Meegegaan?

'Ik bedoel... Je weet wel, niet zoals ik het zei. Maar als hij...' Een traan rolde over haar linkerwang. Ze had moeite met de tegenslag. 'Als hij echt interesse in je toonde, ik bedoel echt iets voor je voelde, dan zou dat toch prettig zijn? Want dat blijft zij maar zeggen.' Ze gebaarde naar de muur. 'Betty, bedoel ik.'

Eden knipperde met haar ogen. Het was de eerste keer dat Andrea iets positiefs over deze hele toestand had gezegd. 'Dat is het punt niet, Andrea. Het is stom om zoiets zelfs maar te denken. Hun wereld is de onze niet.'

'Maar ik weet hoe het is, Eden. Toen ik buiten was, voordat ik een jaar geleden hier kwam, was ik, je weet wel, heel populair bij de jongens. Het zijn niet alleen mijn hersens.' Haar ogen schoten naar de muur. 'En nee, het is ook niet alleen mijn lichaam. Je gedraagt je als een baby!' Dit was kennelijk voor Betty bedoeld.

Eden voelde zich verward door de nieuwe wending die het gesprek nam. Ze pakte de Webster van het bureau, sloeg het woordenboek open en hield het Andrea voor. 'Hoeveel woorden staan er op deze twee bladzijden?'

Het meisje had aan één blik genoeg. 'Driehonderdzevenennegentig.'

Eden sloot het boek. 'Zie je wel. Normaal gesproken zijn mensen die je dat kunnen vertellen savants, misschien autistisch. Het komt niet vaak voor dat ze eruitzien als Texaanse schoonheidskoninginnen die kunnen flirten als cheerleaders. Dus zien de jongens jou en slaan steil achterover.'

'Wat bedoel je? Dat ik gewoon een bezienswaardigheid ben, een aapje in de dierentuin? Jij zegt altijd dat ze ons allemaal als aapjes zien. Aapjes, aapjes, aapjes!' Andrea liep opgewonden op en neer. 'Nou, misschien zijn we dat, Eden, maar ik probeerde aardig te zijn. Misschien had ik ongelijk, weet je. Misschien is die FBI-man inderdaad een aardige vent en mag hij je echt graag. Misschien verdien je dat. Maar nu heb je het verpest!'

Eden stond op het punt het meisje af te snauwen, haar te zeggen dat het allemaal fantasie was. Haar emoties speelden op en ze herinnerde zich weer waarom ze zo'n hekel aan mannen had. Ze gaven je hoop, maar als het erop aankwam kwam je van een koude kermis thuis. Ze waren een vloek.

'Hij valt op je,' zei Casanova, omhoogstarend naar Eden vanaf de bank. 'Alle mannen vallen op je.' Ze hadden hem duidelijk meer medicatie gegeven dan anders, want hij keek lodderig uit zijn ogen.

'Misschien vindt meneer Raines je leuk,' zei Andrea.

'Je mag hem hebben, Andrea. Ik kan me dit niet permitteren. Ik kan het geestelijk niet aan. Emotioneel trouwens ook niet.'

'Dus jij valt ook op hem,' zei Cass. 'Ik weet hoe dat is. Dat mijn hart wordt gebroken. Het gebeurt vrij vaak.' Hij keek hen een moment aan en staarde toen weer naar de vloer.

'Onzin. Hij is helemaal voor jou, Andrea. Maar het maakt niet uit, ze zijn weg.'

Dat leek de zaak te beslechten, althans voorlopig. Roudy probeerde nog steeds haar suggestie te begrijpen dat hij nodig was voor een veel belangrijkere zaak.

'Dus jij denkt dat deze zaak beneden mijn waardigheid is? Misschien heb je gelijk.'

'Natuurlijk heb ik gelijk. De FBI heeft afgehaakt.'

Een stem sprak zachtjes vanachter haar. 'Nee, Eden.' Ze draaide zich om en zag Allison in de deuropening staan.

Nee, Eden?

'Ik ben bang dat de FBI niet heeft afgehaakt,' zei Allison, terwijl ze naar binnen liep en Eden met haar altijd glimlachende ogen aankeek. Eden ontkwam niet aan de gedachte dat de directrice iets in haar schild voerde.

'Ik heb net special agent Raines aan de telefoon gehad.'

Eden had ineens moeite om te ademen.

'Na jullie hulp van laatst zijn meneer Raines en zijn partner tot de conclusie gekomen dat jullie de FBI de beste kans bieden om die jonge vrouwen te redden.' Ze keek naar de anderen. 'En ik denk dat jullie hen moeten helpen. Het zal jullie goed doen en het zou heel goed kunnen zijn voor die jonge vrouwen die anders waarschijnlijk zullen sterven.'

Roudy sprong met gebalde vuist naar voren. 'We mogen hen niet laten zakken! We moeten hen helpen. Breng het lichaam, breng de dossiers, breng de hele drommelse boel! We zullen dat stuk ongedierte terugjagen in de kooi waarin hij thuishoort!'

Brad Raines zou terugkomen. Eden stond als aan de grond genageld.

'Dus jullie gaan akkoord?' vroeg Allison.

'Uiteraard!' riep Roudy.

'Andrea?'

Haar ogen straalden en Eden wilde niet raden wat er in haar omging. 'Ja,' zei Andrea. 'Absoluut.'

'Komt die mooie brunette mee?' vroeg Casanova, terwijl hij met een domme grijns op zijn gezicht onvast overeind kwam.

'Haar naam is Nikki. Het spijt me, Casanova, maar ik denk het niet. Niet vandaag.'

Zijn grijns vervaagde. 'Niet?'

'Nee. Maar als ze komt, ben jij de eerste die het weet.'

Casanova staarde haar even aan en schuifelde toen in zijn medicinale roes naar de deur.

Allison keek Eden aan. 'Nou?'

Haar borstkas was nog steeds bevroren en er ging een rilling door haar heen, maar Eden herkende beide gevoelens niet alleen als angst, maar ook als opwinding. Het soort opwinding dat iemand moest voelen die met een parachute op haar rug in een ravijn keek. En de gedachte dat ze opgewonden kon zijn joeg haar nog meer angst aan. Ze wilde de kamer uit rennen.

Eén blik op Andrea verjoeg dat verlangen. Het meisje straalde als de sterren. Ze was al bezig haar haar te fatsoeneren. Eden had al spijt van haar eerdere woorden; ze kon Brad niet alleen laten met dit monster.

Ze keek Allison aan en haalde haar schouders op. 'Best.'

'Mooi. Dat dacht ik al. Ze zijn al onderweg.'

'Nu?' vroeg Eden, opnieuw bang.

'Ja, nu.'

15

Methode en uitvoering van een ontvoering bestonden uit gelijke delen God en gelijke delen Quinton Gauld, die als boodschapper Gods gemachtigd was Zijn bevelen op aarde uit te voeren. Er waren maar heel weinig mensen die wisten hoe opwindend het kon zijn om Gods gevolmachtigde te zijn. Sommigen wisten het, in de roes van een trance als gevolg van een of andere hallucinogene thee in het Amazonegebied, of wiegend op opzwepende muziek bij het altaar in de kerk, maar zelfs die arme zielen konden niet soepel heen en weer bewegen van menselijk naar goddelijk zoals Quinton dat kon.

Sterker nog, zijn hallucinogene vermogen was ingebouwd. Wat de medische gemeenschap abusievelijk 'ziekte' noemde, was in werkelijkheid een fantastisch geschenk. Hij kon even gemakkelijk in en uit de toestand vloeien die zij 'waan' noemden als zij konden ademhalen

Het was niet echt een waan, zoals hem ooit was wijsgemaakt. Toen de dokters hem in hun klauwen hadden gekregen en plat hadden gespoten, ja, toen had hij hun leugens geloofd. Maar nu, na een lange periode zonder medicijnen, had hij geleerd om zijn band met God te koesteren als het waarachtige geschenk dat het was.

En nu was er een duivel die op de boodschapper jaagde, een heksendokter die eropuit was de bruid van Christus te stelen voordat Quinton haar kon ontvoeren en bij God afleveren. Het leek griezelig veel op de film *Men in Black*, waarin monsters eropuit waren hoogbegaafde agenten in dienst van de waarheid een halt toe te roepen – met dit verschil dat in dit geval FBI-agent Rain

Man het monster was en hij, Quinton Gauld, de man in grijs, het begaafde instrument van God die Zijn schat beschermde.

Zijn bruid.

Voor zijn missie van vandaag had Quinton voor de zwarte Chrysler M300 gekozen. Deze ontvoering zou overdag plaatsvinden, en de FBI wist waarschijnlijk dat hij in een pick-uptruck reed, op grond van de bandensporen die hij had achtergelaten op elk moordtoneel. De M300 zou onopgemerkt over de snelweg zweven.

Quinton volgde de surveillancewagen zuidwaarts over de I-25, richting Castle Rock, en zorgde ervoor dat hij minstens één auto tussen zijn eigen wagen en het doelwit had. Ze was niet alleen. Dat maakte het ingewikkelder, maar het betekende niet dat hij niet tegen de taak was opgewassen. God stelde hem op de proef. Hij wilde zien hoe goed hij wel was voordat Hij de ware én mooiste bruid naar het altaar voerde. De overige waren een soort voorhuwelijkse ceremonie, om de weg te bereiden. Een bruidsschat, als offer aan de Vader.

Het was ongewoon om zo'n mooie vrouw als deze bij een politiedienst te vinden. Hij had al een keur van vrouwen ontvoerd: de laatste was een stewardess geweest, het beste bewijs dat hij ze evengoed uit de lucht als van de grond kon plukken. En nu iemand van de autoriteiten, pal onder hun neus.

Quinton had lang geleden een andere vrouw geselecteerd, die in Boulder woonde, een studente van in de twintig die Christine heette. Maar toen had Rain Man zich in de zaak gemengd en was God van gedachten veranderd. Het was belangrijk dat mensen hun plaats in de pikorde leerden kennen. Rain Man bevond zich helemaal onderaan, ver onder de lievelingen die hij probeerde te redden. Hoe dan ook ver onder de zonneschijn, als regen.

Een miezerig mooi mannetje.

Quinton floot het aloude melodietje van 'You Are My Sunshine', maar was pas zeven of acht noten op streek toen de richtingaanwijzer van de politiewagen begon te knipperen ten teken dat ze de snelweg zouden verlaten om te stoppen op de parkeerhaven. Hij floot verder en liep snel zijn opties na. Allemaal. Zoveel dat hij ze niet kon tellen, maar slechts enkele ervan interesseerden hem echt.

Van de interessantste was er één die een solide mogelijkheid leek. Ze maakten een onvoorziene stop, waarschijnlijk om een blaas of twee te legen. Aan dertig ongestoorde seconden met Theresa en haar partner zou hij genoeg hebben. Afhankelijk van de hoeveelheid andere voertuigen op de pleisterplaats zouden dit de perfecte dertig kunnen zijn.

De surveillancewagen sloeg af en reed het hoge pijnbomenbos in. Volop dekking. Quintons hart ging sneller kloppen. De twee auto's tussen de zijne en de politiewagen reden rechtdoor. Hij zette zijn rechter knipperlicht aan.

De semi-automatische browning, negen millimeter met knaldemper, lag op de passagiersstoel, en hij vouwde een gehandschoende hand over het staal. Hij had een hekel aan vuurwapens omdat het ongevoelige, onpersoonlijke moordinstrumenten waren, en hij was geen moordenaar. Maar ze waren soms nuttig als motivatieprikkels.

De radiaalbanden van de M300 gleden over het asfalt de afrit op, als schaatsen over ijs. Over het algemeen maakten de Amerikanen belabberde auto's, maar de M300 voldeed prima aan Quintons behoeften. De getinte ramen voorkwamen dat voorbijgangers de inzittende zagen, en iedereen die rechtstreeks door de voorruit naar binnen keek, zou een donkerharige man met een pilotenzonnebril en zwarte leren handschoenen zien, maar afgezien van een associatie met Tommy Lee Jones uit *Men in Black* zouden ze daar niets achter zoeken. Een gewone man die er flitsend probeerde uit te zien viel veel minder uit de toon dan een boers type dat met een vleesmes rondreed.

De politiewagen stopte tussen twee parkeerlijnen naast de toiletten. Quinton speurde de parkeerplek af en zag dat ze twee van slechts drie auto's waren, plus een bruine vrachtwagen die er zo te zien al heel lang stond. Hij stond zichzelf enige opwinding toe. Hij kon deze kans niet laten liggen. God had hem een geschenk gestuurd.

Beide portieren van de politiewagen zwaaiden open. Quinton vertraagde zijn pas. Theresa stapte als eerste uit, een vrouw met een kleine blaas. Haar donkere haar was naar achter opgebonden in een paardenstaart, makkelijk om onder haar pet te stoppen, wanneer ze die droeg. Ze zag er verrukkelijk uit in haar uniform. Met een blik achterom stevende ze naar de toiletten, op de voet gevolgd door haar geüniformeerde partner, wiens naam Quinton vooralsnog onbekend was.

Hij parkeerde de M300 op twee vakken afstand van de vrachtwagen en wachtte. Zijn enige gebed was nu dat hun blaas even snel leeg zou zijn als ze gevuld waren. De condities waren goed, maar dat wilde niet zeggen dat ze optimaal zouden blijven.

Theresa, de eerste die naar binnen was gegaan, kwam als eerste weer naar buiten. Even soepel als Tommy Lee Jones gleed Quinton naar buiten, stak het pistool achter zijn riem, pakte zijn koffer van de achterbank en sloot de portieren. *Bliep*.

Na één laatste blik op de oprit om zeker te zijn dat er niemand naderde, liep hij in de richting van de politieauto. Theresa, plichtsgetrouw als ze was, nam hem op. Zag haar vijand recht op haar afkomen, niet bij machte hem tegen te houden. Ze nam waarschijnlijk aan dat hij een handelsreiziger was die naar de toiletten liep.

Haar partner, een beer van een vent met rood haar, kwam met gezwinde pas naar buiten, popelend om haar in te halen. Hij viel waarschijnlijk op haar en wilde zich de kans om met een spitse opmerking avances te maken niet laten ontgaan. Misschien wilde hij haar mee naar achteren nemen voor een vluggertje.

Beiden zagen hem. Beiden namen hem op. Maar hij gedroeg zich in niets als iemand die een vlieg kwaad zou doen, laat staan hun. En hij hoefde niets te doen, want hij wilde hun evenmin iets aandoen als dat hij Joshie in het toilet van Elway's restaurant een dreun had willen verkopen.

Quinton koos zijn moment met zorg: hij gunde hun beiden de tijd om weer op hun plaats te gaan zitten voordat hij het gedempte wapen achter zijn rug vandaan haalde en op het portier aan de passagierskant afstapte.

Hij zette de loop tegen Theresa's gezicht. 'Stap uit, alsjeblieft.'

Brad Raines keek van een afstandje toe hoe Roudy snel aan de gang ging met de foto's. Hij prikte ze een voor een op een grote kaart van Colorado, die op zijn aandringen aan de muur was gehangen. Elke keer als hij een gekleurde prikker aanbracht, zei hij zachtjes: 'Daar gaan we. Daar gaan we.' Elk van de vijf slachtoffers was al op de kaart gezet, omringd door een twaalftal foto's van elke plaats delict. De foto's vormden een grote symmetrische vorm, maar Brad had geen idee wat die zou kunnen betekenen.

Naast de dossiers van elk misdrijf stonden of lagen een stuk of zes voorwerpen van elke plaats delict. De groep had er al twintig minuten aan lopen snuffelen en eindeloze vragen opgeworpen. Maar tot dusver was er niets belangwekkends uitgerold bij wie dan ook. Het ophangen van alle foto's was Roudy's inspiratie en hij had de taak met een dierlijke drift opgepakt. 'Daar gaan we. Daar gaan we.'

Toen hij de een of andere innerlijke drempel van voldoening had bereikt, sprong hij naar achteren. 'Vertel me het eerste wat er bij je opkomt. Wat zie je?'

Andrea en Eden keken naar Brad. Geen van beiden was erg spraakzaam geweest; kennelijk gaven ze er de voorkeur aan om Roudy het stralende middelpunt te laten zijn.

'Een vlinder?' opperde Brad.

'Uh-huh. En nu?'

Hij had niets veranderd.

Brad gaf hem zijn zin. 'Een... bloem.'

'Interessant.'

'Ik zie niet wat dit voor zin heeft, Roudy,' zei Andrea.

'Inzicht in de basale denkschema's van agent Raines helpt me om zijn methodologische benadering te beoordelen,' zei Roudy op laatdunkende toon. 'Geen opmerkingen die het proces niet vooruithelpen, alsjeblieft.' Hij ging weer over tot het bestuderen van de muur.

Op het moment kwam Roudy's benadering op Brad absurd over. In elk geval niet als briljant of bijzonder verhelderend. Maar ja, Brad dacht niet zoals Roudy dacht. Hij was sowieso niet gekomen voor Sherlocks inzicht.

Hij was hier voor Eden.

Ze had hem wel hartelijk begroet, maar was verder afstandelijk gebleven. Ze droeg een spijkerbroek en een zwart T-shirt. Brad had de geur van shampoo opgevangen toen ze hem passeerde. Het grootste deel van de tijd stond ze bij het raam naar Roudy en Andrea te kijken.

Andrea leek meer geïnteresseerd in Brad dan in de zaak. In feite was Roudy de enige die zich echt op de zaak stortte. Gekleed in een grijze corduroy broek en een zwart vlinderdasje sprong hij als een tijger om het bewijsmateriaal heen. Zijn haar was een warboel en zijn sikje was door nerveuze vingers alle kanten op gedraaid en gebogen.

Brads gesprek met Allison, verscheidene uren eerder, had hem verrast. In plaats van hem te berispen om zijn verzoek het CWI opnieuw te mogen bezoeken, had ze amper een seconde laten verstrijken voor ze instemde. 'En Nikki zou wel eens gelijk kunnen hebben,' had ze gezegd. 'Ik zeg dat natuurlijk met een bijbedoeling. Uw zaak gaat mij echt wel aan het hart, begrijp me niet verkeerd. Maar mij is het er meer om te doen Eden uit haar schulp te zien komen. Wat u voorstelt is een hele uitdaging voor haar, maar volgens mij kan ze een pittige confrontatie met een man wel gebruiken.'

'Het spijt me, ik denk dat u me verkeerd begrijpt,' had hij gezegd. 'Niemand suggereert een harde confrontatie. Ik zou haar alleen aanmoedigen me te vertrouwen zodat...'

'O, ik realiseer me best wat u doet, meneer Raines. En ik heb gezien dat het tot een botsing zal leiden bij iemand als Eden. Maar dat zou goed voor haar kunnen zijn.' Toen, na een korte stilte: 'Win haar vertrouwen. Breng haar het hart op hol als u kunt. Mijn zegen hebt u.'

Brad had Nikki om 8.15 uur opgebeld, kort na zijn telefoontje met Allison, en haar verteld dat de directrice toestemming had gegeven. Hij zou naar het CWI rijden met de dossiers, zodra hij ze allemaal bij elkaar had gescharreld. Nikki ging naar haar moeder, maar zei dat ze telefonisch bereikbaar zou zijn en zich zou melden zodra ze 's middags terugkwam. Misschien zou ze zich dan bij hen kunnen voegen.

Haar reactie op de vondst van de boodschap op Brads raam de avond tevoren had hem verrast. Hij vond het interessant dat Nikki, die hij altijd als zo'n zekere vrouw had beschouwd, blijk had gegeven van enige jaloezie jegens Eden. Hoe kon het dat ze zijn betrokkenheid bij haar als iets meer dan bezorgdheid had geïnterpreteerd?

Was er iets in zijn stem of blik geweest wat vraagtekens bij haar had opgeroepen? Had ze iets bespeurd wat hij zelf niet eens bewust had opgemerkt? Nu hij erover nadacht, in dezelfde ruimte met Eden, werd hij er bijna verlegen van. Het idee dat Nikki iets had opgevangen leidde hem af van Roudy's fratsen. Als hij Eden aankeek, zou zij dan zien wat Nikki in zijn ogen had gezien? Zou ze de verkeerde indruk krijgen?

Maar was hij niet hier om haar vertrouwen te winnen? Jawel, maar hij voelde enige schroom om die weg in te slaan. Het hele idee haar in te palmen opdat zij zich zou openstellen en de beelden zou ophoesten die ergens in haar geest besloten waren, stuitte hem tegen de borst.

Hij keek even haar kant op en zag dat ze hem aanstaarde. Om verwarring te vermijden verplaatste hij zijn blik naar Andrea. Maar ook zij stond hem op te nemen. De blonde schoonheid glimlachte hem toe en keek toen naar Eden, die hem nog steeds stond aan te staren.

Brad glimlachte Eden vriendelijk toe. 'Wat ben je stil.'

'Ze heeft een paar moeilijke dagen achter de rug,' zei Andrea.

'Het spijt me dat te horen. Is alles weer in orde?'

'Dat weet ik eigenlijk niet precies, meneer Raines,' zei Eden. 'Ze zeggen dat ik geestesziek ben, maar zelfs in mijn staat van geestelijke verwarring kan ik zien dat u niet krijgt waar u voor bent gekomen.' Ze stond met haar armen over elkaar en hield zijn blik vast. Vanuit zijn ooghoeken kon Brad zien dat Andrea heen en weer keek tussen hen. Ze moest deze vreemde chemie wel opmerken. Was dit wat Nikki had gevoeld? Maar het was niet iets om jaloers op te zijn. Hij en Eden hadden eenvoudig een klik. Een connectie die uiterlijke schijn oversteeg. Ze was eerlijk tot op het bot, en hij voelde zich aangetrokken tot mensen die het vernis van burgerlijk fatsoen inruilden voor het vertellen van zulke naakte waarheden.

Toch was ze geen open boek. De waarheid ging schuil achter

haar ogen, in haar geest. En als Nikki gelijk had, zou ze daar zelf wel eens medeplichtig aan kunnen zijn.

Eden wendde eindelijk haar blik af, liet haar armen zakken en liep naar het bewijsmateriaal dat over het bureau en de muur was verspreid. 'Nou, laten we eens kijken of we hem niet een beetje kunnen helpen. Wat zeg jij, Roudy? Oké, Andrea?'

Roudy keek over zijn schouder. 'Wat denk je dan dat we aan het doen zijn? We hebben al enorme vooruitgang geboekt. Ik werk zo snel als menselijkerwijs mogelijk is, zo niet sneller.'

'Onthoud wat je hebt gezegd,' zei Andrea op zachte maar ferme toon. Het klonk als een waarschuwing.

'Ik weet wat ik gezegd heb, Andrea, maar ik ben van gedachten veranderd.'

Wat er ook was gezegd, het zat niet lekker tussen deze twee.

Eden keek hem aan, nu met stralende ogen. 'Nou, misschien zou het helpen als ik samenvatte wat we hier hebben. Zou dat helpen? Om de trein weer op de rails te zetten?'

'Prima. Ja, dat zou nuttig zijn.'

Roudy draaide zich om en stak een vinger op. 'De eerste vraag waar ik mij op richt is: waarom? Het waarom vóór het wie. En op dat front heb ik enkele gedachten.'

'Als je het niet erg vindt, Roudy,' zei Brad, 'zou ik graag horen wat Eden te zeggen heeft.' De man keek geschokt. 'Voordat jij je volledige analyse geeft.' Dat kalmeerde hem.

Eden ving zijn blik op en toonde voor de eerste keer iets van een glimlach, alsof ze wilde zeggen: Dat was aardig van u, dat u aan mij denkt zonder Roudy te kwetsen.

'Zal ik u dan maar mijn gedachten over het waarom uit de doeken doen?'

'Graag. Goed, Roudy?'

'Ja. Ja hoor. Ga je gang, Eden.'

'Ik heb ook enkele gedachten,' zei Andrea, die dichter naar Brad toe stapte. 'Ze noemen me niet voor niets Brains. Maar ik heb meer in huis dan alleen hersens, zoals u waarschijnlijk kunt zien.'

Eden berispte haar. 'Andrea!'

'Ik moet douchen, Eden.' Andrea trok een gepijnigd gezicht. 'Ik voel me vies.'

'Dan zul je alleen moeten gaan.' Toen, op vriendelijker toon: 'Onze gast rekent erop dat wij hem helpen.'

Ze hadden iets van kinderen met wie je een spelletje deed. Als je het hem vroeg, hing er iets van rivaliteit in de lucht. Vast niet om hem...

'Eden?'

'Dank u.' Ze keek op naar de drie kopieën van de boodschappen die rechts van de kaart waren opgeprikt. 'Het is pijnlijk duidelijk dat de Bruidenvanger psychotisch is. Hij ziet zichzelf als Gods boodschapper. Een die een verschrikkelijk kwaad komt dwarsbomen. Het is het meest voorkomende type waan, waaraan zelfs de intelligentste psychotici onderhevig zijn. Gedachten aan grandioze intriges om de strijd tussen goed en kwaad te beslechten beheersen elk wakend moment van zijn leven.'

'Dat is meer het wie,' zei Roudy.

'Nee, dit is het waarom,' zei ze terug. 'Laat me uitspreken.'

'Sorry.'

'Sorry,' zei Andrea. 'Sorry, sorry.'

'Zoals ik zei, doet de Bruidenvanger in zijn eigen ogen wat juist is. Hij weet dat hij boosaardig is en ziet zichzelf als een geknechte demon die de opdracht heeft om de bruid van Christus te vinden. Dat is het waarom, Roudy. Hij ontvoert die vrouwen omdat God hen gekozen heeft. Via hem. Als hij beslist, is het Gods beslissing.'

Haar theorie leek op die van Nikki, maar was op de een of andere manier vollediger en zekerder. En dat na slechts een paar minuten blootstelling aan het bewijsmateriaal.

'En verder?' vroeg Brad, gefascineerd door haar inzicht.

Eden staarde naar de foto's van de slachtoffers die als engelen aan de wand van elke plaats delict waren uitgespreid. Uit haar rechteroog liep een traan over haar wang. Ze liep naar de muur en beroerde de foto van het laatste slachtoffer, dat ze twee dagen tevoren met eigen ogen had gezien.

'In zijn denken is hen doden een noodzakelijk kwaad. Hij doet het evenzeer voor hen als voor God. Er zit geen boosheid achter. Geen wraakzucht. Hij zou niet iemand doden omdat hij boos op haar is.'

'Dus hij zou bijvoorbeeld niet doden uit rancune.'

'Nee,' zei Roudy. 'Als ik er even tussen mag komen.'

'Ga je gang, Roudy.' Brad ging achter Eden staan. De geur van haar shampoo hing in de lucht. Ze keek op toen hij dichterbij kwam, richtte haar blik toen snel weer naar de muur.

'De vraag is, wie wordt de volgende,' zei Roudy. 'Op die vraag moeten we ons toeleggen. Wie, wie, wie, niet alleen het waarom. En ik heb een theorie.'

De man leek zichzelf tegen te spreken. 'Vind je het erg als Eden haar verhaal afmaakt?' zei Brad, neerkijkend op haar donkere haar. Het had een scheiding in het midden en liep in lange lokken omlaag aan weerszijden van haar hoofd. Pas gekamd, maar ongelijk geknipt en met gespleten punten.

'Stel mijn geduld niet langer op de proef, meneer Raines. Ik kan hier enige klaarheid verschaffen!'

'Natuurlijk. Maar ik denk dat Eden de vinger op iets cruciaals heeft gelegd.' Hij trok haar een beetje voor om haar een voorkeur te geven die haar vertrouwen zou wekken, maar het was niet allemaal toneelspel van zijn kant. Haar analyse was echt behoorlijk indrukwekkend.

'Vergeet mij niet,' zei Andrea, die aan Brads andere kant kwam staan. Hij negeerde haar voorlopig, want hij wist niet wat hij met haar aan moest.

'Ga alsjeblieft verder, Eden.'

Ze keek naar hem op en opnieuw deelden ze een moment van verstandhouding. 'Dank u,' zei ze.

Toen, met een frons naar de muur met foto's: 'Nee, ik denk niet dat de Bruidenvanger iemand zou doden alleen om die persoon kwaad te doen. Ik denk niet dat hij zo in elkaar zit.'

'Stil!' fluisterde Andrea met een blik naar de hoek. 'Ja.' Stilte. 'Sorry. Sorry, sorry.'

Ze negeerden haar.

'Maar tegen u zou hij anders aankijken, meneer Raines. U bent geen vrouw. In zijn denken bent u degene die hem probeert te beletten Gods wil uit te voeren. Als hij slecht is, bent u nog slechter. En hij zal proberen u een halt toe te roepen.'

'Hoe?'

'Hij zal proberen u te vermoorden.'

Het werd stil in het vertrek. Een hand beroerde zijn rechterhandpalm. Andrea liet haar vingers in zijn hand glijden. Hij verstijfde, met Eden links van hem, verdiept in de zaak, en Andrea rechts van hem, die gehoor gaf aan de stemmen die haar hadden opgedragen zijn genegenheid te winnen. Het kon niet waar zijn...

Maar één blik in Andrea's grote blauwe verleidelijke ogen vertelde hem dat het waar was. Hij was nog nooit zo rechtstreeks door zo'n mooie vrouw versierd, door geen enkele vrouw trouwens. Ze werd duidelijk niet gehinderd door de fatsoensnormen die de meeste mannen en vrouwen in acht namen. Brad probeerde zijn hand vrij te maken en moest trekken om het voor elkaar te krijgen. Haar gezicht betrok, vertrok toen van pijn. 'Ik moet douchen, Eden! Ik ben dringend toe aan een douche!'

'Het geeft niet, Andrea,' zei Brad. En toen zei hij iets wat hij later ongetwijfeld zou betreuren, maar wat goed voelde om te zeggen. 'Ik moet... hier blijven bij Eden, oké? Misschien kan Casanova je helpen.'

Ze deinsde vol afgrijzen terug. 'Cass? Cass is een vieze oude man!' riep ze. 'Is het je daar om te doen? Ga je Eden verkrachten? Is dat het, FBI, ga je misbruik van haar maken wanneer niemand kijkt?'

'Dit slaat nergens op!' zei Eden, rakelings langs Brad heen lopend. 'Maar dan ook nergens op. Hou op met naar Betty te luisteren of wie het ook is die jou die onzin influistert. Ik weet dat je gewend bent om in het middelpunt van de aandacht te staan bij alle mannen, maar het draait niet altijd allemaal om jou. Dus hou hiermee op.' Toen voegde ze eraan toe, alsof ze zeker wilde zijn dat ze niet verkeerd werd begrepen: 'We proberen hier een vrouw te redden. En Brads leven kan in gevaar zijn. Hij is het slachtoffer hier, niet de misdadiger.'

'Grote goedheid! Dit gaat zo niet,' zei Roudy, over zijn schedel wrijvend. 'Ze wachten op mijn rapport!'

Eden betrok Andrea er snel weer bij. Ze sprak met de vaardigheid van een ervaren therapeut. 'We hebben je nodig, Andrea. Geen van ons kan patronen lezen zoals jij dat kunt. En er is een patroon hier. Daar heeft Roudy gelijk in. Er is een pop in het spel en jij zou wel eens degene kunnen zijn die ons kan helpen om hem te vinden. Dus luister alsjeblieft, alsjeblieft, niet naar Betty.'

Een pop in het spel? 'Hoezo een pop in het spel?'

'Een patroon,' zei Roudy. 'Dat is mijn punt. Hij heeft een pop voor ons achtergelaten.'

16

Quinton Gauld was verzot op het gevoel dat hij het juiste deed, zelfs als de potentiële prijs hoog was. Al Gods uitverkorenen betaalden ooit in hun leven een prijs, en zijn dag op de brandstapel zou ook komen. Maar zolang hij de rol speelde die hij was voorbestemd te spelen, kon hij naar hartenlust toegeven aan zijn hogere roeping.

Er trok een gezoem door zijn hoofd. Met een grom schudde hij het van zich af. Evangelisten waren idioten. Kerken waren dievenholen. Ze hadden de mond vol van liefde en vergiffenis, maar keerden iedereen die tekortschoot in goddelijke glorie de rug toe. Beseften ze niet dat ze allemaal slangen waren, die allemaal liefde en vergeving nodig hadden? Waren hoererende evangelisten echt zo anders dan hun gemeenten?

Schijnheiligheid was een vorm van geestesziekte. En net als de geesteszieken waren schijnheiligen niet in staat hun eigen ziekte te zien. Het was geen wonder dat God hen als bruid had afgewezen. '*Verdwijn uit mijn ogen; ik heb u nooit gekend, addergebroed. Ik zal u uitbraken.*'

Hij schudde een nieuw gezoem uit zijn hoofd en blies wat lucht uit om de spanning te verlichten. *Laat je niet neerdrukken. De bruid wacht en ik zal haar bij haar bruidegom afleveren.*

Met een hernieuwd enthousiasme richtte Quinton zijn aandacht weer op de taak. Hij had zijn M300 op de parkeerplek achtergelaten, naast de bruine vrachtwagen, en reed nu in de politiewagen. Het had wat voeten in de aarde gehad om zijn bedoeling duidelijk te maken aan Rodger, de politieman. De man wilde zijn uniform niet afgeven en Quinton had het nodig. Hij had de man door het hoofd geschoten en hem in de kofferbak gedumpt.

Het goede nieuws was dat zijn vierkante zonnebril chic was en dat zijn uniform Quinton prima paste, afgezien van de lengte van de pijp. Rodger was een lange man geweest die in korte broek liep, dus had Quinton geopteerd voor zijn eigen pantalon in plaats van er als een volslagen malloot uit te zien. Boven de gordel was hij praktisch Rodgers tweelingbroer.

De blauwe Range Rover die hij volgde verliet de weg bij de eerste afslag naar Castle Rock. Binnen een kilometer had hij het verkeer op de smalle weg ver achter zich gelaten. Aan weerszijden reikten hoge pijnbomen naar de hemel, alle dekking waarop hij kon hopen.

De terreinwagen reed een onverharde weg op en volgde een lange oprijlaan die eindigde bij een verlaten huis tussen de bomen. Zo'n chic chalet met grote ramen. Er zat duidelijk geld in deze familie. Hij volgde de Range Rover en parkeerde er twintig meter achter.

Hij keek naar Theresa, die met haar gezicht naar voren naast hem zat. 'Dit is het, Theresa. Nu heb ik je hulp nodig. Geen gepraat, geen woord. Je blijft daar zitten en kijkt alsof er geen vuiltje aan de lucht is. Misschien zal God je dan genadig zijn.'

De vrouw stapte uit haar blauwe wagen en zwaaide.

Quinton glimlachte en zwaaide terug.

'Alles komt helemaal goed, Theresa. Geen woord, geen kik. Je weet dat ik dit moet doen omdat ik geen getuigen kan gebruiken. Ik kan het me gewoon niet veroorloven een vrouw die mij levend gezien heeft in leven te laten. Het is maar één leven extra, en leuk is anders, maar wat moet een man anders?'

Vergeef me, Vader, want ik zal zondigen. Ik zal nu zondigen.

Eden kon zich niet herinneren dat ze ooit het soort opgetogenheid had gevoeld dat ze de afgelopen minuten had ervaren.

Ze was begonnen als de scepticus die zich in de val gelokt voelde om meneer Raines nogmaals te ontmoeten, alsof de wond die ze hadden geopend nu wat zout nodig had om de pijn te versterken. Maar gaandeweg waren haar gevoelens veranderd. Het was begonnen met de manier waarop Brad haar in het begin had aangekeken, alsof hij degene was die zich opgelaten voelde omdat hij terugkwam. Het had haar een halfuur en menige steelse blik gekost voor ze zichzelf ervan had overtuigd dat hij zich echt slecht op zijn gemak voelde.

Wanneer ze een verhaal schreef, was het personage dat zijn ogen afwendde en bloosde, hoe licht ook, óf schuldig aan de een of andere zonde, óf hij had het gevoel dat hij overtroefd was. Als er iets van haar oordeel deugde, en dat was zo, voelde Brad zich ondergeschikt aan haar. Een irrationeel idee, maar daar was het, op zijn gezicht, als een witte snor die verried wie er van de melk had gedronken.

Roudy ging door over de zaak, rondhuppelend bij de foto's, en al die tijd probeerde Eden te bedenken wat Brad bezielde, die grote, goedgebouwde man, die te mooi leek om waar te zijn. Waarom keek hij schichtig als ze hem aankeek? Waarom produceerde hij verlegen, nerveuze glimlachjes alsof ze een diep geheim deelden?

Langzaamaan was ze tot de enige conclusie gekomen die haar zinnig leek. Brad voelde zich tot haar aangetrokken. Niet op een romantische manier. Maar genoeg om zich nerveus te voelen in haar aanwezigheid. Misschien – en dit was echt absurd – had hij wel ontzag voor haar.

Plotseling kwam het bij haar op dat haar geest misschien zieker was dan eerst was aangenomen. Was ze toch het slachtoffer van een psychose? Geschrokken van het idee besloot ze de proef op de som te nemen.

Ze was begonnen met een lange starende blik. Hij had gebloosd. Vol ongeloof was ze vergeten haar blik af te wenden toen hij terugkeek. Ze waren gevangen in een soort oogomhelzing.

Eden dacht erover het lokaal uit te vluchten. In plaats daarvan was ze verdergegaan, als ijzerdeeltjes die naar een magneet worden getrokken. En hij ook, dacht ze. Hij reageerde zoals ze dacht dat iemand zou reageren die een meisje leuk vond, en ze wist niet wat ze met dat idee aan moest. Maar ze vond het prettig. Ja, ze vond het prettiger dan ze had gedacht.

Ze voelde zich een beetje wattig. Licht, als een ballon.

En toen had Brad Andrea afgewezen en voor Eden gekozen – en was haar wereld omgetoverd.

Hij was achter haar komen staan, en het verhaal in haar hoofd had een opwindende wending genomen – vol stoutmoedige, verboden liefdesverwikkelingen. Hij bleef haar naam zeggen. Eden. Eden. En toen had ze gezien dat Andrea hem mee probeerde te tronen. Zag uit haar ooghoek hoe ze zijn hand pakte. Zag dat hij zijn hand terugtrok.

Hoorde hem die woorden zeggen: *Ik moet bij Eden blijven.*

Eden begon te zweven. Ze kon haar enthousiasme nauwelijks bedwingen, hoe dwaas het ook was, hoe boos ze ook op zichzelf probeerde te zijn dat ze zich zo voelde.

'Waarom vertel je het hem niet, Andrea?' zei ze in een poging het gevoel van zich af te schudden. 'Kaarten zijn jouw expertise.' Dat was niet zo, maar ze zat er niet op te wachten dat Andrea haar ballon nu doorprikte.

'Een pop?'

'Ik kan het uitleggen,' zei Roudy. En hij voegde de daad bij het woord voordat Andrea de kans kreeg. 'Een pop is een popkaart, een figuurkaart als deel van een volledig spel kaarten. "Pop in het spel" is een term waarmee wij codebrekers de sleutel tot het raadsel aanduiden.'

Brad had nog nooit van zoiets gehoord. 'Zegt de moordenaar dat hij een aanwijzing voor ons heeft achtergelaten? Een sleutel om zijn patroon te ontraadselen?'

'Inderdaad,' zei Eden. Ze knikte naar de derde boodschap. '"Wil Pop dat ik me voor je verstop?" vraagt hij. Hij heeft ergens in al dit materiaal een sleutel verborgen.'

Brad spreidde zijn handen vol verbazing. De linker kwam dicht bij haar, op kinhoogte. Ze dacht erover een stapje terug te doen. In plaats daarvan staarde ze naar zijn hand. Dichtbij genoeg om hem aan te raken, als ze dat wilde.

'... dit allemaal doorgekeken tot ik scheel zag!'

Sterke handen. Schoon. Kortgeknipte nagels. Geen ringen. Andrea had haar hand in de zijne gelegd.

'Weten jullie zeker dat dit de goede uitleg is?'

Eden keek op. Ze zag dat hij haar blik had opgemerkt, maar ging moedig verder, weigerend te blozen. 'Dat is wat het voor ons betekent. Maar ja, wij zijn allemaal een beetje vreemd.'

Zijn ogen straalden. 'Vreemd, hè? Vertel mij dan maar eens waarom ik niets vreemds zie.'

'Wat ziet u dan?' vroeg Andrea.

'Ik zie verdraaid slim.'

'Slim maar vreemd,' hield Eden vol.

'Slim. Heel slim. Interessant. Mooi. Als dat vreemd is, dan lust ik er nog wel een paar.'

Andrea staarde hem aan alsof hij zojuist zijn overhemd van zijn lijf had gerukt en zijn spierballen liet rollen. Maar Eden worstelde met dat woord 'mooi'. Naar wie had hij gekeken toen hij dat zei? Naar Roudy toch? Niet naar Andrea en beslist niet naar háár.

Maar je hoefde geen genie te zijn om te weten dat in de wereld van meneer Raines, buiten het hek, Andrea de schoonheid was. Brad mocht hen dan allemaal vleien met aardige woorden in deze dierentuin, maar daarbuiten? Andrea kreeg de jongens en Eden was een lachertje dat niet eens in de buurt van de poort durfde te komen, laat staan erbuiten.

'Dat is heel vriendelijk van u, meneer Raines,' zei Eden. 'De aapjes hier kunnen zulke vriendelijke woorden wel waarderen.'

'Aapjes hier binnen in tegenstelling tot de aapjes buiten? Ik ben aan beide kanten van het hek geweest en ik ben hier om het gerucht te bevestigen: ze verschillen niet veel. Sommigen zijn een beetje slimmer, sommigen lang niet zo slim, sommigen hebben donker haar, sommigen dragen een spijkerbroek. Schoonheid is in het oog van de aanschouwer.'

En ditmaal keek hij rechtstreeks naar Eden. Ze bloosde.

'En,' zei hij met zijn gezicht weer naar Andrea, 'wat is jouw idee over de pop in het spel?'

'Wilt u dat ik het voor u uitzoek?'

'Kun je dat?'

Ze haalde haar schouders op. 'Ja hoor. Het kan enige tijd kosten. Ik zou alles moeten bekijken.'

Brad keek naar Eden en knipoogde. 'Ik heb geen haast.'

Het was niet bedoeld als iets meer dan een natuurlijk gebaar dat vriendschap uitdrukte, maar het knipoogje werd Eden te veel. Ze kon zich niet herinneren dat er ooit een man naar haar had geknipoogd.

Vechtend met golven van warmte en duizeligheid wendde ze zich af en wankelde naar de bank. Ze had een lichte paniekaanval en ze wist niet goed waarom. Hij was een man. Ze vond hem leuk.

Maar dat kon niet! Eden had het niet op mannen! Dat was een feit dat in de loop van honderden therapiesessies uitentreuren was besproken.

'We moeten gewoon het patroon zien te vinden,' zei Roudy. 'Niemand is daar beter in dan Andrea en ik.'

Eden ging voorzichtig op de bank zitten, haalde diep adem en deed haar best om er niet verontrust uit te zien. Maar Brad stond plotseling naast haar en kwam bij haar zitten.

Zijn knie raakte de hare. 'Gaat het?'

'Ja hoor.' Maar ze voelde zich helemaal niet goed. En ze wilde huilen.

17

De dag was goed begonnen, een broodnodige onderbreking na een week van kopzorgen. Nikki's moeder, Michelle Holden, had voorgesteld om de stad uit te gaan. Ze zouden kunnen gaan lunchen in Pepe's Grill in Castle Rock, misschien een bezoekje brengen aan het winkelcentrum en een ijsje eten. Ze was toe aan een nieuwe capribroek.

Waarom ook niet? had Nikki gedacht. Het had altijd iets therapeutisch om met moeder op de achterveranda te zitten, naar de hoge pijnbomen te kijken en naar het getjilp van vogels te luisteren. Geen telefoons, geen opdrachten, geen deadlines.

Geen slachtoffers.

Brad had erop gestaan dat het beveiligingsteam haar volgde; Castle Rock lag op een halfuur rijden ten zuiden van Denver. Ze waren misschien overdreven voorzichtig, maar ze ontkwam niet aan de overduidelijke boodschap achter Brads maatregelen. Als het Frank was geweest, zou Brad niet op de bewaking hebben gestaan, toch? Hij had de bescherming bevolen omdat Nikki de enige was voor wie hij wél sterke gevoelens had. Bovendien zou de waarschuwing van de moordenaar dat hij moest oppassen aan wie hij zijn liefde gaf op háár kunnen slaan.

Brad hield van haar. Hij was te verward over zijn eigen gevoelens om het al te beseffen, maar ze wist het bijna zeker.

De surveillancewagen had haar even tevoren opgebeld en een tussenstop bij de volgende pleisterplaats voorgesteld – te veel ochtendkoffie. Maar ze popelde om naar haar moeder te gaan, dus had ze gezegd dat ze haar maar in moesten zien te halen. Wat tien minuten later ook was gebeurd: ze waren als een kamikaze achter haar aan gekomen.

Zodra ze de grote weg had verlaten en de heuvels van Castle Rock in reed, wist ze dat het de juiste beslissing was geweest. Ongelooflijk hoe een groot bos je stress kon wegnemen. De bomen die aan weerszijden oprezen deden wat ze al eeuwen deden. Onberoerd door menselijke bekommernissen groeiden ze langzaam en majesteitelijk hemelwaarts. Nu, in hun schaduw, voelde Nikki zich veilig.

Ze reed de oprijlaan naar haar moeders huis op en stapte uit. De surveillancewagen parkeerde achter haar en bood een gezapige aanblik. De agenten zouden de dag stukslaan met praten over koetjes en kalfjes, papierwerk, koffiedrinken, of wat ze verder ook maar deden als ze een oogje in het zeil hielden.

Ze zwaaide naar de bestuurder, die haar toeknikte. Ze waren overdreven voorzichtig, maar ze was blij met de extra laag veiligheid, vooral bij haar moeders huis.

Nikki liep de trap naar de veranda aan de voorkant op, belde aan en voelde aan de deur. Open. Ze stapte naar binnen zonder op een antwoord te wachten.

Haar moeders lieve stem klonk van binnen. 'Kom erin, schat. Ik ben in de keuken!' De vertrouwde geur van versgebakken kaneelbroodjes kwam haar tegemoet. Het was fijn om thuis te zijn. Ze moest Brad een dezer dagen maar eens meenemen.

'Hallo mam.'

Zo fijn om thuis te zijn.

Quinton Gauld wachtte vijf minuten, waarin hij stilstond bij zijn meevaller. Zijn beslissing om Nikki Holden tot de zesde lieveling uit te roepen had pas twee dagen geleden vorm gekregen, nadat Rain Man zijn vijfde lieveling naar het gekkenhuis had gesleept. God kon van gedachten veranderen, net als zijn boodschapper, maar het hield in dat hij zijn planning moest bijstellen. Hij had nooit gedacht dat het spel zo snel in zijn voordeel zou omslaan. Nadat hij God had behaagd, was zijn meester hem kennelijk vriendelijk gezind.

Zelfs met een korte voorbereidingstijd was zijn plan beslist perfect. In feite zag hij nu ook in dat zijn oude plan enige feilen had vertoond. Deze nieuwste verandering was een wonderbaarlijke correctie geweest, die zou resulteren in een perfecte vereniging van de laatste bruid met God.

God was goed. Altijd. Ongelooflijk goed. Alle dingen werkten samen voor het welzijn van hen die God liefhadden en dienden. Zelfs als ze nu en dan moesten zondigen om hun liefde te bewijzen. *Vergeef me, Vader.*

Hij keek in de achteruitkijkspiegel en zag de lege oprijlaan, keek toen nogmaals. En nogmaals, tot hij zeker was, zonder twijfel, dat ze hier alleen waren in Gods eigen land.

Tevreden keek hij opzij naar Theresa. 'Bedankt voor je hulp, Theresa.' De kogel die hij op de verzorgingsplaats door haar voorhoofd had gejaagd, had een zootje gemaakt van de stoel achter haar, maar van voren gezien leek ze te slapen. Haar pet bedekte de kleine wond keurig. 'Sorry voor de troep.'

Drie zwarte vuilniszakken bedekten zijn eigen stoel, een voorzorg die hem zou toestaan zijn eigen haar en zweet op te ruimen wanneer hij de politiewagen niet meer nodig had.

Hij pakte zijn koffer van de achterbank, sloot het portier en liep naar de blauwe Range Rover. Een snelle check bevestigde dat ze de portieren op slot had gedaan, maar dit zou geen probleem zijn. Hij was van plan om zich over haar sleutels te ontfermen.

Hij liet de koffer naast het portier aan de bestuurderskant staan en wandelde naar het huis. Een vogel kraste in de takken boven hem, een andere antwoordde, al was dat meer een tjilp. Hij was geen groot vogelkenner, maar hij kon er zich een zwarte en een blauwe vogel bij voorstellen. Hij schatte de eerste als het grootst in. Wanneer dit allemaal voorbij was, voordat hij de oproep kreeg om een andere bruid voor Christus te zoeken, misschien in een andere stad, zou hij enige tijd in het bos doorbrengen om zich meer in vogels te verdiepen. Blauwe, zwarte, rode, allemaal waren het wonderbaarlijke schepselen in Gods land.

Bzzz, bzzz. De bijen waren terug in zijn hoofd. De vogeltjes en de bijtjes.

Hij trok zijn 9mm, die twee kogels lichter was dan voordat hij de politiewagen had geleend. Maar het wapen had nog steeds negen kogels, en hij dacht niet dat hij er meer nodig zou hebben.

De voordeur was niet op slot. Een aangename verrassing. Hij

draaide aan de klink, duwde de deur open en stak zijn hoofd naar binnen. Gewoon een aardige agent die even binnenwipt om van het toilet gebruik te maken.

Een gang die nu leeg was liep het huis in. Zachte stemmen bereikten hem van om de hoek aan het eind. Uit de rijke geur van vers gebak leidde hij af dat moeder en dochter waarschijnlijk aan het ontbijt zaten. Hij had zelf die ochtend nog niet gegeten, en hoewel hij doorgaans alleen bonen at nadat hij zich voor zijn taak had gereinigd, betekende Nikki een verandering in zijn protocol, een beloning voor een goed stuk werk. Alles aan haar ontvoering zou anders worden. Inclusief wat hij at. Het gebak was een zoveelste aangename verrassing.

Quinton glipte het huis in en stapte kalm door de gang, met het pistool aan zijn zijde. Een absurde gedachte kwam bij hem op: dat hij misschien bij hen kon aanschuiven aan de ontbijttafel, maar hij wist dat het niets meer dan een verzoeking was, een afleiding van zijn taak, die uiteindelijk veel lonender zou zijn dan de consumptie van een paar zoete broodjes.

Hij liep de hoek om en trof hen zittend aan een ronde tafel in een zonnige ontbijthoek. De ramen bestonden uit vier hoge kozijnen met vierkante ruitjes. Er hingen gordijnkappen boven, een patroon van zaadpakjes, van onder andere maïs, zonnebloemen en tomaten. Al met al een kleurig, vrolijk dessin. Het tafelkleed was rood-wit geblokt – Gods boerenbont. Een stapel verse kaneelbroodjes met een krokant suikerlaagje stond tussen hen in. Koffie, sinaasappelsap, bacon. Toe maar. Voor een minder man een ware temptatie.

Dit alles had hij in zich opgenomen in minder tijd dan het de twee vrouwen kostte om de vreemd geklede politieagent op te merken die zonder kloppen naar binnen was gelopen.

Quinton hief zijn pistool. 'Geen lawaai alsjeblieft, anders zal ik je moeder moeten doodschieten,' zei hij.

Nikki, de mooie brunette die de zesde lieveling zou worden in de aanloop tot de zevende en mooiste bruid, trapte niet in zijn poppenkast. 'Pardon?'

In plaats van met haar in discussie te gaan liep Quinton hun kant op, toen naar de grijsharige moeder en sloeg haar met een enkele klap op haar hoofd buiten westen. Ze viel van de stoel en kwam met een doffe dreun op de grond terecht.

Nikki was de eerste schrik snel te boven en sprong overeind. Ze schreeuwde: 'Waar slaat dit op?'

Quinton richtte het pistool op haar. 'Ik wil je geen pijn doen. Het is belangrijk dat je dat beseft. Ik wil je echt geen pijn doen, maar de plannen zijn veranderd en als je me probeert te weerstaan, zal ik je uitschakelen en je later weer opknappen.' Hij haalde adem. 'Dus ga alsjeblieft zitten, Nikki.'

Haar gezicht was bleek. Ze staarde hem met grote schrikogen aan, als een konijn, dacht hij. Met dit verschil dat de ogen van een konijn opzij zaten, terwijl Nikki hem recht aanstaarde met grote, ronde, glazige ogen. Je maakte een konijn af met een knuppel op zijn kop, maar hij wilde Nikki geen pijn doen.

Haar vingers trilden, maar toen leek ze de situatie te vatten, want ze sloot haar mond, slikte en rechtte haar rug een beetje. Toen ze sprak, was haar stem zacht en hees.

'De Bruidenvanger.'

'De Bruidenvanger. Ja, zo noemen jullie me. Mijn naam is Quinton. Wil je zo goed zijn je om te draaien naar de muur om dit gemakkelijker te maken?'

Nikki staarde hem aan en ging niet in op zijn voorstel. Hij bad dat ze hem niet zou dwingen haar pijn te doen, of dat ze iets doms zou uithalen, zoals de laatste had gedaan door tegen haar kast te botsen.

'Alsjeblieft, het zal geen pijn doen. Laten we dit gemakkelijk maken.'

'Quinton.' Ze was nog steeds aan het bekomen van zijn naam, maar ze was gekalmeerd. De psychiater in haar kwam naar boven. Hij kende haar type. Hij had talloze uren tegenover psychiaters gezeten die hadden geprobeerd zijn geest te peilen. Hij had dit aspect van zijn keuze voor Nikki niet overwogen.

Kon God een psychiater als zijn lieveling kiezen? Op het eerste gezicht zou Quinton denken van niet, maar het was een feit dat God Nikki had uitgekozen. In Zijn grote wijsheid had Hij met Zijn vinger naar deze vrouw, die nu voor Quinton zat, gewezen en gezegd: *Ik kies deze omdat ze Mijn lieveling is. Zend haar naar Mij toe.*

Niettemin werd Quinton, ondanks zijn diepe, onwrikbare besef dat bijna alle psychiaters diep misleid en vooral in geld geïnteresseerd waren, net als de farmaceutische bedrijven die ze dienden, nu geconfronteerd met de ironie van Gods keuze. Hij had een van de zes mindere bruiden uit het riool geselecteerd.

Misschien was het Quintons rol om Nikki te helpen het licht te zien en haar dan af te leveren. Om die ene doorn uit haar vlees te verwijderen teneinde haar in Gods ogen te vervolmaken. Per slot van rekening droeg ieder mens zijn zonde bij zich. In Nikki's geval was de zonde wat duidelijker dan bij de meesten.

'Jij gaat mij niets aandoen,' zei Nikki.

'Draai je alsjeblieft om naar de muur, dan...'

'Je wilt me geen pijn doen,' zei ze. 'Je bent ziek, Quinton. Mag ik je Quinton noemen?'

Ze probeerde zijn psyche te analyseren. Hij had een wapen op haar gericht en toch had ze het lef om dit kunstje te flikken. De moeder kreunde; de tijd drong. De idioten waren waarschijnlijk al hard aan het werk aan de pop in het spel. Ze lieten het patroon in zijn laatste boodschap waarschijnlijk door de een of andere savant ontcijferen.

'Als je je niet omdraait naar de muur, zal ik je moeder moeten doodschieten,' zei hij. 'Dat doe ik liever niet, want ik heb vandaag al twee mensen vermoord, en ik ben van mezelf niet het moordlustige type.'

'Moet je jezelf nu eens horen. Je praat onzin.' Ze bewoog een beetje naar links en hij dacht dat ze moed verzamelde om de benen te nemen.

'Als je ervandoor probeert te gaan, zal ik je moeder doden. Als je niet met je gezicht naar de muur gaat staan, zal ik je moeder doden. Later kunnen we praten, maar nu wil ik dat je je hoofd gebruikt zodat ik je niet hoef te slaan. Kun je dat voor elkaar krijgen?'

'Dat ga je niet doen. Ik kan je helpen. Je denkt dat je dit voor God doet, maar God verfoeit mensen die onschuldigen van het leven beroven. Je hoeft dit niet te doen.'

Bzzz, bzzz. Hij verloor iets van zijn zelfbeheersing. Hoe haalde ze het in haar botte hoofd om een lange neus naar God te maken? Maar de moeder roerde zich, dus moest hij kiezen: welke eerst?

De bruid. Hij had de moeder levend nodig, voor het geval er meer overreding nodig was.

Quinton liep met grote passen op haar af, maar Nikki vloog naar links. Hij ging achter haar aan en vervloekte haar roekeloosheid. Dit was niet de bedoeling. Nu zou hij eerst achter haar aan moeten en dan naar de moeder teruggaan, voordat die de kans kreeg om naar een telefoon te kruipen en de politie te waarschuwen. Dat was ongetwijfeld waar Nikki op hoopte. Maar Quinton zou haar helpen om haar hoop in een hogere macht te stellen.

Adrenaline stroomde door zijn aderen. Hij was in goede conditie, maar met Gods hulp was hij perfect. Nikki sprintte door de gang en de zwarte zonnejurk fladderde als vleermuisvlerken achter haar dijen aan.

Vlak voordat ze de ingang bereikte, haalde hij haar in, gaf haar met het pistool een klap op haar achterhoofd en greep een handvol stof van haar jurk om te voorkomen dat ze in haar val tegen de muur zou slaan.

Jammer genoeg had ze in haar vaart al bijna de deur bereikt. Haar voorhoofd sloeg tegen de houten panelen voordat ze onderuitging. Het scheelde weinig of ze had de vloer geraakt, maar ze werd omhooggehouden door zijn greep op haar jurk.

Quinton vloekte opnieuw. Haar gezicht was ongetwijfeld beschadigd. Trillend van een woede die hij onder controle probeerde te krijgen, draaide hij zich om en zeulde haar terug door de gang.

De moeder was al op de been. Ze stond bij de telefoon een nummer in te toetsen toen hij de hoek naar de keuken om kwam. Hij liet de jurk van de zesde los, hief het wapen en schoot de oudere vrouw door het hoofd. Ze sloeg tegen de muur en gleed op haar derrière.

Sorry, moeder, maar je hebt me gezien. Ja, ik weet het, ik weet dat het niet eerlijk is.

De 9mm had nu nog acht kogels, maar het wapen zou niet langer nuttig voor hem zijn. Het forensisch team van de FBI zou drie kogels vinden die met dit wapen matchten – twee in de twee politieagenten en één in de moeder. Het pistool zelf kon niet worden getraceerd, daar had hij wel voor gezorgd, maar alle kogels die uit de loop werden afgevuurd, zouden aan dit wapen te koppelen zijn. Hij nam zich voor het in een papieren zak te stoppen en het in een vuilnisbak te dumpen wanneer hij zijn M300 ophaalde.

Hij keerde terug naar Nikki's bewusteloze gedaante, doordrenkte een lap met wat chloroform uit de fles in zijn zak en drukte die tegen haar gezicht. Ze zou lang genoeg stil blijven.

Met een bezem uit de bijkeuken veegde hij snel de houten vloer van de keuken en de gang aan. Er konden zomaar haren van je hoofd vallen, en hij had zijn douchemuts niet opgehad. Hij mikte het stof en de kop van de bezem in een vuilniszak, gooide Nikki over zijn schouder, keek de kamer rond en werkte zijn checklist af. Geen vingerafdrukken, geen eigen bloed, urine, zweet of speeksel. Geen voedsel, geen kleren, geen haren. Schoon!

Met Nikki's sleutel opende hij het portier van haar Range Rover en hij dumpte haar achterin. Hij bond haar vast met wat touw uit zijn koffer, plakte haar mond dicht met tape en sloot de wagen af.

Met een kleine accustofzuiger, die hij had gekocht voor het geval hun bloed niet zo afliep als de bedoeling was, zoog hij eventuele sporen van hemzelf op die naar de mat van de politiewagen waren gedwarreld. Hij trok zijn eigen shirt weer aan en rolde het overhemd van de diender in een van de zwarte vuilniszakken die op zijn stoel lagen. Schoon!

Tien minuten nadat Nikki's blauwe terreinwagen de oprit op was gereden, reed hij weer terug, ditmaal met Quinton aan het stuur, zittend op drie verse plastic vuilniszakken.

De rit terug naar de pleisterplaats verliep zonder bijzondere wederwaardigheden. De zesde lag rustig achterin te dromen, misschien over haar ware lotsbestemming. Quinton zocht de ether af en luisterde tien minuten naar een politiek praatprogramma, maar moest het afzetten. Het idee van wat er stond te gebeuren verhoogde zijn opwinding dusdanig dat het hem moeite kostte zich te concentreren en te voorkomen dat hij ontdekt werd, en hij had gehoopt dat het praatprogramma hem zou afleiden. Maar de politieke kletspraat veranderde zijn opwinding alleen in onrust. Hij was lang geleden tot de conclusie gekomen dat bijna alle mensen die zoveel moeite deden om carrière te maken in de politiek, zowel extreem egoïstisch als op zijn minst licht gestoord moesten zijn.

Het verruilen van de blauwe Range Rover voor zijn M300 nam alleen twintig minuten in beslag omdat hij moest wachten op het perfecte moment, wat hem drie afgebroken pogingen kostte. Nadat de wissel naar wens was verlopen, zoog hij de vloer van Nikki's wagen en installeerde zich achter het meer vertrouwde dashboard van zijn eigen voertuig voor de laatste etappe van de reis.

Het was twaalf over twaalf. Quinton voelde zich opgetogen, op het uitgelatene af.

18

Er waren drie uren verstreken, maar voor Eden voelden ze aan als dertig minuten. Hoewel zowel Roudy als Andrea zich op het doornemen van de gegevens had gestort, wist Eden zeker dat Andrea strikt methodisch te werk ging, terwijl Roudy de rol van detective alleen maar spéélde. Hij was intelligent, dat was zeker, en een kei in het zien van verbanden, maar hij was niet in staat in cijfers patronen te ontdekken zoals Andrea dat kon.

Net zomin als zijzelf of Brad. Zij waren verbannen naar de supporterstribune en opperden alleen ideeën als er vragen rezen, ongeacht hoe wild die ideeën waren. Er hing een opgewonden sfeer in het lokaal, een fascinatie met het onderzoek alsof het om een spannend spelletje hints ging. Het antwoord was aanwezig, daar, ergens in de bergen gegevens, wachtend op identificatie aan de hand van de pop in het spel.

Allison kwam tweemaal binnenvallen om te zien hoe het ging. Ze nam Brad en Eden met bijzondere belangstelling op, meende Eden. Allison voerde iets in haar schild. Ze wilde Eden duidelijk aan Brad koppelen. De psycholoog in haar probeerde Eden te helpen om uit haar schulp te kruipen, en hoewel Eden niet van plan was om waar dan ook naartoe te kruipen, was ze verbaasd hoe gretig ze het spelletje meespeelde.

In feite speelde zij met hém, niet andersom.

'Hoeveel woorden in de eerste zin?' vroeg Roudy.

'Elf. Maal elf, maal twee. Twee tweeënveertig, maar de laatste zin heeft er maar acht. Acht woorden.'

'En wat zegt dat, als ik vragen mag?'

Andrea's ogen schoten heen en weer. 'Weet ik niet. Gewoon.

Twee rondjes, gaten, holen. Slang in het hol.'

'Dit is te willekeurig!'

Eden liep om de bank vanwaar ze hen had gadegeslagen. In de kamer ernaast, waarvan de verbindingsdeur openstond, was Brad zachtjes aan het telefoneren.

'Willekeurig voor jou, Roudy. Je weet dat Andrea's brein anders werkt.'

'Acht, dertien, vijf,' zei Andrea. 'Maar dat is het niet, van geen kanten. Telt het aantal foto's?'

'Nee, de foto's zijn genomen door de FBI, niet door de moordenaar. En ga er niet van uit dat de sleutel die hij heeft achtergelaten mathematisch is. Het kan elk patroon zijn.'

Andrea krabde aan haar hoofd en begon te kreunen. Ze wierp een blik naar de hoek, luisterde en keek toen weer terug naar Eden. 'Daar denkt Betty heel anders over. Het is een getal. Zoals het aantal regendruppels. Een douchekop die de wereld schoonspoelt. Misschien gaat het over water.'

Eden negeerde de verwijzing naar Betty; Andrea moest haar eigen geheime labyrint doorlopen om het midden te vinden. Brads stem klonk zachtjes door de open deur. Haar huid tintelde bij dat geluid. Het gaf geen pas dat ze toeliet dat de stem van een man haar zo'n gevoel gaf, maar ja, ze had een klus te klaren. Ze moest hem inpalmen.

'Vooruit, Andrea!' zei Roudy. Hij knipte met zijn vingers. 'Een beetje tempo graag. De tijd dringt!'

'Welke tijd?'

'Tijd, tijd, het gaat altijd over tijd. Ze komen alleen naar me toe als ze ten einde raad zijn en de tijdbom binnen enkele seconden kan afgaan. Denk je dat de FBI ons dit alles had gebracht' – hij gebaarde naar de stapels gegevens – 'als ze de grenzen van hun eigen intelligentie niet hadden bereikt en mij niet nodig hadden? Ik denk het niet. Concentreer je!'

Ze kreunde opnieuw en haastte zich naar het grote witte bord aan de muur. Ze had er de laatste boodschap op uitgeschreven en vervolgens gemarkeerd en gecorrigeerd op tal van manieren die alleen Andrea iets zeiden. Ernaast hing de originele fotokopie van de boodschap van de Bruidenvanger:

Ze proberen mij te doden, ja, iedereen probeert mij te doden. Maar het voordeel van God-zijn is dat ik van gedachten kan veranderen. Waarom heb je mijn bruid verplaatst, Rain Man? Mijn beurt. Heb jij onlangs nog iets gedood? De slang wacht in de hof, op zoek naar een nieuwe bruid om hem te vergezellen in het hol. Perfect paar. Juist.

Verloren Eden. Je moet er een zijn om er een te kennen. Om te weten wie de gek is. Wanneer de pop in het hele spel zit. Nog duister? Wil pop dat ik me voor je verstop? Nee, ik ben niet ziek, ik ben gewoon beter dan jij.

Ik ben de zonneschijn en jij de regen.

Eden las de tekst, maar haar gedachten waren niet bij de boodschap van de moordenaar, en al evenmin bij Andrea, Roudy of de bergen bewijsmateriaal. Haar gedachten draaiden om Brad.

Ik ben een vrouw van zesentwintig en ik heb nog niet één romantische relatie gehad. Ik ben onaantrekkelijk en ik zou een belabberde minnares zijn. Ik ben het slijk aan de schoenen van de maatschappij.

Drie uur lang had ze door het lokaal gehuppeld en net gedaan alsof ze hen hielp, maar de helft van de tijd draaiden haar gedachten om de brij van gevoelens, waarbij rechtvaardiging, kritiek, acceptatie en afwijzing elkaar afwisselden in een werveling van emoties en redeneringen die haar hadden moeten uitputten.

Om de waarheid te zeggen kon ze niet wachten tot Brad klaar was met zijn telefoongesprek en zich weer bij hen voegde. Daar had ze een goede reden voor. Ze moest hem bespelen, in ieders belang; dat was haar bijdrage. Hoewel ze besefte dat ze zichzelf een beetje voor de gek hield, popelde ze om ermee door te gaan. Het was gewoon zielig.

De emoties kwamen plotseling, alsof ze werd meegesleurd door een vloedgolf. Op enig ander moment zou ze naar haar kamer zijn gevlucht en zich hebben begraven in haar roman in de dop.

Maar het gaf niet, het gaf echt niet, want er gebeurde helemaal niets. Er was geen vloedgolf. Ze haalde zich gewoon van alles in het hoofd. Als Brad haar kant op keek, zag ze zachte, smekende ogen, die ernaar hunkerden haar intiemer te leren kennen. *Braak.*

Als Brad iets zei, hoorde ze een stem die haar vanuit het duister zacht toeriep, die vroeg of hij naast haar mocht staan, die haar vertelde dat hij graag dicht bij haar was. *Walg.*

En dat was nog maar de helft. Haar uiterst vruchtbare geest, vervloekt vanaf haar geboorte, had al een tiental uitgewerkte scenario's opgehoest, variërend van haar en Brad als copiloten op een ruimtereis tot hun bezoek aan een extravagant koninklijk bal.

Braak, walg. Teiltje.

Het was allemaal een trieste grap. In werkelijkheid deed Brad gewoon zijn werk. Hij was vriendelijk tegen hen alle drie omdat hij een aardige man was die ieder van hen fascinerend vond en hun talenten nuttig. Dat was volmaakt redelijk.

Waar ben je op uit, Eden? Een minnaar?

'Zielig!' Ze gromde het meer dan dat ze het woord uitsprak. De anderen keken naar haar.

'Bedoel je ons?' vroeg Andrea.

'Nee, niet jullie. Ga door, ik ben zo terug.'

Ze moest hier een eind aan maken, anders zou ze wel eens kunnen flippen, en als dat gebeurde, zou Andrea flippen en zou het voorbij zijn.

Eden marcheerde naar de openstaande deur en stapte naar binnen. Brad zat onderuitgezakt op een van de drie zitbanken die in een U-vorm waren opgesteld voor groepstherapie. Hij zag haar en ging rechtop zitten.

'Oké, Frank. Als je nog iets hoort, laat het me dan weten. Ik bel je als ik vertrek.'

Ze liep naar de bank en stopte op anderhalve meter van hem vandaan terwijl hij het gesprek beëindigde.

'Komt er schot in?' vroeg hij, naar haar opkijkend.

Nu ze naar hem keek, wist ze zeker dat ze zich volslagen belachelijk had gemaakt in zijn ogen, door als een tochtige merrie door het lokaal te dartelen terwijl de grote hengst hier heen en weer draafde. Dat gezicht, vierkant en gebruind, met het keurig gekamde blonde haar. Die ogen, die de hare zochten en haar vlassige haar zagen, haar korte lijf, haar stompe vingers met afgebeten nagels, haar witte gezicht, dat nog nooit een pot of een tube make-up had gezien.

Apen trouwden niet met mensen, vogels paarden niet met walvissen, en mannen vielen niet op Eden. Wat prima was, want ze had het toch niet zo op mannen op dat vlak.

'Het spijt me, we kunnen hier niet mee doorgaan,' zei ze.

Meneer Raines stond op. 'Geven ze het op?'

'Nee. Ik heb het niet over hen.'

'Dus...' Zijn wimpers trilden, een van die lichte bewegingen die aangaven dat hij iets vatte.

Ze sprak snel, voordat hij haar in verlegenheid kon brengen. 'Ik weet waar u mee bezig bent, meneer Raines. Ik weet dat u met mij speelt. En ik moet u bekennen dat ik op mijn beurt ook met u heb gespeeld. Maar nu moeten we daarmee ophouden.'

Zijn gezicht verraadde niets.

'Vertel me alsjeblieft niet dat u niet weet waar ik het over heb.' Ze stapte naar de bank naast de zijne en ging met haar gezicht naar hem toe zitten. 'U probeert mijn vertrouwen te winnen zodat ik u kan helpen. Allison is met dat idee meegegaan omdat ze vindt dat ik uit het patroon dat me gevangen houdt moet zien te breken. Ze denkt dat u misschien in staat bent mijn vertrouwen te winnen, en zo ja, dan zou u de eerste man van buiten zijn die daarin slaagde.'

Hij slikte, keek schuldbewust en ging weer zitten. 'Nee, niet helemaal. Ja, ten dele, Allison zei dat, maar dat is niet...'

'Maar u moet weten, meneer Raines, dat ik u evengoed heb bespeeld.'

Hij lachte niet. Hij sloeg zijn benen niet over elkaar, zuchtte niet, deed niet uit de hoogte. In feite keek hij oprecht opgelaten.

'U zou zich moeten schamen, vermoed ik,' zei ze, 'maar ik ben ook schuldig, dus ik vermoed dat we quitte staan.'

'Ik begrijp het niet, je hebt me bespeeld?'

'Normaal gesproken zou ik in paniek raken als een man interesse in mij toonde zoals u dat hebt gedaan. Al die blikken en knipoogjes... Ik zou normaal gesproken op de vlucht slaan. Heeft Allison het u niet verteld? Mannen en ik, dat gaat niet erg goed samen.'

'Zoiets heeft ze wel gezegd, ja. Maar...'

'Normaal gesproken zou ik flippen. Maar vandaag staat het leven van een vrouw op het spel en als groep hebben wij besloten dat we ons best zullen doen om koste wat het kost haar leven te redden. Dus in plaats van te flippen, waardoor Andrea er de brui aan zou geven, daar kunt u zeker van zijn, besloot ik uw spelletje mee te spelen. En de enige manier om dat te doen was door u te laten denken dat u in uw doel slaagde.'

Na een korte stilte: 'Mijn doel?'

'Mijn... mijn affectie winnen. Mijn vertrouwen.' Ze merkte dat ze haar knieën heen en weer bewoog als een klein meisje dat naar de wc moet, en hield ermee op.

Een langdurig moment keek hij haar alleen maar aan, verlegen en met een rood hoofd als een kind dat is betrapt met zijn hand in de koekjestrommel. 'Ik weet niet wat ik zeggen moet,' zei hij eindelijk.

'Ik ook niet. Ik schaam me dat ik u zo heb gemanipuleerd. Ik weet eerlijk niet wat me bezielde. Ik heb nog nooit zoiets gedaan.'

Ze keek uit het raam en werd overvallen door het besef dat het allemaal zou eindigen. Het idee terug te kruipen in haar donkere gat van eenzaamheid, hoe veilig dat ook was, joeg haar angst aan. Het hoorde niet zo te gaan! Hij hoorde haar te onderbreken en te zeggen: Nee, nee. Ik hou echt van je, ik weet niet wat me overkomt, maar je hebt me betoverd. Ik kijk in je ogen en ben compleet verkocht en ik weet niet wat ik ertegen moet doen!

Maar dat deed hij niet. En waarom zou hij ook? Ze had gelijk. Het was inderdaad gewoon een spelletje geweest. Een droom. Een verhaal. Een nachtmerrie.

Ze was niet de prinses in het verhaal. Ze was de kikker.

'Dus wat doen we?' vroeg hij.

Eden draaide zich weer naar hem toe en deed haar best om haar diepe teleurstelling te verbergen. 'Nou, om te beginnen kan ik het me niet veroorloven te flippen. Als ik dat doe, zal Andrea ermee ophouden.'

Hij keek alsof hij nog steeds niet wist hoe hij het had. 'Ik sta ervan te kijken dat je het zo ziet. Ik bedoel, je bent heel vriendelijk. En ik ben erg dankbaar. Het... Het spijt me, het was echt niet mijn bedoeling om je zo van streek te maken. Ik... ik weet gewoon niet wat me bezielde.'

'Het geeft niet.' Ze blies enige lucht uit en vocht tegen een zwarte wolk van smart die over haar neerdaalde. 'Ik moet gewoon bedenken hoe ik terug naar binnen kan gaan en kan doen alsof er niets aan de hand is.'

'Ik wil niet dat je toneelspeelt,' zei hij.

'Wel, ik moet iets doen. Ik vermoed dat we de poppenkast zouden kunnen voortzetten. Ik denk dat me dat wel zal lukken totdat dit allemaal voorbij is.' Een dwaas idee, maar ze had het al gezegd.

Brad dacht even na. 'Nee, ik denk niet dat we dat moeten doen. Het was echt niet mijn bedoeling je de verkeerde indruk te geven.'

Hij schoof naar de rand van de bank en boog zich naar voren met zijn ellebogen op zijn knieën, heel dicht bij haar. Toen stak hij zijn handen uit, met de palmen omhoog, alsof hij haar uitnodigde haar hand in de zijne te leggen. Eden voelde haar borst verstrakken van een naderende paniek.

'Luister naar me, Eden. Het hoeft niet zo te zijn. Ik weet dat je bang bent, dat zou ik zelf ook zijn. Maar ik ben niet hier om je te kwetsen. Ik weet niet zeker of ik met mijzelf zou kunnen leven als ik iemand als jij bewust pijn deed. Jou. Jou pijn deed.'

Ze hoorde hem, maar haar ogen waren op zijn open handen gericht, en ze vroeg zich af of hij werkelijk verwachtte dat ze haar kleine lelijke pootje in zijn grote, sterke hand legde. Het idee gaf haar een misselijk gevoel.

'Ik denk niet dat we toneel hoeven te spelen,' zei hij. 'Ik denk dat we gewoon twee volwassen mensen zijn die allebei diepe gevoelens hebben waar het andere mensen betreft. Lang geleden heb ik iemand verloren die me heel dierbaar was, en daar ben ik nog steeds niet overheen. Jij bent een lange tijd geleden een deel van jezelf kwijtgeraakt, en daar heb je je nog steeds niet van hersteld. We zijn allebei diep gewond.'

Tranen vulden haar ogen, hoewel ze probeerde ze tegen te houden.

'Het is oké,' zei hij zachtjes. 'We hoeven niet zo te zijn. Hoe dan ook zijn we geen van beiden klaar voor de druk. Laten we gewoon ons best doen om dit meisje te helpen.'

Hij had gelijk. Hij had helemaal gelijk en ze was hem zielsdankbaar voor die woorden. Dit was normaal. Ze was gewoon een volwassene. Ze waren twee volwassenen die een leven probeerden te redden en elkaar hielpen. Wat had haar bezield?

Haar tranen rolden uit haar ogen en liepen over haar wangen.

'Geef me je handen,' zei hij, 'alsjeblieft.'

Ze aarzelde, deed toen wat ze nog nooit had gedaan. Ze stak haar handen uit en legde haar handpalmen op de handpalmen van een man. Ze waren de helft groter dan de hare. En warm. Zijn vingers sloten zich om haar vingers.

'Wil je de waarheid weten, Eden? De waarheid is dat ik je een fantastische vrouw vind.' Zijn stem was zacht en diep. 'Ik benijd je in meer opzichten dan je kunt weten. Ik wil niet dat je je gedwongen voelt om wat dan ook te doen. Serieus, ik begin mijn twijfels te krijgen of Sherlock en Brains deze noot überhaupt kunnen kraken.'

'O jawel, hoor. Gun ze gewoon wat tijd. Ze zullen op zijn minst uitdokteren wat de "pop" van de moordenaar is.'

'En jij? Kun jij dit aan?'

Als het erop aankwam... Ja, ze kon het aan. Toch? De angst die ze eerder had gevoeld was op de een of andere manier opgelost. Ze voelde zich een beetje triest en vrij dwaas, maar verder wel op haar gemak. Misschien had Brad onbedoeld precies gedaan wat hij van plan was geweest. Misschien had hij haar vertrouwen gewonnen zoals geen man ooit had gekund.

Ze keek in zijn zachte bruine ogen, toen naar zijn handen en liet toe dat hij ze vast bleef houden. 'Het is al goed. Ik kan dit. Je moet er een zijn om er een te kennen. Nietwaar?'

Brad glimlachte. Een stralende, oprechte, liefdevolle glimlach die Eden angst aanjoeg vanwege de emoties die hij opriep. Maar ze zette de dwaze gevoelens kordaat opzij en stond op.

'Nou, laten we haar dan proberen te redden.'

19

Het appartement was van zichzelf aangenaam genoeg, maar nu had Quinton de slaapkamer aan de achterkant in iets majesteitelijks omgetoverd. Een soort tempel. Een binnenhof, compleet met zijn eigen altaar.

In verband met zijn veranderde plannen had hij besloten om de schuur ten oosten van Parker niet te gebruiken. Die kon nog dienstdoen voor de zevende en mooiste bruid. In plaats daarvan had hij zijn kamp in het appartement opgeslagen, in de hoop dat de idioten van Rain Man zijn code spoedig zouden kraken en het hol zouden vinden.

Hij had de bedwelmde zesde hier gebracht en haar ingespoten met een halve dosis benzodiazepine, een angstremmend middel dat haar zou helpen om de waarheid met minder gedoe te accepteren. Vervolgens had hij, snel en doeltreffend, de kamer geprepareerd door het bruine karpet met dik transparant plastic te bedekken, dat makkelijk op te rollen was wanneer hij eenmaal klaar was. Een brancard met een wit matras stond in het midden van de kamer. Hij zou de brancard meenemen, gekleed in dezelfde witte jas die hij had gedragen toen hij de bruid naar binnen reed. Niemand had hem gezien, maar de voorzorg was noodzakelijk.

Hij had zijn koffer en het benodigde gereedschap klaargelegd op een vouwtafel bij de muur aan zijn rechterhand. Twee dikke houten pennen, die hij stevig met pluggen had verankerd, staken uit de muur ernaast, precies anderhalve meter van de grond. Het lichaam moest recht hangen, niet scheef, dus mat hij altijd de hoogte van elke pen.

Als de bruid eenmaal op haar plek hing en aan de muur was gelijmd, zou Quinton al haar ledematen zodanig schikken dat optimale schoonheid was gewaarborgd – als het schikken van de bruidsjapon voordat ze haar gang naar het altaar maakte. Hij verwijderde al haar bovenkleding, zodat ze slechts gekleed in haar onderbroek met haar gezicht naar het plafond lag. Met behulp van een gaaskompres verwijderde hij het bloed van de wond aan haar wang, waar ze tegen de deur was gekomen. Hij gebruikte krachtlijm om het gat te dichten, een truc die verrassend goed werkte.

De make-up nam nog eens een halfuur in beslag. Hij begon met een foundation die overeenkwam met de kleur van haar voetzolen. Met onberispelijke zorg bracht hij eyeliner en mascara aan, vervolgens een licht toefje rouge. Toen hij klaar was, zag haar gezicht er bleker uit dan de rest van haar lichaam, maar dat zou spoedig veranderen.

Quinton deed een stap achteruit en bekeek haar, onder de indruk van Gods handwerk in de schepping van zo'n verrukkelijk wezen. Als hij kon reïncarneren, zou hij zeker terug willen komen als vrouw. Als bruid. En hij zou opgroeien met de droom dat hij op een dag op precies dezelfde manier zou worden uitverkoren.

Normaal gesproken had hij geen behoefte aan elektriciteit. Hij gaf de voorkeur aan apparaten met een accuvoeding; die waren even functioneel, maar aangezien hij hier over stroom beschikte, sloot hij een looplamp aan, met geel plastic over de tl-buis, en legde die op de tafel. Het licht vulde de kamer met een sfeervolle gouden gloed die ze wellicht zou waarderen als ze wakker werd.

Quintons laatste voorbereiding hield in dat hij zichzelf prepareerde. Omdat hij eerder op de dag al had gebaad, ontdeed hij zich nu van zijn kleren, met uitzondering van zijn zwarte leren schoenen, zijn sokken en zijn zwarte Armani Exchange-onderbroek.

Hij droeg al zwarte handschoenen, maar hij verruilde de leren exemplaren voor rubber afwashandschoenen. Normaal gesproken zou hij een douchemuts opzetten, maar omdat hij de hele vloer met plastic had bedekt, opteerde hij ditmaal voor modieus boven mallotig maar functioneel.

Tevreden dat alles in orde was, trok hij de vouwstoel bij, nam erin plaats en wachtte tot de bruid wakker werd. Dat zou nu niet lang meer duren. Ze bewoog zich al en hij had haar maar een halve dosis van het kalmerende middel gegeven.

Vanaf nu was het allemaal gesneden koek. Hij was alleen de boodschapper, met goede tijdingen voor de gelukkige uitverkorene. Een gestaag gezoem verhief zich onder in zijn brein, en hij wist dat dat kwam doordat zijn geest werd verruimd tot voorbij zijn menselijke grenzen. De doktoren mochten het een symptoom van een psychose noemen, maar die waren niet goed bij hun hoofd en wisten weinig over de ware aard der dingen.

Achtennegentig procent van de pakweg zes miljard aardbewoners kon gezond verstand inzetten voor de meest fundamentele, voor de hand liggende observaties van het menselijk bestaan en concluderen dat er een hogere macht bestond. Toch konden maar weinigen onder de zich deskundig noemende figuren die psychiaters heetten hetzelfde zien. Dus wie waren er nu gek, de zes miljard of dat handjevol psychiaters?

Allebei, als het erop aankwam, maar dat was een ander verhaal.

Het verhaal van vandaag was Nikki, de zesde lieveling, die was uitgekozen vanwege haar innerlijke schoonheid, haar uiterlijke pracht en haar band met Rain Man, de duivel die de zon probeerde te verduisteren.

En nu opende Nikki haar ogen. Quinton stond op en wachtte tot ze zag waar ze was. Hij bond haar polsen en enkels aan het aluminium frame van de brancard met behulp van repen stof. Langzaam sperden haar ogen zich open in dagend besef.

'Hallo, Nikki.'

Ze draaide haar hoofd in zijn richting, wierp één blik op zijn vrijwel naakte body en probeerde te gillen door de tape over haar mond. Haar benen en armen schokten, maar de repen stof hielden haar stevig in bedwang.

'Ssst. Wind je toch niet zo op. Ik zal je gewoon meer moeten drogeren en dit zonder je medewerking moeten afhandelen.'

Ze bedaarde, maar haar ogen stonden wild.

'Ik zou met je willen praten. Een dialoog is op zijn plaats, want ik denk dat ik je kan helpen om een paar dingen helderder te zien. Maar dat kunnen we alleen doen als je belooft dat je geen keel zult opzetten. Het is ongepast voor iemand van jouw statuur.'

Ze reageerde niet.

'Weet je wie je bent?'

Haar ogen speurden de kamer af, richtten zich toen weer op hem. Ze schudde haar hoofd.

'Nee, heel weinig mensen weten wie ze werkelijk zijn. Ik wil dat je heel zorgvuldig naar me luistert. Daarna kunnen we praten, oké? Je mag met je hoofd knikken.'

Dat deed ze.

'Oké, mooi. Geloof je in God?'

Ze knikte.

'Werkelijk? Het is geen wonder dat Hij jou uitkoos. Geloof je dat Hij oneindig is?'

Weer een knikje.

'En dat Hij een God van liefde is?'

Ja.

Dit was een verrassing. Misschien te mooi om waar te zijn. Hij zou haar, als zielenknijpster, niet hebben aangezien voor iemand die tot geloof in staat was, laat staan om iets van liefde te begrijpen.

'Weet je het zeker? Het is één ding om in God te geloven, maar een oneindige God van liefde is heel wat anders. Geloof je dat echt?'

Ze knikte opnieuw.

Hij had nog steeds moeite haar te geloven, dus drong hij verder aan.

'Ga je naar de kerk?'

Ditmaal probeerde ze door de tape heen te antwoorden, maar er kwam alleen gesmoorde onzin uit. Ze schudde haar hoofd. Nee. Dus dan sprak ze de waarheid.

'Je knielt niet met de gestoorde schijnheiligen die de nederigen voor de wolven gooien. In plaats daarvan geloof je in een liefdevolle, oneindige God. Klopt dat?'

Een gesmoord ja. Quinton geloofde haar.

'Kijk eens aan. Dat is heel goed. Dan zal het vrij gemakkelijk voor je zijn om te begrijpen dat de liefde die een oneindige God van liefde voor ieder mens heeft ook oneindig is, ja? Dat er geen grens is aan de omvang van Zijn liefde voor jou. Je kunt niet zeggen dat Hij de een maar zoveel liefheeft en de ander zoveel, omdat in Gods economie Zijn liefde oneindig is. Ja?'

Weer een knikje. Hij was best tevreden over haar bevattingsvermogen, haar greep op de basale feiten in aanmerking genomen.

Quinton liep heen en weer in zijn zwarte ondergoed en gebruikte zijn gehandschoende handen om zijn betoog te onderstrepen. 'Dit is algemeen bekend, zelfs bij priesters en dominees. Maar de meeste geestelijken beschikken niet over de geestelijke vermogens om te begrijpen wat daar rechtstreeks uit volgt. Er bestaat geen grotere liefde dan oneindige liefde, die Gods liefde is. Wanneer je iemand oneindig liefhebt, is er niemand die je méér liefhebt. Jou, Nikki. Er is niemand die God meer liefheeft dan Hij jou liefheeft. Kun je dat volgen?'

Ze staarde hem aan met ogen als schoteltjes, maar hij was er zeker van dat ze het kon volgen. Zelfs een imbeciel kon dit volgen. Wat veel zei over de geestelijkheid.

Nikki, daarentegen, was ongetwijfeld bezig zijn wijsheid in zich op te nemen, haar hart voor te bereiden, het onbezwaard te maken.

'Kijk, iedereen is Gods lieveling, zelfs geesteszieken, dus de meeste mensen, maar ik dwaal af. Zij zijn ook Gods lieveling, allemaal. Dit is alleen mogelijk omdat God oneindig is en daarom meer dan één lieveling kan hebben zonder daarmee afbreuk te doen aan de betekenis van de term. Hij kan tal van lievelingen hebben en ieder van hen is waarlijk Zijn lieveling, die het grootste ontvangt wat God te bieden heeft en oneindig is. Ja?'

Hij wachtte even, maar benadrukte vervolgens het laatste punt, want hij popelde om het haar te vertellen.

'Het punt is dat jij, Nikki, Gods lieveling bent.'

Het was een verbluffende openbaring. Elke keer dat Quinton bij het concept stilstond, zoemde zijn brein, en dit was geen uitzondering. Hij wilde Nikki, Gods lieveling, kussen, maar hij kon niet het risico lopen dat er lichaamsvochten op haar achterbleven. Hij zou het kussen aan God overlaten.

'Stel het je voor. Jij bent Gods lieveling. Van al Zijn schepselen,' en hij maakte een groots gebaar, als een predikant die een belangrijke geloofswaarheid onthult, 'ben jij Zijn absolute lieveling. Weet je wat dat betekent?'

Ze nam het sprakeloos tot zich.

'Het betekent dat elke hemelse en aardse macht op het puntje van zijn stoel zit om te zien wat de lieveling, Nikki Holden, gaat doen. Zal ze de roep van haar geliefde beantwoorden? Zal ze Gods liefde beantwoorden? Zal ze voor eeuwig met Hem zijn? Of zal ze Hem in het gezicht spugen, zich afwenden en een andere geliefde zoeken? Ze willen, ja, moeten het allemaal weten, omdat jij die ene bent. De lieveling. De hele eeuwigheid die achter ons ligt heeft gewacht op de ene voor wie God het allemaal heeft gedaan. Voor jou!'

Hij had het meesterlijk verwoord. Niemand zou de zuivere logica achter zo'n vertolking van de waarheid kunnen weerstaan.

'En vannacht kun je je eindelijk bij Hem voegen, als Zijn bruid, om voor eeuwig te leven. Stel het je voor, Nikki. Vannacht is jouw huwelijksnacht.'

De gedachte deed hem huiveren. Hij stapte op haar af, werkte zijn gehandschoende vinger onder de rand van haar tape en zei: 'Geen woord, geen geluid, of ik doe hem er weer op,' en rukte hem weg.

Ze hapte naar adem en hoestte.

'Gaat het? Wil je wat water?'

Ze keek alsof ze zou gaan huilen, maar ze hield zich groot en draaide haar hoofd licht naar hem toe. Er liepen tranen langs haar slapen. Hij zou de make-up moeten verversen als ze dood was.

'Quinton...' Haar gezicht was helemaal verwrongen, waardoor het spreken haar moeilijk afging.

'Je zou moeten huilen van vreugde, Nikki. Tranen van vreugde vergieten. Tenzij een kiem ter aarde valt en sterft, kan hij niet uitgroeien tot de mooie bloem waartoe hij geacht wordt uit te groeien.'

Eindelijk vond ze haar stem. 'Luister naar me, Quinton. Alsjeblieft, luister naar me. Ik wil je een vraag stellen. Mag dat? Vind je het goed dat ik je één vraag stel? Ik bedoel, je echt iets vraag?'

Het was de eerste keer dat hij zo'n reactie kreeg. 'Uiteraard.'

'Wat als je één ding bij het verkeerde eind had. Ik zeg niet dat dat zo is, maar wat als je één kleinigheid mis had?'

Maar dat had hij niet. Waar wilde ze heen?

'Wat als het allemaal waar is? Alles wat je zei over God, inclusief zijn lievelingen, klinkt me logisch in de oren. Het is volmaakt zinnig. Het is waar, dat alles is waar. Maar wat als het míjn keus is wanneer en hoe ik naar Hem toe ga, niet de jouwe? Zelfs niet de Zijne. Wat als Hij mij die keus heeft gegeven omdat ik Zijn lieveling ben? Omdat Hij van me houdt.'

Ze snapte het niet helemaal. 'Ik ben Zijn boodschapper,' zei hij.

'Wat als je een vergissing hebt gemaakt en Zijn lieveling kwetst. Dat zou je tot een vijand van God maken. Net als Lucifer. Dat zou je...'

Quinton was zich niet echt bewust van wat er gebeurde, alleen dat hij naar voren sprong, zijn arm uithaalde en haar een vuistslag in haar gezicht gaf.

Hij stond boven haar, hijgend, met een hoofd dat zoemde als een nest horzels waarop iemand een klap heeft gegeven. Hij had zijn zelfbeheersing nog nooit verloren, niet tijdens een ceremonie als deze. Wat betekende dat? Hij voelde zich vies, gebruikt, maar ze had deze reactie uit hem getrokken.

'Vergeef me, Vader. Vergeef me.'

Nu zou hij de make-up moeten bijwerken. Misschien moest hij haar gewoon meer kalmerende middelen geven en haar hielen nu doorboren. Zoals hij gezond verstand in Joshie had gemept op de toiletten van Elway's eethuis, had hij deze leugen uit de bruid geslagen.

Quinton haalde diep adem en kalmeerde zichzelf. Nee, hij zou haar nog niet leeg laten lopen – hij had haar nog nodig. Hij had Nikki nodig omdat ze ongelijk had. Hij was niet de duivel.

Rain Man was de duivel.

20

Brad Raines liep met de handen in de zij heen en weer terwijl Andrea en Roudy hun fratsen vertoonden, en maakte alleen een opmerking wanneer hem dat nodig leek. Er waren drie uren verstreken sinds zijn ontmoeting met Eden. Voor zover hij kon vaststellen, zat er weinig schot in hun pogingen 'de pop' te vinden, de sleutel waarvan ze volhielden dat hij in het bewijsmateriaal verstopt was. Afhankelijk van zijn beoordeling van de dag kon die als een complete verspilling van tijd worden beschouwd.

Aan de andere kant waren de afgelopen zes, zeven uren merkwaardig bevredigend geweest. De aard van recherchewerk vroeg vaak om een vorm van rollenspel, brainstormsessies met eindeloze vragenrondes zonder dat er een duidelijk antwoord uit kwam, verbonden puntjes die zinloze plaatjes vormden.

Maar Brad was gewend om dit speuren naar verborgen aanwijzingen met 'gewone' mensen te doen, die volgens onuitgesproken regels werkten.

Dat soort regels ontbrak in het werken met Eden, Roudy en Andrea. Zij leken eerder drie kinderen die vader-en-moedertje speelden, of, in deze zaak, detectiefje. In plaats van hen te sturen was hij al snel het vierde speelkameraadje in hun fantasiewereld geworden.

Er was een vrijheid hier, zonder andere eisen dan de aanmoedigingen van Roudy om snel, snel, snel te zijn omdat zijn rapport af moest.

'Iedereen weet dat dit soort slangen in de bomen leeft,' zei Roudy. 'Denk je dat de slang die in het paradijs naar Eva kwam over de grond kronkelde? Te voor de hand liggend! Veel te voor de hand liggend. De slang in het hol benaderde haar vanuit de bomen, als hij een waardige duivel was. Uit de lucht, zoals de appel die hij haar aanbood, niet uit een hol in de grond.'

Andrea was in haar eigen wereldje. 'Holen zijn als nullen. Eén hol, één nul, maar elk getal dat je door nul deelt geeft nul. Dus moest hij de vrouw toevoegen. Nu is het één plus één. Perfect, zie je? "Perfect paar" en dan "Verloren Eden".' Ze onderstreepte de corresponderende tekst in de boodschap om haar punt te benadrukken.

'Waar wil je naartoe, Roudy?' Eden was de meest lucide van de drie, de aas in het spel hier. De bindende factor. En hoewel haar voortdurende verontschuldigende blikken naar Brad erop wezen dat ze dit wist, probeerde ze hen zelden te corrigeren, behalve via een voorzichtige hint.

Roudy rolde met zijn ogen alsof zijn punt pijnlijk duidelijk was. 'Hij geeft hun appels, geen wormen. Hij verleidt hen. Wat hij zegt bevalt hun. Appels, Eden, appels!' Hij knipte tweemaal met zijn vingers. 'Concentreer je!'

'Dat doe ik, Roudy, en ik zie hoe de slang de appel met zijn soepele staart van de boom plukt en hem met zoveel kracht naar het meisje slingert dat ze buiten westen raakt. Dan wikkelt hij zich om haar keel en sleept haar naar zijn hol.' Het was ongetwijfeld slechts een fractie van het volledig uitgewerkte verhaal dat in haar geest was opgebloeid. Haar geest was een vruchtbare, exotische jungle die krioelde van leven.

'Mannen zijn als slangen,' zei Andrea zonder zich af te wenden van het whiteboard. 'Denken maar aan één ding. Zeg het hun, Eden.'

'Mannen zijn als slangen, Roudy,' beaamde Eden. Toen voegde ze er met een snelle blik naar Brad aan toe: 'De meeste mannen.'

'De meeste mannen,' stemde Andrea in. 'Perfect paar. Dat is tweemaal perfect. Tweemaal perfect.' Ze kermde.

Roudy keek naar haar. 'Zeven is perfect.'

Brad had moeite om zijn lachen in te houden. Ongeremd als ze waren, wisselden hun gedachten grillig van spoor als een trein met een eigen wil. Toch zat er systeem in de waanzin van hun wereld zonder regels.

Hij kon zich niet aan de indruk onttrekken dat ze op het punt stonden de oplossing voor de perfecte moddertaart te ontdekken. Het was de fantasie van ieder kind. Er was hier een perfecte moddertaart, ze moesten de modder gewoon blijven kneden tot ze hem hadden. En al doende zouden ze lachend een paar klodders modder naar elkaar gooien en dan woedend wegstampen, omdat kinderen dat nu eenmaal deden als ze met modder speelden.

'Alles goed?' vroeg Eden. Ze voegde zich bij hem aan de achterkant van het lokaal.

'Kan niet beter.'

'Ik betwijfel of dat helemaal waar is.'

'Nou... Het loopt tegen zonsondergang.'

'Ik zei toch dat het allemaal vergeefse moeite zou kunnen zijn. Maar met u is alles goed? Ik bedoel... u verveelt zich niet?'

'Onmogelijk.' En het was de gortdroge waarheid.

Ze grinnikte. 'Er gaat niets boven een bezoekje aan de dierentuin, toch?'

'Als dit een dierentuin is, dan ben ik het aapje,' zei hij.

Ze keek een moment in zijn ogen. Toen bloosde ze. Dat verontrustte hem een beetje, omdat hij niet zeker was of zijn eerdere gesprek met haar het ongemak in hun contact helemaal had verjaagd.

Ze waren het lokaal weer in gelopen en hadden zich als gezworen kameraden op het puzzelen gestort. Bevrijd van iedere valse schijn was Eden losgekomen en had met een stralende glimlach rondgedard. Maar het oude, onuitgesproken ongemak was er in de loop der uren weer in geslopen.

Brad was niet vies van relaties met vrouwen zolang ze geen vastigheid eisten. Als hij uit zijn tweeëndertig jaar één les kon trekken, dan was het misschien dat elke vorm van relatie met Eden een ramp in de dop was, voor haar en voor hem.

Niet dat hij het zich kon veroorloven om zelfs maar in de verte op die manier geïnteresseerd te zijn.

Aanvankelijk dacht hij dat hij haar moest beschermen. Hij mocht haar geen hoop geven terwijl hij haar vertrouwen won, en haar vervolgens laten vallen. Maar ja, Allison had een goed punt gemaakt: zelfs een korte relatie die in teleurstelling eindigde zou heilzaam voor Eden kunnen zijn.

Hoe dan ook, het maakte niet uit. Zijn angst gold niet Eden, toch? Hij was meer verontrust door zijn eigen reactie op haar, hoe gênant het ook was om dat toe te geven. En die gedachte wekte een andere, nog verontrustender gedachte: zou hij echt van iemand als Eden kunnen houden? Het idee alleen al! Hij moest er een punt achter zetten, dus dat had hij gedaan.

Maar nu bloosde ze, zoals ze het afgelopen halfuur verscheidene malen had gedaan.

Haar witte wangen hadden een zweem van rood die paste bij haar robijnrode lippen. Ze glimlachte. Perfect witte tanden. Het maakte dat hij zich afvroeg of ze ooit was gekust. Ze was frêle en bleek, zo onschuldig als een gewonde duif. Ze had geen gevoel voor mode: vandaag had ze gekozen voor een gekreukte Levi-spijkerbroek, die een paar centimeter te kort was, en een mouwloos geel poloshirt dat ze in haar broek droeg. Ook gekreukt. Het geheel was afgemaakt met een roze lakceintuur.

Ze had zich voor hem opgedoft, dacht hij, en negenennegentig van de honderd mensen zouden haar daarom als een dwaas beschouwen.

Hij kon dit niet doen.

'DNA,' meende hij Andrea te horen zeggen.

'DNA?' vroeg Roudy. 'Hoe kom je daar ineens bij?'

'Nee, ik zei "t en h". Dan perfect paar. Veertien.' Ze sprak snel terwijl ze met een bevende vinger de regel volgde. '"... hem te vergezellen in het hol. Perfect paar. Juist." Van hier... naar... daar... is... veertien.'

Andrea ging op in het gecijfer, maar haar stem had iets benauwds en Eden draaide zich om naar het bord. 'Wat is veertien, Andrea?'

Brads mobiele telefoon zoemde in zijn zak en hij diepte hem op. Het schermpje zei: NIKKI HOLDEN. Ze meldde zich, zoals afgesproken. Hij drukte op de groene gespreksknop.

Andrea was nu duidelijk opgewonden.'Deze twee, dan veertien letters, dan die drie. Het komt tweemaal voor, hier en hier.'

Brad bracht zijn telefoon naar zijn oor. 'Hallo, Nikki. Hoe is het?'

De kleine speaker van zijn mobiel siste. Toen kwam er een ander geluid. Het zachte geluid van iemand die probeert te praten, maar niet in staat is tot meer dan rauwe emotie.

Er zijn momenten in het leven dat er zo'n gevreesd telefoontje komt waardoor nachtmerries waarheid worden... Een auto-ongeluk, een gebroken rug, een overlijden... En Brad wist onmiddellijk dat dit een van die gevreesde telefoontjes was. Zijn hart bonkte eenmaal hard, leek toen stil te staan. Maar zijn hersenen stonden op steeltjes, wanhopig reikend naar een teken dat hij ongelijk had.

'Nikki?'

Ze probeerde iets te zeggen. Brad huiverde.

'Wat is er aan de hand?' Hij kon zich niet bewegen. 'Nikki?'

Ze vond haar stem, maar die klonk ijl en op het punt van breken. 'Brad...'

'Wat is er? Wat is er aan de hand?'

Ze huilde. 'Brad, hij...'

Meer kwam er niet uit. Hij. Er was slechts één 'hij' die in gedachten kwam.

En toen sprak 'hij'. 'Hallo, Rain Man. Heb je mijn pop gevonden? Eigenlijk was het me niet om haar te doen, weet je. Kom me maar halen, Rain Man. De tijd dringt.'

De verbinding werd verbroken.

'Nikki! Nikki!'

Zijn wereld vernauwde zich. Andrea had het over perfectie en Eden vroeg iets, maar het enige wat Brad kon horen was de doodse stilte aan de telefoon.

Hij had Nikki. De Bruidenvanger had Nikki.

Het kon niet waar zijn. Er moest een vergissing in het spel zijn, Nikki was bij haar moeder! Ze werkte niet eens vandaag. Maar...

Brad kreeg geen adem. De telefoon was nog steeds tegen zijn wang gedrukt, de lijn was dood. Alles leek stil te staan en hij wist niet meer wat hem te doen stond.

Toen deden training en instinct zich gelden en kreeg hij weer iets van controle.

Hij rukte de telefoon van zijn oor. 'Het is Nikki,' zei hij.

Ze staarden hem aan, onzeker over wat er van hen verwacht werd.

'De Bruidenvanger heeft Nikki.'

'Zijn we te laat?' vroeg Roudy. 'Wat zei ik, wat zei ik nou aldoor? Snel, snel, en moet je nu zien!'

'Nikki?' zei Eden ongelovig. 'Heeft hij Nikki in handen?'

'Ja.' Brad toetste het nummer van James Temple met een hand die trilde als een blad in de wind. *Beheers je, kalmeer. Diep ademhalen, rustig aan.*

De FBI-chef nam op na de derde oproeptoon. 'Temple.'

'Hij heeft Nikki. Ik had haar net aan de lijn. De moordenaar heeft haar...'

'Rustig aan. Ze had een bewakings...'

'Bel de eenheid. Stuur onmiddellijk de politie van Castle Rock naar haar moeders huis. Ik ga haar terugbellen.'

'Weet je zeker...'

'Ga naar haar moeders huis!' snauwde Brad. 'Nu!' Hij verbrak de verbinding, koos het menu 'recente gesprekken' en selecteerde Nikki's nummer. Drukte op 'verzenden'.

De telefoon stuurde hem regelrecht door naar haar voicemail.

Denk na. Denk na!

Andrea nam opnieuw het woord, lief en zacht. 'Thuis,' zei ze. '"Th" gevolgd door veertien letters, dan "uis". Die sequentie komt tweemaal voor. De perfecte zeven tweemaal, dus een perfect paar, en dat twee keer. T... H... U... I... S... Thuis.' Ze had het patroon rood onderstreept.

De slang wacht in de hof, op zoek naar een nieuwe bruid om hem te vergezellen in het hol. Perfect paar. Juist. Verloren Eden. Je moet er een zijn om er een te kennen. Om te weten wie de gek is. Wanneer de pop in het hele spel zit. Nog duister?

'Dat is het,' zei Roudy. 'Dat is de oplossing: "thuis". Hij schreef deze boodschap toen hij plannen maakte om haar te ontvoeren. Hij heeft haar thuis.'

Het werd doodstil in het lokaal.

Eden keek met knipperende ogen naar hem op. 'Waar woont Nikki?'

Het patroon vulde Brads gedachten als vuurvliegjes, bijna on-

ontkoombaar nu Andrea licht in de duisternis had gebracht.

Thuis.

'Hoe weten we dat het bij háár thuis is?' vroeg hij hardop.

'Hij zou geen sleutel in zijn boodschap verstoppen als er geen betekenis achter zat,' zei Eden. 'Bij hém thuis zou ons niets zeggen, tenzij je weet waar dat is. Bij Nikki thuis wel. De moordenaar heeft Nikki bij haar thuis.' Ze liet een stilte vallen. 'En als je haar zojuist nog aan de telefoon had, is ze nog steeds in leven.'

Brad was al onderweg naar de deur. Roudy vroeg of hij mee mocht, maar Brad had niet de tegenwoordigheid van geest om te antwoorden. Hij sprintte de gang op, met slechts één vraag in zijn hoofd: wat was de snelste route?

Hij vloog langs een tiental verbijsterde bewoners in de Rotonde en racete door de tuin.

Of was het bij hém thuis? Of bij haar moeder?

Nikki woonde in een driekamerappartement aan Simms Street in het westen van Denver. Hij had haar verleden jaar na de kerstborrel thuisgebracht, omdat ze iets te veel op had om zelf te rijden. Misschien was er een patrouillewagen dichterbij – hij had al gebeld. Maar zelf was hij minder dan vijftien minuten bij haar vandaan, aangenomen dat het verkeer hem niet ophield.

Aan het eind van de oprijlaan reed Brad honderd en hij toeterde naar de bewaker dat hij het hek moest openen, wat hij deed, maar pas nadat Brad met vijf centimeter speling tot stilstand was gekomen.

Als de moordenaar Nikki had gereduceerd tot de vrouw die hij aan de telefoon had gehoord, moest hij aannemen dat de Bruidenvanger nu alles wist wat Nikki wist, inclusief het feit dat Brad in het Centrum voor Welzijn en Intelligentie was, slechts vijftien minuten verder, zonder verkeer.

Maar de moordenaar wist niet dat Brad de pop in het spel die de sluier van zijn locatie had opgelicht, gevonden had. Hij zou misschien geen haast maken.

Nikki was in leven. Als de Bruidenvanger haar op dezelfde manier wilde ombrengen als hij de anderen had omgebracht, zou de operatie enige tijd vergen. Zelfs na het boren zou hij haar nog aan de muur moeten hangen en de wonden openen, wilde haar bloed kunnen weglopen. Kim had gezegd dat het wel tien minuten kon duren voordat het hart vijf liter door de voorste scheenslagader had gepompt.

Met een beetje geluk had Brad nog steeds tijd om haar te bereiken. *O God, sta me bij.*

Hij kreeg Temple weer aan de lijn toen hij Highway 170 bereikte en bijna honderdvijftig reed. 'Ik heb geen tijd om het nu uit te leggen, maar hij heeft haar thuis. Hetzij in mijn appartement, haar moeders huis of in haar eigen appartement aan Simms. Stuur Frank naar mijn huis, stuur versterking naar Nikki's appartement. Ik ben er over vijftien minuten.'

'Het surveillanceteam dat haar volgde geeft geen gehoor. Geschatte aankomsttijd twee minuten.'

'Stuur de cavalerie gewoon naar Simms. Nu, Temple. Nu!'

21

Ze werkte niet mee op de manier waarop Quinton had gehoopt. Haar geest was te sterk en ze had een rebelse inslag, waardoor hij ging twijfelen aan zijn keus voor haar. Het kalmerende middel begon nu te werken, maar hij gaf er altijd de voorkeur aan op zijn minst een knikje van waardering te krijgen voor Gods plan voordat hij de bruiden de rest van het middel toediende. Helaas raakte ze niet gemakkelijk overtuigd van de buitenkans die haar wachtte.

De reden voor haar koppigheid was overduidelijk. Anders dan de anderen was ze psycholoog en dus zwaar misleid. Om de zaken ingewikkelder te maken was ze erg vijandig jegens hem vanwege het lot van de andere lievelingen, en ze leek maar niet in staat te bevatten dat dit alles voor haar eigen bestwil was.

Hetgeen Quinton voor een probleem stelde. Als Gods boodschapper, uitgezonden om de bruid te vinden, net zoals Isaäks dienaar was uitgezonden om Rebecca te vinden, moest Quinton de bruid overtuigen. Ze moest bereidwillig meewerken, net als de andere vijf lievelingen hadden gedaan. Maar Nikki onderwierp zich niet naar behoren aan haar lotsbestemming, misschien omdat ze geestesziek was.

'Nu moet je eens goed naar me luisteren, Nikki,' betoogde hij, gebogen over haar geboeide gedaante op de brancard. 'Je luistert niet goed. Ik ga je nog één kans geven, maar dan zal ik wat meer overreding moeten gebruiken, en dat zul je niet prettig vinden.'

De make-up die hij had aangebracht was uitgelopen. Hij zou het moeten bijwerken. De tijd begon te dringen. Hij kon onmogelijk eeuwig met haar doorhutselen alleen omdat ze niet goed bij haar hoofd was. God zou één ontsierde bruid accepteren omwille van al diegenen in de wereld die evenzeer ontsierd waren. En dat waren er een heleboel. Misschien had Hij daarom voor deze gekozen.

'Waarom is het zo moeilijk om Gods liefde voor jou te begrijpen?' vroeg hij. 'Waarom wil je Zijn bruid niet zijn?'

Na het telefoontje naar Rain Man was ze eindelijk bedaard en ze maakte nu een stoïcijnse indruk. Misschien was ze klaar om haar lot te aanvaarden.

'Wil je Zijn bruid niet zijn?'

'Die keus is aan mij, niet aan jou,' zei ze rustig. Haar gezicht stond effen en emotieloos.

'Dat klopt. Maar door dat te zeggen benadruk je alleen maar dat je er willens en wetens voor kiest Hem de rug toe te keren. Ik zou nog kunnen begrijpen dat je Hem afwees als je niet begreep hoe ingenomen Hij met je is. Je begrijpt toch dat je Zijn lieveling bent? Komt je verwarring daarvandaan?'

'God houdt van me, dus zou Hij me niet dwingen. Ik ben Zijn lieveling, dat zijn we allemaal. Daarom dwingt Hij ons niet.'

'Ik dwing je niet. De keus is aan jou. Wil je niet bij Hem zijn?'

Ze weigerde deze vraag te beantwoorden. Er was geen hoop voor haar getroebleerde geest.

'Je wilt dat ik instem, nietwaar?' vroeg ze.

'Dat zou prettig zijn, ja.'

'En je denkt dat ik iets zou doen omdat jij het prettig vindt? Na wat je me hebt aangedaan?'

'Je incompetentie is tenhemelschreiend,' zei Quinton. En opnieuw vroeg hij zich af of hij een fout had gemaakt door zo'n domme gans uit de zee van vrouwen te plukken die maar wat graag gekozen zouden worden. 'Je probeert tijd te rekken. Dat begrijp ik. Omdat Rain Man nu weet dat de zon door de wolken is gebroken en zijn licht op zijn kostbare lammetje laat schijnen, denk je dat hij zich hierheen zal haasten. Het is zelfs mogelijk dat hij al onderweg is. Maar ik betwijfel of Rain Man en het achterlijke stel waarmee hij werkt zo slim zijn. Al wil ik wel zeggen dat de vrouwen daar jou in de schaduw stellen.'

Ze vatte het niet, natuurlijk niet. Ze was echt niet goed bij haar hoofd.

'Ik snap dat ik Zijn lieveling ben,' zei ze, in een overduidelijke poging de discussie op gang te houden. 'Maar ik wil niet dood.'

'Dus de hele hemel en aarde wachten met ingehouden adem om te zien wat de lieveling zal gaan doen, en jij bent bereid het allemaal in de lucht te laten hangen omdat je alleen maar aan jezelf kunt denken. Nikki wil langer leven. Om je kleine genoegens nog een uur, een dag, week, maand, jaar uit te melken. Nou, neem me niet kwalijk, maar we zitten allemaal te wachten tot het egoïstische kreng eindelijk zoveel ijs en aardbeien naar binnen heeft gewerkt voordat ze de gang naar het altaar naar een veel beter leven wil maken. Er is niemand die Hij meer bemint dan jou. Waarom zo hebberig?'

Verse tranen gleden uit haar ogen en liepen terug naar haar oren. 'De gang naar dat altaar voelt niet goed, Quinton,' fluisterde ze. 'Ik ben bang.'

'Natuurlijk ben je bang. Je bent zo bezig, bezig, bezig in dat kleine koppetje van je, geobsedeerd met dit miezerige leven. Maar als je eenmaal de waarheid kent, Nikki, zal die je vrij maken.'

Haar lippen trilden en een moment lang dacht hij dat ze weer zou gaan snikken, wat de discussie effectief zou beëindigen, ditmaal voorgoed.

In plaats daarvan zei ze iets anders, iets wat hem noodzaakte de discussie te sluiten.

'Zelfs de demonen kennen de waarheid en sidderen ervoor. Het maakt ze niet minder boosaardig. God houdt van me, en Hij zou me dit niet aandoen.'

En toen kwam ze met een nog uitzinniger bewering.

'Je bent jaloers, hè? Je bent bang dat God je haat, en je zult alles doen om Zijn lieveling te zijn, net als wij, net als de vrouwen die je vermoordt. Ongeacht wat je jezelf wijsmaakt, denk je eigenlijk dat God je haat. Je bent jaloers. Jij wil ook Gods lieveling zijn.'

Quinton staarde haar aan, verbluft door haar lef. Was ze werkelijk zo dom?

Het gezoem in zijn hoofd werd zo luid dat hij een groeiende paniek moest terugdringen. Er was iets waarachtigs aan wat ze zei, dacht hij, maar toen verwierp hij die gedachte als een influistering van de Boze.

Het kwam bij Quinton op dat de zevende bruid, de mooiste vrouw ter wereld, die hij al had geselecteerd en die deze vrouw in elk denkbaar opzicht in de schaduw stelde, ook een sterke geest zou kunnen hebben. Wat als ook zij haar uitnodiging weerstond?

Hij werd al ziek bij de gedachte. Het zou niet gebeuren, natuurlijk. Daar zou Rain Man voor zorgen. Daar was hij zeker van. Maar de gedachte maakte hem toch onpasselijk.

Quinton pakte de spuit, stak de naald in de ader in Nikki's rechterarm en drukte de plunjer omlaag. De grote dosis zou dit voor alle partijen gemakkelijker maken. Ze had in elk geval Gods grote liefde voor haar erkend. Daar moest het dan maar bij blijven.

'Alsjeblieft, Quinton,' fluisterde ze. Haar oogleden zagen er zwaar uit. 'Alsjeblieft, maak me niet dood.'

Ze was echt mooi, bedacht Quinton. En toen plakte hij haar mond dicht en ging de boormachine halen.

De dashboardklok gaf 16.02 uur aan toen Brad twee rijen auto's sneed, door het rode licht reed ondanks het getoeter en afsloeg naar Simms Street, komend van 8th Avenue. Nikki's appartement was aan de rechterkant, over het spoor, net voorbij 72nd Avenue.

Zijn handpalmen waren nat en zijn overhemd was doordrenkt van een hoeveelheid zweet waar geen airconditioning tegenop kon. Ondersteuning was onderweg.

Twee gedachten hamerden door zijn hoofd en joegen hem op. De eerste was dat Nikki in leven was. Ze móést gewoon nog leven. De moordenaar kon niet weten dat ze zijn puzzel hadden opgelost. De vrouw die in zijn klauwen was gevallen vanwege Brads contact met haar, hoe mager die connectie ook was, was nog steeds in leven. Dat moest gewoon, want hij kon dit niet nogmaals doormaken.

De tweede gedachte die door zijn hoofd hamerde was dat de moordenaar haar niet zou doden. Hij kon haar niet doden, niet gewoon om te doden, omdat zijn psychose eiste dat hij een ritueel volgde dat niet met een kogel kon worden bevredigd. Hij zou Brad misschien proberen te doden, als hij hem in de daad stoorde, maar hij zou zijn wapen niet op Nikki richten.

Ze moest leegbloeden en engelachtig blijven.

Het was zowel een hoop als een conclusie, maar Brad vertrouwde er nu op terwijl hij laverend door het verkeer op Simms koers zette naar Golden Hills, het luxe appartementencomplex dat hij nu twee straten verder in het vizier kreeg.

Een bruine vrachtwagen voegde voor Brad in en remde af. Dezelfde die hij op de kruising had gesneden, nu hij erover nadacht. Auto's aan weerszijden beperkten zijn mogelijkheden.

Brad claxonneerde en werd onmiddellijk vergast op een luid getoeter van de vrachtwagen. De bestuurder stopte voor het rode licht op 72nd Avenue.

Paniek besprong hem. Hij sloeg met beide handen op zijn stuurwiel. 'Kom op, kom op, kom op!'

Nikki lag volmaakt stil terwijl ze zich van de effecten van de drug probeerde te bevrijden. Hij had vrijwel elk wakend moment om haar heen gehangen of in de stoel naar haar zitten kijken. Tweemaal had hij zich teruggetrokken in de hoek om in een grote plastic fles te urineren. Eén keer had hij haar alleen in de kamer achtergelaten terwijl hij de rest van het appartement doorzocht, en één keer was hij langere tijd achtereen in de weer geweest met zijn gereedschap op de tafel aan de andere kant van de kamer, misschien een halfuur. Bezig met zijn voorbereidingen.

Elke keer had ze zich dan door het waas gevochten en geprobeerd de stroken stof die haar armen en enkels aan de brancard kluisterden, los te wrikken.

Haar eerste sprankje hoop was gekomen toen de moordenaar de nagelknipper op de rand van het matras had achtergelaten, nadat hij haar nagels had gemanicuurd en gelakt met een robijnrode nagellak. Ze was erin geslaagd haar vingers eromheen te vouwen en hem onder haar rug te verstoppen.

Ze was wanhopige minuten onzeker geweest of de nagelknipper haar van nut zou zijn. Toen had hij zijn aandacht op zijn gereedschappen gevestigd en was ze gaan knippen aan de stof die haar rechterpols aan het aluminium frame bond. Ze had de strook bijna doorgeknipt toen ze stopte en haar plannen overdacht. Ze kon niet rechtop gaan zitten en haar benen losknippen zonder betrapt te worden.

Gewapend met de wetenschap dat ze het vermogen had zich te bevrijden, wachtte ze haar moment af.

Toen was hij de kamer uit gelopen. Ze was gaan zitten en koortsachtig aan het werk gegaan aan haar enkels, ervan overtuigd dat hij elk moment zou terugkomen. En ze kon niet alles doorknippen, nog niet, want dan zou hij het zien! Dat kon pas als ze wist dat ze een uitweg had – wanneer hij het het minst verwachtte.

Hij moest in de kamer zijn, onvoorbereid, wanneer ze haar uitbraak ondernam.

En nu was dat moment aangebroken.

Voor de eerste keer in een halfuur draaide Quinton haar de rug toe. Hij liep terug naar de tafel met gereedschap. Om de boormachine te pakken, dacht ze. Hij zou het apparaat pakken en aan het werk gaan. Het was nu of nooit. Ze moest nu weg zien te komen.

Het enige probleem was het slot. Hij had een hangslot aan de deur bevestigd en de sleutel in zijn rechterzak gestopt; ze had twee keer gezien dat hij hem gebruikte. Tenzij ze hem uitschakelde en met geweld uitbrak, of met behulp van de sleutel, maakte ze geen kans.

Maar het was nu of nooit. Ze moest het nu doen, voordat de medicijnen haar volledig uitschakelden.

Nikki draaide haar hoofd opzij en zag dat hij zachtjes neuriënd een oranje verlengsnoer in het stopcontact stak. Ze trok beide voeten in en rukte ze vrij met een zacht scheurend geluid. De violen in de muziek die hij steeds opnieuw draaide hielpen het scheuren te maskeren, maar ze strekte snel haar benen zodat hij niet kon zien wat ze had gedaan.

Quinton keek over zijn schouder. 'Je bent een sterke,' zei hij. 'Ik zal je benen moeten verdoven. Ik wil niet dat je pijn lijdt. Het komt allemaal goed.' Hij boog zich over een zwarte koffer om de novocaïne en een spuit te pakken.

Duizelig van angst en de medicijnen haalde Nikki diep adem, liet zich van de brancard af rollen, zette twee stappen naar de tafel, griste de hamer weg die daar lag en stortte zich op hem met haar laatste reserves.

Het licht sprong op groen, maar de bruine vrachtwagen nam de tijd en Brad begon de moed te verliezen.

De auto rechts van hem was een Lincoln Continental en de bestuurder voelde kennelijk geen behoefte hem hetzelfde lesje te leren dat de vrachtwagenchauffeur hem had geleerd. Zodra de Lincoln naar voren schoot, drukte Brad op zijn claxon en reed de BMW naar de rechterbaan voordat de Honda achter de Continental het gat kon dichten.

Hij voegde in zonder geraakt te worden, gaf fors gas en stuurde toen scherp naar links, rakelings langs een vloekende vrachtwagenchauffeur.

Hij beet op zijn tanden en negeerde de hitte die naar zijn gezicht was gevlogen. Niets van dit alles telde. Het enige wat telde was dat het hem was gelukt om voor de stilstaande vrachtwagen te komen en vol gas te geven zonder dat iemand hem verder belemmerde, zodat hij door het hek naar het appartementencomplex kon rijden zonder opnieuw opgehouden te worden.

Hij toonde zijn legitimatie aan de portier. 'FBI. Bent u gebeld?'

'Ja, meneer.'

Het hek ging al open. *Dank je, Temple.*

Hij spoot verder, hoorde zijn banden gieren en nam onmiddellijk gas terug. De moordenaar mocht hem niet aan horen komen. Brad had duidelijk gemaakt dat de politie geen sirenes mocht gebruiken. Zijn grootste voordeel, misschien zijn enige voordeel, was dat hij onverwacht kwam. De Bruidenvanger was niet klaar voor hem, niet zo snel na het telefoontje.

Hij reed de BMW snel door de zijstraat zonder zich iets aan te trekken van de verkeersdrempels. Twee politiewagens haalden hem in en reden in noordelijke richting over Simms – de hulptroepen waren gearriveerd.

Hou vol... Hou vol, Nikki.

De klap kwam van achteren en schampte met zo'n kracht langs de zijkant van zijn hoofd dat Quinton zich afvroeg of zijn laatste uur geslagen had. Hij had haar kreun gehoord en was zich juist aan het omdraaien toen de hamer hem raakte, anders zou hij de dreun vol op zijn schedel hebben gekregen.

Verrast sprong hij opzij toen de naakte gestalte van de lieveling langs hem heen vloog en tegen de muur botste. Afgezien van haar ondergoed droeg ze slechts vier stroken textiel, een aan elke pols en een aan elke enkel.

Quinton begreep onmiddellijk wat er gebeurd was. Ze had zich van de brancard gewerkt en was als een geplukte gans op hem af gekomen. En ze had hem met zijn eigen hamer op het hoofd geslagen, die met een fiberglazen kop, die hij nooit gebruikte, maar meenam om op alles voorbereid te zijn.

Ze draaide zich om, met de hamer nog in haar hand en met ogen die straalden als sterren.

Ze had haar make-up nog meer laten uitlopen! 'Wat doe je?' vroeg hij.

De lieveling haalde opnieuw uit, maar Quinton blokkeerde haar arm met zijn eigen arm. De hamer raakte haar eigen been en ze gaf een kreet achter haar tape.

'Waar ben je mee bezig?' vroeg hij. Dit ging te ver. 'Ik had je bijna perfect en nu bederf je alles! Hou daarmee op!' Hij griste de hamer uit haar handen en smeet hem in de hoek. 'Je gedraagt je als een kind.'

Ze zakte tegen de muur, snikkend in een mist van medicijnen en hopeloosheid. Omkijkend naar de brancard zag hij de nagelknipper op het matras. Hij was slordig geweest. Hij verdiende het extra werk waarmee ze hem opzadelde.

Nikki zakte op haar billen, waardoor ze het verlengsnoer lostrok, werd toen rustig. Het was ongelooflijk dat ze had weten te ontsnappen ondanks de medicatie. Geen van de anderen had het gewaagd zich zo te verzetten. Misschien was ze daarom zo'n gelukkige keus. Ze was sterk, zowel fysiek als mentaal, ook al was ze een beetje gestoord. Het taaie, koppige type vrouw, gezegend ook met ware schoonheid.

Dit was het soort vrouw dat het goed deed op Wall Street, dacht hij. De managers van deze wereld. Mooi en sterk. Hij begreep waarom God zoveel van hen hield.

Quinton tilde haar op, droeg haar naar de brancard en legde haar erop met haar gezicht omlaag. Hij zou haar nu aanboren, de lijm op haar rug aanbrengen en haar aan de muur hangen. Vervolgens zou hij haar opnieuw opmaken terwijl ze de geest gaf en Zijn bruid werd.

Vergeef me, Vader, want ik heb gezondigd. Ik heb er een puinhoop van gemaakt.

Quinton had besloten om de nieuwe Black & Decker-boormachine te gebruiken die hij speciaal voor deze gelegenheid had gekocht. Hij wilde zien hoe dit merk het deed in vergelijking met zijn eerdere keuzes.

Hij stak de stekker van het oranje verlengsnoer weer in het stopcontact, nam de boormachine ter hand en liep naar Nikki, Gods lieveling.

Brad liet zijn BMW achter op twee gebouwen afstand van Nikki's appartement op de eerste verdieping en rende onder het viaduct door. Een auto die met piepende banden voor de voordeur stopte, zou iedereen die een oogje in het zeil hield alarmeren.

Hij nam de buitentrap met twee treden tegelijk, keek snel achterom of de politiewagens achter de zijne stopten en vloog de galerij op. Koperen huisnummers boven de deur. 7289. Een deur met op ooghoogte een paneel van gebrandschilderd glas van dertig bij dertig. De bewoners hadden hun eigen sloten, dat had hij al nagetrokken. De beheerder had geen toegang. De enige weg naar binnen was met geweld.

Door het nachtslot kapot te schieten.

Hij pakte zijn Glock-dienstwapen, laadde het door en sloop op de ballen van zijn voeten naar de deur. Achter hem klonken steelse voetstappen op de trap.

Brad draaide zich om, pakte het pistool met beide handen vast en richtte op het nachtslot. Hij bedwong de neiging op eigen houtje naar binnen te gaan, hoewel elke seconde aanvoelde als een uur en Nikki misschien seconden of minuten had, maar geen uren. Nu. Nu!

Hij wachtte. De twee geüniformeerde politieagenten waren in zeven tellen naast hem, pistolen in de aanslag. Ze waren gebriefd, en zo niet, dan had hij geen tijd om het nu te doen.

Hij knikte één keer, bracht de mond van de Glock dicht bij het hout, direct in lijn met het nachtslot, en haalde de trekker over.

Boem! Het wapen sloeg hard terug. Hij wierp zijn volle gewicht tegen de deur. Maar de deur was sterker dan één nachtslot en brak niet bij de eerste poging.

De Bruidenvanger wist nu dat iemand zich een weg naar binnen probeerde te schieten. De man zou zich opmaken voor een schietpartij in de gang of klom uit het achterraam, waar de twee andere agenten hem zouden opvangen. Of hij had iets anders achter de hand.

Door deze gedachten werd de zaak alleen nog maar dringender voor Brad. Hij deed een stap naar achteren en haalde de trekker nog vier keer over. Het slot ging aan barrels met grendel en al. Ditmaal zwaaide de deur na een enkele schop open op goed geoliede scharnieren.

Brad ging naar binnen met zijn wapen voor zich uit. Splinters van de achterkant van de deur lagen verspreid over de vloer. Aan de muur hing een schilderij van Vail scheef, beschadigd door een kogel. Een wolk van stof van het versplinterde hout hing in de lucht.

Verder was er niets verstoord. De beige bank, de grote Samsung-televisie, de barokke tafellampen, de muren met de overige schilderijen – allemaal onverstoord, onbeschadigd.

Geen spoor van de moordenaar.

Brad rende op de gang aan zijn linkerhand af, drukte zich één seconde tegen de muur en stak toen zijn hoofd om de hoek. Nog steeds alleen maar gang. Het was een appartement met twee slaapkamers had ze hem ooit verteld. Beide lagen aan deze gang.

Geen geluid. Geen teken van enig onraad. Wat als hij verkeerd zat? Wat als Andrea's oplossing gewoon een grote vergissing was en Eden hem het bos in had gestuurd?

Hij liep de hoek om en rende de gang door. De deuren van beide slaapkamers stonden open. Toen wist hij... voelde hij... Maar hij kon het niet zeggen of zelfs maar denken. Er was iets mis.

De eerste kamer aan zijn linkerhand zag eruit als een slaapkamer. Leeg. Hij rende verder de gang door, naar de kamer aan het eind. De jaloezieën waren opgetrokken en er viel helder licht op een twijfelaar met een bruin dekbed en bijpassende lampen op de nachtkastjes. Schilderijen van kastelen in grazige Engelse weiden.

Nikki was niet in haar huis.

Het besef kwam zo onverwacht dat Brad niet reageerde. Ze zaten ernaast. Ze waren naar de verkeerde plek gegaan. Nikki...

Nikki zou de prijs betalen.

'Meneer!'

Hij draaide zich met een ruk om door de klank in de stem van de politieman, die hem van achter in de gang toeriep.

'Ik denk dat u dit wil zien.'

Hij drong langs één agent die hem door de gang was gevolgd en zag dat zijn partner het licht in de eerste kamer had aangedaan.

'Wat is het?'

De slaapkamer was ingericht in warm paars en groen en was groter dan die op het eind. In het midden stond een kingsize bed dat keurig was opgemaakt met een zijden dekbed, opgeluisterd door zes of zeven sierkussens en twee mooie chiffonlampen. Dit was de grote slaapkamer. Nikki's slaapkamer.

De politieagent keek naar een dubbelgevouwen A4'tje boven op een van de zijden kussens. Het was geadresseerd met rode inkt: Rain Man.

De moordenaar. Hij was hier geweest. Dat betekende dat Andrea gelijk had: dit was de plek. Een boodschap van de moordenaar gericht aan Rain Man. Aan hém.

'Bel Temple op mijn kantoor. Laat hem onmiddellijk een forensisch team sturen.'

'Ja, meneer.'

Hij greep een tissue uit de doos op het nachtkastje en gebruikte het om het papier op te pakken, vouwde het voorzichtig open en zag het vertrouwde handschrift van de Bruidenvanger:

De pop is in het hele spel, maar vandaag is de joker troef en hij heeft een glimlach om zijn lippen. Sorry, Rain Man, maar de zon is doorgebroken en de zaken staan er florissant voor. Ik heb Gods lieveling naar Hem teruggebracht. Hij wacht op Zijn bruid. Jij zult er zelf een moeten zoeken.

P.S. We zijn op 4th Street 2435 in Boulder. #203.

Hij staarde naar de woorden en probeerde te denken ondanks de krijsende stemmen in zijn hoofd. De moordenaar was hem te slim af geweest, had hen in de luren gelegd. Nikki was weg. WEG!

Maar dat was niet waar... Nee, de man kon niet weten dat ze zijn code zo snel hadden gekraakt. Hij dacht vast dat hij nog enige tijd had. Brad had Nikki's stem nog maar vijfentwintig minuten geleden gehoord.

Hij diepte al rennend zijn mobiele telefoon op. Temple nam meteen op. 'Er is al een team onderweg, Brad. Ik... ik...'

'Hij heeft haar in een appartement in Boulder,' onderbrak Brad hem. 'Ik ben er een halfuur vandaan – méér, het is spitsuur! Stuur de politie van Boulder! Laat ze stil doen. Hij weet niet dat we onderweg zijn, hij kan niet, niet...' Brad kwam adem te kort terwijl hij de trap af rende.

'Bedoel je dat ze nog leeft?'

'Ik weet het niet. 4th Street 2435 in Boulder. Nummer 203.' Hij stak het papier in zijn zak. 'Maak voort, Temple. Alsjeblieft, maak voort.'

Temple zou bellen, maar de lokale responstijd zou vijf, zeven, tien minuten zijn. Afhankelijk van waar de dichtstbijzijnde patrouillewagen was. Afhankelijk van de snelheid waarmee de meldkamer de boodschap kreeg. Afhankelijk van alles behalve hem.

Zonder zich nog om heimelijkheid te bekommeren reed Brad met gierende banden het terrein van het appartementencomplex af. Hij zette koers naar het oosten over de I-72 en nam de Foothills Highway in noordelijke richting. De kaarten waren nu geschud en gedeeld, de inzet gedaan. Ze zouden Nikki óf op tijd bereiken óf haar dood aantreffen.

Brad was vertrouwd met de dood. Die van slachtoffers. Ruby. Hij was gewend geraakt aan de stank ervan. Maar die stank vervaagde nooit, niet voor hem, en zeker niet als die opsteeg van iemand als Nikki.

Maar er was de afgelopen tien minuten iets gebeurd, diep in zijn psyche. Iets wat hij herkende. Hij was haar kamer binnengestormd in de veronderstelling dat hij te laat was. Dat Nikki dood was.

Hij was diep geschokt, ja. Maar ze was niet Ruby. Niemand was

Ruby geweest. Geen pijn was zo groot geweest dat hij erdoor was dichtgeklapt zoals hij was dichtgeklapt na haar dood, tien jaar geleden. En dat kwam, dacht hij, omdat hij zichzelf met hart en ziel aan Ruby had gegeven. Wanneer iemand van wie je houdt doodgaat, sterft er iets in je. Jij sterft. Zij is jij. Jij bent haar.

Hij schudde de gedachte van zich af en belde Allison op het CWI.

'Wel, jongeman, je hebt hier voor heel wat opwinding gezorgd.'

'Hallo, Allison. Het spijt me dat...'

'Geen excuses. Je hebt hen alle drie de dag van hun leven bezorgd. Heb je haar gevonden?'

'Nog niet. Maar ze hadden gelijk. Zeg tegen Eden dat we weer een boodschap van hem hebben gevonden. Schrijf hem alsjeblieft op en vraag hun hem te bestuderen op... wat dan ook. Wil je dat voor me doen?'

'Brand maar los.'

Hij las haar de boodschap voor.

'Gods lieveling,' herhaalde ze binnensmonds. 'Interessant.'

'Zegt het jou iets?'

'Wel... In het algemeen, ja. Elementaire theologie. En behalve deze boodschap heb je niets gevonden?'

'Nee. De politie van Boulder is nu onderweg. Ik moet ophangen, Allison.' Hij aarzelde. 'Ben je non geweest?'

'Ja.'

'Geloof je nog steeds in God?'

'Natuurlijk. Ik ben niet erg religieus, vrees ik, maar ik doe wat ik doe vanwege dat geloof. En ja, ik zal bidden.'

'Dank je.'

'Schrijf haar nog niet af, Brad. Ze draagt dat beeld nog steeds ergens in haar hoofd.'

Eden. Hij zou nooit hebben vermoed dat uitgerekend Allison erop aan zou dringen haar eigen patiënt te exploiteren.

Maar ja, Allison zag de exploitatie als heilzaam voor haar patiënt.

Een toon in zijn oor attendeerde hem op een inkomend gesprek. Hij wierp een blik op het schermpje. Temple.

'Nikki heeft hem ook gezien,' zei Brad tegen Allison. 'We zullen op tijd komen. Ik moet weg.'

Hij schakelde over naar Temple. Er waren bijna vijftien minuten voorbijgegaan sinds hij hem had gevraagd de politie van Boulder in te schakelen. Dit moest het zijn. Zijn hart bonkte als een vuist tegen zijn ribben.

Hij bracht de telefoon weer naar zijn oor. 'Ja, hallo...'

'Brad...'

En hij hoorde onmiddellijk aan Temples stem dat het foute boel was.

'Wat is er?' vroeg hij rood aanlopend van woede.

'Het spijt me, Brad. Ze hebben haar gevonden.'

Hij kreeg een waas voor zijn ogen. 'Haar gevonden? Hoe?'

Toen Temple antwoordde, was zijn stem al te nuchter. 'Aan de muur.'

Beelden van Melissa en Caroline, wit als engelen, flitsten op voor zijn geestesoog. Hij kon zich geen beeld vormen van Nikki in een dergelijke positie.

'Brad, het spijt me, ik weet dat jullie close waren ...'

Hij verbrak de verbinding en zette de telefoon in de bekerhouder. Er was iets mis. Ze waren nu te warm om te falen. Andrea had het uitgedokterd! Roudy had de hele dag lopen ijsberen en de pop aan het licht gebracht. Eden had hem gezegd dat Nikki thuis was. En ze hadden gelijk gehad, hij had de nieuwe boodschap gevonden...

Ze hadden de zaak opengebroken, het mocht niet zo eindigen! Niet na wat ze hadden volbracht.

Brad trapte de BMW op zijn staart en negeerde het herhaalde getoeter van alle kanten terwijl hij door het verkeer slalomde om de plaats delict te bereiken. Het leek of zijn hoofd in een trommel zat en rondstuiterde in de duisternis. Hij dacht niet helder meer.

Minstens zes patrouillewagens waren eerder dan hij bij 2435 op 4th Street aangekomen. Zwaailichten flitsten op vier ervan. Geel lint vormde al een barrière rond de toegang tot de binnenplaats. Nieuwsgierige toeschouwers stonden in groepjes op de straat en onder twee grote bomen. Een wijk met sociale huurwoningen. Met de informatie van de verhuurder zouden ze niets opschieten;

daarvoor was de Bruidenvanger te voorzichtig, te sluw.

Brad stapte over het gele lint en toonde zijn legitimatie aan een politieagent. Hij had 'FBI' kunnen zeggen, maar hij was zichzelf niet. Zijn blik was gericht op de open deur aan de overkant van de binnenplaats, op de eerste verdieping, waar nog meer politieagenten rustig stonden te praten.

Hij trok een sprint. Door de entree, een stalen trap op, over de galerij, langs twee geüniformeerde agenten bij de deur, een ongemeubileerd appartement binnen. Iemand achter hem zei: 'Hé, hé, kalm aan!' Maar hij kon niet snel genoeg bij de kamer komen.

En toen was hij er, in de kamer aan de gang die als de plaats delict was aangemerkt. Het vertrek was leeg, afgezien van een rechercheur in burger en een agent in uniform. En Nikki.

Ze hing aan de muur en droeg een witte sluier van kant.

'FBI. Wegwezen!' Hij toonde zijn legitimatie. 'Jullie allebei, naar buiten.'

'Zeg, wacht eens even...'

Brad greep de rechercheur bij zijn hemd en duwde hem naar de deur. 'Dit is mijn partner, dit is mijn zaak, wegwezen!'

Ze stommelden naar buiten en hij smeet de deur achter hen dicht, even zwaar ademend door wat er aan de muur hing als van het rennen. Hij draaide zich langzaam naar haar toe.

Nikki's huid was als ivoor, ontdaan van leven. Naakt, op haar ondergoed na. Haar armen waren uitgespreid en haar hoofd hing naar links, zodat haar donkere haar over haar schouder viel. Ogen gesloten, lippen robijnrood gestift, vingernagels gemanicuurd en gelakt.

Haar houding was precies zoals bij de anderen. Alleen was zij in een appartement. En er lag een kleine plas bloed, háár bloed, op het kleed onder haar voeten. De Bruidenvanger was vertrokken zonder haar wonden af te dichten. Hij had de emmer met bloed meegenomen en haar dood achtergelaten.

Brad liet zich langs de deur op de grond glijden, greep zijn gezicht met beide handen en huilde.

22

Het gezoem aan de basis van Quinton Gaulds brein was herhaaldelijk gekomen en gegaan sinds de laatste lieveling, Nikki Holden, het daar had ontstoken. Haar absurde beschuldiging dat alles wat hij deed een pathetische poging was om Gods lieveling te worden was uitzinnig. Hij was geen gebochelde freak die bereid was zijn meester in elke hoedanigheid te dienen om in een goed blaadje te komen. Zo had ze het wel niet gezegd, maar hij wist dat ze precies dát in gedachten had gehad.

Hij had haar twee dagen geleden bij God afgeleverd, en hij was er nu zeker van dat ze inderdaad was uitgekozen vanwege haar geestesziekte, als Gods manier om zich over de hele wereld te ontfermen. Omdat God hen allemaal liefhad, zelfs de domsten der domsten. En vooral hem.

Hij verwierp Nikki's stelling.

Quinton liep naar zijn keuken en opende de koelkast, hunkerend naar een snack. Misschien wat pindakaas op een schijfje sinaasappel. Biologische pindakaas. De natuurlijke keus.

Hij pakte de pot, koos een bijzonder grote sinaasappel van de fruitschaal, spoelde hem grondig af en dacht vooruit. Terug in het zadel.

Hij had zijn taak volbracht en kon zich nu op de beloning aan het eind van de rit concentreren. Op de ware bruid. De mooiste vrouw ter wereld, geen enkele uitgezonderd. Hij had haar jarenlang gadegeslagen. Wachtend. Wetend dat hij haar ter bestemder tijd te pakken zou krijgen en haar onberispelijk aan haar geliefde zou presenteren: een perfecte bruid.

Quinton wist hoe perfect ze wel was omdat hij haar had gekend. Niet in de Bijbelse betekenis, al had hij het vaak genoeg geprobeerd. Maar ze had zijn avances niet op prijs gesteld, en nu begreep hij dat ze gelijk had gehad om zichzelf voor God te bewaren. Ze was maagd, daar was hij zeker van.

Een bijzonder lastig punt aan de laatste bruid was dat ze vrijwillig moest komen. Niet alleen vrijwillig sterven, maar zich uit vrije wil bij Hem voegen.

Hij had in de loop der jaren wel duizend scenario's overwogen om dit te verwezenlijken. Met een stralende glimlach het trottoir opstappen. 'Hallo, engel. Ken je me nog?' Ze zou hem waarschijnlijk een klap in het gezicht geven en moord en brand schreeuwen.

Hij zou haar kunnen overladen met bonbons en lieve briefjes, alsof hij een knappe man met een hart van goud was die haar voor een etentje uitnodigde. Maar ze was niet het soort vrouw dat met vreemden uit eten ging.

Hij overwoog zelfs plastische chirurgie om haar hart te veroveren, maar hij wist niet zeker of hij lang genoeg toneel zou kunnen spelen om haar vertrouwen te winnen. Ze had ongetwijfeld vele potentiële partners, en de enige reden dat ze nog niet getrouwd was, was dat ze het zich kon veroorloven kieskeurig te zijn. Iedere man met een beetje verstand zou voor haar vallen, al waren er niet veel die aan die norm voldeden.

Uiteindelijk had hij zijn mogelijkheden beperkt tot een paar die zouden kunnen werken als hij heel slim was. Bij een ervan kwam haar familie in beeld. En nu had Rain Man zichzelf in het plaatje gevoegd, als een geschenk van God, wat Quinton toestond zijn keus te laten vallen op een plan zo perfect dat het hem de rillingen gaf.

Het enige probleem was dat gezoem in zijn hoofd. Dat *bzzz, bzzz, bzzz*. De aanzet tot een ernstige psychotische aanval, zouden de doktoren zeggen. In werkelijkheid was hij het boegbeeld van de psychose. Helaas waren er maar weinig mensen die psychose echt begrepen.

Quinton zat aan zijn tafel en smeerde een kleine portie pindakaas op een schijfje sinaasappel, legde toen het hele rondje, met schil en al, in zijn mond. Er zaten veel voedingsstoffen in sinaasappelschil.

Kijk (en hij zwaaide met een vinger in de lucht terwijl hij dit dacht), mensen begrepen geen snars van psychose. Het werd gedefinieerd als verlies van contact met de werkelijkheid. Psychose was een denkstoornis waardoor het individu het contact met de werkelijkheid verloor, net als bij schizofrenie, maar anders dan bij een meervoudigepersoonlijkheidsstoornis, die een splitsing in de persoonlijkheid veroorzaakte. Het eerste kwam veel voor, het laatste was uiterst zeldzaam.

In de loop der tijd had de wereld pogingen gedaan om psychose te corrigeren met een veelheid van onmenselijke behandelingen, uiteenlopend van elektroshocks tot lobotomie. Op dezelfde manier als de wereld nu ineenkromp bij de herinnering aan zulke behandelingen, zou ze op een dag ineenkrimpen omdat ze de getroffenen hadden platgespoten en opgesloten in gevangenissen alsof ze heksen waren.

Er gingen onder wetenschappers steeds meer stemmen op die suggereerden dat psychose een teken van evolutionaire vooruitgang was, de manier van het brein om slimmer te worden. In elk geval in sommige gevallen. Zoals dat van Quinton.

In werkelijkheid kon 'verlies van contact met de werkelijkheid' alleen optreden wanneer je de werkelijkheid zelf begreep. Quintons superieure geest was inderdaad uit contact met het beeld van de werkelijkheid dat de wereld eropna hield, maar op sublieme wijze in contact met een hogere werkelijkheid, die grotendeels door de wereld werd miskend.

Namelijk de spirituele werkelijkheid, die zijn leven zin en betekenis gaf. De smeuïgheid van pindakaas, gecombineerd met fris sprietsende sinaasappel – zo'n perfecte snack dat het een voedselgroep op zich zou moeten worden genoemd. Sommigen zouden pindakaas met sinaasappel waarschijnlijk vreemd vinden. Wat zij niet vermochten te zien was dat zij, vanuit een ander perspectief bekeken, zelf vreemd waren.

De wereld was ooit als plat beschouwd. Het geloof dat ze rond was, werd beschouwd als niet in contact met die werkelijkheid. Maar welke van de twee was de ware werkelijkheid?

Op dezelfde manier geloofden velen dat God niet bestond. Op een dag zouden ze allemaal de waarheid kennen. Er woedde een verschrikkelijke strijd tussen goed en kwaad, en weinigen waren zich zo sterk bewust van deze strijd als Quinton.

Hij nam een laatste hap van zijn sinaasappel met pindakaas, veegde zijn vingers af aan een servet en mikte het servet in zijn zelfsluitende afvalbak onder het aanrecht. De perfecte snack. Het enige wat hij betreurde was dat hijzelf, een menselijk wezen, niet perfect was, hoezeer hij ook zijn best deed om perfect te zijn. In plaats daarvan had hij het gezoem aan de basis van zijn brein dat zijn perfectie belemmerde.

Vergeef me, Vader, want ik heb gezondigd. En ik zal opnieuw zondigen.

Over naar de zaak-Rain Man. De FBI-agent kon onmogelijk weten dat hij al op weg was om hem de mooie zuster te brengen. De zevende en meest perfecte bruid.

Het was een fantastische ironie dat Angie Founders echte naam Angel was. Die zieke vader, die zijn halve gezin had uitgemoord en toen zelfmoord had gepleegd, had zijn twee dochters Eden en Angel genoemd – Paradijs en Engel. Een godsdienstwaanzinnige.

Hoe dan ook, de vader had zijn rol gespeeld door een mooie dochter op de wereld te zetten die zich nu zou presenteren als een vlekkeloze bruid. Gods wegen waren inderdaad ondoorgrondelijk.

Quinton verliet zijn huis op het middaguur, schoof achter het stuur van zijn zwarte M300 en ging op weg om een paar boodschappen te doen voordat hij naar het centrum van Denver reed, waar hij de bijl zou laten vallen. Als het ware.

Deo volente.

Nikki was Iers. Het geluid van doedelzakken die eerder op de dag 'Amazing Grace' hadden gespeeld bij de uitvaart van haar en haar moeder, achtervolgde Brad. De afgelopen twee dagen waren voorbijgedreven als een boot die verdwaald is in een witte mist. Niets had rampzaliger kunnen zijn voor de FBI, voor de zaak, voor hem.

En voor Nikki...

Brad had nog steeds moeite om te accepteren dat ze er niet meer was, en nog meer dat hij een centrale rol in haar lot had gespeeld. Ze was dood. Ze was dood vanwege hem. Ze was niet Ruby, nee, maar ze was een mooie vrouw met een hart dat duizenden mensen had geraakt. Haar plotselinge overlijden had hem even erg geschokt als Ruby's dood.

Het Denver-kantoor was weggezakt in een verschrikkelijk moeras van woede en rouw. De FBI-chef was overgekomen voor de begrafenis en had twee uren op kantoor doorgebracht, wat het gevoel van mislukking dat ze allemaal deelden nog versterkte.

In de geschiedenis van de FBI was Temple de eerste leidinggevende special agent geweest die een agent verloor aan een ritualistische moord. Hij nam het niet licht op.

Details van de zaak begonnen uit te lekken naar de pers – veel te veel mensen hadden zowel Nikki als Michelle Holden gekend en gemogen om met iets anders tevreden te zijn dan de waarheid rond hun dood. Het grootste deel van de waarheid dan. Tot op heden wisten ze dat een gestoorde moordenaar in het huis was doorgedrongen, Michelle had vermoord, vervolgens Nikki had meegenomen naar zijn appartement en haar daar op een ritualistische wijze had gedood. Het zou slechts een kwestie van tijd zijn, een dag op zijn hoogst, voordat het feit dat Nikki het zesde ritualistische slachtoffer van de Bruidenvanger was het nieuws haalde.

Het feit dat de Bruidenvanger niet alleen vrij rondliep, maar het vizier nu richtte op zijn zevende slachtoffer, versterkte de wanhoop die het onderzoeksteam in zijn greep had. Ze konden geen tijd nemen om te rouwen. Brad was weer in de donkere, woelige wateren gedoken als een man die overboord was gesprongen in de wetenschap dat de moordenaar zich in het diepste deel van de oceaan bevond.

Maar er was daar niets nieuws te vinden, en uiteindelijk hadden de golven hem hier aan land gespoeld. In het Centrum voor Welzijn en Intelligentie.

Allison zat aan haar kleine houten bureau voor een brede boekenkast gevuld met psychiatrische en psychologische werken. Ze leunde achterover in haar stoel en bestudeerde hem als een moeder die meer wist dan ze liet blijken. 'Het is niet jouw schuld, Brad.'

'Ik had het kunnen stoppen. Het voelt aan als mijn fout.'

'Natuurlijk. En nu ben je bang om de volgende stap te zetten omdat je bang bent dat je nog een fout maakt.'

Ze had het over Eden. Haar stellige bewering dat Eden over de sleutel zou kunnen beschikken had door zijn gedachten gespeeld en hem teruggelokt. Zonder Allisons aanmoediging zou hij niet hier zijn. En zelfs nu stond hij in tweestrijd.

'Help me een handje, Brad. Je hebt een aanknopingspunt in een zaak...'

'We hebben een meisje...'

'Een vrouw.'

'...een vrouw die vergat wat ze zag toen ze contact maakte met een van de slachtoffers van de moordenaar. Is dat wel een aanknopingspunt?'

'Is het niet je plicht om elk spoor in een zaak als deze serieus te nemen?'

'Ze kan het zich niet herinneren.'

Allison knikte en knipoogde toen naar hem. 'Nog niet.'

In Brads wereld was wat ze suggereerde kletskoek. Maar ja, dat gold ook voor haar voorstel het bewijsmateriaal aan het 'team' over te dragen, en dat had de code van de boodschap gekraakt.

Allison leunde naar voren met haar ellebogen op haar bureau. 'Weet je wat ík denk?'

'Nee.'

'Ik denk dat je bang bent. Niet om enig protocol te schenden. Je bent bang voor Eden zelf.'

'Nee, dat is...'

'Ik denk dat je iets voor haar voelt en dat je bang bent dat je haar zult kwetsen. Om dezelfde reden heb je waarschijnlijk moeite om een relatie met wie dan ook aan te gaan. Je wordt gekweld door een monster dat schuldgevoel heet en dus kun je je dat gewoon niet permitteren vanwege de pijn.'

Ze had hier al eerder op gezinspeeld, maar nu hij het zo duidelijk hoorde, werd Brad weer voor het blok gezet. Hij wist niet hoe hij moest reageren.

'Ik denk dat je verliefd op haar bent,' zei Allison.

'Wat? Nee...' Hij sloeg zijn benen over elkaar en vouwde zijn handen. Hij voelde zich slecht op zijn gemak. 'Luister, ik weet dat je denkt dat dit alles goed voor haar is, maar je kunt een absurde relatie als deze niet afdwingen... Dat is van de gekke.'

'Nee, zíj is van de gekke, en dat is het echte probleem, niet-waar? Als het om een willekeurige andere getuige ging, zou je er niet bij zitten als een kleine jongen die medelijden met zichzelf heeft. Nou, laat me je iets vertellen, FBI, het laatste waar jij je zorgen over hoeft te maken is of Eden wel of niet gekwetst wordt. Hou op haar te behandelen alsof ze minder dan menselijk is.'

'Dus nu ben ik fout omdat ik haar niet verleid?'

'Ik zeg niet dat je haar moet verleiden. Ik zeg alleen dat ze het verdient om net zo te worden behandeld als ieder ander van haar leeftijd. Met volledige eerlijkheid.'

'Ze ís niet ieder ander!'

'Dat is ze wél!' riep Allison. 'Denk je dat God minder van haar houdt vanwege haar ziekte?'

'Leg geen woorden in mijn mond.'

Ze zuchtte en leunde achterover. 'Goed dan, FBI. Ik zal er geen doekjes om winden. Ik hoop dat je die moordenaar vindt en een eind maakt aan wat hij doet voordat hij een andere vrouw iets aandoet. Hij is duidelijk psychotisch, en het zijn de uitzonderingen als deze maniak die mijn kinderen een slechte naam geven. Ondanks de overgrote meerderheid van prachtmensen die leren omgaan met hun psychose is er altijd de ene Michael Laudor die afstudeert aan Yale, dan door het lint gaat en zijn vrouw vermoordt. Vanwege die uitzonderingen behandelt de wereld hen allemaal alsof ze melaats zijn, en dat hangt me de keel uit. Je hebt zes dode vrouwen op je bordje, en dat is verschrikkelijk. Maar ik heb tientallen mensen onder mijn hoede die iedere dag een soort dood in de ogen kijken omdat hun het gevoel wordt gegeven dat ze het slijk onder je voeten zijn. Minder dan menselijk. Zo goed als dood.'

Oké....

'Je kunt Eden niet meer kwetsen dan ze al gekwetst is. Je kunt haar alleen hélpen. Laat je angsten en onzekerheden je er niet van weerhouden haar net zo te behandelen als je enige andere vrouw zou behandelen.'

'Oké.' Brad stond op en liep naar het raam. 'Goed. Maar in één ding heb je ongelijk.' Hij draaide zich om en liep naar de rugleuning van zijn stoel. 'Ik ben niet verliefd op haar. Misschien bén ik gekwetst en misschien bén ik bang om de liefde van een vrouw toe te laten en meer van dat soort psychologische prietpraat. Ik mag Eden heel graag. Ze is... een schat. Maar alsjeblieft zeg, ik ben niet verliefd op haar.'

Het idee alleen al...

Allisons ogen twinkelden. 'Prima. Dan zul je haar als een menselijk wezen behandelen. Als een vrouw.'

'Dat zei ik al.'

'Want als je dat doet, zal ze je vertrouwen. Misschien kruipt ze uit haar schulp en vertelt je wat ze voor zichzelf afschermt. En ze zal waarschijnlijk verliefd op je worden – als ze dat niet al ís.'

Hij kon zijn oren niet geloven.

'En ik zeg je dat dat oké is,' zei Allison. Ze stond op. 'Laat haar verliefd op je worden. Het zal haar meer dan goed doen.'

'Ik weiger haar in te palmen...'

'Ik zei niet "inpalmen". Ik zei: "Behandel haar net zoals je elke vrouw zou behandelen." Stel haar gewoon niet achter. Er is een verschil.'

Allison kwam achter haar bureau vandaan en liep naar de deur. 'En dat stukje over Gods lieveling, in de boodschap van de moordenaar.'

'"Ik heb Gods lieveling naar hem teruggebracht",' citeerde Brad.

Met haar hand op de deurkruk draaide ze zich terug. 'Je realiseert je hopelijk dat dat theologisch gezien gezond is. In Zijn oneindige liefde bemint Hij niemand meer dan een ander. Dus zijn we allemaal Gods lieveling. Iedere ziel is onmetelijk kostbaar, niet minder kostbaar dan een enkele bruid die door haar partner wordt bemind. Weinig mensen begrijpen hun relatieve waarde voor God.'

'En jij zegt dat de Bruidenvanger die wel begrijpt,' zei Brad.

'Wie deze man ook is, hij denkt dat hij God een dienst bewijst door de bruid van Christus voor Hem te zoeken. Wat hij zich niet realiseert is dat hij in feite Gods lievelingen doodt. Hij heeft het precies verkeerd. Hij is geen engel, hij is de duivel. Iemand moet zijn denken corrigeren.'

'Tja, hij lijdt aan een waan.'

'Ja. Maar hij is niet de enige die het precies verkeerd heeft.' Ze opende de deur en stapte naar buiten. 'Nu moeten we gaan. Eden wacht.'

'O?'

'Ze wacht al een uur.'

23

'Ze komen eraan!' riep Andrea. Ze wendde zich met grote ogen af van het raam dat op het park uitkeek. 'Snel, ze komen eraan!'

Eden had afstand gehouden en wat heen en weer gedrenteld bij de bank, vastbesloten niet toe te geven aan hun fratsen, maar toen ze de aankondiging hoorde, rende ze samen met Casanova en Roudy naar het raam.

'Wie komt eraan?' riep een stem achter hen. 'Zeus?'

Ze draaiden zich om en zagen Flower in een roze jurk, met ogen op steeltjes. 'Wegwezen,' snauwde Roudy.

'Maar mijn sculptuur is nog niet klaar voor Zeus! Het wordt majestueus.'

'Deze ruimte is gereserveerd voor een bijeenkomst met Allison. Je moet ophoepelen.'

'Maar...' Toen draaide Flower zich om en nam de benen, iets over goden mompelend.

Edens blik was al gericht op Allison en Brad, die over het gazon kwamen aanlopen. Ze was plotseling onzeker of ze hiermee door kon gaan. Erger, ze was niet helemaal zeker wat 'hiermee' was.

'Onthou wat ik je gezegd heb,' zei Cass, terwijl hij zijn overhemd gladstreek. Hij voelde zich beter, zo fit als een hoentje, had hij gezegd. 'Ik weet dat ik vaak recht voor zijn raap ben, maar het werkt niet altijd zo goed. Geloof me. Kijk uit dat je niet over hem heen walst. Probeer subtiel te zijn.'

'Subtiel?' zei Andrea. 'Ben *jíj* dat dan?'

'Ik zei: het hangt ervan af. Je moet weten hoe vrouwen denken!' Hij stak autoritair een vinger op.

'Ik vind nog steeds dat wij erbij zouden moeten zijn,' zei Roudy. 'Waarom zou hij je in vredesnaam alleen willen spreken?'

'Doe niet zo gek, man,' schamperde Cass. 'Drie is te veel.'

'En dat zegt een man die lag te slapen toen we de pop vonden.'

'Dit gaat over harten, niet over klaveren,' zei Cass.

Eden kon hun nonsens geen moment langer verdragen. 'Doe niet zo belachelijk! Jullie allemaal! We weten niet wie hij wil spreken, of waarom. Dit heeft niets van doen met waar jullie het over hebben!' Haar stem galmde door de serre in de vrouwenvleugel. 'Andrea, vertel het hun alsjeblieft.'

'Het is waar. Eden wil dat ík met hem flirt.'

'Dat zei ik niet.'

'Zo mag ik het horen,' zei Cass. 'Maar doe kalm aan, Andrea.'

'Niet?' vroeg Andrea met een verwarde blik. 'Sorry, sorry. Ik dacht...'

'Ik zei "voor mijn part",' snibde Eden. 'Dat betekent niet dat ik het wíl.'

De deur vloog open en Bartholomew, een magere bewoner die aan wanen leed, kwam tevoorschijn als een duveltje-in-een-doosje. 'Ze komen eraan, Eden! En hij ziet er goed uit vandaag. Knappe vent.'

Eden keek Casanova aan. 'Heb je het aan iedereen doorverteld?'

Hij haalde zijn schouders op. 'Aan een paar mensen.'

Bartholomew draaide zich snel weer om. 'Sorry. Ik zal niets zeggen.' Hij liep naar de Rotonde, waar hij het waarschijnlijk zou vertellen aan iedereen die het horen wilde, aangenomen dat ze niet al allemaal voor het raam stonden.

'Eruit,' zei Eden, nu ziedend. 'Iedereen ophoepelen!'

'Dat kunnen we niet doen, Eden,' protesteerde Roudy. 'Zoals je zei, wil hij misschien wel met ons allemaal praten.'

'Ik betwijfel het.'

'Kijk, hij komt echt voor jou,' zei Cass. 'Ik herken die blik in zijn ogen van hieraf. Hij denkt maar aan één ding, die vent. Geen nood, dat is ook het enige waar ik aan denk. Onthou gewoon wat ik je gezegd heb.'

Voordat Eden kon antwoorden, ging de deur open en kwam

Allison naar binnen, gevolgd door Brad Raines. Twee gedachten botsten in haar hoofd. De eerste was dat ze waren betrapt op gluren.

De tweede was dat ze was vergeten hoe knap Brad Raines was. Hij droeg vandaag een spijkerbroek, ze had hem nog nooit in spijkerbroek gezien. Zo leek hij wat meer op haar, in zekere zin. Ze voelde zich dwaas dat ze zichzelf met hem vergeleek.

'Hallo, vrienden,' zei Allison glimlachend. 'Ik zie dat jullie ons verwachten.'

'Nee,' zei Eden. 'Ja, dat stel – praat, praat, praat, je kent het wel. Casanova is niet stil te krijgen.' Ze wou dat ze in de muur kon verdwijnen.

'Hallo,' zei Brad, met een knikje naar het hele kwartet. Zijn blik bleef op Eden rusten. 'Ik vermoed dat jullie het al hebben gehoord.'

'Waar gaat dit over?' wilde Roudy weten. 'Meer bewijsmateriaal? Hij heeft vast weer een boodschap achtergelaten, vermoed ik.' Hij stak zijn hand uit. 'Geef maar aan mij, dan zal ik hem onmiddellijk door mijn assistente laten prepareren voor mijn analyse.'

'Je ziet er goed uit vandaag,' zei Andrea.

Eden keek naar haar vriendin en zag dat ze Brad met van die ogen aanstaarde. Hoe kon Andrea zo vrijpostig zijn, na alles wat er gebeurd was?

'Inderdaad,' stemde Eden in. Ze voelde zich meteen stom dat ze het had gezegd. Maar ze was niet van plan om toe te laten dat Andrea over haar heen liep.

'Dank je.' Zijn ogen waren op haar gevestigd. 'Ik hoop dat jullie het niet erg vinden, maar ik moet Eden spreken. Ze zou ons kunnen voorzien van informatie...'

'Wat, weer dat spiritistische gedoe?'

'Roudy, alsjeblieft,' siste Allison. 'Hou eens op. Er zijn een heleboel wanhopige mensen buiten deze muren. Gun ons alsjeblieft een paar momenten alleen. Hmm?'

'Hoe lang?' drong Roudy aan.

'Een uur, Roudy. Misschien twee. Alsjeblieft. Eden komt vanzelf weer terug.'

'Ik ben toe aan een douche,' zei Andrea. 'Sorry, sorry.' Ze liep snel naar de deur van de gang.

Roudy duwde zijn kin naar voren en liep mokkend naar de buitendeur achter hen.

Casanova kwam op Brad af, pakte zijn hand en drukte er een kus op. 'Mijn innige deelneming met je verlies, jongeman. Ze was inderdaad een verbluffende schoonheid. Maar vergeet niet, er zijn nog vrouwen genoeg op de wereld.' Toen ruimde ook hij het veld.

'Deze ruimte staat helemaal tot jullie beschikking,' zei Allison. 'Maar ik zou hier niet lang blijven plakken. Je wordt vast gestoord.'

'Ga je weg?'

'Ja, Eden.' Allison liep naar haar toe en beroerde haar wang met een warme hand. Haar woorden waren even zacht als haar glimlach. 'Het is oké, jongedame. Niet dat je het nodig hebt, maar je hebt mijn permissie om hem alles te vertellen wat je wilt. Het is een beste man. Ik denk dat je hem kunt vertrouwen, heus.'

Eden knikte langzaam. 'Ik vertrouw hem.'

'Ja, maar ik denk dat je hem echt kunt vertrouwen. En ik denk dat je jezelf kunt vertrouwen. Wees niet bang, mijn kind.'

Toen draaide ze zich om en liep naar de deur. 'Ik ben in de receptie als je me nodig hebt. O, en ik denk dat het gazon aan de zuidkant de meeste privacy biedt. Bij de vijver achter de espenbomen. Eden, jij kent de plek.'

De vijver. Waarom zo ver? Dat was vlak bij het hek en Eden vermeed het koste wat het kost om dicht bij het hek te komen.

'Eden?'

'Ja. De vijver, ja.'

'Goed.'

En Allison was weg.

'Zo.' Brad glimlachte. Hij was zelf een beetje rood in het gezicht. 'Dat was een beetje potsierlijk.'

Die opmerking stelde haar een beetje op haar gemak. Maar ze moest alert blijven. Vanaf het moment dat Allison haar had verteld dat Brad Raines het CWI weer zou bezoeken, was ze compleet uit haar doen geweest. Binnen vijftien minuten was ze bezweken en had ze het aan Andrea verteld. De rest was geschiedenis.

Je zou bijna denken dat Romeo en Julia weer tot leven waren

gekomen en zich hier herenigden! Het loutere feit dat ze zich de afgelopen dagen de meest wufte fantasieën had toegestaan, was verschrikkelijk gênant.

Het feit dat haar handen klam werden bij de loutere aanblik van Brad was ronduit pijnlijk. Ze moest zichzelf in de hand houden.

Brad schraapte zijn keel. 'Weet je waarom ik hier ben?'

'Omdat Nikki dood is,' zei ze. Toen voegde ze eraan toe, omdat ze haar woordkeus te cru vond: 'Het spijt me vreselijk.'

'Mij ook. Maar jullie hadden gelijk over de pop.'

'Allison heeft ons de laatste boodschap laten zien. Roudy en Andrea hebben er een volle dag op gestudeerd, maar ze hebben niets kunnen vinden.'

'Ik denk dat die boodschap voor mij bestemd was.'

'Dat heb ik hun ook verteld.' Ze zweeg even. 'Hield u van haar?'

Hij knipperde met zijn ogen. 'Van Nikki?'

Wat flapte ze er nu weer uit?

'Niet op die manier, nee,' zei hij. 'Maar we waren erg op elkaar gesteld.'

Eden had hem bijna gevraagd wat hij van háár vond, maar ze beet op haar tong voordat ze een blunder maakte. De lucht voelde zwaar aan en het zweet brak haar uit, dus toen hij zei dat ze misschien op Allisons suggestie moesten ingaan om enige privacy bij de vijver te zoeken, hapte ze meteen toe, hek of geen hek.

Terwijl ze de vrouwenvleugel verlieten, ving ze een glimp op van Bartholomews afrokapsel achter een paar struiken. Gelukkig liepen ze bij hem vandaan. Ze wandelden in stilte en ze ging zich steeds ongemakkelijker voelen. Ze werd zich bewust van elke stap die ze zette. Haar sandalen, die ze vandaag voor het eerst droeg, zagen eruit als iets uit een slechte Cleopatrafilm. Zijn leren schoenen daarentegen zagen eruit alsof ze evenveel kostten als haar volledige maandelijkse toelage.

Ze droegen allebei een spijkerbroek, maar de hare was te kort. Waarom waren al haar spijkerbroeken toch te kort? Daarvan was ze zich pas onlangs bewust geworden.

Andrea had haar gisteren verteld dat haar haar stonk, dus had ze het gewassen. Andrea vond altijd van iedereen dat zijn haar stonk. Maar nu was Eden dankbaar, want ze liep vlak voor hem en hij keek waarschijnlijk op ditzelfde moment recht op haar hoofd.

Ze kon het niet langer verdragen. Dus stond ze stil en liet hem passeren.

'Wat is er?'

'Niets. Ik moet mijn schoen vastmaken; loop maar vast door.'

Met veel vertoon verzette ze het riempje van haar sandaal en liep hem na over het tegelpad. Als ze op haar tenen stond, zou haar kruin tot zijn onderarmen reiken. Hij was gebouwd als een god, had Andrea gezegd. Ze kon haar geen ongelijk geven.

In gedachten zag ze hoe Cleopatra haar nieuwste dienaar, het sterke exemplaar uit het zuiden met het ontblote bovenlijf, die pas sinds kort aan het hof was, uitnodigde te demonstreren hoe goed hij met pijl en boog overweg kon. Ze wilde lessen in de tuin. Alleen zij tweetjes. Ze wilde precies weten hoe hij de boog vasthield en ze stelde zich achter hem op terwijl hij de pees spande. Ze beroerde zijn rug en zijn armen met haar lange, slanke vingers terwijl ze zijn houding bestudeerde. Zijn spieren waren als wijnranken onder zijn huid. Plotsklaps dook vanachter een boom, rechts van hen, zijn minnares op, een heks uit het noorden die een bezwering had uitgesproken over...

'Oké, stop.' Brad bleef met opgestoken hand staan.

Ze botste tegen zijn rug op, deinsde toen terug. 'Sorry. Neem me niet kwalijk, ik had niet in de gaten dat u ging stoppen. Als u het zou hebben gezegd, zou ik om u heen zijn gelopen. Ik wilde u niet omverlopen.'

Het leek hem niet te deren. 'Ik kan dit niet,' zei hij.

Ze voelde haar gezicht betrekken. 'Ik ook niet.'

'Het voelt gewoon niet goed.'

'Precies. Het heeft nooit goed gevoeld. En het zijn niet eens echte Cleopatrasandalen.'

Dat snoerde hem de mond. 'Wat?'

'Niets. Waar had u het over?'

'Allison zei dat ik gewoon eerlijk moest zijn.'

Toen hij niet uitweidde, stemde ze in. 'In plaats van te liegen. Ja, logisch dat ze dat zegt, ze is non geweest. Ik bedoel, dat vind ik natuurlijk ook. Eerlijk duurt het langst, vooral bij iemand als ik, die een hekel heeft aan mensen die toneelspelen.'

'Echt?'

'Houdt u van toneelspelers?'

'Dus je weet waarom ik hier ben?'

'Omdat Nikki... eh...' Ze maakte een gebaar met haar hand, maar gaf het snel op toen ze besefte dat ze niet wist hoe ze 'dood' moest zeggen zonder het te zeggen. '... dood is.'

'Ik bedoel, waarom ik hier bij je ben,' zei hij.

Ze had geen idee, omdat ze doelbewust haar eigen gedachten onder controle hield en ze verbood af te dwalen. Nou ja, ze had wel degelijk een idee. Ze waren hier om de herinnering aan wat ze in de keuken had gezien los te weken. Het 'visioen'. 'Om te zorgen dat ik me herinner wat ik gezien heb...'

'En de enige manier om dat te doen is door te zorgen dat je me vertrouwt,' zei hij. 'Besef je dat?'

'Ja hoor. En ik vertrouw u al.'

'Ja, maar... Ik bedoel...' Zijn blik veranderde en hij maakte een afwezig gebaar met zijn grote, sterke handen. Die met de korte nagels. Haar eigen nagels waren ook kort, maar dan van het bijten, wat volgens Andrea een vieze gewoonte was. Had ze op haar nagels gebeten terwijl hij keek? Ze kon het zich niet herinneren!

'Meer dan alleen vertrouwen,' zei hij.

'Wat bijvoorbeeld?'

'Bijvoorbeeld dat je je op je gemak voelt bij mij. Je angsten laat varen. Wat het ook maar is dat je herinnering blokkeert.'

'Oké.'

'Oké?'

'Ik denk het. U wilt dat ik mijn remmingen loslaat, zodat mijn geest zich ontspant, als het ware, en zich herinnert wat ik zag.'

'Zoiets. Ja.'

'Maar u bent bang dat we te emotioneel betrokken raken,' zei ze.

Zijn ogen werden iets groter. Ze was te direct geweest, besefte ze zodra de woorden uit haar mond waren, maar zijn reactie bemoedigde haar. Ze had enige macht over hem. Het was de eerste keer dat ze dit soort macht over een man als Brad had uitgeoefend, en ze vond het ongelooflijk bevredigend.

'U bent bang dat ik verliefd op u word.' En nu knipperde hij met zijn ogen. Bloosde toen. Niet erg, maar precies genoeg om haar nog meer aan te moedigen.

'Of dat u, hoe onwaarschijnlijk ook, verliefd wordt op mij.'

'Nee.'

'Nee?'

'Nou...' Nu was zijn gezicht knalrood.

Toen dacht Eden na over alles wat ze zojuist gezegd had en voelde haar eigen gezicht warm worden.

'Maakt u zich geen zorgen, meneer Raines. Ik ben niet van plan om verliefd op u te worden.' Ze liep langs hem heen. 'Kom, laten we naar de vijver lopen en zien of we hier uit kunnen komen.'

'Brad,' zei hij. 'Noem me alsjeblieft Brad.'

En een moment lang voelde ze zich zijn koningin.

Ze brachten een uur door bij de grote fontein die Allison een vijver noemde, nu eens babbelend terwijl ze over de bevlekte betonnen patio wandelden, dan weer rustig zittend op een van de vier bankjes, spelend met espenbladeren en kiezels over de vijver keilend. Toch voelde het voor Eden aan als vijf minuten.

Ze bleef achteromkijken om te zien of er spionnen om het gebouw heen liepen te gluren, en toen er geen verschenen, concludeerde ze dat Allison de zaak geregeld moest hebben. Het idee, dat uitgerekend zij, Eden Founder, hier bij de vijver alleen was met een man en dat het hele Centrum ervan wist! Het gaf haar een heel bijzonder gevoel.

Ze had nooit eerder met een man opgetrokken, zelfs niet om over een moordenaar te praten. Maar ze spraken niet over de moordenaar. Ze spraken wel veel over het Centrum. Hij wilde meer weten over hoe ze haar dagen vulde. Alles eraan. Hoe één persoon zo geïnteresseerd kon zijn in hoe ze haar dagen doorkwam, was een verrassing op zich.

Dat ze de meeste ochtenden om zeven uur opstond. Twee spiegeleieren voor het ontbijt, op geroosterd tarwebrood, met warme chocolademelk en een klein glas jus d'orange. Meestal samen met Andrea.

Dat Andrea meestal met haar mee terugliep naar haar kamer en erop stond dat ze haar tanden poetste. Ze liet Brad haar tanden zien en vroeg hem naar zijn mening. Hij lachte en zei dat ze verrassend wit en recht waren, struikelde toen over zichzelf om uit te leggen dat hij met 'verrassend' niet bedoelde dat hij iets anders van haar zou hebben verwacht. Maar rechte tanden, vooral zonder beugel, waren als het erop aankwam vrij zeldzaam.

Hij wilde nog meer weten, dus nam ze de hele dag door. Ze beschreef haar kaartspelletjes met Roudy, die alles met codes en spionage en sporen en dergelijke vergeleek. Ze was bevriend met de meeste bewoners die er langer dan een jaar waren, maar niet even goed als met Cass, Roudy en vooral Andrea, die ze op Allisons verzoek onder haar hoede had genomen.

Ze spraken over haar contact met de buitenwereld. Ja, ze hadden telefoon op hun kamer en ze konden gebeld worden of zelf bellen, wanneer ze maar wilden. En natuurlijk hadden ze toegang tot een snelle internetverbinding.

Hij leek verrast toen ze hem vertelde over de foto's van naakte vrouwen die een bewoner genaamd Carl op de deuren van andere bewoners plakte voordat Allison hem zijn privileges afnam. Het had Eden niet echt gestoord. Per slot van rekening was een naakt lichaam gewoon een naakt lichaam. Maar sommige bewoners raakten ervan overstuur, zoals Andrea, of waren juist veel te geïnteresseerd, zoals Cass. Ze snapte niet goed waarom mensen zo vreemd op naaktheid reageerden, en Allison zei dat deze opvatting bij Edens natuur hoorde, net als haar algehele onverschilligheid voor uiterlijkheden in het algemeen.

Ze haalde haar schouders op en hij lachte. Ze moest het toegeven, ze mocht hem. Ze mocht Brad echt.

Ze spraken over haar familie, of wat ze er zich van kon herinneren, zodat ze in de praktijk alleen over haar halfzuster Angie spraken, die eigenlijk Angel heette. Dat leek hem te verrassen.

Ze diepte de oude foto op, die ze altijd in haar achterzak bewaarde. 'Kijk.'

Hij nam de foto aan. Keek toen van haar naar de foto. 'Ik kan de gelijkenis tussen jullie zien.' Hij bekeek hen beiden opnieuw. 'Ze is mooi.'

Eden wist niet wat ze daarvan moest denken. Had hij haar zojuist mooi genoemd? Nee, dat klopte niet. Maar hij had gezegd dat ze op elkaar leken, en iedereen zei dat Angie mooi was.

Zijn vragen waren niet van het algemene soort dat ze van de meeste mensen kreeg. Hij wilde de details weten, ze echt weten. Hoe ziet je kamer eruit? Waar koop je je sokken? Koop je echt alles online? Welke sites zijn je favorieten? Dus vertelde ze het hem.

Zijn bezoek had niets te maken met de moordenaar en alles met haar. Goed, hij deed het allemaal om haar vertrouwen te winnen, maar desondanks bespeurde ze oprechte belangstelling bij hem. Hij had niet de koude ogen van een rechercheur die haar met zijn vragen in een hoek dreef, of de dode ogen van een psychiater die luisterde omdat het zijn werk was.

Uit zijn ogen sprak fascinatie. Ze drongen diep door in de hare, benieuwd naar meer, hoe ze werkelijk was. Bij een paar gelegenheden had ze kunnen zweren dat hij keek alsof hij haar met die ogen wilde opeten. En twee keer raakte hij haar schouder aan terwijl hij sprak.

'Nee, zo bedoelde ik het niet!' zei hij, terwijl hij zijn hand lichtjes op haar schouder legde. 'Ik ben dol op *Hell's Kitchen*, echt. We mogen allemaal graag zien hoe een mentor de zweep over een stelletje sukkels legt. Ik kan...' Zijn ogen zochten de hare. Ze kon aan weinig anders meer denken dan aan zijn hand op haar schouder en toen hij hem wegnam, miste ze hem.

'Wat? U kunt zich mij niet in een keuken voorstellen?' vroeg ze.

Hij grijnsde breed. 'Dat juist weer wel.'

Ze praatten en lachten en hij raakte haar nogmaals aan.

Toen wilde hij meer weten over haar schrijfsels. Haar verhalen.

'Heus? Het zijn zomaar verhalen. Ik vertel ze aan niemand.'

'Schei uit. Het zijn je geesteskinderen! Nu moet je ze me zeker vertellen. En ik wil alles weten, niet alleen de plot.'

'Echt?'

'Ja, echt.'

'Daar hebben we geen tijd voor.'

'We hebben de hele dag. Geloof me, ze weten ons heus wel te vinden als ze een van ons nodig hebben. Vertel me over je eerste roman. Wie zal het zeggen, misschien wordt hij een dezer dagen wel uitgegeven, dan ben ik de eerste persoon op de wereld die het verhaal kent. Ik sta erop!'

Eden sprong overeind. 'Oké.' Haar hart bonkte in haar borst. 'Oké, maar u moet beloven dat u niet zult lachen.'

'Maar ik kan het niet helpen dat je me aan het lachen maakt.'

'Oké, maar niet om hoe mijn verhaal verloopt of omdat u het dom vindt.'

'Dat zweer ik.' Hij stond op. 'Hoe heet het?'

Ze begonnen te lopen en hij bleef vlak naast haar. 'Horacus,' zei ze. 'Het gaat over een wereld tweeduizend jaar van nu die Horacus heet.' Ze vertelde hem de plot en hij wilde meer weten. Wat deden de mensen op Horacus 's avonds? Wat droegen ze? Hoe zagen hun huwelijksceremonies eruit? Hoe zagen hun slaapkamers eruit, wat voor internet gebruikten ze, welk merk tandpasta gebruikten ze?

Verrukter dan in haar stoutste verwachtingen vertelde Eden het hem. Alles. Ze vertelde hem meer dan ze ooit iemand over haar verhalen had verteld.

Tegen de tijd dat ze was uitverteld over Horacus, was er weer een uur voorbij en nu schaamde ze zich dat ze zich zoveel van de tijd had toegeëigend. Dus greep ze impulsief zijn hand, leidde hem naar het dichtstbijzijnde bankje en zei hem te gaan zitten.

'Zo,' zei ze, terwijl ze hem aankeek op de bank. 'Vertel me over uzelf.'

'Over mezelf?'

'Ja. Als u mijn vertrouwen volledig wilt winnen, moet u uw geheimen met me delen.'

Hij grinnikte en schudde zijn hoofd.

'Wat?' Maar ze glimlachte ook breeduit.

'Ik krijg je onderbewuste niet zo ver dat het de boodschap ophoest, huh?'

'Nou, u zou kunnen proberen het om de tuin te leiden. Het zou moeten geloven, zonder twijfel, dat u mij onvoorwaardelijk vertrouwt zodat ik, op mijn beurt, u onvoorwaardelijk kan vertrouwen. Daarvoor heb ik geheimen nodig. Uw diepste, duisterste geheimen. Misschien niet de allerduisterste, maar, nou ja...

Toch wel zoiets!'

Hij lachte en bedekte zijn gezicht. 'Tjongejonge...'

'Wat?'

Hij schudde alleen zijn hoofd, nog steeds hikkend van de lach. Dus stak ze haar hand uit en trok zijn handen van zijn gezicht. 'Wat?'

Wat ze zag sloeg haar met stomheid. Zijn gezicht was rood, met een grijns als van een schooljongen, en ogen die straalden als de zon. Ze kon het niet laten met hem mee te grinniken. Hij was verrukt.

Brad lachte niet om de humor van het geval. Hij was verrukt door haar. En zijn gezicht was rood omdat hij zich opgelaten voelde door de mate waarin ze hem verrukte.

Kon dat waar zijn?

Ze kwamen eindelijk weer wat tot zichzelf, en hij leunde achterover en vouwde zijn handen achter zijn hoofd. 'Tjongejonge, ik heb in tijden niet meer zo gelachen.'

'Het ontslaat je niet van een antwoord, kanjer.' O nee, wat had ze nu gezegd? Ze begon te blozen. 'Ik zeg dat alleen in het kader van onze poging mijn onderbewuste om de tuin te leiden. U weet wel. Het laten denken dat we close genoeg zijn om dat soort domme woorden te gebruiken.'

Hij grijnsde alleen maar als een schooljongen en schudde zijn hoofd alsof hij niet helemaal kon geloven dat dit allemaal gebeurde.

'Vertel me over uzelf.'

Brad haalde diep adem, leunde achterover op de bank en begon te vertellen.

Hij sprak over hoe het was om op te groeien in Austin, Texas, in een gezin met twee zussen, geen broers. Zijn vader werkte als strafpleiter, wat verklaarde waarom hij voor een loopbaan bij de FBI had gekozen, al was het dan aan de andere kant van de streep. Hij sprak over het universiteitsfootball, dat hij als kind naar de wedstrijden ging kijken, en vervolgens op een tennisbeurs was gaan studeren. Over het drinken op 6th Street en de malloot uithangen in dat eerste jaar.

Hij was uiteindelijk naar Miami verhuisd, waar hij zijn eerste baan bij de FBI kreeg. Het was in veel opzichten een vreemd verhaal, vreemd omdat Eden wist dat het juist heel normaal was.

Vergeleken met haar eigen jeugd, iets waar hij niet naar had gevraagd, waren zijn jonge jaren een lange vakantie geweest. De auto's, de feestjes, de vrienden, de mis op zondag, de biecht. Hij en een paar vrienden hadden ooit een priester in de consistoriekamer opgesloten, waarna hij in priesterkleding het spreekgestoelte had betreden. De halve dienst had de congregatie aangenomen dat hij een bezoekend priester was. Hij was ooit een enorme deugniet geweest. Vreemd genoeg nam hij haar door die stunt nog meer voor zich in. Hij was niet helemaal wat zijn keurige image suggereerde.

Maar Eden kon het schrille contrast tussen hen niet van zich af zetten. Het herinnerde haar eraan dat zij hier de gek was. Binnen de veilige muren van het Centrum was zij de gezondste bewoner, maar één stap buiten de hekken en ze was één bonk zenuwen. Hoe kon ze ooit iemand tegenkomen en verliefd worden en trouwen, tenzij hij hier woonde, in het CWI?

'Alles goed met je?' vroeg hij, toen ze stilviel na een lange reeks vragen.

Een beeld van haar en Brad schrijdend naar het altaar van de kapel aan de andere kant van het terrein diende zich aan. Op het laatste moment draaide hij zich om en keek naar de congregatie. 'Gefopt! Ha ha ha!' Toen weer naar haar, en bij het zien van haar geschoktheid: 'Wat? Kom op, Eden, je dacht toch niet dat het serieus was, wel? Ik kan hier niet wonen, dat weet je toch?'

Brad zou dat natuurlijk nooit doen. Sterker nog, hij zou elke man die dat zou doen door de plee spoelen. En dat was het echte probleem hier: Brad was een mooie, adembenemende, gevoelige man en hij was, voor altijd, volledig buiten het bereik van een stuk ellende als zij.

Ze zou weg moeten rennen in het belang van haar geestelijke gezondheid. In plaats daarvan zat ze hier verliefd op hem te worden. O nee, dat was waar ook, bedacht ze gealarmeerd. Ze wist niet hoe verliefd worden aanvoelde, omdat het nog nooit was gebeurd. Maar de warme, opwindende, angstaanjagende emoties die nu in haar opborrelden moesten het zijn.

Waarschijnlijk was ze al voor hem gevallen!

'... me eens wat je zit te denken?' vroeg hij.

Ze schudde de gedachten van zich af, beseffend dat ze bedrukt voor zich uit zat te staren. 'Sorry.' Ze slikte. 'Kun je me over Ruby vertellen?'

Hij werd stil en keek naar de fontein. Maar ze was niet bereid om zijn stilzwijgen over dit onderwerp door de vingers te zien. Dus drong ze aan.

'Je hield van haar...'

'Ja.' Hij klonk gespannen en hij dempte zijn stem tot nauwelijks meer dan een fluistering. 'Meer dan je je kunt voorstellen.'

'Daar ben ik anders vrij goed in,' zei ze. 'Was ze mooi?'

'Echt, Eden, ik weet niet of we...'

'Was ze mooier dan ik?'

Ze kende minstens vier of vijf reacties die konden volgen. Terugkrabbelen, ontkennen, regelrecht liegen, dichtslaan...

Hij keek haar aan en zijn ogen dwaalden over haar gezicht, haar lichaam. 'Nee,' zei hij. 'Alleen in hoe ze zich kleedde en opmaakte, maar dat is het gemakkelijke deel. Vanbinnen was ze even verward als jij.' Hij keek naar de bomen. 'En als ik.'

Wat een mooi antwoord, dacht ze. Hij bedoelde het als een compliment. Hij zei daarmee dat ze op hetzelfde niveau stond als hij, in plaats van haar allerlei leugens op te dissen.

Alles aan hem was mooi.

'Ze pleegde zelfmoord omdat ze zichzelf niet mooi vond,' zei hij.

Een zware stilte daalde over hen neer. Zijn ogen staarden in het niets, vochtig van emotie, en Eden wist waar hij naartoe ging. Maar ze wilde hem niet stoppen. Een vreselijke empathie trok aan haar hart.

'Het was jouw schuld niet, Brad.'

Hij haalde diep adem door zijn neus en sloot zijn ogen. Een traan lekte uit een ooghoek en ze had nog meer met hem te doen. Haar eigen ogen vulden zich met tranen. Ze wist niets over liefde en tederheid en nog minder over hoe een vrouw te zijn bij een man, maar hij was hier en hij huilde en ze moest hem helpen.

'Heb je na die tijd nooit van een andere vrouw gehouden?' vroeg ze.

De woorden braken een dam in zijn ziel. Hij zette zijn ellebogen op zijn knieën, legde zijn gezicht in zijn handen en begon te snikken. Wat had ze gezegd?

Wat moest ze doen? Ze kon alleen zeggen wat er in haar opkwam. Dat was haar gave, zei Allison. Ze kon naar een enkel blad kijken en de hele boom zien. Dus zei ze wat ze nu zag.

'Je bent bang dat je niet van een andere vrouw kunt houden, omdat voor jouw gevoel geen enkele vrouw aan Ruby kan tippen. Maar dat is niet de reden waarom je niet in staat bent geweest om van een andere vrouw te houden. Dat komt omdat je een vriendelijke man bent, die er niet aan moet denken dat hij een andere vrouw zou kunnen kwetsen door haar het gevoel te geven dat ze niet mooi is. Omdat dat de reden is dat Ruby zich van het leven heeft beroofd.'

Haar woorden monterden hem niet op.

'Maar dat was haar keus, niet de jouwe. Het leven is de moeite waard vanwege de risico's, zegt Allison altijd, en ik denk dat ze gelijk heeft. En ik denk dat het met liefde net zo is.'

Nu snikte hij in stilte in zijn handen, met zijn ellebogen op zijn knieën. Plotseling kwam hij iets dichterbij, haalde één hand van zijn gezicht en legde hem op haar knie; de andere hand hield hij voor zijn gezicht.

Het contact had net zo goed een stroomstoot door haar botten kunnen zijn. Ze bleef doodstil zitten, overmand door een zee van smart en vreugde en angst en verwondering.

Hij liet zijn tranen de vrije loop. Hier. Bij haar.

Ze wilde haar armen om zijn hoofd leggen en hem dicht tegen zich aan drukken, hem vertellen dat hij niet moest huilen, niet bedroefd moest zijn, omdat zij van hem zou houden. Ze zou hem vasthouden en beschermen en nooit toelaten dat de monsters in het duister achter hem opdoken en hem terugtrokken.

Eden kon dat niet doen. Nog niet. Ze moest zichzelf in de hand houden. Maar ze kon en moest hem aanraken. Dus dat deed ze. Ze liet haar hand langzaam op zijn hoofd neerdalen en streek zacht over zijn korte, golvende blonde haar.

Vervolgens suste ze hem, maar haar sussen werd onderbroken

door haar eigen snikken, niet van verdriet, maar van opluchting. Haar controle begon het te begeven en in plaats van zich te verzetten, boog ze zich over hem heen en legde haar hoofd op zijn hoofd. Zo huilden ze samen.

Ze moesten daar een lange tijd hebben gezeten, hoewel Eden het besef van tijd verloor in deze kleine cocon van hoop en veiligheid. Van liefde. Langzaam kwamen ze tot bedaren, en Eden bedacht dat ze overeind moest komen omdat ze hem omlaag hield. Maar ze wilde niet.

Ze was hier omdat Allison wilde dat ze het risico nam verliefd te worden, en daar was ze mee bezig. Ze was hier omdat Brad haar mooi vond, ook al had ze een helpende hand nodig met haar gezicht en haar haar en haar kleren. Ze was hier omdat ze een dode vrouw had aangeraakt en de donkerharige man had gezien die een beetje op Clark Kent leek, maar dan zonder de bril, en die zich over Melissa boog om haar te vertellen hoe mooi...

Eden hapte naar adem en schoot overeind.

Brad ging rechtop zitten en staarde haar aan. 'Alles goed?'

Ze keek hem aan. 'Ik weet het weer.'

Hij snoof en droogde zijn ogen. 'Wat bedoel je?'

'Ik weet weer wat ik zag. De man die Melissa vermoordde!'

'Echt?' Het leek het laatste waar hij aan dacht.

'Ja!' Eden sprong overeind. Extatisch. 'Ja, ja, ja. Ik zie hem nu voor me, glashelder.'

Brad stond op. Stomverbaasd. 'Dat is... Weet je het zeker? Dan moeten we onmiddellijk naar mijn kantoor. We moeten een reconstructie maken...'

'Nee, dat gaat niet. Ik kan hier natuurlijk niet weg. Maar ik kan hem tekenen. Ik vertelde je dat ik een aardige hand van tekenen heb. Of er kan iemand hierheen komen.'

'Natuurlijk. Ja, hier. Weet je wie het is?'

'Nee. Niemand die ik me kan herinneren.'

Dit was een doorbraak! Allison zou in de wolken zijn. Eden begon terug te lopen naar het Centrum. 'Ik moet nu meteen gaan tekenen, voor ik hem vergeet!'

24

Auto's kwamen en gingen in de ondergrondse parkeergarage naast het appartement van Rain Man, en Quinton observeerde ze allemaal vanuit de veilige duisternis van zijn M300, die hij op een gereserveerde plek in de hoek had neergezet. Hij had de plek twee dagen eerder uitgekozen, nadat hij had gezien dat het vak tot in de vroege ochtenduren leeg bleef. Vanuit zijn positie kon hij door zijn voorruit de gapende hellingbaan zien die naar de straat leidde.

Hij had een zonnescherm aan de binnenkant van zijn voorruit geplaatst om te voorkomen dat spiedende ogen zijn gestalte achter het stuur zagen. Een enkele bewakingscamera registreerde alle auto's die de garage in en uit gingen, maar hij had om vier uur 's middags zijn auto op de straat geparkeerd, de camerakabel doorgeknipt en vervolgens zijn positie in de garage ingenomen, wetend dat er zo laat op de dag geen reparateur meer zou komen. Tegen de tijd dat het apparaat was gerepareerd, zou zijn werk hier afgerond zijn.

Het observeren van het domicilie van Rain Man in de loop van de afgelopen week had Quinton bevestiging gegeven van zijn veronderstelling dat Brad Raines het soort man was die tot laat in de nacht doorwerkte in zijn misleide pogingen de Bruidenvanger te vinden.

Hij had de BMW van de agent eerder in de middag bij het CWI zien staan, toen een paar minuten toegekeken hoe Rain Man met Angels zuster naar de vijver liep. Zijn hart had als een harde rubberbal in zijn ribbenkast rondgestuiterd.

De zevende lieveling moest uit eigen vrije wil komen, zonder geschipper, en hoewel hij wekenlang over het detail had gepiekerd en gepuzzeld, had God de weg zeker bereid.

De moeite die mensen zich getroostten omwille van een beminde waren zowel verontrustend als verheffend. Geschapen naar Gods evenbeeld deelden mensen een kiem van Zijn onvoorwaardelijke, oneindige liefde, hoewel de meesten hun best hadden gedaan om die kiem te vertrappen met hebzucht en zelfbehoud.

Maar als het er echt op aankwam, zouden de meesten alles doen om hun kind of man of vrouw of broer of zus te redden. Nu hing Quintons actie af van het ontluiken van die kiem. Hij was uitgezonden om haar op te halen en ze zou komen.

Hij klopte met zijn gehandschoende hand op het stuurwiel. Zijn wapen lag op de passagiersstoel, klaar voor het moment van de waarheid. Hij bad dat er niemand anders in de garage zou zijn als het zover was – hij had geen zin om vanavond iemand anders te doden of zelfs maar te zien. Zijn doel was zuiver en vast. Hij deed Gods werk en Gods werk alleen.

Het was nu na elven en de ondergrondse garage was zo stil als de binnenkant van een doodskist. Wat als Rain Man niet thuiskwam? Hij stopte met kloppen op het met leer omhulde stuurwiel. Wat als de ongelovige hond had ontdekt...

Lichten scheerden over de hellingbaan en de fraaie, grommende grille van een BMW dook het duister in.

Rain Man was thuis.

Een scheut nerveuze energie trok door Quintons botten, maar daar kwam snel opluchting voor in de plaats. God was goed. Altijd. En Zijn liefde was onuitputtelijk.

De BMW reed voorbij, sloeg rechts af naar zijn gebruikelijke plek, vlak om de hoek. Zodra de rode achterlichten uit het gezicht verdwenen, startte Quinton de M300, reed de rijbaan op, keerde de wagen en zette hem terug op dezelfde plek, maar nu met de kofferbak naar de rijbaan. Lichten uit.

Zonder de motor af te zetten greep hij het verdovingspistool, opende de klep van de kofferbak en stapte uit.

Om de hoek werd een autoportier dichtgeslagen. Rain Man was uitgestapt – Quinton bad dat hij geen vergissing had gemaakt door de tijd te nemen om de wagen te keren, maar hij had met de neus naar voren willen staan voor beter zicht terwijl hij wachtte, en nu moest hij makkelijk bij de kofferbak kunnen.

De garage was nog steeds stil. Hij rende op zijn rubberzolen de hoek om op het moment dat Raines in de richting van de liften liep. Twintig meter. Hij moest dichterbij zijn – de man was getraind om zijn wapen te gebruiken en zou niet aarzelen als hij de kans kreeg. Quintons eerste schot moest hem uitschakelen.

Elke voorzichtigheid in de wind slaand, sprintte hij naar voren en overbrugde de afstand tot op tien meter voordat Raines hem hoorde en zich omdraaide.

Maar de muis zat in de val en de val sloeg dicht. Quinton richtte het verdovingspistool en schoot de man in zijn borst. *Poef.* Het rode pijltje trof doel. Rain Man slaakte een kreet en sprong verbaasd naar achteren.

Zijn ogen sperden zich open toen hij, getraind in dit soort dingen, het projectiel herkende dat in zijn borst stak. Hij greep het beet en trok het los, reikte toen naar het wapen onder zijn jasje. 'Jij zieke kloot...' Zijn stem verwrong tot gebrabbel en hij wankelde. Maar het krachtige middel zou na vijftien seconden gaan werken. Minder, als het hart van de man erg snel pompte.

Quinton dook achter een auto en hurkte neer. Telde de seconden... zes, zeven, acht...

Plof.

Hij stond op en zag dat Rain Man op de grond lag, nog steeds met zijn pistool in de hand. Quinton stak zijn eigen wapen achter zijn riem en rende toe.

Rain Man was zwaar. Dood gewicht was altijd zwaar – hij had ieder van de vrouwen opgehangen zonder hulp, maar dit... De man voelde aan alsof hij dik tweehonderd kilo woog.

Quinton hees hem over zijn schouder en rende de hoek om. Nu werd hij beloond voor zijn beslissing zijn wagen te keren. Hij dumpte de man in de kofferruimte en klikte snel, voordat er een andere auto de garage in kwam, handboeien om de polsen van Rain Man. Het verdovende middel zou hem een halfuur koest houden, maar hij kon geen risico nemen.

Nu hij zijn man in de kofferbak had, schoof Quinton op de voorbank, gaf gas en scheurde de helling op, de donkere nacht in.

Vijf minuten later reed hij op de I-25 in noordelijke richting. Geen zwaailichten in zijn achteruitkijkspiegel. Geen helikopters in de lucht. Geen spoor van achtervolgers. Met een beetje geluk zou niemand zelfs merken dat hun ster zoek was. Tot morgenvroeg, als hij niet op zijn werk verscheen.

Een van de duidelijke nadelen van een loopbaan in dienst van God, zoals zijn eigen loopbaan, waren al die negatieve verhalen in de pers. De geestelijkheid lag veel te veel onder vuur; veel te veel negatieve aandacht.

Maar er waren ook enkele duidelijke voordelen. Dat je God aan je kant had bijvoorbeeld, daarvan was het soepele verloop van deze ontvoering een zoveelste bewijs. Het was een extra bevestiging van Quintons roeping – niet dat hij er enige twijfel over koesterde.

Maar toch, Rain Man in de kofferbak te weten gaf hem een heel goed gevoel.

Hij sloeg rechts af, de I-70 op. Vanaf hier wachtte de grens met Kansas, tweehonderdvijfenzeventig kilometer verder. De kleine stad St. Francis lag in diepe rust, zestien kilometer over de grens. De boerenschuur die Quinton had geprepareerd stond ruim veertien kilometer ten zuiden van St. Francis.

Normaal gesproken zou de rit minstens drie uur in beslag nemen. In het holst van de nacht kon hij het in iets meer dan twee redden, dankzij een krachtige Chrysler-motor en een hypermoderne radardetector annex laserdeflector.

De zoektocht naar hem was voornamelijk beperkt geweest tot Colorado. Maar om alle aandacht te vermijden zou Quinton de zevende en mooiste lieveling in Kansas met God verenigen.

De gedachte bezorgde Quinton een rilling.

25

Frank Closkey duwde de deur naar het kantoor van zijn chef open. 'Niets.'

Temple wendde zich af van het raam, waar hij met zijn handen in zijn zij uitkeek op de straat beneden. Zijn das hing losjes om zijn hals en de bovenste twee knoopjes van zijn overhemd waren geopend. 'Zijn appartement, zijn telefoon, zijn noodpieper? Niets?'

'Niets sinds hij gisteravond even voor tienen het kantoor verliet. We hebben navraag gedaan bij zijn lievelingsrestaurants. Nop.'

'Maar hij is aangekomen bij zijn appartement...'

'Zijn auto staat in de garage, ja. Niets wijst erop dat hij het gebouw daadwerkelijk is binnengegaan. En dan dit: het snoer van de garagecamera was doorgesneden.'

Temple zette grote ogen op. 'En niemand is gewaarschuwd? Wanneer?'

'Gisteren laat in de middag. Er is een opdracht tot reparatie uitgegaan, maar het beveiligingsbedrijf is pas vanmorgen gekomen.'

Temple liep naar zijn bureau, liet zijn handen een moment langs zijn lijf hangen, zette ze toen weer in zijn zij. 'Dus het is de Bruidenvanger.'

'Dat weten we niet.'

'Vanaf nu gaan we ervan uit dat we dat wel weten. Eerst Nikki, nu Brad. Wat is er in vredesnaam met het surveillanceteam gebeurd?'

'Brad heeft het afgeblazen nadat we Nikki hadden gevonden.

Nadat zij was ontvoerd, was er geen reden om te denken dat de moordenaar zijn dreigement niet volledig had uitgevoerd. Hij heeft nooit eerder een man ontvoerd.'

Een spier in Temples kaak klopte. 'De onderdirecteur springt uit zijn...' Hij rukte zijn stoel vrij en ging zitten. 'Oké, ik wil Brads foto in elke politiewagen in de staat. Check elke bekende locatie die hij frequenteert. Vraag zijn gsm-gegevens op bij de telefoonmaatschappij en loop elk gesprek na. Ik wil elke stap kennen die hij de afgelopen vierentwintig uur heeft gezet. Hoe zit het met de schets die hij heeft geregeld?'

Frank begreep nog steeds niet precies hoe Brad zeker kon zijn dat de schets die hij laat in de middag had afgeleverd het portret van de moordenaar was. Hij was per slot van rekening gebaseerd op een hersenschim. Hij had de hoogste prioriteit gegeven aan het linken van het portret aan iedere bekende geweldpleger in het foto-identificatiesysteem. Het was een ruwe schets die handmatige vergelijking zou vereisen, maar het was het eerste duidelijke aanknopingspunt dat ze hadden sinds de moord op Nikki, en het team had al het andere werk laten vallen.

'Nog niets. We hebben het portret doorgestuurd naar de andere kantoren en alle ziekenhuizen in de staat. We sturen vanmorgen ook een forensisch profieltekenaar naar het CWI voor nog een schets.'

'Wat weten we over dat meisje? Behalve die kletskoek dat ze geesten kan zien?'

'Niet veel. Brad was een beetje ontwijkend.'

'Dus je vertelt me dat Brads lot nu in de handen ligt van een of andere verknipte figuur?'

'Hij leek te denken dat ze behoorlijk slim was.'

'Dit kan niet het beste zijn wat we hebben.' Temple schudde zijn hoofd. 'Dat kan gewoon niet.'

Het was een prachtige dag. De bomen zagen er op de een of andere manier groener uit, de vogels kwinkeleerden en dartelden rond alsof ze een pot koffiebonen hadden gevonden en die allemaal hadden opgegeten. Zelfs de zon leek stralender. De eieren die ze nu zat te eten smaakten beter, lekkerder, misschien wel het heerlijkste voedsel dat ze ooit had geproefd.

Maar Eden wist dat noch de bomen, noch de vogels, noch de eieren, noch de zon veranderd waren. Zíj was veranderd.

Om te beginnen was ze van het ene moment op het andere zo ongeveer een sensatie geworden. Misschien verbeeldde ze het zich, maar toen ze een halfuur geleden de kantine in liep, leken bijna alle ogen op haar gevestigd. Het viel niet te ontkennen dat vele, zo niet de meeste bewoners wisten dat ze in de ogen van enkele héél belangrijke mensen een héél belangrijk persoon was geworden.

Roudy haalde alles uit de kast om zo veel mogelijk eer naar zich toe te trekken. Hij was immers degene geweest die had geëist dat ze het bewijsmateriaal naar zijn team brachten. En uiteindelijk zouden ze hem nog steeds nodig hebben om alle puntjes met elkaar te verbinden en het plaatje rond te krijgen.

'Kun je niet gewoon blij voor haar zijn?' vroeg Andrea.

'Natuurlijk wel. Maar er waart een moordenaar rond! Heb je geen hart voor al die arme meisjes?'

Hopeloos.

Hoe dan ook, Eden was veranderd. Ze had gezien. En ze was gezien. Er was een pak van haar hart gevallen. De schellen waren van haar ogen gevallen. Elk cliché in het boek was haar overkomen, en allemaal tegelijk. In haar donkere wereld was de zon doorgebroken als was het voor de allereerste keer.

Maar alleen zij en Allison wisten waarom. Het kwam niet doordat ze een meesterspeurder was geworden. Het kwam door Brad Raines. Of preciezer gezegd, door wat zij en Brad met elkaar hadden gedeeld. Deelden.

Omdat Brad de angst had verbrijzeld die haar geest in zijn greep had gehouden. Omdat ze Brad meer dan enig ander levend wezen vertrouwde, misschien met uitzondering van Angel en Allison, maar Angel was haar zuster en Allison was als een moeder voor haar.

Brad was een man.

Er was iets speciaals tussen hen. Ze zou niet zover gaan te zeggen dat hij van haar hield, daarvoor was het veel te vroeg. Ze wist dat er niets kon komen van wat hij ook maar voor haar voelde.

Per slot van rekening was zij hier in het CWI en hij daarbuiten, in de wereld, met alle demonen die deze rijk was.

Maar ze had gisternacht besloten dat ze niets zou doen om de gevoelens in haar hart na zijn vertrek te temperen. Ze was naar bed gegaan en had met vlinders in haar buik liggen draaien en woelen. En ze was wakker geworden met beelden van Brad in haar hoofd.

Ze was niet verliefd op hem. Dat zou veel te ver gaan. Maar als verliefdheid zo aanvoelde, was het geen wonder dat zoveel mensen er zoveel voor riskeerden.

Andrea staarde haar met een verlegen grijns aan.

'Wat?'

Haar vriendin knabbelde aan haar toast. 'Ik weet het niet. Heb je hem gekust?'

'Andrea!' Eden legde haar vork neer en bloosde. 'Dat jij je rokje optilt voor de eerste man die langskomt betekent niet dat iedereen dat doet.'

'Ik zei "kussen". Je hebt nooit een man gekust, zei je.'

'En dat heb ik nog steeds niet.' Hoe gênant was dat? Maar haar mond vocht tegen een glimlach.

'Maar dat komt vanzelf.'

'Doe niet zo mal! Zo zit het niet. Alsjeblieft, Andrea, je gaat alles verpesten.'

'Je glimt helemaal!'

Iemand tikte haar op de schouder. Jonathan boog zich naar haar toe en sprak zachtjes. 'Er is iemand aan de telefoon voor je, Eden. Ik dacht dat je het gesprek zelf wel wilde aannemen.'

Normaal gesproken noteerden ze het bericht. Toen zag ze zijn glimlach en hapte ze naar adem. 'Een man?'

'Ja.'

Ze sprong op. 'Ik... Verbind maar door naar mijn kamer.'

Eden vertrok, draaide zich weer om en wees naar Andrea. 'Jij blijft hier.'

Ze sprintte door de gang naar de vrouwenvleugel, vloog de trap op en bereikte haar kamer op het moment dat de telefoon begon te rinkelen. Ze smeet de deur dicht, deed hem op slot en liep met kloppend hart naar de telefoon. Haar hand trilde toen ze de hoorn van de haak nam.

'Hallo.'

Een zacht gegrinnik. 'Hallo, Eden.'

Ze was zo voorbereid op Brads stem dat het even duurde voordat ze zich afvroeg of het iemand anders was.

'Brad?'

'Nee, niet Brad. Brad kan niet aan de lijn komen. Ik heb hem hier bij me.'

Was dit een collega van Brad? Er was iets vreemds aan de...

'Ik ben degene die Nikki heeft gedood,' zei de stem. 'En nu heb ik je liefje in handen. Ik ga hem laten gillen als een speenvarken en dan ga ik hem slachten als je niet precies doet wat ik zeg.'

De lijn was stil. Ze stond als aan de grond genageld, niet in staat adem te halen.

'Ben je daar nog, liefje?'

Ze probeerde iets te zeggen, maar haar tong leek bevroren.

'Wees niet bang, Eden. Ik wil dat je helder denkt. Brads redding hangt van jou af. Kun je dat?'

Haar stem beefde. 'Ja.'

'Mooi. Het eerste wat je gaat doen is je mond stijf dicht houden. Ik kan je zien, elke beweging die je maakt. Ik kan alles horen wat er gebeurt in die gevangenis waar je zit. Als je tegen iemand, inclusief die oude non, vertelt dat je met me gesproken hebt, zal ik meneer Raines vermoorden. Begrepen?'

Ze werd overvallen door de ergst mogelijke scenario's. Ze was weer in de donkere mist en het monster doemde achter haar op en graaide naar haar benen terwijl ze over de grond kroop. De lijken lagen op de grond en ze kroop eroverheen.

'Begrepen?'

Het was echt. Ze was aan de telefoon met de man die ze had gezien. Dit was zijn stem; ze herkende hem nu van toen ze het meisje had aangeraakt.

'Ja.'

'Luister je? Het is belangrijk dat je niet in paniek raakt. Als je in paniek raakt, zul je iets doms doen en dan zal ik hem dood moeten maken. Oké?'

Zijn stem klonk niet boos of sinister. Alleen kalm en kordaat. Maar dat maakte het alleen maar angstaanjagender.

'Oké?'

'Ja,' wist ze uit te brengen.

'Over dertig minuten zal de tuinman in zijn rode pick-uptruck klimmen en voor een lange koffiepauze vertrekken, zoals hij elke dag doet. Je klimt in de laadbak van zijn truck, onder het groene zeil dat hij gebruikt om zijn gereedschap...'

'Ik kan hier niet weg!'

De man wachtte geduldig. '... tegen de regen te beschermen,' vulde hij aan. 'Je hóéft niet in de rode truck te stappen, Eden. Maar als je het niet doet, zal meneer Raines dood gevonden worden, en dat zal komen omdat jij hem hebt laten doodgaan.'

'Ik...' Eden begon in paniek te raken. De kamer draaide om haar heen en ze slaagde er alleen in overeind te blijven door met haar linkerhand steun te zoeken tegen de muur. Haar stem kwam eruit als een schor gefluister. 'Ik kan hier niet weg.'

De man negeerde haar. 'De rode truck zal naar de stad rijden en bij een Starbucks stoppen. Als het zover is, stap je uit zonder aandacht te trekken en loop je recht naar het oosten één blok verder tot je een winkelcentrum ziet met een schoonheidssalon. Aan het eind staat een grote groene afvalcontainer. Onder die container vind je een envelop met geld en een mobiele telefoon. Kun je dit allemaal volgen?'

'Ik kan niet... ik kan niet weg...'

'Herhaal wat ik je gezegd heb.'

Ze aarzelde, worstelde zich haperend door de instructies heen, maar haar gedachten waren vooral bij het feit dat als ze niet gehoorzaamde, de man aan de telefoon Brad zou doodmaken.

'Maar ik kan niet...'

'Luister, Eden.' Ze hoorde zijn stem weg van de telefoon tegen een andere man praten en eisen dat hij zijn mond opendeed.

Toen kwam Brads vertrouwde stem aan de lijn. 'Zeg het tegen Allison, Eden...'

Baf!

De lijn werd stil en de moordenaar kwam weer aan de lijn. 'Dus je hoort het, ik heb hem echt en ik zal hem doden. Luister je?'

Het was Brad geweest, ze was er zeker van. Zijn stem had schor en hees geklonken, maar hij was het wel degelijk!

'Luister je, Eden?'

'Ja... ik luister.'

'Haal het geld uit de envelop, ga naar de schoonheidssalon en laat je mooi maken. Zoals je zuster Angel. Kun je dat voor me doen?'

Wat vroeg hij van haar? Moest ze naar een schoonheidssalon? Wat had dat met Brad te maken?

'Geef ze gewoon al het geld, het is vijfhonderd dollar. Laat ze hun afspraken afzeggen als ze geen gaatje hebben. Wanneer je klaar bent, neem je een foto van jezelf en stuurt die naar me door zodat ik weet dat je precies hebt gedaan wat ik je gevraagd heb. Steek dan de weg over naar het park en wacht op me. Ik zal je opbellen en je vertellen wat je daarna moet doen. Herhaal wat ik je gezegd heb.'

Ze gehoorzaamde hakkelend.

'Mooi. Mondje dicht, Eden. Geen woord. Zodra je weg bent, zullen ze je gaan zoeken. Blijf uit het zicht. Als ze je oppakken, is het allemaal voorbij. Oké?'

Haar hersenen leken dienst te weigeren. Ze moest dit doordenken, maar ze wist niet waar ze moest beginnen. Het was een nachtmerrie. Hoe kon ze uit een nachtmerrie komen?

'Oké?'

'Oké.'

Hij aarzelde. 'Dank je, Eden. Ik heb hier heel lang naar uitgekeken.' De lijn viel dood.

26

Er kierde licht door een tiental scheuren in het hoge dak van de schuur, maar overigens wees niets erop hoe laat het zou kunnen zijn. Ochtend, gokte Brad, maar het kon ook middag zijn. Er had een zak over zijn hoofd gezeten toen hij bij kennis was gekomen en daarna was hij nog minstens twee keer bedwelmd.

De situatie, nu helder, was er een zoals alleen zijn ergste angsten hadden kunnen oproepen. Hij was ontvoerd. Verdoofd en in een kofferbak gedumpt. Nu keek hij de dood in de ogen zoals Nikki de hare in de ogen had gekeken. Na de vele honderden uren die hij had besteed om zich in moordenaars en hun slachtoffers te verplaatsen bevond hij zich zelf in die positie. Op zichzelf genomen was het idee meer surrealistisch dan angstaanjagend.

Maar sinds de moordenaar Eden had opgebeld, hadden de klauwen van angst vat op hem gekregen. Hij voelde zich misselijk.

Ze waren in een oude boerenschuur met grijzende planken als wanden en smerig hooi als vloer. De verschaalde geur van graan en oude paardenmest hing in de lucht. Verzakkende balken van twintig bij twintig overspanden het schuine dak boven zijn hoofd, smekend om een excuus om het te begeven onder het gewicht dat ze torsten. Een bouwval.

Zijn polsen waren samengebonden achter een splinterige houten steunpilaar van tien centimeter dik. Hij zat op de vochtige grond, met zijn gezicht naar het toneel dat de moordenaar had ingericht. Verscheidene grote wollen dekens met brede rode en zwarte strepen, het soort dat te koop was bij wegkraampjes met indiaanse souvenirs, lagen op de grond met spoorbielzen aan de randen. Aan één kant had de moordenaar tegen een grote stapel hooibalen een provisorische houten wand opgericht.

Uit de planken staken twee houten pinnen, op driekwart van de hoogte. Zowel links als rechts van zijn wand had de Bruidenvanger een houten ton geplaatst waarop een aantal kaarsen stonden. Er was weinig fantasie voor nodig om te begrijpen dat hij de wand had geprepareerd om daar zijn zevende slachtoffer leeg te laten bloeden.

De details waren langzaam tot hem doorgedrongen terwijl hij bijkwam. Maar het ene gegeven dat zijn gedachten beheerste was de man die met zijn armen over elkaar en het ene been over het andere op een oude vouwstoel drie meter van hem vandaan zat en hem aandachtig opnam.

Dit was de Bruidenvanger en hij zag er ongeveer zo uit als op de tekening waarop Eden had geploeterd terwijl ze opgewonden haar herinnering raadpleegde. Maar er waren een paar belangrijke verschillen die het team zouden kunnen verwarren, dacht hij. Kleine details waarop professionele profieltekenaars zich zouden concentreren, wetend hoe belangrijk ze waren.

In het echt was de mond van de moordenaar voller en breder dan op de schets, en Eden had de afstand tussen zijn wenkbrauwen en zijn haargrens te klein gemaakt, waardoor ze hem een luguberder uiterlijk had gegeven dan hij in levenden lijve had. En zijn ogen waren ook groter. Maar een forensisch tekenaar zou vandaag een nauwkeuriger tekening maken – had dat misschien al gedaan.

Hij was een man met grove botten die op het eerste gezicht vertrouwen zou inboezemen. Niets aan hem zag er verdacht uit. Zijn donkere haar was kortgeknipt en goed verzorgd. Zijn handen waren gemanicuurd. Zijn ogen waren donker, maar niet diepliggend of dreigend. Hij was knap, zoals zoveel seriemoordenaars.

Hij droeg een grijze pantalon en een lichtblauw overhemd met korte mouwen, het soort dat kon doorgaan voor het shirt van een automonteur met een Midas- of Good Year-logo op het borstzakje.

Afgezien van het telefoontje naar Eden had de man geen woord gezegd. Maar zijn intenties tekenden zich even dreigend in Brads gedachten af als een schaduw in een donkere deuropening.

'Als het goed is, voel je je nu een stuk beter,' zei de man. Zijn stem was zacht en laag. Zakelijk. 'Je noemt me de Bruidenvanger, wat alles in aanmerking genomen wel passend is. Maar je mag me nu Quinton noemen. Mijn achternaam is Gauld.'

Quinton Gauld. Brad schraapte zijn uitgedroogde keel. 'Het deert je niet dat ik je echte naam ken.'

'Niet meer, nee. Mijn taak op aarde is bijna volbracht.'

'Je gaat me vermoorden.' Een simpele constatering.

'Ik weet het nog niet. Alleen als Hij het me opdraagt.'

Het was een leugen, dacht Brad. Alleen een dwaas zou hem na dit alles in leven laten, en de moordenaar had bewezen dat hij allesbehalve een dwaas was. Het enige beletsel was zijn laatste slachtoffer. Gods lieveling.

Maar ja, als de man even psychotisch was als zijn boodschappen suggereerden, in de greep van een diepe waan, loog hij misschien niet.

Het telefoontje dat Quinton had gepleegd speelde weer door Brads hoofd. Bij de gedachte dat deze man zelfs maar naar Eden kéék, trok zijn buik samen van diepe walging, en hij moest slikken om het te verbergen.

De moordenaar lokte haar naar zich toe. Het was bijna alsof hij alle gebeurtenissen van de afgelopen twee weken met dit doel had georkestreerd. Om Eden uit het Centrum voor Welzijn en Intelligentie weg te lokken. Maar waarom?

Brad herinnerde zich de foto van het mooie meisje dat Eden hem gisteren had laten zien nog levendig. Angel Founder. Angie, Edens zuster. Ze hadden de identiteit van het zevende slachtoffer al die tijd binnen handbereik gehad. Maar begrijpen deed hij het nog steeds niet.

'Je probeert Angie te lokken. Angel. Zij is je zevende slachtoffer.'

Quinton keek hem alleen maar aan.

'Maar waarom? Waarom heb je haar niet gewoon ontvoerd? Waarom al dat omslachtige gedoe met mij en met...'

'De zevende lieveling moet vrijwillig komen. Het moet haar keus zijn.'

'Dus dwíng je haar maar?'

Quinton zette zijn beide voeten op de grond en legde zijn handen op zijn knieën. Hij staarde Brad aan alsof hij belast was met de taak een dom kind op te voeden. Uiteindelijk stond hij op, liep naar de stapel hooibalen en greep een vuistvol hooi. Rook eraan.

'Ik wil haar niet dwingen. Maar ze weet nog niet wie ze is. Mensen zijn bang voor het onbekende.' Hij draaide zich geagiteerd om. Er klopte een spier in zijn kaak. 'Ik heb dit al eens eerder geprobeerd. Ik heb geprobeerd onze relatie te consumeren. Ze sloeg me. Sindsdien ben ik niet in staat tot het onderhouden van normale relaties. Soms moet het leven ons allemaal een beetje onder handen nemen om helder zicht op de waarheid te houden.'

'Dus dit ging aldoor om Angel. De rest zijn gewoon pionnen? Meer zijn wij niet voor jou?'

'Het gaat niet om mij, Brad,' zei hij met meer zekerheid nu. 'Het gaat om Hem. Ik ben slechts de boodschapper. Heb je je ooit afgevraagd waarom de meeste mensen die zeggen dat zij in God en de hemel geloven, dit leven niet werkelijk willen verlaten om bij Hem te zijn? Dat willen ze pas als het leven hen zo hard om de oren heeft geslagen dat ze erom smeken. En tussen haakjes, niet iedereen is welkom op het feest wanneer God Zijn bruid naar huis roept. Of heb je het boek Openbaringen niet gelezen?'

Op dat moment kwam het bij Brad op dat als Quinton een achilleshiel had, het zijn intelligentie moest zijn. Als er iets was waarop hij zou kunnen reageren naast geweld, een optie die Brad op dit moment niet had, dan zou het logica zijn. Quintons soort logica.

Maar op het moment was Brad mentaal niet in staat zich op een dergelijk niveau met de man te meten. Hij werd te veel in beslag genomen door het beeld van Eden, die op ditzelfde moment in het Centrum bevend op haar kamer zat. Het idee dat dit beest zo'n pure, onschuldige vrouw zou ontvoeren, een vrouw die zichzelf pas aan het ontdekken was in een duistere wereld, en haar aan gruwelen zou onderwerpen na alles wat ze had doorgemaakt...

Zijn maag draaide zich om. Hij slikte opnieuw en probeerde zich te concentreren. Hij moest Quinton aan de praat houden. Hij moest hem aan het lijntje houden, hem op een spoor zetten dat voor afleiding zou zorgen.

'Ik wil niet dat je Eden iets aandoet,' zei hij. 'Ze is gewoon een pion voor je. Waarom zou je nog een onschuldig leven nemen?'

'Geen van hen is onschuldig. En desondanks heeft Hij hen uitverkoren. Ga terug naar de zondagsschool, meneer Raines.'

'Oké, één-nul voor jou. Maar gold dat ook voor Nikki's moeder? Voor de twee politieagenten die je hebt gedood? Voor mij? Voor Eden? Je hoeft geen anderen te doden.'

Quinton keek hem met een gefascineerde blik aan. 'Dat zei Nikki ook al. Ze smeekte te mogen blijven leven. Maar jou gaat het om Eden, nietwaar? Om haar leven.'

'Ze is...' Zijn borst zwol van een emotie die zijn woorden verstikte. 'Alsjeblieft, ze heeft dit nergens aan verdiend. Om Gods wil, ze is...'

'Om Gods wil, Brad? Niet omwille van je liefde voor haar?'

Kijkend in de ogen van de man zag Brad daar een duisternis die maakte dat hij zijn hoofd wilde afwenden. Een diep kwaad dat zichzelf had wijsgemaakt dat het wist wat het niet kon weten. Toch kwam van achter deze duistere blik de vraag die hem had geplaagd.

'Liefde?' vroeg Brad. 'Wat is liefde?'

'Je weet niet wat liefde is?' zei Quinton. 'Dan heb je het recht niet om erover mee te praten.'

'Natuurlijk weet ik wel wat liefde is...'

'Nou, vertel me dan eens: hou je van haar? Of geneer je je voor haar? Ze is een idioot in jouw bekrompen wereldje. Jullie zetten mensen als zij bij het afval.'

De beschuldiging legde een laag van rauwe emotie bloot die Brad overrompelde. 'Nee, zeg dat niet.'

'Waarom ben je dan niet voor haar gevallen?'

Omdat hij dat niet kon! Hoe kon hij verliefd worden op iemand die...

Brad sloot zijn ogen en probeerde vat te krijgen op de tegenstrijdige emoties. De man had in een paar minuten de rollen omgedraaid en hem in een defensieve positie gebracht, een die Quinton de macht gaf. Hij moest dit terugdraaien.

Hij keek weer op naar Quinton. 'Oké, je hebt gelijk. De waarheid is dat ik denk dat ik inderdaad van haar hou.'

'Je houdt van Eden.' Zijn toon was spottend, niet overtuigd.

Het was vreemd om hier vastgebonden aan een paal met zichzelf te debatteren over zijn liefde voor een vrouw. Maar op dit moment was er niets wat belangrijker was.

'Ik denk het, ja.'

Quinton staarde hem enkele seconden aan. Toen liep hij op hem af, trok hem ruw overeind, pakte hem met zijn linkerhand bij zijn kraag en sloeg hem met zijn rechterhand hard op zijn kaak.

Brads hoofd sloeg naar achteren. Pijn schoot door zijn kaak.

Het gezicht van de man was bezweet en vertoonde zenuwtrekjes. 'God houdt van haar. Jij niet. Knoop dat in je oren.' Quinton liet hem los.

Hij liet Brad staan en liep naar een tafel waarop een enkele koffer lag. Hij opende het deksel en haalde een blauwe accuboormachine tevoorschijn. Hij drukte de ontspanknop één keer in, liet het apparaat even op volle toeren draaien, liet de ontspanknop weer los en legde het apparaat neer. Hij pakte een plastic doos met zilverkleurige boortjes uit de koffer en zette hem met zorg naast de boormachine.

Aan het eind van de tafel stond een zinken emmer.

Brad wist dat hij de man aan de praat moest houden. Hem moest afleiden. De paal achter hem was maar tien centimeter dik en gaf mee als hij ertegenaan leunde – wat zou er gebeuren als hij zijn gewicht ertegenaan gooide? Hoe lang stond het ding hier al te rotten?

'Dus je gebruikt mij als lokaas,' zei Brad, 'om je lokaas voor Angel binnen te halen.'

De man sprak zonder zich om te draaien. 'Was het maar zo simpel. Dit zijn gecompliceerde zaken, meneer Raines. God, de duivel, die hele strijd die zich in de hemel afspeelt. Maar dit is een liefdesverhaal. Bij liefdesverhalen heb je altijd verwikkelingen. Misverstanden, verraad, tranen... Het maakt allemaal deel uit van het plan. Ook jij, de verknipte figuur die niet weet hoe hij van een vrouw moet houden. Het is maar goed dat God dat probleem niet heeft.'

Brad wilde iets zeggen. Hij wist dat hij de man bezig moest houden, hem moest bewerken, een kiem van twijfel planten, de overhand krijgen, hem aan het wankelen brengen. Het probleem was dat hij zelf wankelde.

De moordenaar was degene geweest die een kiem van twijfel had geplant, met die knagende vraag over de liefde. Waarom was het hem niet gelukt om lief te hebben, echt lief te hebben, sinds Ruby zich van het leven had beroofd?

Omdat hij bang was, niet voor wat hij daar zelf mee riskeerde, maar voor wat de vrouw in kwestie riskeerde. Toen Eden gisteren iets in die trant had gezegd, was hij ter plekke ingestort, op dat bankje. Maar niet omdat ze gelijk had.

Omdat ze ongelijk had! Hij was helemaal niet zo nobel. Als ze wisten hoe hij werkelijk was... de FBI, zijn collega's, de serveersters in de bars waar hij kwam, de vrouwen met wie hij uitging. Als ze wisten hoe gespitst hij was op het beschermen van niet hen, maar zichzelf. Hoeveel moeite hij had met de tekortkomingen van anderen omdat hij de lat zo hoog legde. Hoe onaantrekkelijk hij was zonder zijn charmes en zijn snelle geest.

Als ze eens wisten...

Hij kon niet van Eden houden omdat ze dan zou ontdekken hoe weinig beminnelijks er aan hem was. En omdat ze onmogelijk aan zijn eisen kon voldoen – de reden waarom hij geen liefde verdiende.

Het besef had hem verpletterd omdat hij wist dat hij, ondanks zijn onvermogen van Eden te houden, diep vanbinnen van haar wílde houden. Hij wilde al zijn eisen verbranden. Ze samen met Eden in brand steken en ze smeulend en wel uitstampen. Haar in zijn armen nemen, ver weg van alles wat hem tot dit monster had gemaakt dat eiste dat een vrouw eruitzag en sprak en dacht op een manier die aan zijn hoge verwachtingen voldeed.

Zoals hij hier nu stond, vastgebonden aan de paal, keerden zijn gevoelens van schaamte en verlangen terug. Maar tegelijk kwam er een heel simpele gedachte bij hem op: wat hij zojuist gezegd had was waar. Hij hield van haar.

Brad knipperde met zijn ogen. Waarom eigenlijk niet? Waarom zou hij niet van haar kunnen houden?

Hij had alleen gedaan alsof hij niet van haar kon houden, om zichzelf te beschermen. In werkelijkheid, onder alle dwaasheid die hem zo pathetisch maakte, hield hij van haar. En misschien, heel misschien, zou hij haar liefde kunnen winnen.

Zijn hart begon sneller te kloppen en zwoegde nu als een pomp, wanhopig op zoek naar meer bloed om in leven te blijven. Quinton was bezig zijn gereedschap klaar te leggen om een leven te ruïneren, omdat hij dacht dat hij daar goed aan deed, en Brad stond achter hem, denkend dat hij dit ene leven, Eden, moest redden die het ongeluk had gehad in het schootsveld van de moordenaar te komen, een pion om zijn zevende slachtoffer te lokken.

Eden redden was plotseling het enige wat telde.

Allisons woorden fluisterden door zijn gedachten. *Wat hij niet beseft is dat hij in feite Gods lievelingen doodt. Hij heeft het precies verkeerd om. Hij is geen engel, hij is de duivel. Iemand moet zijn denken corrigeren.*

'Ze zeggen dat je aan wanen lijdt,' zei hij. 'Dat je geestesziek bent en aan grootheidswanen lijdt. Dat je denkt dat God je toespreekt omdat je psychotisch bent. Maar ze hebben het bij het verkeerde eind, hè?'

Quinton zette een flesje nagellak naast drie andere die hij had klaargezet. Alles perfect geordend.

'Maak je geen zorgen, meneer Raines. Ik heb besloten je niet te doden.' Hij draaide zich om. 'En probeer me niet te betuttelen of je intelligentie in te zetten om mij om te praten. Ik heb dit onderwerp al grondig doorgedacht en ik weet precies wie ik ben.'

'Ja, dat zie ik nu ook. Maar je weet niet wie ík ben.'

'Jij bent special agent Brad Raines. Je probeert me al lange tijd te vinden en een halt toe te roepen.'

'O ja? En wat als ik nu eens een heel ander doel had in deze' – hij keek rond in de schuur, toen terug naar Quinton – 'deze krankzinnige poppenkast van een wereld? Om preciezer te zijn, een ander doel om hier vandaag bij jou te zijn, voordat je Gods bruid aan Hem aflevert om de eeuwige zaligheid in te gaan?'

Ondanks de zenuwtrekkingen op zijn gezicht trapte Quinton er niet in. Een ongelovige glimlach trok aan zijn mondhoeken.

'Wat als ik het je kon bewijzen?' vroeg Brad.

'Wát bewijzen?'

'Dat ik niet ben wie je denkt dat ik ben.'

De man keek licht geamuseerd.

'Zou je dan naar me luisteren?' vroeg Brad.

Quinton aarzelde, haalde zijn mobiele telefoon tevoorschijn en keek hoe laat het was.

'Oké. Wat is je punt?'

27

Eden stond minutenlang midden in haar kamer op haar benen te trillen. Onmiddellijk nadat ze de hoorn had neergelegd, was het koude zweet haar uitgebroken. Haar angst kwam haar onlogisch voor. Hoe kon iemand nu angst hebben voor iets wat de meeste mensen duidelijk niet verontrustte? Zoals angst voor de grond, wie had er ooit van zoiets gehoord? Of angst voor lucht.

Agorafobie was net zoiets, en ze wist dat ze de angst zou moeten kunnen terugdringen. Maar dat kon ze niet.

De paniekaanval was zo snel en heftig gekomen dat ze niet meer kon denken, laat staan het medicijnkastje bereiken om een xanax te pakken. Het kalmerende middel behoorde snel te werken, maar in haar geval nam het alleen de scherpe kantjes weg. Toch stond Allison toe dat ze een kleine voorraad aanhield, tegen de huisregels in.

Haar kamer draaide om haar heen en ze wist zeker dat haar hart het ditmaal eindelijk zou begeven en in haar keel zou blijven steken tot ze zou stikken.

Ze was zo van haar stuk gebracht dat ze vergat hoe ze hier gekomen was. Maar toen kwam alles in één golf terug. Het telefoongesprek. De moordenaar wilde dat ze in de rode truck klom en naar de schoonheidssalon ging. Als ze het niet deed, zou hij Brad doodmaken.

Een beeld dat ze nooit eerder had gezien, van haar vader bonzend op de deur van de kast waarin ze zich had opgesloten, verscheen voor haar geestesoog. Ze hapte naar adem. Toen was het weg. Maar nu was de paniek terug, sterker, en ze wist dat ze op zijn minst zou vallen.

Ze wankelde wanhopig naar de badkamer, op zoek naar een pil, water, iets wat zou verhinderen dat ze doodging. Ze had zojuist een nieuwe herinnering gekregen. Maar daar kon ze nu niet over nadenken.

Hij heeft Brad en je moet naar de rode truck.

Ze schudde een paar pilletjes xanax uit het potje; alle vijf rolden ze eruit. Ze pakte er twee uit de wasbak, stopte ze met trillende vingers in haar mond en nam een slok water. Knoeide over haar flanellen pyjamajas.

Ze wist dat ze moest doen wat de moordenaar van haar vroeg. Wat haar betrof had ze geen keus. Want ze kon zeggen wat ze wilde, ze hield wel degelijk van Brad.

Ze hield meer van hem dan van wat ook. Veel meer. Omdat Brad alles tenietdeed wat haar vader had misdaan.

Over dertig minuten zal de tuinman in zijn rode pick-uptruck klimmen...

Eden keek naar de klok aan de muur van de badkamer. Hoeveel tijd was er verstreken? Maar ze moest eerder bij de truck zijn dan Smitty en zonder dat iemand het merkte.

Ze vloog de badkamer uit, rende naar de deur en greep de klink. Toen stopte ze. Haar adem maakte een geluid als een straalmotor. Ze was niet gekleed om de deur uit te gaan.

Ze droeg nog steeds de flanellen broek waarin ze geslapen had!

Wat maakt het uit, Eden?

Het maakte veel uit. Ze paste daar niet. Voor haar was het hek passeren als het betreden van een podium in een enorm stadion met 's werelds ergste aanval van plankenkoorts. Ze zouden allemaal toekijken en zij zou in haar pyjama staan!

Maar ze moest naar de rode truck. Als ze onder het zeil kon kruipen, zou ze veilig zijn.

De tranen sprongen weer in haar ogen. Nee, nee, ze zou daar niet veilig zijn!

Maar Brad ook niet. En ze hield meer van Brad dan ze van zichzelf hield. Wat zou hij denken als hij haar zo zag? Hoe kon ze zeggen dat ze van hem hield en vervolgens als een slons naar hem toe gaan? De gedachten buitelden over elkaar heen, de een na de ander.

Ze rende naar haar ladekast en rukte de eerste de beste spijkerbroek tevoorschijn. Vlug, vlug, ze moest op tijd in de rode truck klimmen.

Eden schoot de spijkerbroek aan en rende terug naar de deur, maar halverwege besefte ze dat ze een shirt was vergeten. Ze haastte zich terug, worstelde zich in een geel T-shirt en holde terug naar de deur. *Het eerste wat je gaat doen is je mond stijf dicht houden.* Ze moest stil doen. Niemand mocht het weten.

Dus glipte ze de gang op en sloop naar de trap, zo snel en stil als ze kon op haar teenslippers. Haar paniekaanval was in volle hevigheid teruggekeerd, maar ze hield haar mond stijf dicht en kneep ertussenuit voordat iemand haar kon zien.

Smitty parkeerde zijn rode truck meestal bij de gereedschapsschuur voorbij de mannenvleugel. Eden slaagde erin de achterdeur te bereiken en rende de hete zon in. Ze sloeg links af en rende over het grind zonder te stoppen om te zien of iemand keek. Fout natuurlijk. Dit was niet de manier om onopgemerkt te blijven, maar ze was te bang om te stoppen.

Ze zag de rode truck naast de schuur zodra ze de hoek om kwam. Een groen zeil was uitgespreid over een bultige vorm achterin, ze wist niet van wat. Het idee eronder te kruipen...

Ze kon dit niet. Ze zouden de bult zien en weten dat er iemand onder zat die naar buiten wilde glippen, wat streng verboden was.

Maar er zat al iets bultigs onder. Een lijk. Een berg dode vissen. Een dode koe. Mest voor de tuin. Dus zouden ze een tweede bult misschien niet opmerken.

Eden haastte zich gebukt naar de truck. Zonder te wachten tot de moed haar volledig in de steek zou laten, sloeg ze haar been over de geopende laadbak en wierp zich erop, elk moment een kreet verwachtend van iemand die haar gezien had.

Maar er klonk geen kreet.

Ze kroop naar de rand, rukte het zeil terug, wat een enorm kabaal maakte, en schoof eronder alsof het een deken was. Toen trok ze het over haar hoofd en lag stil, hijgend naar het groene plastic.

De zure stank van mest vulde haar neusgaten. Ze had gelijk. De mest voelde zacht en zompig aan in haar rug. Omdat ze zo zwaar ademde, dacht ze dat de geur haar zou kunnen vergiftigen.

Ze zou onder de grond worden geschoffeld, dood door verstikking. Ze riep al haar wilskracht op en bleef zo stil liggen als ze kon, biddend dat niemand het groene zeil zou zien bewegen door haar gehijg.

Met elke minuut die verstreek kwam ze in de verleiding het zeil van zich af te werpen, omdat ze wist dat ze dit niet kon doen. Ze kon de poort niet uit gaan!

Het geluid van voetstappen weerhield haar ervan te vluchten. Een portier ging open en weer dicht. De truck kwam grommend tot leven en schoot onder luid geknars van de versnellingsbak naar voren.

Alstublieft, God, alstublieft red me. Alstublieft, alstublieft...

Ze zat in een kast en er bonsde een vuist op de deur. 'Als je niet meteen naar buiten komt, schiet ik je moeders hoofd eraf.'

De nieuwe zwarte herinnering kwam hard aan en ze begon te gillen. Maar ze sloeg haar hand voor haar mond. Ze had dit eerder meegemaakt, acht jaar geleden.

'Als je niet naar buiten komt, zweer ik dat ik haar vermoord!'

Alles werd donker en stil.

Boem.

Het was de eerste keer dat ze zich het schot herinnerde dat haar moeder had gedood, en ze wist nu dat het was omdat ze niet uit de kast was gekomen waarin ze zich had gebarricadeerd.

Haar vader vloekte.

Boem. Stilte.

Was híj dat? Hij had haar moeder en zichzelf doodgeschoten. Ze kon amper ademen, amper huilen, amper fluisteren. 'Sorry, mammie. Het spijt me zo...'

Toen voerde de duisternis haar liefdevol weg.

Toen Eden haar ogen opende, zag ze tot haar verbazing dat de hemel groen was. Of ze lag op haar rug naar groene bladeren te staren. Ze had gedroomd van een prins op een wit paard, die vanuit de woestijn was aangestormd, met de heldin achterop, die zich uit alle macht aan hem vastklampte. Ze doken het bos in en toen een veld, waar de witte vleermuizen zich bij duizend krijgers hadden gevoegd die popelden...

Ze hapte naar adem. Nee! Ze lag achter in de rode truck onder het groene zeil. De bewakers hadden hen bij de poort staande gehouden. Ze was er gloeiend bij!

Haar volgende gedachte was er een van immense opluchting. Ze kon niet weg. Ze zouden haar terugbrengen. Ze zou uithuilen op Allisons schouder en alles zou op een of andere manier goed komen.

Haar volgende gedachte gold Brad.

Ze schoot overeind en sloeg het groene zeil van haar hoofd. Een felle zon verblindde haar en ze kneep haar ogen toe, maar in de korte seconde voordat ze instinctief haar ogen dichtkneep, zag ze dat er iets verschrikkelijk mis was.

Ze keek uit op een straat waar auto's voorbijreden. Dit was niet het toegangshek van het CWI.

Eden draaide zich om. Boven een etalage stond met grote groene letters: STARBUCKS.

De rode truck zal de stad in rijden en bij een Starbucks stoppen...

Ze was... Ze was... buiten? Buiten!

Eden dook terug en trok, bevend van top tot teen, het zeil weer over haar hoofd. Dit was niet goed, dit was niet goed, dit was helemáál niet goed... *O, God, help me...*

Er gebeurde niets. Ze hoorde het geraas van het verkeer en het geluid van stemmen in de verte. Toen waren de stemmen verdwenen. Ze moest zich vermannen. Of ze kon hier blijven wachten tot Smitty de truck terugreed naar het Centrum. Waar was ze? Hoe ver ging Smitty weg voor zijn pauze?

Een herinnering aan haar vader kwam terug. 'Als je niet onmiddellijk naar buiten komt...'

Boem.

Ze kon het niet nog eens doen. Ze moest naar buiten komen, want anders zou deze keer... Ze moest naar buiten komen en buiten blijven. Als ze het niet deed, zou het deze keer Brad zijn die zou sterven.

Duizelig van vastberadenheid trok Eden het zeil van haar gezicht en luisterde ademloos of ze stemmen hoorde. Toen dat niet het geval was, gluurde ze over de rand van de laadbak. Een eind verderop in de straat stond een groepje mensen.

Als het zover is, stap je uit zonder aandacht te trekken en loop je recht naar het oosten één blok verder tot je een winkelcentrum ziet met een schoonheidssalon.

Ze klom over de rand van de laadbak, sprong op het asfalt en rende weg van de Starbucks, ineengedoken om zichzelf kleiner te maken. Toen ze het trottoir bereikte, waren haar twee dingen duidelijk geworden.

Eén: ze zag eruit en rook als een hond die door een mesthoop had gerold. Bukkend rennen was niet de manier om aandacht te vermijden.

Twee: ze wist niet of dit recht naar het oosten was.

Maar ze kon nu niet stoppen. Ze zou haar benen nooit meer in beweging krijgen. Ze wierp een blik over haar schouder en zag dat de weg in de tegengestelde richting langs een open veld liep. Geen winkelcentrum. Dus moest ze goed hebben gegokt.

Eden stond zo rechtop als ze durfde en haastte zich verder, weigerend naar rechts of naar links te kijken, bang voor wat ze zou kunnen zien. Auto's, mensen, de moordenaar, monsters, geesten, demonen, ze lagen op de loer, daar was ze zeker van. Ze moest gewoon haar benen in beweging houden tot ze die afvalcontainer kon vinden. Misschien kon ze zich erin verstoppen tot ze had bedacht wat ze moest doen.

Ze hyperventileerde, dus sloot ze haar mond en dwong zichzelf door haar neus te ademen. Tellend, zoals haar was geleerd. *Een, twee. Een, twee.* Ze rende tot ze een half stratenblok achter zich moest hebben gelaten. Misschien meer. Rechts voor haar doemde een winkelcentrum op, daar moest het zijn. Als ze daar kon komen...

Een auto toeterde en ze slaakte een kreet van schrik, maar ze keek op noch om. Toen bedacht ze dat ze overreden kon worden, dus keek ze snel naar rechts om zeker te zijn. De auto was aan de andere kant van de weg en wilde een andere auto inhalen.

Het trottoir kwam uit op een parkeerterrein en ze stopte. *Aan het eind ervan staat een grote groene afvalcontainer.*

'Wat is er met jou?'

Ze draaide haar hoofd met een ruk naar rechts. Twee jonge

vrouwen zaten op de motorkap van een auto, met hun gezicht in de richting waaruit zij was gekomen. Ze kende het type van haar uitstapjes op internet. Spijkerbroeken zo strak dat hun benen tubes leken, zwarte nagellak, sigaretten, met zilver beslagen riemen.

'Ben je verdwaald, spook?'

'Vind je mij een spook?' hoorde Eden zichzelf zeggen. 'Heb je de laatste tijd wel eens in de spiegel gekeken?'

Ze had geen idee waarom ze zoiets zei, nu, ooit, en zeker hier. Ze moest haar greep op de werkelijkheid kwijt zijn en in een psychose zijn geschoten.

Het meisje dat had gesproken keek alsof ze was geslagen. 'Slons. Je ziet eruit alsof je net uit een vuilnisbak bent gekropen. Ik wed dat de mannen dol op je zijn.'

De woorden kwamen aan, ze brandden in haar ziel, de waarheid ervan. Haar intelligentie, zo rap achter besloten muren, liet haar volledig in de steek. Ze was een slons. Slijk. Nu oogde én stonk ze als een slons.

Eden draaide zich om en vluchtte naar de groene afvalcontainer, die ze nu kon zien. Aan de achterkant ervan bood een cementen muurtje enige beschutting.

Ze hurkte en sloeg haar handen voor haar oren om het fluiten te laten ophouden, maar hoewel ze zich een beetje veiliger voelde nu ze zichzelf vasthield, ging het gefluit door, als een signaal, een waarschuwing dat ze op het punt stond in te storten.

Langzaam liet ze zich op haar billen zakken en stond zichzelf toe te huilen.

Onder die afvalcontainer vind je een envelop met geld en een mobiele telefoon.

Een mobiele telefoon. Angie. Ze hapte naar haar adem. Ze kon Angie bellen! Die zou wel raad weten, toch? De man had gezegd dat ze haar mond stijf dicht moest houden, maar ze kon haar zuster bellen en niemand zou het weten. Angie zou wel raad weten.

Eden ging op haar knieën zitten en tuurde onder de afvalcontainer, zag de gele envelop en trok hem tevoorschijn. Koortsachtig rukte ze hem open. Er vielen een paar biljetten van honderd dollar uit. Een mobiele telefoon kletterde op het vlekkerige beton.

Ze griste het toestel van de grond en toetste snel het mobiele nummer van haar zuster in.

De telefoon ging over. Nogmaals. En nogmaals. Toen kwam haar zusters stem aan de lijn met het verzoek een bericht achter te laten. Maar ze mocht geen bericht achterlaten!

Het hele idee haar zuster op te bellen kwam haar plotseling verschrikkelijk gevaarlijk voor. Wat als de moordenaar erachter kwam en besloot dat hij schoon schip moest maken? Ze brak het gesprek af en probeerde na te denken.

Haal het geld uit de envelop, ga naar de schoonheidssalon en laat je mooi maken. Zoals je zuster Angel. Geef ze gewoon al het geld, het is vijfhonderd dollar.

Alles was zó snel gegaan en ze was zó bang geweest, dat ze de meest voor de hand liggende vraag niet had gesteld: Wat had de moordenaar precies in gedachten? Waarom wilde hij dat ze naar buiten ging?

Maar ze wist dat het geen zin had om een vraag te stellen waarop geen onmiddellijk antwoord kon komen. Het zou haar taak alleen maar moeilijker maken.

Op de vraag wat er zou gebeuren als ze níét naar buiten kwam, was daarentegen een onmiddellijk antwoord. Dan zou hij Brad vermoorden.

Brad, de man van wie ze dacht te houden. Maar ze was een dwaas, nietwaar? Dat ze als een vogel door haar kamer zweefde met het idee dat ze van een echte man hield en dat misschien, héél misschien, een echte man van haar hield. De gedachte alleen maakte haar nu misselijk. Het was gewoon absurd!

Je ziet eruit alsof je net uit een vuilnisemmer bent gekropen. Ik wed dat de mannen dol op je zijn.

Eden raapte de bankbiljetten een voor een op en kwam overeind. Op het bord boven de schoonheidssalon stond: FIRST IMPRESSIONS – HEALTH & BEAUTY SPA.

Ze had zich soms afgevraagd hoe het zou zijn om zo mooi te zijn als haar zuster, maar ze had nooit de behoefte gehad om onmogelijke dromen na te jagen. Het was zelfs nooit een droom geweest. Ze stond nooit zo stil bij haar uiterlijk.

Maar ze kon Brads leven niet redden als ze eruitzag als een slons

– zelfs de moordenaar wist dat. Ze was nu buiten en hier keken mensen vreemd op van lelijke mensen. Zelfs Brad zou haar lelijkheid opmerken.

Eden liet het geld in haar zak glijden, met de telefoon, zag toen voor de eerste keer dat haar spijkerbroek vijf centimeter te kort was. Ze had in haar haast de broek gepakt die ze volgens Andrea nooit moest dragen als ze er niet als een malloot wilde uitzien.

De gang over het parkeerterrein naar de schoonheidssalon was een lange, maar ze redde het zonder dat ze werd tegengehouden. Een amper hoorbare gong weerklonk toen ze door de glazen deur liep. *Volhouden, Eden. Kop op.*

Ze was nog nooit in een schoonheidssalon geweest en bij wat ze zag zonk haar de moed in de schoenen. De ruimte was groot. Een stuk of twaalf stoelen voor een wand vol spiegels. Zeven of acht vrouwen keken op terwijl ze naar binnen liep, allemaal wildvreemden.

Monsters. Demonen. Er zaten vrouwen met helmen op. Aliens.

Ze had foto's gezien, maar het besef dat ze nu daadwerkelijk in een schoonheidssalon stond, veroorzaakte een nieuwe paniekaanval. Haar hart sloeg op hol en de lucht was plotseling te ijl om adem te halen. Ze moest zich aan de toonbank vasthouden om niet te vallen.

Vlassig haar, hoogwaterbroek, afgebeten vingernagels, harige oksels – ze hoorde hier niet. Ze rook alsof ze van een composthoop was gerold, wat ook zo was. Nu speelde ze de rol van de geesteszieke en bracht het er zo goed vanaf dat ze hen allemaal voor de gek had gehouden. Zelfs haar naam dreef de spot met wie ze werkelijk was.

'Kan ik je helpen?'

Ze deinsde terug. Ze had het meisje op de stoel achter de toonbank niet opgemerkt.

'Eh...' Eden haalde het geld tevoorschijn, de hele bubs, en deponeerde het zorgvuldig op de toonbank. 'Kan iemand me mooi maken?'

'Weet u het zeker?'

'Ja!' Allison schreeuwde bijna. 'Natuurlijk weet ik het zeker. Ze is nergens te bekennen. We hebben elke centimeter van het terrein afgezocht. Ze is weg, zomaar verdwenen.'

'Is de profieltekenaar daar?'

'Hij zit al een halfuur in de lobby te wachten. Dat heeft de zoektocht ontketend. We zijn haar gaan zoeken, maar ze is weg. En het lukt me maar niet om Brad Raines aan de telefoon te krijgen. Ik dacht dat hij misschien iets zou weten, maar ik kan me niet voorstellen dat hij haar zomaar mee zou nemen. En al helemaal niet dat ze daarin mee zou gaan.'

Het scenario was gewoonweg ondenkbaar, vond Allison. Eden zou nooit zomaar weggaan, hoeveel ze ook van iemand dacht te houden, niet zonder het met haar te hebben doorgepraat.

'Waarom zou Brad iets weten?' vroeg de FBI-chef.

Ze gaf haar beste antwoord. 'Ze hadden een klik. Ze vertrouwt hem, wat veelzeggender is dan u kunt beseffen. Misschien heeft hij haar gevraagd om met hem mee te gaan, maar dat zou ze nooit doen zonder er met mij over te praten.'

James Temple aarzelde. 'We hebben nog een probleem. Agent Raines wordt sinds gisteravond vermist.'

Allison plofte in haar stoel met de hoorn tegen haar oor gedrukt. 'O, God. O, God, hij gaat haar vermoorden.'

28

Het gezoem was terug met een hevigheid die Quinton verontrustte, hem voor de eerste keer echt stoorde sinds hij door God was uitgezonden om de bruid te vinden. Een halfuur lang had hij Rain Man laten praten, die zijn betoog over alternatieve theorieën systematisch uiteenzette. Wat als, wat als, wat als, wat als... Als een demon die twijfel probeerde te zaaien.

Het was allemaal waanzin. Quinton had lange tijd geleden geleerd dat de waan van de een het geestelijk behoud van de ander was. Wat de meeste mensen op de wereld als de grootste waanzin zagen, was misschien helemaal geen waanzin, maar diepe waarheid. Of vice versa.

Was dat niet het verhaal van iedere grote profeet? Was dat niet de reden waarom de wereld de Messias had omgebracht? Was dat niet de reden waarom Gandhi was vermoord? Was dat niet Martin Luther Kings ondergang geworden? In al die gevallen geloofde iemand dat de man in kwestie een gevaarlijke gek was. Toch was de zogenaamde waanzin een alternatieve gezondheid van de hoogste orde gebleken, een betere visie op de wereld, een die tegen de draad inging, maar in feite de waarheid was.

Evenzo was de mooie waarheid die Quinton droeg de vrucht van een diepe verlichting.

Bzzz, bzzz, bzzz...

Een druppel zweet droop omlaag langs Quintons slaap. 'Het probleem met jouw theorie, Rain Man, is dat die ervan uitgaat dat ik de krankzinnige ben. Nogal aanmatigend, vind je niet?'

'Wie zei er iets over krankzinnigheid?' vroeg Brad met een onwillekeurige zweem van zelfgenoegzaamheid. Hij was teruggegleden op zijn achterwerk en keek nu met een strakke blik omhoog naar zijn ontvoerder, wat Quinton óók stoorde. Als hij de man niet nog levend nodig had gehad, zou Quinton in de verleiding zijn gekomen om hem hier en nu een kogel door het hoofd te jagen. Gelukkig had hij meer zelfbeheersing dan de meeste mensen.

'Ik weet niet waarom ik de moeite neem om naar je te luisteren.' Hij wierp opnieuw een blik op de telefoon, smeekte hem om in zijn hand te gaan trillen met de oproep van Eden.

Bzzz, bzzz, bzzz...

'Ik zeg alleen dat er in je gedachtegang misschien een kleine fout is geslopen,' zei Rain Man. 'Dat er een alternatief zou kunnen zijn.'

'Ben je nu klaar?' Hij kon het gezoem niet negeren en hij kon de logica van de man niet negeren, en hij was zich bewust van het zweet dat zich op zijn voorhoofd verzamelde. Het stoorde hem allemaal, en nu stoorde het hem dát het hem stoorde. Hij had Nikki's zielige poging tot redeneren van de hand gewezen. Waarom zouden de woorden van Rain Man – en hij moest onthouden dat het louter woorden waren – hem storen?

'Nee, Quinton, ik ben niet klaar.'

'Ik hoef hier niet naar te luisteren.'

'Nee, maar je bent niet als de rest. Het is niets voor jou om je oren te sluiten voor een argument. Alleen dwazen doen dat.'

De man gebruikte Quintons eigen argumenten tegen hem.

Hij ging in de stoel zitten en sloeg één been over het andere, beval de telefoon in zijn hand te zoemen voordat het gezoem in zijn hoofd hem te veel werd. Hij had de tijd en hij had hersens. Aasgieren vlogen laag over en bestookten de wereld met demonische geesten. De jongen was op de pier. Viste. At een ijsje. Terwijl engelen de dood van alle politici beraamden.

Zijn gedachten sloegen op hol.

Zijn geest was te actief. Te manisch. Het deed pijn.

Neem je pillen in als een grote jongen, Quinton. Slik door, jij waardeloos stuk vreten.

'Gaat het?'

Quinton knipperde met zijn ogen. Wie was deze man om hem

zo'n absurde vraag te stellen? Híj was degene die hier aan de paal was gebonden. Voer voor de aasgieren.

'Wat is je punt?' vroeg Quinton.

'Mijn punt is dat je gelijk hebt. Een oneindige God kan tal van lievelingen hebben. Zijn liefde voor ieder mens is... Hoe verwoordde je dat?'

Quinton fronste. 'Onuitputtelijk,' zei hij.

'Ja. Oneindige liefde, wat per definitie de hoogste soort is. Als Hij voor ieder menselijk wezen de grootste liefde koestert, kan Hij niet een minder soort liefde koesteren voor een van hen. Ze zijn allemaal Zijn lieveling, om zo te zeggen. Sommigen zouden zeggen dat het woord "lieveling" betekent dat de ene mens boven de andere wordt gesteld, maar losjes gebruikt helpt het ons te begrijpen dat Zijn volle en totale toewijding volledig op ieder is gericht. Dat is heel verhelderend.'

'Heel goed, Rain Man. Dus jij denkt dat het feit dat je iets hebt gezien wat overduidelijk is je recht geeft op een of andere gunst, is dat het?'

'Nee. Niet voor mij.'

'O ja. Dit gaat over Eden. Je hebt niet bewezen dat je niet bent wie ik denk dat je bent. Je hebt een heel betoog gehouden om dingen te bewijzen die waarheden als koeien zijn. Je probeert tijd te rekken om je vrienden meer tijd te geven om ons te vinden. En ik begin er schoon genoeg van te krijgen.'

Rain Man doorboorde hem met die zelfgenoegzame blik en Quinton onderdrukte een woeste aandrang hem met iets op zijn hoofd te slaan.

'Daar kom ik nog op, Quinton...'

'Hou op me zo te noemen!'

'Hoe wil je dan dat ik je noem?'

'Iets wat in de buurt komt van wat je echt van me vindt. Wat dacht je van Duivel? Of Demon? Ik ben niet jouw persoonlijke kleine Quinton. Op ditzelfde moment worden de aasgieren gedropt door demonen.'

Bzzz, bzzz, bzzz.

Hij wist dat zijn denken verbrokkelde, en voor de eerste keer in vele jaren had hij die verbrokkeling aan iemand laten zien. Misschien zou hij deze man toch moeten doden.

Rain Man leek niet ontmoedigd. 'Mijn punt is dat ik je logica deel. Dat ik aan de goede kant sta. Jouw kant. Ik zoek je al maanden, en ik wist dat als ik je eindelijk vond, ik je ervan zou moeten overtuigen dat ik een van de goeden ben.'

De man raaskalde. Quintons hoofd bonsde. Dropte bommen.

'Ik ben een van de goeden,' zei hij. 'En je probeert me te stoppen.'

Rain Man leek voorbereid op die opmerking. 'Ze zeiden al dat je dat zou zeggen.'

Om kalm te worden richtte Quinton zijn aandacht op de zevende lieveling. Degene die hem, op de maand af zeven jaar geleden, had afgewezen. Ze was binnengekomen als een gewonde duif en hij was in de loop van die eerste paar maanden smoorverliefd op haar geworden. Hij had haar behandeld als een koningin en zijn liefhebbende ogen steeds op haar gevestigd gehouden, alsof hij God zelf was en zij de gebroken engel.

En toen hij eindelijk had besloten dat consummatie van hun band aan de orde was, was hij naar haar kamer gegaan en had zijn kamerjas laten vallen om haar de volle glorie van zijn lijf te tonen. Maar in plaats van in te zien hoe mooi hun vereniging zou zijn, had ze het uitgegild en hem gekrabd en geslagen. Hij had een doek om haar mond gebonden terwijl hij het probeerde uit te leggen. Maar hoe meer overreding hij gebruikte, hoe meer ze zich had verzet, totdat hij uiteindelijk buiten zinnen was geraakt en haar hard genoeg had gemept om haar bewusteloos te slaan.

Pas toen was de waarheid tot hem doorgedrongen. Ze was gereserveerd voor God, niet voor hem. Ze was de mooiste vrouw die leefde, alleen voor God zelve geschapen. En nu zou hij haar bij Hem afleveren.

Rain Man had geconcludeerd dat het Angel was. Maar hij zat ernaast. Als hij een van de goeden was, zou hij haar ware identiteit kennen, nietwaar?

'Je verbeeldt je heel wat, Rain Man.'

'Ja, ik weet dat je dat denkt. En dat is ook logisch. Maar nu heb ik je gevonden en kan ik je zeggen wat mij opgedragen is je te zeggen.'

De brutaliteit. 'Als je wist wie ik was, zou je weten wie ze is. Ik ben dit trucje zat.'

Maar hij zweette nu als een os en zijn huid begon te jeuken.

'Je hebt alles bij het rechte eind,' zei Rain Man. 'Op één ding na. Je levert de bruiden niet bij God af. Je doodt hen.'

'Is er dan een verschil?'

'Ik ben hier om je te vertellen dat er inderdaad een verschil is. Dat je een fout hebt gemaakt.' Nu beefde Rain Mans stem. 'Dat je Gods lievelingen doodt, zoals Hitler hen doodde, zoals Nero hen doodde. Zoals Lucifer hen probeert te doden. Dat is de alternatieve conclusie van jouw logica, en het is de waarheid. Je hebt één fout gemaakt, en het is de grootste zonde die bestaat.'

Een elektrische stroom verspreidde zich door Quintons lichaam. Wat als de man gelijk had?

De aasgieren werpen bommen af. Het ijsje smelt. Vergeef me Vader, want ik heb gezondigd.

Het gezoem in Quintons hoofd werd sterker en hij begon te trillen op zijn benen. 'Je weet niet waar je het over hebt.'

Maar wat als het waar was?

'Ik ben hier om je te vertellen dat je de verkeerde meester dient, Quinton.'

Quinton was al opgestaan voordat hij de opmerking kon verwerken. Hij sprong over de dekens en gaf de man een vuistslag tegen zijn hoofd.

'Ik zei dat je me niet zo moet noemen!'

Rain Man zakte in elkaar met bloedende lippen. Hij keek smekend omhoog. 'Zo noemt God je, en Hij smeekt je haar niet te doden.' De ogen van de man vulden zich met tranen. 'Alsjeblieft... maak Eden niet dood.'

En met dat ene woord stortten zeven jaren van Quintons leven in. Wíst hij het? Wist Rain Man dat Eden de zevende was?

Hij wankelde verbluft achteruit. Was het dan mogelijk dat de man gelijk had over de rest?

Je bent een aasgier, jongen. Je bent een aasgier en je hebt aldoor met de demonen gevlogen.

'Wát zeg je?' stamelde hij.

'Ik zeg dat je gelijk hebt, ze is de mooiste vrouw ter wereld. Ik zie wat God altijd heeft gezien. En jij... Jij bent op een missie van de hel.'

Er knapte iets in Quinton. De schuur draaide om hem heen. De aasgieren krijsten: *Dus wat ben je dan? Wat ben je, jij pathetische, onnadenkende jongen?*

Hij zei het hardop. 'Ik ben een demon?'

'Nee, je bent...'

Maar de rest hoorde hij niet. Zijn oren vulden zich met gebruis van bloed en gekrijs van aasgieren. Zo was het aldoor geweest! Eden was de mooiste, dat had hij gezien toen ze voor het eerst het Centrum voor Welzijn en Intelligentie was binnengelopen. Een lief, onschuldig lam dat als een engel uit de hemel over het terrein wandelde. De wereld zag een verspild leven, gehavend, afgedankt, maar hij had haar ware schoonheid gezien en hij had geprobeerd haar tot de zijne te maken.

Ze had hem afgewezen, niet omdat hij een engel van genade was, maar omdat ze hem had gezien voor wat hij was, een demon die erop uit was de mooiste te doden. En hij was teruggekomen om de zaken recht te zetten.

Maar hij zat fout.

Hij was teruggekomen om haar te doden, omdat ze hem had afgewezen.

Wat Quinton op dat moment het verwarrendste vond, was hoe deze waarheid zo lang voor hem verborgen was gebleven. Hoewel... Hij wist wel waarom. Hij had zijn waan omhelsd. Als een misleide politicus, of een tiran die zichzelf ervan had overtuigd dat verkrachting te rechtvaardigen was.

'... als je dat wilt, Quinton,' hoorde hij Rain Man zeggen.

'Ik... Noem me alsjeblieft niet zo,' hoorde hij zichzelf zeggen.

'Je kunt dit nog steeds veranderen.'

Ik heb een miljoen mensen gedood en ik wil er nog een miljoen doden, omdat ik een demon ben en niets anders.

'Ik ben... Ik ben een demon.'

Rain Man reageerde niet.

Quinton voelde zichzelf vallen, naar de grond zinken. Zijn knieën landden op de aarde en zijn mond sloeg dicht met een klap die pijn deed aan zijn tanden. Hij begon te huilen, toen te snikken, vervolgens sperde hij zijn mond open en begon te jammeren.

Brad Raines zei iets, maar zijn woorden werden verzwolgen door Quintons razernij. Hij dacht dat zijn hoofd zou ontploffen. Zijn gezicht en zijn borst verkrampten van paniek, en hij greep naar zijn slapen om het gevoel te stoppen. Maar het groeide.

Er was maar één manier om het te stoppen.

Brad Raines sloeg de instorting van de man gade met een mengeling van huiver en opluchting. Hij was doorgedrongen tot de Bruidenvanger, en alles was beter dan de eerdere koers die ze hadden gevaren.

Maar hij had ook de bittere waarheid geraden: Quinton gebruikte Eden niet om haar zuster te lokken. Hij lokte Eden. Het was hem aldoor om Eden te doen geweest.

Nu krijste de man het uit en zijn gezicht was wit terwijl hij trillend als een bezetene op zijn knieën zat.

'Je kunt het stoppen,' zei Brad. 'Je kunt een eind maken aan dit alles.'

De man hield plotseling op met krijsen en liet buiten adem zijn hoofd zakken.

'Quinton...'

Langzaam kwam hij tot zichzelf, ademde diep in en werkte zich onvast op de been. Hij stond erbij als een slappe pop. Zijn kaken verstrakten, ontspanden, verstrakten opnieuw. Eindelijk keek hij op, met een star gezicht.

'Je hebt gelijk.'

Hij draaide zich om, liep naar de tafel, pakte zijn pistool, keerde terug en schoot op Brad van een afstand van drie meter.

Boem!

De kogel boorde zich in zijn borst en sloeg de lucht uit zijn longen. Hij hapte naar adem en probeerde in een reflex zijn armen naar voren te brengen, maar die waren stevig vastgebonden.

'God!'

'Het spijt me, daarbij kan ik je niet helpen.' Quinton liep terug naar de tafel, pakte een kleine tas en ging op weg naar zijn auto, een zwarte Chrysler M300.

De kogel had zijn hart gemist, anders zou hij niet meer ademen. Het projectiel was in de rechterkant van zijn borst geslagen, hoogstwaarschijnlijk door de longen heen gegaan en door zijn rug weer naar buiten. Pijn verspreidde zich in kloppende golven omlaag over zijn zij.

'Alsjeblieft... Waar ga je heen?'

Quinton bleef stilstaan. Toen keek hij hem met een uitgestreken gezicht aan.

'Ik ga afmaken wat ik lange tijd geleden had moeten afmaken. En wanneer ik klaar ben met haar, ga ik een andere zoeken. En ik zal niet stoppen tot ze allemaal dood zijn omdat dat mijn taak is. Ik dood Gods lievelingen.'

Hij draaide zich weer om en liep verder.

'Geniet maar van de laatste paar minuten van je leven, meneer Raines.'

29

Eden wist niet hoe lang ze al in de schoonheidssalon was. Twee uur, gokte ze. Minstens.

Jessie, de jongste van zes kapsters die vandaag werkten, had haar bij de hand genomen, haar naar een van de stoelen achter in de salon geleid en haar voor de spiegel geïnstalleerd. 'Wat wil je dat we doen?'

Eden had geen flauw idee. De geur van chemicaliën maakte haar duizelig. Ze gingen haar met iets bedwelmen en haar in een monster veranderen, maar dat was natuurlijk belachelijk, dat zouden ze niet doen. Ze was misschien een beetje naïef, maar ze was niet dom. Psychotisch misschien, ietsepietsje, maar niet dom. Maar toch kon ze de gedachten die tegen de binnenkant van haar schedel hamerden en eruit wilden, niet stopzetten.

Monsters, het zijn allemaal monsters en aliens en ze gaan je vergiftigen.

Jessie pakte Edens haar en trok het naar achteren. Ze was een jonge vrouw met een hoofd vol blonde krullen. Een van die opgemaakte gezichten uit de tijdschriften die Eden aan Andrea herinnerden, maar dan met ogen zo blauw als de hemel waar buitenaardse wezens vandaan kwamen.

Houd op met dat buitenaardse gedoe!

'Waarom knippen we het niet af?' zei het buitenaardse wezen.

'Nee.'

'Niet? O, volgens mij zou kort haar je geweldig staan.'

Alleen de gedachte al dat die schaar rond haar nek knipte. 'Liever niet.'

'Oké... Nou, ik kan doen wat je maar wilt. Het is jouw haar, niet het mijne. Wat vind jij, Cassandra? Ze wil haar haar niet kort.'

Cassandra, de moederkloek hier, kwam aanlopen in haar jurk die tot de grond reikte. Ze glimlachte warm. 'Laten we je eens bekijken, Samantha.'

Het was de naam die ze hun had opgegeven, uit angst gepakt te worden. Ze stond op uit de stoel met haar ogen gericht op de schaar in Cassandra's hand. Op het Centrum zou de aanblik van een vrouw met een schaar haar niet storen, maar hier was het anders.

Hier, buiten, waarden aliens rond.

Cassandra moest haar naar de schaar hebben zien staren, want ze legde hem op een schap naast de keurig opgestapelde witte potten met haarproducten. 'Je wilt een complete make-over, hè?'

'Ik moet er mooi uitzien.'

'Nou, liefje, dat betekent zo'n beetje een complete make-over. Haar, gezicht, een manicure, pedicure... Wat doen we met je kleding?'

Ze keek omlaag naar haar broek. 'Ik wil mijn jeans afknippen. Kort.' Ze tekende een lijn over haar dij.

De twee schoonheidsspecialistes wisselden glimlachjes. 'Oké, dat zal wel lukken. Maar je zult nieuwe kleren nodig hebben. Waar is het voor? Heb je een afspraakje, liefje?'

De vraag herinnerde haar aan de moordenaar, en het vroeg enige concentratie om niet in te storten waar ze bij waren. 'Ja. Ik heb een afspraak.'

'Oké, oké.' Cassandra liep knikkend om haar heen. Beide vrouwen deden waarschijnlijk alles in hun vermogen om niet in lachen uit te barsten. Maar voor aliens leken ze best vriendelijk. Niet dat ze echt aliens waren.

'Oké, teenslippers, short. Maar het T-shirt kan echt niet,' zei Cassandra.

'Ik heb geen ander shirt.'

'Dat is van later zorg. Maar je moet iets aan wat niet ruikt alsof je erin geslapen hebt, liefje.' Ze speelde met Edens vlassige haar. 'Laten we haar een sexy-sporty look geven, Jessie. Highlights, pony, een beetje volume. Niet te veel make-up, gewoon een gezonde gloed en wat lipstick. Wat zou je ervan zeggen als we het naturel houden, liefje? Om je natuurlijke schoonheid naar voren te halen.'

Ze knikte verloren.

'Franse manicure, niet te lang, Jessie. Rode nagellak voor de tenen.' Ze bukte en tilde haar linker broekspijp op. 'Je bent toe aan een waxbehandeling, liefje. Oké?'

Deed Angie aan waxen? Eden was niet erg behaard, maar ze wist dat de meeste meisjes hun benen en hun oksels schoren. Brad zou het goedkeuren.

Dus knikte ze.

'Perfect. Help haar in een badjas, Jessie.' Ze beroerde Edens wang en glimlachte. 'Geen zorgen, Samantha, je bent in goede handen. Ga lekker onderuit zitten en laat je maar door ons verwennen. Oké?'

Eden knipperde met haar ogen, angstig maar wetend dat ze weinig keus had.

Ze trok haar stinkende T-shirt en spijkerbroek uit en hulde zich in de lange witte badjas die ze haar aangaven. Eerst de douche. Ze had nooit gehoord van douchen in een schoonheidssalon, maar ja, ze wist niet veel van dit soort zaken. Jessie stond erop dat ze de stank wegwaste, dus dat deed ze, met iets wat ze een 'exfoliërende scrub' noemden. Het spul rook naar bloemen en maakte dat haar hele lichaam tintelde. Onder enige andere omstandigheid zou ze de hete douche ontspannend hebben gevonden.

Maar ze kon zich niet losmaken van de stem van de moordenaar in haar hoofd. Of van het holle gevoel in haar buik, het knagende gevoel dat ze zich op de een of andere manier prostitueerde: ze maakte zich vanbuiten schoon, maar was vanbinnen vies. Maar wat voor keus had ze?

Toen gingen ze met haar aan de slag. Wassen, scrubben, opmaken, vijlen, waxen... Ze besloten gelukkig dat waxen niet nodig was. In plaats daarvan schoren ze haar benen en oksels. Ze bleef denken dat de aliens haar hadden ontvoerd en dat ze in hun testruimte was, waar ze prikten en porden om het menselijke specimen dat ze hadden ontvoerd beter te begrijpen.

Een wit gezichtsmasker. Haarkleur, model en coupe. Make-up.

Ondertussen bleven Jessie en Barbara, die zowel haar nagels als haar make-up deden, maar roepen hoe mooi ze was. Haar sterke nagels, haar gezonde haar, haar porseleinen huid...

Eden leunde achterover en onderging de kwelling, opgejut door de stem die haar over de telefoon had toegesproken. De moordenaar die Brad in handen had.

Ze deed dit voor hem. Voor zowel de moordenaar als voor Brad, hoe ze zich ook schaamde het aan zichzelf toe te geven. Voor de moordenaar, omdat hij Brad iets zou aandoen als ze zijn aanwijzingen niet naar de letter opvolgde. Voor Brad... Nee, niet voor Brad. Brad zou niet willen dat ze dit doorstond om er mooier uit te zien.

Maar hij zou het niet erg vinden, toch?

Haar geest kon de waaroms van wat er met haar gebeurde niet verwerken. De aliens, de demonen, de moordenaar. En het ergste van al, haar vaders stem, terug van de doden, die eiste dat ze uit haar schuilplaats kwam, anders zou hij haar moeder vermoorden. Zoals hij had gedaan.

Ze keek neer op haar nieuwe witgelakte nagels. Ze zagen er eerder uit als klauwen. Barbara legde haar vijl neer en pakte haar hand.

'Alles goed, Samantha?'

'Ja,' antwoordde ze geschrokken.

'Je handen trillen. Rustig maar... Is het een probleem met drugs?'

Ze had het over drugs, maar Eden dacht onmiddellijk aan de antipsychotica in haar medicijnkastje. Omdat haar gedachten alle kanten op vlogen. De chemicaliën, de uniformjassen, de scharen, het lakken van nagels en opmaken van gezichten – allemaal angstaanjagende flarden uit een horrorfilm.

Ze was bijna opgestaan en weggerend.

'Nee. Ik ben gewoon een beetje bang.'

De vrouw keek om zich heen. 'Verkeer je in gevaar?'

'Nee,' antwoordde Eden te snel.

Barbara gaf haar een klopje op haar hand. 'Rustig. Rustig maar.'

Maar ze was niet rustig en Eden bleef vechten tegen een bijna onbedwingbare aanvechting om naar buiten te rennen, met badjas en al. Ze weigerde in de spiegel te kijken, doodsbang voor het monster dat ze daar in haar plaats zou vinden.

Op het moment dat Barbara de laatste hand legde aan het opmaken van haar gezicht, keerde Cassandra terug van haar lunch. Ze had een boodschappentas in haar hand. 'Ik hoop dat je het niet erg vindt, Samantha. Ik heb wat van je geld gebruikt om een paar dingetjes voor je te kopen.'

Geld? 'Ik heb geen geld,' zei ze.

'Je hebt ons te veel betaald. Nu staan we quitte.' Ze haalde een gerafelde spijkershort, een rode blouse en een paar witte sandalen met zilveren knopjes op de riempjes tevoorschijn. 'Wat vind je ervan? Ik hoop dat maat 37 je past. Zijn ze niet snoezig?'

Ze had geen idee.

'Nou, kom op,' zei Jessie. 'Je weet waar de kleedkamer is. Show ons je nieuwe sexy look, schat.'

'Moet ik ze aantrekken?'

'Daarom heb ik ze gekocht.'

'Nu?'

'Je wilde een short, dus regel ik een short, maar ik kan hem niet voor je aantrekken.'

Jessie, Barbara en Cassandra keken haar alle drie verwachtingsvol aan. Dus pakte ze de tas en onderdrukte een wirwar van gedachten over hoe dwaas ze was, en trok ze aan in de paskamer.

Wanneer je klaar bent, neem je een foto van jezelf en stuur je hem aan me door zodat ik weet dat je precies hebt gedaan wat ik je gevraagd heb. Dan steek je de weg over naar het park en wacht op me. Ik zal je opbellen en je vertellen wat je daarna moet doen.

De stemmen echoden in haar hoofd. Wat als ze te laat was? Wat als hij nu in het park stond te wachten?

Ondanks, of misschien juist vanwege hun verwennerijen was ze nu zenuwachtiger dan toen ze de salon was binnengelopen. Ze kreeg het getril van haar vingers er niet meer onder.

Eden pakte haar vieze spijkerbroek en haalde de mobiele telefoon uit de zak. Geen oproepen. Ze stak hem in de rechterzak van de spijkershort en haastte zich de salon in.

Zeven of acht hoofden draaiden zich om en bestookten haar met hun blikken. Ze keek naar de spiegelwand pal voor haar. Het meisje dat haar aankeek was een alien.

Dezelfde lengte, hetzelfde gezicht, maar daar bleef het bij. Haar donkere haar hing schouderlang als een perfecte pruik om haar gezicht, met een zwierige lok over haar voorhoofd. Donkere wimpers opgeslagen naar lichtroze oogschaduw, donkere wenkbrauwen uitgedund tot de helft van hun eerdere dikte. Rouge kleurde haar wangen, precies genoeg om het spierwitte gezicht waaraan ze gewend was op te fleuren.

En de lippenstift. Rode lippenstift, lippen als appels!

Haar eerste opwelling was het er allemaal af te vegen voordat haar transformatie in deze buitenaardse hoer voltooid was. 'Wat... wat hebben jullie gedaan?' stamelde ze.

'Wauw, moet je zien!' Cassandra was een en al glimlach. 'Dat noem ik nog eens sexy.'

Een koor van 'ohs' en 'ahs' beaamde dit en Jessie ging door over hoe oneerlijk het was dat ze er zo leuk kon uitzien in iets doodgewoons.

Het rode shirt reikte tot het boord van haar spijkershort, die niet lang genoeg was. Maar ze wist dat ze gelijk hadden. Ze zag er verdacht veel uit als mensen die Andrea als mooi of leuk of sexy zou betitelen.

Maar het enige wat Eden kon denken was dat deze vrouw die naar haar terugstaarde niet echt Eden was. Ze was een bedriegster! En terwijl de gedachten haar belaagden, wist ze dat het niet de juiste gedachten waren.

Ze stond op de rand van een psychose. Nee, want ze was niet psychotisch. Ze had haar fobieën en haar visioenen, maar die waren echt. Dit... Ze wist niet wat ze hiervan moest denken!

Het duizelde haar en ze was er plotseling van overtuigd dat als ze het monster niet van zich af kreeg, het haar zou overnemen. Ze rende naar de dichtstbijzijnde kaptafel, greep een witte handdoek en had bijna haar gezicht afgeveegd toen ze zich zijn woorden weer herinnerde. *Wanneer je klaar bent, neem je een foto van jezelf en stuurt die naar me door zodat ik weet dat je precies hebt gedaan wat ik je gevraagd heb.*

'Samantha?'

Nu keken ze haar allemaal aan alsof het haar in haar bol was geslagen. Alles kwam op haar af. Ze moest weg voordat ze zichzelf compleet voor schut zette en alles verknoeide.

Kom naar buiten of ik schiet je moeder dood...

Ze vluchtte. Langs Jessie en Cassandra, langs drie klanten die nu aan de beurt waren. Door de deur naar buiten, het felle zonlicht in, waar een nieuwe werkelijkheid haar begroette.

Geparkeerde auto's. Een weg. En aan de overkant van de weg een groot park.

Ze trilde nu zo hevig dat het leek of haar benen dienst weigerden. Dit was wat ze moest doen, toch? Ze moest oversteken en een foto van zichzelf nemen en dan...

De deur zwaaide open. 'Samantha, weet je zeker dat alles goed met je is, schat?'

'Ja.'

Cassandra bekeek haar met een sceptische blik. 'Misschien kun je beter weer naar binnen komen.'

Toen kreeg ze haar benen aan de praat en rukte ze zich los van de salon, rende langs de geparkeerde auto rechts van haar. *Ik moet weg, ik moet ontsnappen!* Ze bereikte het midden van het parkeerterrein en vluchtte naar de groene afvalcontainer.

Onmiddellijk besefte ze dat Cassandra haar gezien had en dat ze hier gevangen was als een alien.

Ze rende om de container heen en stak in volle vaart de weg over.

De auto's begonnen te toeteren toen ze halverwege was, maar ze rende verder, regelrecht het groene park in. Regelrecht naar een groepje bomen vijftig meter verderop.

Eden bereikte de eerste grote boom en verstopte zich erachter. Hijgend als een orkaan. Haar hoofd schreeuwde haar toe, berispend, bevelend, brabbelend, huilend, smekend dat het allemaal weg zou gaan, zodat ze in de kast zou kunnen blijven.

Maar er ging niets weg, want er was geen kast, er waren geen aliens en er was geen vader.

Ze kwam op adem en waagde een blik om de boom. Er kwam niemand achter haar aan. Dus ze had het gered. Ze was veilig weggekomen.

Wat nu? Nu moest ze een foto van zichzelf nemen om te bewijzen dat ze zich mooi had gemaakt.

Eden haalde de mobiele telefoon tevoorschijn en rommelde met de knoppen, op zoek naar de cameraknop. Zowel Andrea als Roudy hadden een mobiele telefoon en ze had er wel eens mee gespeeld. Ze liet de telefoon op de stoffige grond vallen, graaide hem snel weer van de grond en wreef hem over haar rode shirt. Het was te hopen dat ze hem niet kapot had gemaakt.

Tegen de tijd dat ze eindelijk had uitgevonden met welke knop ze de camera moest bedienen, ging haar hart weer tekeer. Ze ging contact opnemen met de moordenaar. Waar zou dit alles toe leiden? Wat als hij iets anders van haar wilde? Waarom wilde hij dat ze er mooi uitzag? Wat als hij háár wilde? De gedachte joeg haar de stuipen op het lijf.

Ondanks de angst slaagde ze erin de camera voor zich uit te houden en een foto van zichzelf te nemen. Uitvinden hoe hem te versturen was veel makkelijker dan ze had gedacht – er stond maar één nummer in het toestel.

Wat nu?

Ze liet zich bibberend op haar billen zakken. *Steek de weg over naar het park en wacht op me. Ik zal je bellen en je vertellen wat je daarna moet doen.* Haar geest tolde rond als een ballerina in de ruimte.

'Brad.' Ze fluisterde zijn naam. Ze voelde zich zowel dwaas omdat ze dacht dat ze belangrijk voor hem was, als wanhopig van verlangen naar zijn aandacht. Dit alles deed ze voor hem... Ze had zich voor Brad in het land van demonen en aliens gestort, omdat ze zo zeker was geweest dat ze belangrijk voor hem was.

Wat als ze het bij het verkeerde eind had?

Hij had een deel van haar wakker gemaakt waarvan ze niet wist dat het bestond. Zelfs als ze niet zo belangrijk voor hem was als hij nu voor haar, moest ze hem redden. Ze zou alles doen om hem te redden, omdat ze van hem hield.

Nu ze hier in haar eentje beverig aan de voet van de boom zat, opgedirkt als een hoer, hunkerde ze meer naar hem dan naar lucht. Een prop vulde haar keel; een pijn zo verschrikkelijk dat ze zichzelf vervloekte dat ze hem in zichzelf toeliet. Maar ze kon het niet ontkennen. Niet nu ze besefte hoe eenzaam ze was geweest voordat Brad...

'Jongedame.'

Ze hapte naar adem en keek met een ruk omhoog. Een man in uniform stond van drie meter afstand op haar neer te kijken. Een politieagent. Ze krabbelde op, wankelde duizelig naar rechts en viel op haar knieën voordat ze weer overeind stond.

'Hola, kalm aan. Ben jij Samantha?'

Ze hapte naar adem. De moordenaar? Hij was de moordenaar in vermomming. 'Wat wil je van me?'

'Rustig maar, ik bijt niet. We zijn gebeld.' De politieman, als hij dat tenminste was, bekeek haar met een sceptische blik. Zijn hand lag op zijn knuppel. 'Kun je me je volledige naam en adres vertellen?'

'Ik...' Elk moment kon de telefoon in haar zak gaan trillen, ze moest hier blijven! 'Samantha,' zei ze.

Hij knikte begrijpend, ook al begreep hij er niets van. 'En waar woon je, Samantha?'

'Ik... Nergens.'

Hij kwam dichterbij. 'Mag ik even naar je armen kijken?'

Dus dan was hij waarschijnlijk niet de moordenaar. 'Waarom?'

'Geen paniek, ik wil alleen de binnenkant van je armen zien. Gebruik je?'

Drugs? 'Nee. Alstublieft, laat me met rust.' Ze keek om zich heen, half verwachtend dat de moordenaar elk moment in het zicht zou komen.

De agent sprak in zijn portofoon. 'Ja, ik denk dat we haar beter op kunnen brengen. Licht verwijde pupillen, ze gebruikt duidelijk iets. Ze weigert me haar armen te tonen. Ik breng haar op. Over.'

'Nee!' Eden toonde hem de binnenkant van beide armen. 'Ik gebruik geen drugs!'

'Begrepen,' knerpte zijn radio. 'Breng haar op. Over.'

'Nee, dat is het niet!' Ze speurde verwoed het park af op een teken van de moordenaar, die demon. 'Hij zit achter me aan!' flapte ze eruit. 'Ik heb hier een afspraak met hem, u mag me niet meenemen.'

De man volgde haar blik. 'Ik zie niemand. Wie zit er achter je aan?'

'Hij. De moordenaar.' Paniek beheerste haar denken en ze probeerde het gevoel weg te drukken, maar de stemmen in haar hoofd draafden door.

'Je kunt vrijwillig meekomen of we kunnen dit moeilijk maken. Maar je moet met me meekomen, jongedame.' De agent stapte met uitgestoken hand naar voren. 'Hoor eens, dit is evenzeer voor je eigen veiligheid als die van anderen. Je bent bijna overreden toen je de weg overstak, zeiden ze. Maak dit nou niet moei...'

'Dat kan niet!' schreeuwde ze, nu doodsbang dat ze Brad liet zakken. 'Nee, u begrijpt het niet! Dat kan ik niet, dat mag ik niet!'

Zijn hand sloot zich om haar arm en ze rukte zich los en rende weg voordat ze tijd had om over haar beslissing na te denken. Recht in de struik achter haar. Haar shirt bleef eraan hangen en ze schramde haar benen.

Een hand greep haar van achteren bij de kraag en trok haar omlaag. Ze gilde het uit. Ze werd op haar rug gedraaid, toen ruw op haar buik.

'Blijf van me af!'

Hij trok haar armen achter haar en klikte handboeien om haar polsen. Ze gilde nu hysterisch en kon alleen maar aan Brad denken. *Ze gaan Brad vermoorden, de aliens, de moordenaar, de demonen gaan Brad vermoorden.* En hoe meer ze het probeerde uit te leggen, hoe luider en onsamenhangender haar uitleg werd.

De agent zei haar te kalmeren, het zou allemaal goed komen. Hij duwde haar het park uit naar een zijstraat, waar zijn partner in de politiewagen wachtte. Samen werkten ze haar achterin, sloegen de deur dicht en reden weg.

Dit was het einde, dacht ze, omkijkend naar het park. Ze zouden allemaal sterven. Het was zover. Opnieuw ging haar vader hen allemaal vermoorden omdat ze niet deden wat hij zei.

Aliens, demonen, de moordenaar, haar vader. Het gebeurde allemaal opnieuw.

De herinnering vloog haar naar de keel. Ze viel op haar zij en begon te kreunen. 'Ik kan het niet, ik kan het niet, ik kan het niet.'

'Wat bedoel je, Samantha?' vroeg een stem. 'Kun je je medicatie niet innemen?'

'U mag me niet dwingen om medicatie in te nemen. Ik kan niet toelaten dat ze hem vermoorden!' Een zachte innerlijke stem zei dat ze hun alles moest vertellen, maar toen eiste de stem aan de telefoon dat ze het aan niemand vertelde, anders zou hij Brad doodmaken.

Eden rolde zich op en liet haar gekreun uitgroeien tot een jammerklacht. Ze was een hoerige engel in de wereld van een demon en de aliens hadden haar eindelijk te pakken gekregen. Ze brachten haar naar het ziekenhuis waar haar vader wachtte met zijn pistool om het karwei af te maken.

'Niet het ziekenhuis!' kreunde ze. 'Alstublieft, niet het ziekenhuis.' Ze hadden haar aan een bed vastgebonden en probeerden haar te vermoorden toen het haar vader niet was gelukt.

'We hebben een gestoorde, geen junk. Ze is psychotisch. Laten we haar naar het ziekenhuis brengen, daar moeten ze op de psychiatrische afdeling maar verder kijken.'

Een angst dieper en huiveringwekkender dan de angst de moordenaar onder ogen te komen schoot door haar heen. *Je bent zo ziek als je geheimen.*

In haar verwarde toestand stond naar een psychiatrische afdeling gaan gelijk aan naar de hel gaan. En daar was Eden nog niet toe bereid.

30

Allison doorzocht de lade, samen met Andrea. Eden had de flanellen pyjama uitgegooid, die nu voor oud vuil op de vloer lag, en iets anders aangetrokken voordat ze was verdwenen. Als ze erachter konden komen wat ze nu aanhad, had de politie een veel betere kans om haar te vinden. Verscheidene media waren al bereid gevonden om in het volgende nieuwsbulletin haar foto te tonen. Temple zou live gaan met de zaak.

Ze hadden de pot xanax gevonden, een middel dat Eden haatte en zelden gebruikte – de enige reden waarom Allison haar had toegestaan het bij de hand te houden. Dus wat had haar zo bang gemaakt dat ze twee van de vijf pillen had ingenomen?

Wat Allison grotere zorgen baarde was de andere medicatie die Eden zou missen, een kleine dosis van een psychotroop middel dat ze een vitamine hadden genoemd en dat ze Eden nu al jaren toeschoven. Zonder dat middel zou Eden ongetwijfeld haar eigen psychose verraden. In de afgelopen vierentwintig maanden waren ze begonnen om de dosering af te bouwen, maar zonder veel succes. Allison en de staf hadden geopereerd onder de afspraak dat niemand ooit over de medicatie zou praten – Eden mocht er niet achter komen dat ze iets gebruikte om de symptomen van haar schizofrenie te onderdrukken.

Als iemand de ziekte kon verslaan, dacht Allison, dan was het Eden, en ze wilde het meisje alle kans geven om dat te doen, ook als dat toneelspel omvatte. Ze was ervan overtuigd dat Edens symptomen geen hallucinaties omvatten en dat haar 'hersenschimmen' echte geesten waren.

Maar trauma zou waarschijnlijk andere psychotische symptomen naar het oppervlak dwingen, vooral gegeven de mate waarin ze níét onder medicatie stond. Als ze nu buiten was, was het niet te zeggen welke symptomen zich zouden kunnen openbaren.

'Wat ontbreekt er?' vroeg ze.

Andrea was zo nerveus als een manische muis. 'Ik weet het niet, ik weet het niet! Sorry. Het is mijn schuld, het is allemaal mijn schuld, Allison. Ze is mijn vriendin en ik heb haar met die man mee laten gaan. Ik probeerde haar te waarschuwen, ik probeerde haar te vertellen dat hij alleen maar...'

'Concentreer je, Andrea!'

Normaal gesproken zou ze nooit tegen het meisje snauwen. Maar ze was haar kind kwijtgeraakt, Eden. Niets aan vandaag was normaal. Allison stond versteld van haar eigen reactie op het gebeurde. Een gevoel van volslagen verlies, alsof haar hele wereld op instorten stond.

'Haar gele shirt is niet hier,' zei Andrea, opnieuw zoekend.

Geel shirt. Ja, natuurlijk, het lichtgele T-shirt, een van slechts vier of vijf van Edens lievelingsshirts!

Allison haastte zich naar de telefoon en belde naar de wasserij. 'Een geel shirt, José. Als er daar een is, bel me dan terug. Snel.'

Ze hing op en rende naar de rieten wasmand in de hoek. Opende hem. Niets. Mooi. Mooi, misschien hadden ze dit bij de staart.

'Mevrouw.'

Ze draaide zich met een ruk om naar de deuropening, waarin Roudy opgedoken was. 'Wat is er?'

'Ik zou graag een bekendmaking doen.'

'Hè?' Ze had hier geen tijd voor.

'Ik heb de zaak opgelost.'

'Wat bedoel je? Heb je haar gevónden?'

'Nee. Ik weet wie de moordenaar is.'

Haar hoop vervloog. Hier hadden ze echt geen tijd voor! 'Alsjeblieft, Roudy, dit is niet het moment om...' Ze onderbrak zichzelf. Hoe vaak had ze hen niet aangemoedigd om hun talenten niet te bagatelliseren? 'Vergeet wat ik zei. Wie is de moordenaar?'

Roudy hield het portret omhoog waaraan Eden gisteren tot laat op de avond had gewerkt. Allison had het een uur geleden aan hem overhandigd, toen hij eiste dat ze de cruciale elementen van de zaak onmiddellijk aan hem overdroegen, ook al had ze het meer gedaan om hem bezig te houden dan met enige hoop dat hij er echt iets mee zou doen.

'Het heeft me even gekost om door de tekening heen haar intentie te zien. Ik ben vrij goed bekend met de manier waarop politieschetsen worden gemaakt en toen ik hem kon vergelijken met...'

'Alsjeblieft, Roudy, kom ter zake.'

Hij keek naar de tekening in zijn hand. 'Het is niemand anders dan Quinton Gauld.'

Allison knipperde met haar ogen. 'Quinton? Bedoel je ónze Quinton Gauld?'

'Geen ander.'

'Quinton wie?' vroeg Andrea. 'Wie is Quinton?'

Roudy liep vol trots de kamer in en prikte de tekening aan de muur met de theatrale flair van iemand die het hongerprobleem op de wereld heeft opgelost. Hij draaide zich om op zijn hielen. 'Een van onze eigen therapeuten, zeven jaar geleden. Hij is vertrokken naar graziger weiden, herinner ik me.'

Allison staarde naar het portret. Kon dit Quinton Gauld zijn? 'Maar Eden was hier toen ook. Ze zou hem hebben herkend toen haar herinnering terugkwam.'

'Tenzij Eden Quinton Gauld in haar visioen heeft gezien, maar zich niet langer herinnert wie hij is.'

'Je bedoelt...' De gedachte was afgrijselijk. 'Je suggereert dat ze hem uit haar bewustzijn heeft verdrongen vanwege een akelige herinnering aan hem.'

'Het is de meest natuurlijke conclusie voor iemand met sterke deductieve vaardigheden.' Hij wees naar de tekening alsof dit een college was en hij de professor. 'Quinton heeft iets gedaan wat Eden angst aanjoeg. Vervolgens is hij onder valse voorwendselen vertrokken. Eden heeft de gebeurtenis verdrongen, maar nu is onze schurk terug om wraak te nemen en haar voorgoed uit te schakelen.'

Andrea kermde en krabde aan haar hoofd. Ze vluchtte huilend de kamer uit.

Allison stond paf. Kon dit vlak voor haar neus zijn gebeurd? Ze hadden Quinton Gauld in dienst genomen omdat hij schizofrenie begreep als weinig andere therapeuten. Hij had als twintiger de ziekte zelf gehad, was ervan hersteld en had daarna een mastersgraad in psychologie gehaald. Maar na slechts zes maanden op het CWI had hij bekend dat de nabijheid van zoveel geesteszieke mensen hem niet zo beviel als hij had gehoopt. Ze waren overeengekomen dat het beter was dat hij zijn heil elders zocht.

Maar hij had geen tekenen van een acute psychose vertoond.

Ze zag het nu, starend naar de tekening: de vorm van zijn wangen, de neus, het haar. Hij was het, dacht ze.

'Weet je het zeker, Roudy? Weet je absoluut zeker dat dit Quinton Gauld is?'

'Natuurlijk. Laat de FBI zijn foto uit het personeelsdossier zien. Ik denk dat ze het met me eens zullen zijn. Onze moordenaar is Quinton Gauld, dat lijdt geen enkele twijfel.'

Dus ze had gelijk gehad over Eden. Ze zag echt geesten!

Allison begon te rennen.

'Waar ga je heen?'

'We moeten zijn portret laten verspreiden. We moeten beide portretten zo snel mogelijk op de buis krijgen!'

'Ik ben nog niet beschikbaar voor een persconferentie!' riep hij haar na door de gang. 'Niet zolang we deze schurk niet achter slot en grendel hebben, waar hij thuishoort!'

Tegen de tijd dat de politieagenten bij het ziekenhuis arriveerden, was Eden geslaagd in drie dingen die in haar voordeel waren en daarom in Brads voordeel.

Ten eerste was het haar gelukt om op te houden met kreunen en jammeren, waarvan ze wist dat het hen alleen sterkte in hun idee dat ze geestelijk gestoord was.

Ten tweede was ze naar een plek van relatieve veiligheid in haar geest geklommen. Een kast zoals die waarin ze zich voor haar vader had verborgen. Of, zoals ze het beter kende, een mist van troost die alle demonen verborg die haar enkels probeerden te grijpen. Op deze plek zou ze enige vrede kunnen vinden.

En ten derde was het haar gelukt om een soort plan te ontwikkelen. De enige manier waarop ze enige hoop had Brad te redden was door zelf te overleven. Het ziekenhuis was niet de hel – dat wist ze – en de doktoren waren geen demonen, al was ze er vrij zeker van dat de demonen, hoe of waar die zich ook manifesteerden, achter haar aan zaten. Ze moest in de kast – in de mist – blijven om niet te gaan denken dat het ziekenhuis de hel was. En ze moest minstens één persoon aan haar kant krijgen die in haar geloofde. Iemand naast Brad.

Dat betekende dat ze zich niet als een malloot mocht gedragen. Ook al maakte ze iets door wat waarschijnlijk op een acute psychose leek, zou ze, kon ze, móócht ze niets doen wat erop wees dat ze iets anders dan volmaakt geestelijk gezond was. De enige manier om dat te doen was door zich te concentreren.

Dus negeerde ze haar omgeving tot ze bij de eerste hulp zelf was. Ze stond volmaakt stil, de armen nog steeds geboeid achter haar rug – voor haar eigen veiligheid, zeiden ze – en deed haar best om volledig onbezorgd over te komen terwijl de agent met een vriendelijk uitziende man in lichtblauwe kleding sprak. De man knikte en riep er een tweede man bij, kaal en groot, sterk genoeg om haar drie keer aan te kunnen.

Voor ze het wist, waren haar handen vrij en leidde de kale reus haar langs de balies naar een van een tiental onderzoeksruimtes die slechts van elkaar gescheiden waren door grijze gordijnen.

'Ga maar op het bed zitten, er komt zo iemand bij je. En doe alsjeblieft niets doms. De politie staat nog buiten.'

Doe niets doms? Zoals op je rug springen, jij grote gorilla, en de demon uit je timmeren? Maar hij zag er vriendelijk uit en zijn neus leek net een enorme groene peer op zijn gezicht. Een groene Ronald McDonald, maar dan zonder de pruik.

Concentreer je, Eden. Concentreer je.

'Dat doe ik heus niet,' zei ze met een klein stemmetje dat maakte dat ze als een muis klonk. Ze ging op de rand van het ziekenhuisbed zitten en legde haar handen in haar schoot. Ze voelde zich bijna naakt in deze spijkershort. De drie uren die ze in de schoonheidssalon had doorgebracht om er mooi uit te zien leken een eeuwigheid geleden.

Maar misschien was het wel gunstig om er nu als een hoer uit te zien. Wie hield ze nu eigenlijk voor de gek? Ze leek in niets op een hoer! Dat was gewoon die armzalige kleine Eden die dat zei. Ze zag er nu normaler uit dan ze er in haar hele leven ooit had uitgezien.

Ze voelde zich licht in het hoofd. Ze was een engel die op een speldenknop danste, en als ze niet precies goed danste, zouden ze haar aan een paal spietsen en zou de demon Brad pakken. Ze moest hem redden!

'Wil je dansen?' vroeg ze, opkijkend naar de verpleger.

Hij glimlachte. 'Ik ben bang dat ik moet afslaan. Maak je geen zorgen, we zetten je weer op je medicijnen zodra de dokter je onderzocht heeft.'

Het woord 'medicijnen' bracht het urgente gevoel terug. Ze kon onder geen beding toestaan dat ze antipsychotische middelen door haar keel propten. Dan zou ze een verzopen rat worden en al haar creatieve vermogens om een uitweg uit dit ziekenhuis te verzinnen verliezen.

'Vind je me mooi?' vroeg ze. Ze ging erbij staan. 'Als een ballerina op de punt van een naald?'

Ga zitten, Eden.

'Ga alsjeblieft zitten.'

Ze staarde hem aan.

'Hoor eens, je bent heel mooi. Geloof me. Maar dit is een ziekenhuis, geen strand, en je bent ziek. Ik moet je vragen te gaan zitten. Nu. Zodra je je medicijn hebt ingenomen, zul je je beter voelen.'

'Nee, dat kan ik niet toelaten.'

'Ga... zitten!'

'Oké.' Ze hief beide handen gelaten en ging weer zitten. Ze besefte dat ze hem moest zien te overtuigen.

'Ik zal gaan zitten, maar dat zal hem niet weerhouden.'

'Het zal wie niet weerhouden?'

'De man die me probeert te vermoorden.'

Het gordijn ging open en een grijsharige verpleegster met een rond gezicht en kraalogen liep naar binnen met een klembord onder haar arm. Een demon? 'Oké, wat hebben we hier?'

De kale demon glimlachte. 'Ze denkt dat iemand haar probeert te vermoorden.'

'Denken ze dat niet allemaal? Oké, liefje, hoe heet je voluit? Samantha hoe?'

'Ik bén niet als iedereen!' snauwde Eden. Ze ging weer staan. 'Hij probeert mij en mijn vriend te vermoorden en daarom dwingt hij me hiertoe! U moet naar me luisteren!'

'Nee hoor, liefje, hier ben je veilig.'

Eden voelde dat haar hart sneller begon te kloppen. Haar geest vocht door de dichte mist die haar nu verstikte. Ze moest al haar zelfbeheersing in het geweer roepen om rustig te blijven.

'Weet je welke medicijnen je nu gebruikt?' vroeg de grijsharige demon.

'Ik zei toch dat ik niet schizofreen ben. Ik ben niet psychotisch. Ik moet terug naar het park, want als ik daar niet op tijd ben, gaat hij hem vermoorden. Luistert u niet?'

De verpleegkundige slaakte een zucht en mikte het klembord op het werkblad. Ze vulde een kleine kartonnen beker met water uit een koeler en stak haar hand in haar zak. 'Oké, Samantha, jij je zin.' Ze diepte een potje met pillen op.

Dit was de vorige keer ook gebeurd. De herinneringen bestormden haar als geleide projectielen die doel troffen. Er was thuis iets verschrikkelijks gebeurd toen ze in de kast zat, en nu probeerden de demonen het karwei af te maken.

De telefoon in haar zak trilde zoemend en ze hapte naar adem. Ze was zijn instructies om op zijn telefoontje te wachten vergeten. Het toestel zoemde opnieuw en Eden wist niet wat ze moest doen. De demonen zoemden verder, ze probeerden contact te maken.

Het was allemaal verkeerd gegaan! Ze kon Brad hier niet helpen. Ze moest aan deze demonen ontsnappen.

'Neem dit in,' beval de verpleegster, terwijl ze twee pillen uit het potje schudde. 'Het zal je helpen om rustig te worden.'

'Nee.' Haar hoofd voelde aan alsof het zou ontploffen. Ze deinsde terug. 'Ik kan het niet.'

De verpleegkundige keek naar de kale bewaker. Hij kwam dichterbij en sloot haar in. 'Maak dit nou niet zo moeilijk. Je neemt het zelf in of wij dienen het je toe. Wil je soms teruggaan met de politie? Die zet je in de gevangenis, wil je dat soms?'

'Ik kan het niet,' piepte Eden. 'Ik kan het niet.'

De bewaker reikte naar haar en Eden dook naar de opening tussen hen in. De dikke arm van de kale demon schoot uit, greep haar om haar middel, tilde haar op en wierp haar terug op het ziekenhuisbed. Ze kreunde en trappelde, happend naar adem.

'Bind haar vast.'

De woorden ontlokten een kreet die de lucht boven haar hoofd verscheurde. Háár kreet. En toen wist ze dat het allemaal voorbij was. Ze hadden haar te pakken en het enige wat ze nu kon doen was protesteren, omwille van Brad. Eden maaide met armen en benen als een kat die op haar rug wordt gelegd. En al die tijd zag ze Brad voor zich.

Ze bonden haar vast. Van toen af werd alles mistig. Ze hoorde stemmen roepen, haar eigen kreten, voelde handen naar haar armen en benen graaien, de felle beet van een naald in haar arm. Ze kon niet helder meer denken, maar ze begreep dat ze Brad aan het vermoorden waren, en daarom haatte ze hen meer dan ze haar eigen vader haatte, die had geprobeerd haar te vermoorden.

Ze gilde nu om Brad. 'Hij gaat hem vermoorden, hij gaat hem vermoorden!' Ze was zijn enige redder en nu probeerden deze demonen háár te vermoorden.

'Alsjeblieft maak me niet dood, alstublieft, maak me niet dood!'

De wereld begon te vervagen en haar stem raakte erin verloren. Ze hoorde en voelde en zag fragmenten, als flarden van een oude herinnering, en misschien was het dat ook, een herinnering uit het verleden. Uit de hel.

'...naar het General tot we haar naar West Pines kunnen...'

Ze reed onder lange lichten door.

'... sterker dan ze eruitziet.'

Gegrinnik.

'Wie had dat gedacht? Alleen Samantha?'

'Voorlopig alleen Samantha...'

Duisternis.

Stilte.

Brad? Brad ben je hier?

Stilte.

Het spijt me... Het spijt me. Ik... ik flipte gewoon.

'Het is oké, Eden. Ik hou van je, Eden. Je bent mooi, Eden.'

Vind je niet dat ik eruitzie als een hoer?

'Ik vind je de mooiste vrouw op aarde.' Een ademtocht. 'Wees voorzichtig, Eden. Hij komt je zoeken. Zijn naam is Quinton Gauld en hij komt vanavond.'

31

Dat Brad het zo lang had overleefd, was een duidelijke indicatie dat de kogel zijn long niet had doorboord. Het projectiel was in zijn rechterzij terechtgekomen, afgebogen en aan de achterkant weer naar buiten gekomen. Daar vestigde hij zijn hoop op.

Maar deze hoop werd snel getemperd door het feit dat de wond nog steeds bloedde. Ironisch dat hij zou doodbloeden door de hand van deze moordenaar. Hij moest het bloeden zien te stelpen en bij de zwarte dokterstas komen die Quinton op de tafel had achtergelaten, met het oog op gebruik op zijn slachtoffers. Om hun hielen dicht te stoppen, hun wonden te fixeren... Op dit moment was Quintons ziekte Brads grootste hoop.

Maar ja, al deze hoop was ijdel als hij de ronde paal waaraan hij was vastgebonden niet kon breken.

Hij duwde zich weer op de been, hoewel de hele schuur om hem heen begon te draaien. Hij mocht niet flauwvallen. De kaarten waren in de afgelopen vierentwintig uur opnieuw geschud en de inzet was nu zowel persoonlijk als angstaanjagend.

Eden. Alles was aldoor om Eden gegaan.

De gedachte maakte hem onpasselijk van woede.

Hij boog voorover, zo ver als zijn gebonden polsen toelieten, haalde diep adem en wierp zich toen ruggelings tegen het hout.

De paal schudde onder de doffe dreun. Een verschrikkelijke pijn trok door zijn zij en hij rilde. Stof en gruis van het dak regenden op hem neer.

Tweeëndertig.

Met een beetje geluk was het hout van de paal verrot. Brad verbeet zijn pijn, richtte zich op, boog weer voorover en wierp zich achteruit. Nog een felle pijnscheut. Nog een regen van puin. Nog een kreun.

Drieëndertig.

Hij herhaalde de procedure nog tweemaal voordat hij zich terug liet zakken om uit te rusten.

De moordenaar heette Quinton Gauld en hij was de demon geworden. Brad was verantwoordelijk voor de transformatie.

Zijn succes was nu zijn grootste probleem. Nu Quinton het bloedritueel dat de mooiste zonder smet aan God moest afleveren niet meer nodig had, speelde de man de rol van moordenaar. In plaats van Eden hier te brengen, zou hij Eden kunnen vermoorden waar hij haar vond.

In enige andere situatie zou Brad wellicht hebben gereageerd met een hernieuwde urgentie om de moordenaar te vinden voordat die nogmaals kon toeslaan. In plaats daarvan reageerde hij met rauwe verontwaardiging. Het leek alsof hij de golf van wanhoop niet kon stuiten, maar niet omdat hij voor zijn eigen leven vreesde.

Hij vreesde voor háár leven. Voor Eden.

Hij wist niet hoe hij zijn gevoelens voor haar moest noemen, maar het feit dat hij zijn eigen dood in het gezicht had gestaard, had de emoties messcherp gemaakt. Hij wist dat ze de heftigste waren die hij had gevoeld sinds hij voor het eerst had gehoord dat Ruby zich van het leven had beroofd.

Brad kreunde, drong de misselijkheid terug en worstelde zich weer overeind. De paal leek niet zwakker te worden, maar hij moest het blijven proberen. Zelfs als hij erin slaagde hem te breken, zou het hele dak kunnen instorten en hem verpletteren.

Om een of andere reden zei die mogelijkheid hem niets.

Hij hield zijn adem in en wierp zich opnieuw naar achteren.

Zesendertig.

Quinton verliet de I-70 in zijn Chrysler M300 en reed het terrein van het Texaco-station op. De dolle terugrit naar Denver had hem iets meer dan tweeënhalf uur en negentig procent van zijn brandstof gekost. Hij had te veel te doen en zou volop benzine nodig hebben.

Benzine over die hele zooi, laat het benzine regenen.

Het spel was opnieuw veranderd, maar terwijl hij die verandering langzaam verwerkte, kwam hij tot het besef dat er helemaal geen verandering was. Zeven jaren van planning en groei en studie hadden hem het laatste en grootste inzicht opgeleverd. Niet langer tevreden met de melk die baby's voedde en de vromen dom hield, was hij eindelijk doorgedrongen tot de kern van de zaak.

Rain Man had de waarheid over hem uitgestort en was de pijp uit, zijn levensdoel was vervuld. Quinton was geen engel van genade die door God was uitgezonden om Zijn lievelingen te zoeken en naar Hem toe te brengen, bloedeloos en puur. Nee, hij was een engel des doods, uitgezonden om diezelfde bruiden te doden.

Het besef had hem in eerste instantie verontrust, dat sprak vanzelf. Zoals Nikki had gezegd, met een inzicht dat hij destijds niet op waarde had geschat, kenden zelfs demonen de waarheid en beefden ervoor. Dus ja, hij had de helft van de afgelopen twee uren gebeefd.

Maar toen dit goed tot hem was doorgedrongen, had hij snel zijn superieure intelligentie ingezet. Hij was wie hij was en hij moest doen wat hij geacht werd te doen. Alles welbeschouwd veranderde het heel weinig.

Menselijke wezens waren nog steeds in de eerste plaats dom, vooral degenen die dachten dat ze dat niet waren.

Desondanks beminde God hen inderdaad met een onpeilbare liefde. Ze waren allemaal Zijn lievelingen.

En Quinton, in dienst van de andere meester, haatte hen hartgrondiger dan hij hen ooit had liefgehad. Achteraf gezien had hij vrouwen altijd gehaat. Ze waren ziek en zwak en verdienden een veel brutere slachting dan hij ooit had aangericht. Het feit dat hij door zijn meester in de waan was gebracht dat hij in dienst stond van de Almachtige was een nuttige misleiding geweest, die hij wel moest respecteren.

Maar hij was gegroeid, en in plaats van te zieden van bitterheid, omhelsde hij zijn nieuwe wetenschap en nam hij zich heilig voor zijn missie met meedogenloze haast en doelgerichtheid uit te voeren.

Wat was dit vrouwelijk specimen Eden anders dan een worm die het verdiende dat hij haar onder zijn voet vertrapte en onderpiste? Nu hij helder dacht, besefte hij dat hij nooit eerder een vrouw had ontmoet die zo ziek en onuitstaanbaar was als zij.

Hij had de foto die ze van zichzelf had genomen ontvangen. Hij was verrast over de transformatie die ze had ondergaan. Haar angstige maar onmiskenbaar mooie gezicht had hem een moment onthutst. Zijn lendenen waren een gonzende bijenkorf geworden.

En toen was zijn haat voor haar zo hoog en fel opgelaaid dat hij zijn gebruikelijke kalmte had opgegeven en in de berm van de I-70 was beland, huilend van bittere woede. En dankbaarheid. Vandaag was hij eindelijk volwassen genoeg om een eind aan haar leven te maken.

Vervolgens had hij haar opgebeld. Maar ze had niet opgenomen.

Hij legde zijn telefoon onder de banden van de M300 en reed hem plat voor het geval haar telefoon in verkeerde handen was gevallen.

Quinton rondde het bijtanken met superbenzine af en besloot zijn urine hier achter te laten. Hij beende naar het bord met de gestileerde menselijke figuurtjes die de buitentoiletten aangaven.

Hij zou naar het park gaan. Als ze daar niet was, zou hij de schoonheidssalon een bezoekje brengen, haar weten te vinden en haar bij haar haren naar buiten sleuren. En in plaats van haar met een kogel in haar gezicht te doden zoals hij gefantaseerd had, zou hij haar vol gaten boren en haar helemaal leeg laten bloeden op de grond.

Hij betrad het trottoir voor de winkel van het benzinestation en wierp een blik door het raam op de televisie boven de toonbank. Wat hij zag bracht hem tot stilstand.

Een nieuwslezer sprak onhoorbaar boven twee woorden: VERMIST PERSOON. En daar, naast de woorden, was een grote foto van een mager meisje van in de twintig met donker vlashaar.

Eden.

Quinton wist meteen wat dit betekende: het Centrum had aangifte gedaan van haar vermissing, wat betekende dat de autoriteiten niet wisten waar ze uithing. Tenzij dit een truc was om hem terug naar het park te lokken, maar dat was onwaarschijnlijk – ze zouden niet zoveel moeite doen om hem naar een locatie te lokken waar ze hem al verwachtten.

Eden was waarschijnlijk nog steeds in het park, ineengedoken aan de voet van de boom. Dit was heel goed nieuws.

Het beeld wisselde. Er stond nu: GEWAPEND EN GEVAARLIJK. Naast de woorden stond een foto van een man genaamd Quinton Gauld. Een oude foto van hem, uit het personeelsarchief van het CWI. Hij herinnerde zich dat hij de foto had laten maken toen hij er in dienst kwam.

Dit was alarmerend nieuws. Hij had destijds een snor en baard gehad en zijn haar was lang. Op zijn neus stond een bril met een zwart kunststof montuur. Hij was vergeten hoe lelijk hij er zeven jaar geleden had uitgezien. Toen hij zich bewust was geworden van zijn belangrijke rol in het aantrekken van 's werelds mooiste vrouwen, had hij zijn gewoonten veranderd om de ware schoonheid in zichzelf te onthullen. Het resultaat was een doorslaand succes geweest. Hij leek nu in niets op de lelijke pad op de foto.

Maar de autoriteiten kenden zijn identiteit. Hoe? In gedachten nam hij een tiental mogelijkheden door, waarna hij zijn keus liet vallen op de M300, die inderdaad op zijn naam stond. Het was altijd zijn zwakste schakel geweest. Ergens moest een camera een foto gemaakt hebben toen zijn wagen uit de garage bij Rain Mans huis kwam. Samen met andere bij elkaar geraapte details waren ze achter zijn identiteit gekomen.

Dit maakte zijn missie nog kritieker. Hij zou de M300 moeten verruilen voor de groene Chevy pick-up die bij zijn appartement geparkeerd stond. Hij had zowel de huur van het appartement als de registratie van het voertuig via een alias geregeld – geen van beide kon worden teruggevoerd op de man die ooit Quinton Gauld was geweest, nu Geest Gauld. Maar een scherp waarnemer zou zijn gezicht met het gezicht op het scherm kunnen verbinden.

Om zeker te zijn dat hij zijn verbeterde uiterlijk niet overschatte, liep hij het winkeltje van het benzinestation in en benaderde de caissière, die het wisselgeld in haar la aan het tellen was.

'Weer een gek,' zei hij met een knikje naar de televisie.

Ze volgde zijn blik. 'Ja, hij is het afgelopen halfuur voortdurend in beeld. Kan ik u helpen?'

Hij ving haar blik op en glimlachte. 'Waar moet het toch heen met de wereld. Pakje Marlboro.'

'Rood?'

'Ja, rood. Je moet ergens aan doodgaan, toch?'

Ze grinnikte schaapachtig om zijn grapje over de gevaren van roken. 'Ach ja.'

Quinton betaalde voor de sigaretten, mikte ze op de terugweg naar de auto in een afvalbak en klom achter het stuur.

De druk op zijn blaas was overgegaan. In plaats daarvan voelde hij een verschrikkelijke drang om de misleidend genaamde Eden te vinden voordat een andere gelukkige ziel haar vond.

Allison duwde de deur naar Roudy's kantoor open en zond in stilte een dankgebed omhoog. Roudy gaf Casanova en Andrea ijsberend voor zijn bureau een college over de fijnere details van het profiel schetsen, wat hij op nogal gruwelijke wijze op het whiteboard achter hem had gedemonstreerd. Toen hij Allison zag, benadrukte hij zijn punt in een vlaag van passie.

'Het zit 'm in de details, zeg ik je, veel fijner dan zelfs de best getrainde ogen kunnen zien. Daarom komen ze bij mij.' Hij wees naar zijn ogen. 'Ik heb die ogen. Ik kan zien of een enkele haar anders zit.' Hij knikte naar Allison. 'Gegroet.'

Andrea sprong op van haar plaats op de bank naast Casanova. 'Heb je haar gevonden?'

Allison staarde naar Roudy. 'Ik heb je hulp nodig, Sherlock.'

'Ik zal mijn agenda raadplegen.'

'Ik heb jullie allemaal nodig. Andrea en Cass, ik wil dat jullie hier blijven en een oogje in het zeil houden voor het geval Eden uit zichzelf terugkeert. Ze kent en vertrouwt jullie, en ik heb jullie hier nodig wanneer ze terugkomt.'

'En Roudy?'

'Roudy, jij gaat met mij mee. Ik heb die ogen van jou nodig.'

'Mijn ogen.'

'Ja, je ogen. We gaan Eden zoeken. En Quinton.'

De aankondiging overviel hen. Roudy liep nog steeds in pyjama en op sloffen. Jammer dan.

'Buiten?' zei Roudy.

'Ja. Nu.'

'Ik rijd geen auto.'

'Ik wel,' zei ze.

'En je hebt me nodig omdat de FBI naar de verkeerde persoon zoekt.'

'Wat bedoel je?'

'Deze seriemoordenaar heeft bij elke gelegenheid blijk gegeven van een superieure intelligentie,' legde Roudy uit. 'En dat is geen wonder, met zijn achtergrond. Jij hebt hem immers in dienst genomen, Allison. Maar niemand met zoveel hersens zal rondlopen zoals hij er vroeger uitzag. De foto van Quinton Gauld zal hen niet helpen. Ik neem aan dat je hun dat hebt verteld?'

Bingo. Had hij al zover doorgedacht?

'Ja, Roudy. Daarom heb ik juist jouw ogen nodig. Jij bent beter dan wie ook in staat hem te herkennen. Of haar, als het erop aankomt.'

'Waar?'

'Ziekenhuizen.'

'Je zult beseffen dat we hem niet zullen vinden. Als hij zo slim is, heeft hij haar al ergens opgeborgen.'

Andrea liet zich plat op haar billen vallen en begon te huilen.

'Het spijt me, maar het is waar,' zei Roudy.

'Dat was nergens voor nodig,' snauwde Allison.

Hij keek weg en friemelde met zijn handen.

'Wil je me helpen?'

Hij ving haar blik op en keek toen met veel vertoon in zijn agenda. 'Ik zal me vrijmaken,' kondigde hij aan.

'Laten we gaan, Roudy.'

'Het is tijdverspilling...'

'Hou op!' brulde Allison. Andrea's gesnotter zwol aan tot een jammerklacht. 'Het kan me niet schelen of het tijdverspilling is! We hebben het hier over Eden, en ik ben niet van plan om nog een moment langer met mijn armen over elkaar te zitten. Ze is mijn kind.'

Ze begrepen allemaal wat ze bedoelde.
'Nou, ga je me helpen of niet?'
'Ik zou alles doen voor Eden!' Zijn wangen trilden terwijl hij zijn toewijding benadrukte. 'Waarheen?'
'Naar het Luthers Medisch Centrum. Quinton Gauld heeft dáár zijn coassistentschap gedaan. Het is ook het dichtstbijzijnde grote ziekenhuis met een psychiatrische afdeling.'
Roudy knikte en marcheerde langs haar heen. 'Volg mij.'

32

Het kostte Quinton een uur om zijn M300 voor de pick-uptruck te verruilen en het park te bereiken. Met elke verstrijkende minuut steeg zijn woede, met als gevolg een toestand van constant gezoem en, wat veel erger was, enkele tics. Elke lichamelijke reactie op hetgeen op het spel stond zou twaalf uur geleden nog beneden zijn waardigheid zijn geweest. Hij zou het hebben vertikt om toe te geven aan zo'n cliché, maar de ontdekking van zijn ware identiteit had de deur dichtgedaan. Hij had geen andere keus dan de waarheid te accepteren: hij had Eden aldoor gehaat.

Hij walgde van haar met elke synaptische ontlading in zijn hersens. Hij zou haar liever in stukken snijden en tot gehakt vermalen dan nog één keer adem te halen. Hij zou liever in haar keel kotsen dan haar mooi maken voor God.

Maar ja, haar dwingen zichzelf mooi te maken wás zijn manier om in haar keel te kotsen. Hij had haar zelf mooi kunnen maken, want hij had de kunst van het opmaken en manicuren en alle andere verwennerij waar de meeste vrouwen duur voor betaalden tot een kunst verheven. Dus waarom had hij dan geëist dat ze naar de salon ging?

Omdat hij zelfs toen, diep vanbinnen, had geweten hoe vernederend die ervaring voor haar zou zijn. Zijn ware verlangen was geweest haar te bespotten, omdat hij haar haatte.

Hij bekeek in gedachten de foto op zijn geplette mobiele telefoon – de rode blouse, de sexy denim short, het soepele donkere haar, de lange wimpers – en bestudeerde intussen het park om een glimp van haar op te vangen.

Hij reed er met de Chevy tweemaal omheen voordat hij tot de

conclusie kwam dat ze ongehoorzaam was geweest. Dit besef maakte hem furieus.

Hij reed de truck naar het winkelcentrum, zocht zich een weg naar de schoonheidssalon en parkeerde pal ervoor. Stak zijn pistool met knaldemper tussen zijn riem en zijn rug. Stapte uit en betrad het etablissement zonder zich erom te bekommeren dat hij zijn emoties nu niet zo goed zou kunnen verbergen als hij zou hebben gewild.

De deur ging open met een zacht dingdong. Hij liep voorbij een receptioniste en staarde naar een grote ruimte die naar permanentvloeistof en shampoo stonk. Drie kapsters waren bezig met vrouwen die hadden betaald om mooier te worden. Een vierde leunde tegen een kaptafel en dronk een cola-light. Slettebakken, stuk voor stuk. Lievelingen die niet wisten dat ze bemind werden en het ook niet verdienden.

'Waar is ze?' vroeg hij met heldere stem.

Een moederlijk ogend vrouwmens, dat eruitzag alsof ze een leidende positie bekleedde, liet haar schaar zakken en bekeek hem met een nieuwsgierige, onverstoorde blik.

'Sorry, wie zoek je, schat?'

Schat? Ze zag eruit als een vrouw met enige ruggengraat, wat een probleem kon worden. Dus trok hij zijn semi-automatische pistool en vuurde op haar voorhoofd.

Het wapen sprong op. *Poef.*

Haar hoofd sloeg terug.

Zijn hand trok.

Ze viel.

'Eden,' zei hij. 'Waar is Eden?'

Ze sprongen en krijsten als een troep verschrikte apen; de receptioniste reikte naar de telefoon.

Quinton schoot op haar af voordat ze de hoorn kon oplichten. 'Stilte!' brulde hij boven iedereen uit. 'Ik ga jullie allemaal overhoopschieten, dat ga ik doen. Maar eerst wil ik dat jullie me vertellen waar het meisje is dat vijfhonderd dollar voor jullie diensten betaald heeft. Mijn geduld is broos. Sommigen zouden zelfs zeggen dat ik psychotisch ben.'

Een jongere blonde schoonheidsspecialiste staarde naar het gevallen lichaam aan haar voeten alsof het een bloedend hert was dat tegen haar voorruit was gekwakt. Ze keek weer omhoog en er sprongen tranen in haar ogen.

'Samantha?'

Samantha. Eden had haar naam veranderd. Slim.

'Waar is ze?'

'We hebben de politie gebeld en die hebben haar opgehaald. Alstublieft, alstublieft, doe ons niets aan, we...'

'Kop dicht. Wat hebben jullie tegen de politie gezegd?'

'We...' Ze keek weer omlaag naar het lichaam en bibberde nu van angst.

'Wat?'

'Ze gedroeg zich vreemd. Cassandra heeft een broer die...'

'Je hebt de politie gebeld en hun verteld dat je dacht dat deze Samantha geestelijk gestoord was, is dat wat je probeert te zeggen?'

'Zij heeft gebeld.' De vrouw keek omlaag naar de gevallen leider.

'En het is nooit bij je opgekomen dat jullie, niet Samantha, de gestoorden zijn? Dat ze veel mooier was voordat jullie haar hadden opgedirkt en als een pop hadden aangekleed? Ze is een lieveling, jij stomme slet!'

Hij schreeuwde. Het gaf eigenlijk geen pas.

Dus schoot hij de vrouw in haar gezicht.

De rest gilde het weer uit en Quinton had geen behoefte aan getuigen. Hij liep verder naar binnen en schoot de ineenkrimpende gedaanten in het hoofd. Een voor een: *poef, poef, poef, poef*. Eentje leefde nog.

Poef.

Het was een bloedbad en hij haatte zinloos geweld.

Maar toen herinnerde hij zich dat dat niet klopte. Hij had niet langer een hekel aan zinloos, bruut geweld. Het was wie hij nu was. Het enige wat hij betreurde was dat sommige of al die dode lievelingen die nu bloedend op de vloer lagen misschien voor eeuwig in zaligheid zouden leven. Zou dat geen wrange wending zijn?

Quinton kreunde, schoof het wapen weer achter zijn riem en verliet de salon. Buiten waaide het. Zijn bezoek aan de salon was vruchtbaar geweest. Hij wist nu dat de dode barmhartige Samaritaan genaamd Cassandra de politie had gebeld. Die had Eden opgehaald. Het feit dat Edens foto op de treurbuis was betekende dat niemand Samantha nog in verband had gebracht met Eden.

Op basis van hun protocol had de politie haar waarschijnlijk als geestelijk gestoord ingeschat en haar naar het dichtstbijzijnde ziekenhuis met een psychiatrische afdeling gebracht. Dit was bekend terrein voor Quinton, die alle nieuws over zulke zaken interessant vond.

De dichtstbijzijnde psychiatrische afdeling moest West Pines zijn, van het Luthers Medisch Centrum op 38th Street in Wheat Ridge. Ze was daar nu waarschijnlijk opgenomen onder de naam Samantha. En als ze daar niet was, dan in een ander ziekenhuis, misschien het Denver Medisch Centrum, dat een psychiatrische afdeling met achtendertig bedden had, maar veel verder weg was.

Quinton zette de Chevy in zijn achteruit en reed het parkeerterrein af, blij te zien dat er achter hem geen commotie was.

Maar blij was hij niet. Hij had nog steeds last van zenuwtrekkingen in zijn gezicht en zijn brein zoemde nog steeds en nu zweette hij ook nog. Hij werd bestormd door beelden, gewelddadige beelden van Eden die lelijk werd gemaakt. Voordat hij gaten in haar boorde en haar leeg liet bloeden, zou hij haar inpeperen hoe lelijk ze wel was. Hoe onrechtvaardig het was dat God haar geboren had laten worden. Ze was zelfs zo lelijk dat God hem, de engel des doods, had gestuurd om de aarde van haar te verlossen. Om de vuilnis buiten te zetten, als het ware.

Hij zou haar geest breken zoals ze zijn geest had gebroken toen ze hem zeven jaar geleden had afgewezen.

'Voorzichtig! Alsjeblieft, je gaat ons nog doodrijden voordat we zijn aangekomen.' Roudy reageerde niet best op het verkeer. Hij leefde comfortabel binnen zijn grootheidswanen, maar het alledaagse leven buiten het CWI bracht hem volledig uit zijn doen. Hij stak zijn armen voor zich uit en hief zijn rechterslipper naar de voorruit. 'Pas op, pas op!'

'Roudy, alsjeblieft, ik weet dat dit moeilijk voor je is, maar heb alsjeblieft een beetje vertrouwen in me.'

De stakker was doodsbleek. 'Oké, oké, rij gewoon wat rustiger.'

'We rijden nog niet half de toegestane maximumsnelheid.'

Ze had haar best gedaan om hem af te leiden door over de zaak te praten, maar Roudy's geloof dat Quinton hen al een stap voor was hielp niet. Zijn opinie zat Allison helemaal niet lekker. Roudy mocht dan geen held in het verkeer zijn, maar wat de zaak betrof had hij het behoorlijk goed gedaan. Ze kon alleen maar bidden dat hij ongelijk had.

'Voorzichtig!' waarschuwde hij opnieuw. 'Zorg alsjeblieft dat we heelhuids aankomen!'

'Je zou gelijk kunnen hebben,' zei ze.

'Dat we te hard gaan?'

'Nee, dat het te laat zou kunnen zijn. James Temple van de FBI zegt dat ze alle ziekenhuizen al hebben afgebeld. Er is niemand met de naam Eden opgenomen.'

'Als ze tenminste onder die naam is opgenomen.'

'Niemand met een geel T-shirt en spijkerbroek of iemand die aan dat signalement voldoet.'

'Pas nou op! Misschien moeten we maar teruggaan en de dossiers laten brengen.'

'Je hebt me zelf verteld dat negentig procent van goed speurwerk bestaat uit het doorspitten van aanknopingspunten. Nou, dit is er een. Het is het dichtstbijzijnde ziekenhuis met een psychiatrische afdeling. Quinton heeft hier gewerkt. Als je ongelijk hebt en hij haar niet in handen heeft, aangenomen dat hij het op haar voorzien heeft...'

'Maar dat heeft hij,' zei Roudy, die haar aankeek. 'Natuurlijk heeft hij het op haar voorzien.'

'Omdat er tussen hen iets is voorgevallen,' zei Allison.

'Dat is niet de reden. Hij wil haar omdat zij de zevende en mooiste is die hij bij God moet afleveren.'

'Weet je zeker dat het Eden is? Het pure feit dat ze vermist wordt...'

'Ik geloof dat hij verliefd op haar was en haar heeft geprobeerd te verkrachten,' zei Roudy. 'Nu is hij terug en gaat hij het karwei afmaken door haar te vermoorden. Het klopt allemaal, het zit allemaal in de details. Kijk uit, kijk nou uit!'

Allison stond versteld van zijn directheid.

'O, God, sta haar bij. Ik hoop dat je ongelijk hebt, Roudy. Ik hoop echt dat je ongelijk hebt.'

33

De blauwe dokterskleding zat wat strak, maar Quinton had geen tijd om zijn missie nog langer uit te stellen. Hij kon in elk ziekenhuis een paar uur lang rondlopen zonder verdenking te wekken, maar hier kon hij een dag lang voor arts doorgaan en waarschijnlijk een stuk of twaalf mensen naar de andere wereld helpen voordat het uitkwam. Hij kende de plek als zijn broekzak omdat hij hier tien jaar geleden had gewerkt, en afgaande op hetgeen hij tot dusver had gezien, was er niets veranderd. Behalve het computersysteem, maar dat probleem had hij al opgelost.

Het zou maar tien minuten kosten om de kleine slet te vinden en haar te ontvoeren, en hij betwijfelde of hij meer slachtoffers zou moeten maken dan die ene arts, die zo goed was geweest hem de kleding af te staan.

Quinton duwde het hoofd van de man in de grote wasmand en keek in de spiegel boven de wastafel. Van een afstand zou hij kunnen doorgaan voor dr. Robert Hampton. Van dichtbij zouden ze het verschil zien. Het maakte niet uit, hij was niet van plan om iemand aan te spreken.

Hij had nooit buitensporig geweld hoeven te gebruiken om zijn rol te vervullen, maar nu hij eindelijk zichzelf mocht zijn, merkte hij dat het hem heel natuurlijk afging. En op een moment als dit, nu de wereld de straten afzocht naar die arme kleine Eden, was bruut geweld zijn bondgenoot.

Het mooie van de moderne techniek was dat die onmiddellijke informatie verschafte aan iedereen die er toegang toe had. Hij had van kamer naar kamer kunnen gaan om een psychiatrische patiënt met de naam Samantha te zoeken, maar het was onmogelijk te zeggen waar of zelfs dát ze haar hadden, en hij had geen tijd voor gedoe.

Hij had de arts kunnen dwingen het op te zoeken op een van de vele rijdende terminals in de gangen, maar er waren geen terminals in de linnenkamer, en hij kon niet riskeren dat de man een scène schopte.

Dankzij de moderne techniek had hij noch een handmatige zoekactie, noch dr. Hampton nodig om uit te zoeken waar ze Eden hadden ondergebracht, als ze haar hier hadden. Het magnetische pasje van de beste dokter zou het werk doen.

Quinton rolde zijn hoofd langzaam naar rechts en toen naar links om de spanning in zijn nek en bovenrug te verlichten. De verchroomde schappen naast de wasbak lagen vol voorraden: opgevouwen jassen, witte handdoeken, rekverband, groene plastic ondersteken, rollen verbandgaas, thermometers, bloeddrukmeters en kledingzakken met het ziekenhuislogo. Drie rolstoelen stonden ingeklapt naast de schappen.

Hij pakte een van de zakken van het schap en bracht zijn kleren en het pistool erin over. Vervolgens klapte hij een van de rolstoelen open en reed hem, met de zak met zijn persoonlijke bezittingen in zijn rechterhand, de kamer uit, liep de gang door en activeerde de eerste computerterminal die hij tegenkwam. Toen het systeem om autorisatie vroeg, haalde hij simpelweg de kaart door de lezer, met de magnetische strip omlaag. De machine bliepte en hij was binnen. Dr. Robert Hampton.

Vergeef me, Vader, want ik heb gezondigd.

Hij reciteerde het uit gewoonte, maar hij wist nu waarom dit zijn gebed was geweest. Hij had gezondigd. Hij was misschien wel de grootste zondaar van allemaal. En zijn werk was nog niet voltooid. Er viel vandaag meer zondigs te genieten dan de meeste stervelingen in hun hele leven zouden ervaren.

Binnen dertig seconden wist hij waarvoor hij gekomen was. VOORNAAM: SAMANTHA, ACHTERNAAM: ONBEKEND was twee uur geleden opgenomen en thans ondergebracht in kamer 303.

Met de doelbewustheid van een arts stevende hij recht op de lift af, daalde af naar de tweede etage en zocht zijn weg naar de kamers, waarbij hij zorgvuldig elk oogcontact vermeed. Hij zette de rolstoel tegen de muur naast kamer 303 en liep verder om de andere kamers aan de gang te controleren.

Kamer 316 was geschikt voor zijn doel. Er sliep een oudere heer die aan een hartmonitor lag. Hij zette de monitor af, verliet de kamer en deed voor de deur van kamer 303 alsof hij de status van de patiënt controleerde. Het kostte de dienstdoende verpleegster vijftien seconden om haar post te verlaten en de uitgevallen hartmonitor te checken.

Zodra ze hem gepasseerd was, reed Quinton de rolstoel kamer 303 in.

Daar lag ze te slapen. Gods lieveling.

Vreemd genoeg was ze vastgebonden op het kale bed, nog steeds gekleed in haar nieuwe kleding, al waren haar voeten bloot. De blauwe mobiele telefoon die hij voor haar had achtergelaten, lag op het nachtkastje.

De aanblik van haar vredig slapende gedaante op het ziekenhuisbed overrompelde hem. Ze was in levenden lijve mooier dan op de foto die ze hem had gestuurd, en heel even wist hij niet zeker of hij haar wilde doden of haar tot de zijne maken.

Maar het moment ging voorbij en hij kreeg een bittere smaak in zijn mond. Hij mocht geen fout maken. Hij haatte dit kleine kreng dat hij moest afslachten inderdaad.

Hij liep op Eden toe en gaf haar een stomp tegen haar slaap. Haar hoofd schokte en lag toen stil. Het meisje had niet eens geweten wat haar overkwam.

Quinton zette zijn plastic zak op het nachtkastje naast de mobiele telefoon, haakte zijn handen onder haar oksels, trok haar van het ziekenhuisbed en plantte haar in de rolstoel. Hij plaatste haar voeten in de voetsteunen, legde een deken over haar lichaam en zette haar recht. Haar hoofd hing slap opzij, maar hij hield haar lichaam overeind door de achterkant van haar shirt te pakken terwijl hij haar voortduwde. Ze zou eruitzien als een gesedeerde patiënt die door de gang werd gereden.

Quinton propte het pasje van dr. Robert Hampton samen met de blauwe mobiele telefoon in zijn zak en zette zijn tas met persoonlijke bezittingen op haar schoot. Toen reed hij haar kamer 303 uit en zette koers naar de lift die hen naar de nooduitgang zou brengen.

Minder dan een minuut was verstreken sinds hij de monitor in kamer 316 had uitgeschakeld. En in minder dan een tweede minuut stond Quinton naast zijn groene Chevy-truck en zette Eden in de passagiersstoel, als een zorgzame vader die zijn dochter naar huis brengt na een bezoek aan de eerste hulp.

Hij gespte haar vast in de gordel, sloot het portier, zette de rolstoel in de laadbak en schoof achter het stuur. De Chevy startte na een snelle draai aan de contactsleutel.

Pas toen hij het parkeerterrein verliet, drong de omvang van zijn prestatie tot hem door. Ze was de zijne. Eden was eindelijk de zijne.

Om te haten en te doden zoals hem goeddunkte.

‘Hij is briljant, ik zeg het je.’ Roudy fladderde gekleed in pyjama en sloffen als een vlinder door kamer 303 – naar het bed, de wc, de deur, het raam – onzeker waar hij wilde neerstrijken op deze eerste echte plaats delict die hij in zijn hele leven had bezocht. Hij was weer zichzelf nu hij de gevaren van het verkeer achter zich had gelaten.

De dienstdoende verpleegkundige en het afdelingshoofd, een magere arts met peper-en-zoutkleurig haar en een kin als een centenbak, stonden erbij, nog steeds in shock dat hun patiënt was ontvoerd.

Na aankomst had het maar tien minuten gekost om de opnamegegevens te vinden van VOORNAAM: SAMANTHA, ACHTERNAAM: ONBEKEND, die twee uur eerder was opgenomen nadat ze in een park niet ver van het CWI door de politie was opgepakt.

‘Briljant,’ zei Roudy. ‘Altijd een stap voor.’

‘We kunnen niet zeker weten dat zij het was,’ protesteerde Allison, zonder een greintje overtuiging. Ze klapte haar mobiele telefoon open en belde het nummer dat Temple haar had gegeven.

‘Natuurlijk wel,’ riep Roudy uit. ‘Alle details kloppen. Een meisje van iets meer dan een meter vijftig. Duidelijk psychotisch. Donkerbruin haar. Dicht bij het Centrum gevonden. Ik kan Eden haast ruiken.’

Er werd meteen opgenomen. ‘Agent Temple.’

‘Hebt u het gehoord?’

'Ja. En ik heb zojuist bevestiging ontvangen. Er zijn zojuist zeven doden gevonden in een schoonheidssalon tegenover het park. Mijn beste gok is dat de moordenaar erachter is gekomen dat ze naar dit ziekenhuis is gebracht. We weten nog niet hoe.'

Haar benen voelden slap aan en ze ging op de rand van het bed zitten. 'Een schoonheidssalon?'

'Doet dat een belletje rinkelen?'

'Hij is... Hij probeert haar geest te breken.'

'Eerlijk gezegd is dat nu de minste van onze zorgen. Wat nu telt is dat Quinton Gauld zowel Brad als Eden in handen heeft, en we geen idee hebben waar.'

'Hij gaat hen vermoorden.' Ze zei het evenzeer tot zichzelf als tot hem.

'We laten iedere politiedienst in de staat naar de meest waarschijnlijke locaties zoeken: boerenschuren, leegstaande gebouwen, alles. Er staat een Chrysler M300 op zijn naam; we hebben de wagen aan het profiel toegevoegd. Huur- en bankgegevens – we graven alles op wat we aan zijn identiteit kunnen koppelen, maar deze vent leidde een behoorlijk anoniem leven. Er rolt niet veel uit. Vals adres.'

Ze dwong zichzelf op te staan, hoewel ze zich zwak voelde. 'Jullie moeten hem vinden!'

'We doen ons best, mevrouw. Geloof me, dit raakt ons allemaal.'

'Hoe heeft hij kunnen wegkomen? Kon hij hier zomaar naar binnen lopen en haar ongezien meenemen?'

'Rustig aan. Hij kan heel goed gezien zijn. Over drie minuten heb ik een team ter plekke. In de tussentijd vraagt de beveiliging rond. We weten nog steeds niet hoe het hem gelukt is binnen te komen, laat staan haar naar buiten te krijgen, maar daar komen we wel achter. Dit soort dingen kost tijd, mevrouw Johnson.'

'We hebben geen tijd!' riep ze uit.

Zijn kant van de lijn bleef stil.

'Ik kom naar u toe,' zei ze.

'Ik weet niet of dat zin... Momentje.' Ze kon hem gedempt horen vloeken.

'Wat is er aan de hand?' vroeg ze aan de dode telefoon.

'... meteen erheen, Frank. Nu!' Hij vloekte nogmaals en kwam weer aan de lijn. 'Sorry. We hebben een nieuw slachtoffer.'

'Hebben ze haar gevonden?'

'Nee. Helaas niet. In het ziekenhuis.'

'Oké, ik kom naar u toe. Ik ga niet met mijn armen over elkaar zitten zolang hij Eden in handen heeft, hoort u mij?'

'Dit is een FBI-onderzoek, mevrouw. Ik weet dat u ongerust bent, maar u kunt ons hier onmogelijk helpen.'

'Ik misschien niet, maar Roudy waarschijnlijk wel.'

Hij was even stil. 'Roudy. Dat is... een van uw patiënten...'

'Het is de man die Quinton Gauld identificeerde. Het is de man die agent Raines hielp om deze zaak op te lossen terwijl de rest van uw team in het duister tastte. En ik kom hem brengen.'

Hij bleef een moment stil.

'Als u erop staat, mevrouw, maar ik denk toch echt...'

'Prima.' Ze keek op naar Roudy, die haar met grote ogen aanstaarde. 'Ja, hij is onbetaalbaar.'

Ze hing op. Greep haar tas.

'Laten we gaan. De FBI wacht op ons.'

'Vragen ze naar mij op het hoofdkwartier?' stamelde Roudy.

Ze draaide zich om. 'Ze smeken erom,' zei ze. Toen liep ze naar buiten met Roudy in haar kielzog.

34

Brad was ieder besef van tijd kwijtgeraakt. Binnen verspreidden twee olielampen op de tafel een geel schijnsel, maar buiten was het donker. Hij wist dit omdat de knipogende reepjes witte hemel in de ruimte zwart waren geworden. Tweemaal was hij uitgeput van zijn stokje gegaan na alle geram tegen de houten paal in zijn rug.

Bonk...

Diep inademen. Buig naar voren. Nog eens diep inademen...

Bonk...

Diep inademen. Buig naar voren. Nog eens diep inademen...

Bonk...

Diep inademen. Buig naar voren. Nog eens diep inademen...

Bonk...

Diep inademen. Buig naar voren. Diep inademen...

Bonk...

Hij deed het telkens vijf keer, als een omgekeerde sporttraining, ondanks de pijn, voordat hij weer naar de grond zakte om uit te rusten.

Dat er uren voorbij waren gegaan, wist hij. Maar hij was opgehouden zijn voortgang bij te houden of zijn hoop te meten. Hij had geen hoop. De redenering achter deze futiele poging om weg te komen was hem al lang ontgaan.

De exercitie was een simpele geworden. Zolang hij nog steeds genoeg kracht bezat om op te staan en zichzelf ruggelings naar achteren te werpen zou hij daarmee doorgaan. Nadenken of de strategie werkte verzwakte alleen zijn vastberadenheid. Hij had nu geen doel, alleen de wil om weg te komen. Hij hield slechts één ding voor ogen.

Eden.

Bij elke achterwaartse dreun van zijn lichaam zag hij haar voor zich. Hij koesterde geen enkele illusie dat hij haar zou kunnen redden, omdat hij, toen hij de dingen nog doordacht, tot de conclusie was gekomen dat zijn tijd al lang geleden was opgeraakt.

Zijn exercitie werd zowel een perverse vorm van boetedoening als een poging te ontsnappen. Zelfs als hij erin slaagde de balk te breken, had hij geen idee waar hij zich bevond of hoe ver hij van hulp verwijderd was. Zelfs als hij hulp wist te bereiken, wist hij dat hij te laat was.

Er was altijd de mogelijkheid dat Quinton Eden te pakken zou krijgen en haar hier zou brengen, en die gedachte joeg Brad meer angst aan dan welke andere ook. De moordenaar zou hem levend en bij kennis aantreffen en er een pervers genoegen in scheppen hem te dwingen toe te kijken hoe hij Eden op nieuwe, ondenkbare manieren martelde, gevoed door zijn publiek. Haar dood zou een wredere zijn omdat hij erbij aanwezig was.

Brad beukte tegen de paal in bitter protest tegen zijn eigen zwakheid. Voor iedere vrouw die ooit was verteld dat ze niet normaal of lelijk was. Voor ieder meisje dat door een vader geweld was aangedaan, voor iedere man die blind was voor de ware schoonheid van iedere Eden.

Wat hij er nu niet voor zou geven om haar op te tillen en haar weg te voeren naar de hoogste berghut, ver weg van alle wreedheid waarmee de wereld diegenen behandelde die niet aan haar normen voldeed. Want Quinton Gauld had in één ding gelijk, dat zou zelfs Allison beamen.

Ze waren allemaal Gods lievelingen.

Allemaal mooie, exquise schepsels, allemaal op hun eigen manier. Mannen ook, maar dit ging over vrouwen. Ieder van hen was een schat van de hoogste orde, en met de pijn van elke dreun tegen de paal werd deze waarheid, hoe melodramatisch die ook mocht klinken in minder benarde omstandigheden, diep in Brads bewustzijn gedreven.

Beng... Beng... Beng... Beng... Beng...

Had hij haar maar beschermd. Hoe, dat wist hij niet, maar dat deed er nu amper toe. Een week geleden was ze niets meer dan een curiositeit voor hem geweest. Een aapje in de dierentuin, zoals zij het uitdrukte. Het maakte niet uit dat hij haar nog maar korte tijd kende, het maakte niet uit dat hij niet verplicht was om meer van haar te houden dan van enige andere vrouw.

Had hij ooit een vrouw ontmoet die zo begerenswaardig was als Eden? Had hij ooit contact gehad met zo'n diepe ziel, ooit zulke zachte ogen zien oplichten wanneer hij de kamer in liep?

Vergeef me, Eden... Alsjeblieft, vergeef me. Hoe kon ik zo dwaas zijn om het niet te weten. Ik zou die vergissing niet nog eens maken. Ik zweer dat ik je in mijn armen zou nemen. Ik zou je onder kussen bedelven en je beloven dat ik niet zou toestaan dat een man je ooit nog kwetste.

In Brads gekwelde geest, nu ontdaan van de illusie die zorgde dat de wereld een platte visie op schoonheid aanhing, begreep hij het duidelijk: Eden was de lieveling. De ene bruid voor wie iedere man een moord zou doen.

En nu zou Quinton Gauld, die demon uit de hel die in mannengedaante over de wereld waarde en zichzelf mens noemde, Brad van alle tweede kansen beroven.

Zijn tranen waren al lang geleden opgedroogd op zijn besmeurde wangen, maar nu liepen zijn ogen weer vol. Hij duwde zichzelf omhoog langs de houten pilaar, die nijdig kreunde onder zijn lichaamsgewicht. Hij boog zich met trillend lijf naar voren. Het was allemaal zinloos, maar zo mocht hij niet denken.

Hij wierp zich naar achteren en beukte tegen de paal. De harde klap benam hem ditmaal de adem en hij moest wachten tot hij weer lucht kreeg. Als de paal brak en de zoldering die hij droeg naar beneden kwam en Brad verpletterde, zou zijn dood niet voor niets zijn geweest.

Brad smeet zijn gewicht naar achteren. *Krak*. Ditmaal beroofde de botsing hem niet van zijn adem, want hij viel achterover.

De klap waarmee hij tegen de grond ging sloeg de lucht uit zijn longen. Hij probeerde adem te halen en keek knipperend omhoog naar het versplinterde uiteinde van de paal boven hem, dat nog steeds aan de dakbalk erboven hing.

Het duurde even voor het volledig tot hem doordrong dat hij de paal had gebroken en dat de onderste helft op de aarden vloer naast hem lag.

Zijn ademhaling en zijn tegenwoordigheid van geest keerden tegelijkertijd bij hem terug. De adrenaline gierde door zijn aderen en joeg zijn hartslag op tot een gestaag gehamer.

Hij rolde naar rechts in een wanhopige poging op te staan, maar zijn handen waren nog steeds op zijn rug gebonden, en een afschuwelijke seconde lang vroeg hij zich af of Quinton hem aan een staak in de grond had bevestigd voor het geval hij erin slaagde de paal te breken.

Hij rolde woest weg van de paal. Daarbij kwamen zijn handen vrij – de knoop was kennelijk losser geraakt in zijn worsteling om zich te bevrijden. Brad krabbelde op en negeerde de pijn aan zijn rechterzij. Als hij zo lang had overleefd, liep hij geen gevaar nu aan de wond te bezwijken.

Gespannen, met zijn handen geklauwd stond hij naast het witbestoven toneel, beduusd van het gebeurde. Zijn vrijheid was zo onverwacht gekomen dat hij vergeten was wat hij in gedachten had gehad.

Ontsnappen.

Een telefoon, hij moest een telefoon zien te vinden. Of een auto. Hij moest contact opnemen met Temple.

Nee, eerst de dokterstas.

Hij sprong over de deken en rukte de zwarte dokterstas open. Schaar, verbandgaas en een scalpel lagen in een keurig geordend vak. Aan een dikke rol verband zat een gele tube met antibioticumzalf. Behalve deze spullen zag hij een breed assortiment medicijnen en wat stopverf, een kleine beitel en een hamer.

Brad rukte zijn hemd open en staarde naar de bloederige wond aan zijn zij. Hij pakte een kleine bruine fles waterstofperoxide, draaide met bevende vingers de dop eraf en goot het ontsmettingsmiddel op zijn zij. De vloeistof schuimde toen ze in contact kwam met de wond, die niet zo diep was als hij leek. Hij leidde eruit af dat zijn zwakte meer op uitdroging en bloedverlies dan op het letsel zelf berustte.

Het kwam bij hem op dat hij beter geen sporen van zijn plundering kon achterlaten die Quinton zou kunnen zien. Hoewel: de gebroken steunbalk was bewijs genoeg. Hij dacht niet helder.

Denk na!

Zonder nog meer tijd te nemen om de wond grondig schoon te maken, bracht hij een dot antibioticumzalf rechtstreeks op de wond aan, plakte er een pleister overheen, wikkelde vervolgens rekverband om zijn lijf. Toen dronk hij snel een fles water leeg die op de tafel stond.

Hij sloot de tas, pakte de hamer van de tafel en beende snel naar de open schuurdeur.

Het was donker buiten, stikdonker. Een met grind bedekt toegangspad kronkelde de nacht in. Zonder te weten waar hij was, had hij weinig andere keus dan de weg te volgen, waar die ook heen mocht leiden.

Voor de eerste keer in verscheidene uren begon Brad hoop te vatten. Waarop, wist hij niet goed, maar hij kon nu weer hopen en dus deed hij dat.

Alstublieft, God. Alstublieft, laat haar in leven zijn.

35

Ze herinnerde zich de lichten boven haar hoofd toen ze haar door de gang reden, en ze herinnerde zich dat ze de stemmen van de verplegers hoorde. Ze praatten over hoe ze eruitzag, maar het middel dat ze haar hadden ingespoten had het licht gedoofd en Eden had zich teruggetrokken in haar mist van veiligheid, weg van de demonen die naar haar hielen hapten.

De laatste bewuste gedachte die ze zich kon herinneren was dat ze eindelijk gek was geworden. Echt krankzinnig. Psychotisch. Maar dat was oké, want Roudy en Andrea en Enrique waren soms ook psychotisch, en ze hield van hen zoals ze waren.

Ze moesten haar in een ziekenhuisbed hebben gelegd en een deken over haar hoofd hebben getrokken. Dat, of ze was dood en naar het lijkenhuis gebracht. Maar ze had haar ogen geopend en kon de deken over haar gezicht voelen. Eronder was het pikkedonker.

Haar armen wilden niet bewegen.

Geen geluid. Ze lag niet plat op haar rug. Ze hing tegen het verhoogde matras achter haar. Ze had eerder in deze situatie verkeerd, zeven jaar geleden. De enige manier om meer medicatie te vermijden was door volstrekt normaal te doen. Wat niet meeviel voor iemand die níét normaal was. Maar ze was normaal, toch?

Haar eerste impuls om in paniek de deken van zich af te werpen werd getemperd door haar traag bewegende spieren en door haar helder wordende gedachten.

Afhankelijk van welk medicijn ze haar hadden gegeven, zou ze spoedig uit de kunstmatige mist verrijzen. De meeste antipsychotische middelen bleven dagenlang doorwerken voordat ze uit je systeem waren, maar misschien hadden ze haar alleen een kalmeringsmiddel gegeven.

Of ze hadden haar een antipsychoticum gegeven en dan zou ze dáárdoor helderder worden. Ze was niet psychotisch, maar ze had geen andere verklaring voor het gedrag dat haar hier had gebracht.

Op het moment was dat de minste van haar zorgen.

Het telefoontje van de moordenaar kwam met een klap bij haar terug. Het verklaarde waarom ze hier lag, uitgeschakeld in het ziekenhuis terwijl...

O, God! Hij had Brad!

Haar hart bonkte. Ze moest hier weg, de gang op om een telefoon te zoeken en Allison op te bellen. De moordenaar had het verboden, maar dat maakte niet meer uit. Ze moest Allison alles vertellen!

Ze dwong haar hand van haar buik, waar hij rustte, en klauwde naar de deken. Haar spieren gehoorzaamden bijna niet. De deken gleed van haar hoofd en maakte het zicht vrij op de verduisterde ziekenhuiskamer.

Maar het was geen kamer. Ze knipperde met haar ogen, bang dat ze hallucineerde. Haar versufte geest vertelde haar dat ze zich in een pick-uptruck bevond die geparkeerd stond bij een benzinestation, maar ze wist wel beter. Ze was in het ziekenhuis waar ze was gesedeerd en opgenomen.

Tenzij dat de hallucinatie was en dit de realiteit.

Of tenzij ze inderdaad in het ziekenhuis was geweest, maar nu in een pick-uptruck was en uit een vies zijraampje naar een rij Chevron-pompen staarde. Ze knipperde opnieuw met haar ogen, maar het beeld bleef hetzelfde.

Eden ging zitten en duwde de blauwe deken naar haar middel. Ze wás in een pick-uptruck, een met een middenconsole die haar zitplaats van die van de bestuurder scheidde. Een blikje Dr Pepper stond in de ene bekerhouder, een mobiele telefoon in de andere. De telefoon die de moordenaar voor haar had achtergelaten.

Dus dan...

Ze verstijfde van schrik en voelde het bloed naar haar hoofd stijgen. Dit was zijn truck, ze was in zijn truck. Hij was er op de een of andere manier in geslaagd haar te ontvoeren, ze had geen idee hoe, maar ze was hier bij een tankstation en ze was in de truck van de moordenaar.

Een volle tien seconden probeerde Eden helder genoeg te denken om een beslissing te nemen. Ze probeerde te bewegen, te vluchten, te gillen, zich te verstoppen, iets anders te doen dan hier werkeloos te zitten tot hij terugkwam, omdat hij weg was en ze niet wist waarheen en ze iets moest doen. Iets, wat dan ook.

Maar ze kreeg zichzelf niet in beweging.

Ineens braken haar spieren los uit de greep van de angst en kwam ze in beweging. Ze greep naar de deurkruk, rukte eraan, maar haar hand gleed eraf en de kruk schoot met een hard geluid terug.

Op slot.

Ze zocht naar het slot, maar kon er geen vinden. Ze was niet bekend met auto's, en het deed er ook niet toe, want hij was niet zo dom om haar in een onafgesloten truck achter te laten. Maar ze moest eruit zien te komen!

Een vreemd kermend geluid, als een jong poesje in nood, verbrak de stilte. Ze sloot haar mond om haar kreet te stelpen en ademde hortend en paniekerig door haar neus terwijl ze naar links en rechts draaide, zoekend naar iets.

Wat dan ook!

Bleek licht stroomde over het interieur en onthulde schone oppervlakken zonder troep. Het dashboard was leeg. De stoelen zagen er nieuw uit. Ze rukte aan de klep van het handschoenvak en het deurtje klapte omlaag. Erbinnen vond ze een kaart, nog keurig opgevouwen, een zwarte kam en een pakje tissues. Dat was alles.

Toen kwam het bij haar op dat ze het raam kon intrappen.

Ze sloeg het handschoenvak dicht, trok haar benen op, leunde achteruit tegen de middenconsole en haalde met haar blote voeten uit alle macht uit naar het raam. Ze stuitten met een bons terug en ze deed het opnieuw... en opnieuw.

Gillend ditmaal.

Ze drukte haar gezicht tegen het raam en stond op het punt er zo hard als ze kon tegen te bonzen om de aandacht te trekken, van wie dan ook, toen ze hem zag.

De man die ze had gezien toen ze het dode lichaam aanraakte, dezelfde die ze voor Brad had getekend, stond op de hoek van de winkel en liep naar de voordeur, heel bedaard en onbezorgd. Hij was lang en droeg een grijze broek. Donker haar. In zijn rechterhand had hij een stuk hout met een sleutel eraan.

Hij was de enige die in zicht was en voor zover ze het zien kon was de truck het enige voertuig.

Eden dook bevend omlaag. De enige persoon wiens aandacht ze hier zou trekken zou hij zijn.

Ze bleef even onderuit liggen, maar hij zou spoedig terugkeren. Ze moest nu in beweging komen, nu weg zien te komen.

Ze gluurde over de rand van het raam en zag dat hij binnen was. Op de winkelruit stond: WELKOM BIJ ST. FRANCIS GAS & GO, in grote rode letters met een zwarte rand eromheen.

Ze tuurde over de rand van het zijraam naar de buitenwereld, en die was even dreigend als haar ergste angsten haar hadden geleerd.

Ze zat ineengedoken in een kast, glurend door de kieren, en haar vader was daarbuiten, hij wees met een pistool naar zijn hoofd en liep rondjes om haar dode moeder heen.

Ze zat verstopt in haar badkamer met de lichten uit in het CWI, nadat ze had geklauwd naar het beest dat had geprobeerd haar kleren af te rukken terwijl hij haar mond met zijn grote hand dichthield.

Die psycholoog, die met haar had aangepapt en toen had geprobeerd haar te verkrachten. Een man met een baard en een grote bril wiens adem naar mottenballen rook. De herinnering diende zich aan als een déjà vu, vers alsof het de eerste keer was, hoewel het al gebeurd was. Het was een herinnering die vrijkwam. Ze kon het zich herinneren alsof het pas...

Ineens ging haar een licht op. Een felle flits alsof twee stroomdraden in haar brein contact maakten. Ze hapte naar adem. Zonder de baard, zonder de bril was deze man Quinton Gauld!

Ze rolde zich op en kermde. Nee, nee, ze kon dit niet! Maar ze kon ook niet niets doen! Ze kon niet toelaten dat de herinneringen haar belemmerden zoals ze dat altijd hadden gedaan, want ditmaal zou haar angst alleen uitlopen op haar dood, en op Brads dood.

Maar de herinneringen geselden haar. Duisternis, kasten, mottenballenadem, gekreun en grote sterke handen. En in deze 'kast', die naar mottenballen rook, was zijn telefoon, waar maar één nummer in stond.

Eden kwam uit haar opgerolde houding en staarde naar de blauwe telefoon. Ze kende geen telefoonnummers behalve die van haar zuster, en de laatste keer dat ze haar had gebeld, was ze niet thuis geweest. Maar ze moest iets proberen, dus greep ze het toestel. Zette het aan. Drukte met een trillende vinger op de verlichte cijfers.

Bellen.

De oproeptoon klonk één keer. Twee keer.

'Kom op, Angie, neem op, neem op, neem op!'

Ze draaide zich om naar het zijraam. Quinton Gauld had zijn boodschappen gedaan en liep naar de deur.

Een stem klonk uit de kleine speaker van de telefoon. Haar zusters stem, die de beller verzocht een bericht achter te laten.

Eden begon te hyperventileren. *Het alarmnummer*, dacht ze. *Ik moet het alarmnummer bellen.*

'De dossiers,' beval Roudy, die in pyjama en op pantoffels Temples kantoor kwam binnenstuiven. 'Ik moet ze allemaal zien.'

'Pardon?'

Ze waren nu een halfuur in het FBI-kantoor en Allison had erop gestaan dat ze Roudy zijn zin gaven en hem rond lieten snuffelen. Hij was elk kantoor in en uit gelopen en had maffe vragen gesteld en vreemde adviezen gegeven. Het personeel bekeek hem met verdwaasde en vaak geamuseerde gezichten. Allen behalve Temple, die geen idee had hoe hij moest omgaan met een man met Roudy's temperament.

'U hebt uw onopgeloste zaken in de kelder achter slot en grendel, neem ik aan?' vroeg Roudy, terwijl hij driftig heen en weer liep.

'Ja, dat is...'

'Breng ze dan naar de vergaderzaal, leg ze op volgorde, beginnend met de oudste zaak en toewerkend naar de nieuwste, dan zal ik een poging doen ze allemaal voor u op te lossen. U had deze veel eerder naar mijn burelen moeten laten brengen. Het is bijna onvergeeflijk.'

Temple keek naar Allison, die zichzelf een kleine grijns veroorloofde ondanks de wolk van angst die over haar was neergedaald. De minuten waren voorbijgetikt zonder enig nieuws over Eden of Brad.

Alle politiediensten waren gewaarschuwd en vier andere regionale FBI-kantoren hielpen met het natrekken van tips die waren binnengestroomd sinds ze naar buiten waren getreden. Het ging maar door, maar er was niet één concreet aanknopingspunt dat hen dichter bij haar Eden bracht.

Dit was haar schuld. Ze had moeten weten dat er iets fout zat met Quinton Gauld toen hij opstapte. Was ze maar gevoeliger, intuïtiever geweest. Had ze maar beter geluisterd. Hij was gekomen en gegaan zoals iedere medewerker die kwam en ging, zonder enig incident dat de aandacht trok. Maar had ze niet in staat moeten zijn om een man aan te kijken die de dingen zou doen die Quinton Gauld deze afgelopen weken had gedaan, en moeten weten, gewoon weten, dat er iets mis met hem was?

Kennelijk niet.

Als dat monster Eden met één vinger aanraakte, zou ze persoonlijk de trekker overhalen en hem naar zijn god sturen.

'We hebben niet de hele dag,' zei Roudy.

'Ik ben bang dat je niet genoeg uren in je leven zou hebben om al die dossiers door te werken. Hoe dan ook ben je niet gekwalificeerd...'

'Nonsens. Praat met uw superieuren. Laat alles naar mijn kantoor brengen.'

Temples telefoon rinkelde en hij nam op, gered van zijn eigen onbeholpenheid.

'Temple.'

Roudy wendde zich tot Allison en sprak op een zachte maar dringende toon. 'Je moet met deze mensen praten. Vind je het hier niet geweldig? Ik vind het fantastisch. Ik overweeg mijn eigen burelen hierheen te verplaatsen.'

Temple schrok en Allison met hem. Hij greep een potlood. 'Verbind haar maar door.'

Stilte. Zelfs Roudy verstarde. Temple drukte op de luidsprekerknop van de telefoon en het geluid van een snelle ademhaling kraakte door de speaker.

'Met special agent...'

'Hallo?'

Allisons bloed stolde in haar aderen. Het was gefluister, maar ze wist zeker...

'Hallo?'

'Ja, met wie spreek...'

'Eden?' Allison stapte naar voren. 'Ben jij het...'

Ze werd onderbroken door Edens angstige geratel. 'Hij komt eraan, hij komt er nu aan, hij loopt naar de truck! Je moet me helpen, Allison! Hij heeft me ontvoerd.'

Ze leefde!

Temple ging zitten en greep een potlood. 'Probeer kalm te blijven. Kun je ons vertellen waar je bent? Wat voor truck, wat zie je buiten?'

'Groen...' zei de paniekerige stem. 'Hij komt eraan, hij is...' Haar stem zakte weg tot niet meer dan een zacht gefluister. 'Hij komt eraan...'

Eden tuurde ineengedoken door het zijraam terwijl hij dichterbij kwam. Haar hoofd duizelde van de opties, maar ze verschilden geen van allen erg van elkaar en ze liepen allemaal slecht af.

De zijramen waren getint, zodat hij nog niet naar binnen kon kijken. Maar de voorruit was veel helderder en hij zou langs de voorkant van de truck lopen om aan de bestuurderskant te komen.

'Groen,' fluisterde ze in de telefoon. 'Hij komt eraan, hij...' Ze dempte haar stem, duizelig van angst. 'Hij komt eraan.'

'Vertel ons wat je ziet, Eden. We moeten weten waar je bent. Kijk naar buiten.'

'St. Francis Gas & Go,' fluisterde ze. 'In een groene pick-uptruck die van binnen heel schoon is. Een benzinestation.' Ze wist niet wat ze anders moest zeggen. 'Het is Quinton, Allison. Hij is het. Hij is hier om me te vermoorden.'

Allison sprak op een toon die kalmte en kracht afdwong. 'Flink blijven, Eden. Ik zal niet toelaten dat hij je vermoordt. Hoor je me? Ik ga je redden, Eden. Blijf gewoon kalm en doe wat je doen moet.'

De moordenaar was drie meter weg. Hij mocht niet merken dat ze de telefoon had gebruikt.

'Eden? Eden ben je daar?'

Ze had geen tijd om nog iets te zeggen. Ze durfde het niet. Ze moest doen wat ze doen moest.

Ze klikte de telefoon uit, zette hem in de bekerhouder, trok de deken over haar hoofd, zakte terug in dezelfde positie waarin ze wakker was geworden en deed haar uiterste best om niet te trillen of te zwaar te ademen.

Terug in haar kast. Terug naar de veiligheid. Terug in de mist.

Het portier aan de bestuurderskant ging open en weer dicht.

Quinton hoestte. Hij trok de deken van haar hoofd en legde hem met een zachte grom terug, kennelijk tevreden bij het zien van haar slapende gedaante.

'Het spijt me, Eden,' zei hij met een heel normale stem. 'Echt waar.' De motor kwam grommend tot leven. 'En voor de goede orde, hoewel je me dit nooit zult horen toegeven, ik hield echt van je. Ik denk dat ik destijds een beetje in de war was. Mijn vader heeft mij ook beschadigd.' Een pauze. 'Misschien ben ik nog steeds in de war.' Weer een stilte. 'Je bent nog precies even mooi als ik me herinner. Ik kan zien waarom God van je houdt. Ik zou je nu waarschijnlijk gewoon moeten doden.'

En toen zei hij een hele tijd niets meer.

36

De onverharde weg liep recht naar het zuiden, zoveel kon Brad Raines vaststellen aan de stand van de sterren aan de nachtelijke hemel. Wat hij niet kon weten was hoe ver zuidelijk de weg doorliep voordat hij uitkwam bij enig teken van beschaving.

Hij liep naast tarwevelden die zo vlak waren als een gouden zee in oostelijk Colorado of misschien wel zo ver oostelijk als Kansas. Twee sporen uitgesleten aarde liepen evenwijdig onder het maanlicht, her en der overwoekerd. Pollen gras schoten kuithoog op in het midden. Geen spoor van telefoon- of elektriciteitspalen. Een particuliere landweg die toegang bood tot de akkers en weiden en waarschijnlijk alleen werd gebruikt door tractors en trucks. Als hij een verharde weg kon vinden, zou hij die naar een huis kunnen volgen, maar in het afgelopen uur had hij alleen velden, boerenpaden en nu en dan een brede greppel met schuine hellingen gezien.

Zijn eerdere boetedoening tegen de steunpilaar werd een wanhopige mars van hoop, omdat hij zichzelf hoop had toegestaan. Het was een magere hoop, gebouwd op een zwak spoor van nieuwe aanwijzingen dat nu kon worden gevolgd; hij had ze allemaal keer op keer doorgenomen terwijl hij naar het zuiden liep en soms holde.

Wat wist hij nu? De naam van de moordenaar was Quinton Gauld. Hij had Eden uit het CWI gelokt omdat ze zijn zevende slachtoffer was. Behalve de truck die overeenkwam met de bandensporen die ze op andere plaatsen delict hadden gevonden, bezat hij een Chrysler M300. Hij was ruwweg een meter negentig lang en droeg een grijze pantalon met een blauw overhemd. Belangrijker, hij was ooit als psycholoog werkzaam geweest bij het CWI en zou als zodanig een rijke geschiedenis in de openbare archieven hebben achtergelaten.

De moordenaar had een schat aan belastend materiaal in de schuur achtergelaten en zou ze zeker komen ophalen, hetzij met Eden, hetzij nadat hij haar vermoord.

Brads taak was duidelijk. Hij moest contact maken en de cavalerie terugbrengen naar de schuur zonder dat Quinton Gauld het merkte. En hij moest hopen dat hem dat zou lukken terwijl Eden nog in leven was.

Zijn rechterzij deed pijn; de pijn vlamde op wanneer de binnenkant van zijn elleboog tegen de pijnlijke wond aan zijn ribbenkast kwam. Hij had zich lang geleden ontdaan van de zware hamer, die hem nu nutteloos leek. De maan verlichtte de weg, de greppels vielen aan weerszijden weg naar de tarwevelden, maar verder niets. Geen bergen, geen auto's, geen huizen. Alleen de weg, de velden en zijn voeten die de nacht in ploegden terwijl hij zuidwaarts marcheerde.

Ongeacht haar lot zou hij blijven leven. Met of zonder Eden zou hij blijven leven, en dat ene idee beheerste zijn gedachten.

Uiteindelijk zou het allemaal zinloos zijn, toch? Al zijn gebeuk en deze wanhopige mars zouden niets opleveren. Quinton Gauld was hem te ver voor. Ze zouden hem uiteindelijk inhalen, maar tegen die tijd zou zij dood zijn. Eden zou dood zijn.

Haar lijden zou compleet zijn. Ze zou een prijs betalen die geen mens behoorde te betalen. Brad zou weggaan bij de FBI. Deze keer...

Hij bleef staan en tuurde voor zich uit. De weg eindigde in een T-splitsing ruwweg vijftig meter verderop. Zijn adem stokte. Hij rende erheen, speurend naar een teken van een huis, elektriciteitsdraden, irrigatiegreppels, wat dan ook.

Hij bleef stilstaan op het kruispunt en keek naar het westen, toen naar het oosten. Zo ver als hij kon zien bij het licht van de maan zag de weg er in beide richtingen precies zo uit als de weg achter hem. Hij moest er een kiezen en er was geen aanwijzing welke hem dichter bij de beschaving zou brengen en welke er verder vanaf zou voeren.

Eén seconde moest hij vechten om een opkomende angst terug te dringen. In plaats van hem enige nieuwe hoop te bieden dreigde de tweesprong het wankele kaartenhuis dat hij had opgebouwd te laten instorten.

Hij keek naar het westen. Op enig punt zouden de vlakten plaatsmaken voor de bergen ten westen van hier. Dichter bij huis, dichter bij Quinton Gaulds bekende werkterrein. Maar hoe ver? Tien kilometer, honderd? Het was zinloos!

Hij begon naar het westen te lopen, ging over op looppas en had niet meer dan zes meter afgelegd toen hij aan de horizon een licht zag opdoemen, als een stille ufo die doorbrak naar de natuurlijke dimensie.

Hij kon niet zeker zijn dat het licht afkomstig was van een personenwagen of van een truck. Het was een ster aan de horizon, een zinsbegoocheling. Maar toen splitste het licht zich en veranderde in twee perfecte bollen die Brad vertelden dat hij recht in de koplampen van een snel naderend voertuig staarde. Een truck.

Zijn eerste ingeving was erop af te rennen. Zwaaiend en schreeuwend dat ze moesten stoppen. Maar wat als dit Quinton Gauld was die terugkeerde?

Met Eden.

De gedachte raakte hem als een laars tegen zijn hoofd en hij hurkte snel. Zijn keel was uitgedroogd, zijn zij brandde van de pijn, zijn hoofd bonsde, maar het enige wat hij nu kon denken was: *Wat moet ik doen? Wat moet ik doen?*

Het geluid van de snorrende motor van de wagen bereikte hem; binnen een paar tellen zouden de lichtbundels hem bereiken en hem op het midden van de weg onthullen.

Maar als dit Quinton was en hij Eden bij zich had...

Brads tijd was op. Zonder acht te slaan op zijn wond vloog hij naar de greppel aan zijn rechterhand, struikelde over een graspol en slaagde erin zijn arm uit te steken om zijn val te breken. Hij landde op het talud en maakte een schouderrol om zijn zij te beschermen, maar de pijnscheut die het opleverde beroofde hem van zijn adem.

Met zijn gezicht naar de sterren onder in de greppel worstelde hij om zijn longen weer op gang te krijgen. Het gesnor van de truck werd begeleid door het zachte geraas van banden over de grond. Het voertuig was bijna bij hem. Het kon een boer zijn, het kon de FBI zijn, het kon een tiener zijn die op vrijerspad was met zijn vriendinnetje, of het kon Quinton Gauld zijn, met of zonder Eden. Wat het ook was, Brad koos voor de enige gedragslijn die hem zinnig leek.

Hij was net weer op adem gekomen toen de truck gas terugnam voor de kruising. De koplampen reikten naar de nacht boven hem. Toen was de wagen naast hem, ging in een lagere versnelling, remde af. Wat betekende dat hij ging afslaan.

Noordwaarts, in de richting van de schuur.

Wacht, wacht...

De lichten werden fel. Hij moest zien wie er in die truck zat, maar als hij te vroeg opstond, zou hij zelf gezien worden.

Wacht... Nog niet, nog niet...

Brad rolde naar links en drukte zich plat tegen het talud, met zijn handen naast zijn borstkas om zich snel te kunnen opdrukken.

Wacht...

Hij wachtte tot het geraas bijna bij hem was, stak zijn hoofd omhoog, zag dat de truck nu drie meter weg was, en stond op het punt op te springen toen hij door de voorruit een glimp opving van de bestuurder. Niemand in de passagiersstoel. Alleen een bestuurder.

Maar die bestuurder was onmiskenbaar Quinton Gauld.

Brad liet zijn hoofd vallen. Ademde hard in het zand. Quinton was zijn enige link met Eden. Quinton zat in de truck. Quinton was onderweg naar de schuur. Eden kon op de vloer van de cabine of in de laadbak van de truck liggen.

Hij kwam overeind zodra de truck passeerde, klauterde de helling op en rende af op de rode achterlichten terwijl de wagen inhield voor de scherpe bocht.

Hij moest in die laadbak zien te komen. En hij moest het doen zonder gehoord of gezien te worden.

Brad sprintte naar de achterbumper, ineengedoken zodat zijn hoofd niet boven de laadklep uit zou komen.

Quinton Gauld had de afgelopen twee uur besteed aan het overpeinzen van zijn succes. Zijn prestatie was zo subliem, zo geavanceerd, zo perfect uitgevoerd, zo engelachtig, dat hij zich afvroeg of Rain Man zich had vergist. Misschien was hij toch een engel die door de Allerhoogste was uitgezonden om de mooiste bruid die de mensheid na miljoenen jaren van evolutie had voortgebracht thuis te brengen.

Eden was onovertroffen in schoonheid en perfectie, zo wonderbaarlijk geschapen dat hij nooit van plan was geweest haar lichaam aan de muur gelijmd voor de autoriteiten achter te laten. Hij was van plan haar stoffelijk overschot naar Robert Earls te brengen, een taxidermist die als een kluizenaar buiten Manitou Springs leefde. Robert zou worden overgehaald haar te prepareren en op te zetten voordat Quinton hem doodde. Quinton had haar lichaam aan de muur boven zijn schoorsteenmantel willen hangen met een van twee inscripties: 'Hier rust Gods lievelingsbruid, Eden', of: 'Na barensweeën van een miljoen jaar gaf de schepping ons haar, Gods volmaakte bruid.'

Quinton nam gas terug voor de hoek, draaide het stuur naar links en nam de bocht. De truck hotste over pollen gras in het midden van de ongelijke weg. Hij hoorde een bonk en keek in de achteruitkijkspiegel. Niets. Hij zou de truck en de M300 later vannacht moeten dumpen. Vervolgens zou hij voor zonsopkomst zijn biezen moeten pakken.

Eden boven zijn schoorsteenmantel hangen was niet langer een optie.

Maar het gaf niet. Hoe verleidelijk het ook was om te denken dat hij in de engelendienst van de Allerhoogste stond, hij wist dat Rain Man gelijk had gehad. Zijn hoofd zoemde en de aasgieren wierpen demonen af, en hij was een van hen. Dus besloot hij nu om zichzelf te accepteren zonder nog enige ruimte te geven aan Rain Man en zijn gestoorde gedachten.

37

Brad lag in de lege geribbelde laadbak doodstil naar de hemel te staren, klaar om zich over de rand te werpen zodra de wagen tot stilstand kwam.

Hij was erin geslaagd zich over de laadklep te werken en onder de rand te duiken toen de truck de hoek om hobbelde. Tien minuten lang had hij zijn mogelijkheden doorgenomen en zich afgevraagd of Eden bij Quinton was. Maar de achterruit was getint en hij kon niet in de cabine kijken.

Dus bleef hij stilliggen, geplaagd door onzekerheid en vragen en de pijn van de wond.

Hij repeteerde methodisch zijn gedragslijn voor het eind van deze weg. Zijn kansen om de moordenaar uit te schakelen waren nagenoeg nihil. Maar hij zou een gelegenheid krijgen om naar buiten te glippen terwijl de man werd afgeleid door de aanblik die de schuur nu bood.

En als Eden in de cabine was? O God, hij hoopte dat dat zo was en dat ze nog leefde. Zolang ze nog leefde en hij in de buurt was, was er hoop voor haar. Hoe hij haar moest redden wist hij niet. Hij zou moeten improviseren.

Duizend gedachten gingen door zijn hoofd terwijl de truck grommend noordwaarts denderde, terug naar de schuur. Toen hij wat helderder was, schatte Brad dat Quinton hem pakweg zeven of acht uur eerder in de schuur had achtergelaten. Hij zou tijd nodig hebben gehad om Eden te ontvoeren en van voertuig te wisselen. De rondreis had hem waarschijnlijk vijf of zes uur gekost.

Hij lag in een groene Chevy pick-up pakweg drie uur ten oosten van Denver. Niet aan de westkant, in de bergen, niet zuidelijk, in het droge land, maar oostelijk. Bij de grens met Kansas. Hoeveel grote leegstaande schuren waren er in deze omgeving?

Quinton had waarschijnlijk de mobiele telefoon die hij eerder had gebruikt. Als Brad die telefoon in handen kon krijgen, kon hij Temple opbellen en hem vragen elke politiedienst in de regio op te dragen navraag te doen bij boeren, politie, bewoners – iedereen die de omgeving kende – om alle grote schuren in tarwevelden twee tot drie uur ten oosten van Denver in kaart te brengen. Misschien zouden ze hem dan kunnen vinden.

Nee. Zelfs dan zou het te laat zijn. Zijn eerste taak was na te gaan of Eden nog leefde en in de cabine was. Zijn tweede, als dat het geval was, zou worden haar weg te krijgen. Als ze daar niet was, zou hij aannemen dat ze dood was en de demon in zijn eigen schuur doden.

Het duurde vijftien minuten rijden in een gestaag tempo voordat ze de schuur bereikten. Brad wist dat ze dichtbij waren toen de truck het toegangspad op draaide, en hij zou er toen uit zijn gerold, ware het niet dat het mogelijk was dat Eden in de cabine was. Hij was niet bereid om een mogelijkheid tot snel handelen te verspelen.

Dus lag hij stil, hoewel alles in hem schreeuwde om eruit te rollen, nu hij de duisternis mee had.

Hij had de schuurdeur opengelaten en Quinton reed de truck regelrecht naar binnen. Geel licht van de nog steeds brandende olielampen danste op de dakspanten. Het was zover. Quinton Gauld wist nu dat Brad was ontsnapt. Hij staarde ongetwijfeld al naar de gebroken paal terwijl hij de truck tot stilstand bracht.

Brad voelde zich naakt achter in de truck, onbeschermd en zonder hoop. Het einde zou nu komen. Hij zou opstaan met verstijfde spieren, uit de laadbak vallen en Quinton Gauld zou hem neerschieten voordat hij kon opkrabbelen. Hij had eruit moeten springen toen ze het terrein rond de schuur op reden, het op een lopen moeten zetten om later heimelijk terug te keren.

Maar nee, hij had dit goed doordacht. Eden was zijn eerste prioriteit.

De truck kwam met een ruk tot stilstand. Tien tellen lang... niets.

Het portier aan de bestuurderskant ging open. De moordenaar stapte uit.

Rain Man had het overleefd. De man had bovenmenselijke krachten ontplooid: hij had het pistoolschot overleefd en de dakstut als een lucifershoutje gebroken alvorens te vluchten. Quinton vervloekte zichzelf dat hij niet meer voorzorgsmaatregelen had getroffen.

Hij trok de sleutels uit het contact, maar liet de koplampen aan om de plek te verlichten. Hij staarde een paar seconden naar de gebroken paal. De aanblik vervulde hem met respect en enige bezorgdheid. Dit was de eerste keer dat hij ooit door een tegenstander was afgetroefd, en hij vroeg zich af of het kwam doordat de god van Rain Man machtiger was dan de duivel.

Duizend krekels schreeuwden in zijn hoofd.

Hij legde ze het zwijgen op, stapte uit de truck en benaderde de situatie kalm en rationeel. Hij keek snel om zich heen. Geen spoor van de man. Nee, natuurlijk niet, Rain Man zou niet als een idioot op dezelfde plek blijven.

Maar misschien was hij evenmin bovenmenselijk. Naar alle waarschijnlijkheid was hij pas kortgeleden ontsnapt en pas na herhaald gebeuk tegen de stut. Hij zou te uitgeput zijn van de inspanning om ver te komen en te slim om de akkers in te lopen en daar te sterven. Hij was waarschijnlijk dichtbij, buiten westen of angstig weggekropen in een greppel.

Ja, Quinton gaf de voorkeur aan dat scenario. De waarheid was dat Quinton nog niet was afgetroefd door agent Raines, want het spel was nog niet uit. Dit was slechts een zoveelste test, een kans om allen die toekeken te laten zien dat hun keuze voor hem als hun dienaar een wijze was. Hij was van kamp gewisseld en nu wilden ze weten of hij tegen de taak was opgewassen.

Hij stapte in de krachtige lichtbundels van de truck en speurde de ruimte van rechts naar links af, methodisch alles in zich opnemend, calculerend en beslissend terwijl zijn zintuigen de details in zich opnamen.

De hoeveelheid bloed op de grond leerde hem dat Rain Man ernstig verzwakt was. De pilaar was ook met bloed besmeurd. Een mindere man zou dood geweest zijn, daar was hij zeker van. Tenzij hij ernaast zat en de donkere vlekken op de grond niet alleen bloed waren, maar ook andere lichaamsvloeistoffen. Hij rook geen urinelucht, alleen bloed en zweet.

De dokterstas was verplaatst, dus moest Rain Man er het nodige uit hebben gepakt om zijn wond te verzorgen. Hij kon gewapend zijn met de hamer, die van de tafel ontbrak, of misschien een scalpel of een mes uit de dokterstas.

Dus Rain Man was toch een waardig tegenstander. Dit, de laatste fase van het eindspel, kwam neer op de pogingen van het beest om de bruid te consumeren en de poging van de ridder op het witte paard om haar te redden.

Maar wiens schaduw was nu groter? In het licht van de truck tekende de zijne zich monsterlijk en donker af op de wand. Zijn aderen waren vol bloed en hij blaakte van kracht. Bovendien had hij wapens. Hij had zijn nijver zoemende brein.

En hij had Eden.

Kortom, Quinton wist dat Rain Man terug zou komen.

Brad werkte zich aan de passagierskant uit de laadbak, als een vluchteling die over een hek klimt. Hij liet zich stilletjes op de grond zakken, dankbaar dat de schuur een aarden vloer had. De moordenaar stond voor de grote motorkap van de truck, uit het zicht. Hij had de lichten van de truck aan gelaten – als hij zich terugdraaide, zou hij worden verblind.

Brad kroop naar het portier aan de passagierskant, stak zijn hand omhoog en voelde aan de deurkruk. Op slot. Oké. Oké, misschien was dat ook maar beter.

Hij trok zich snel terug, nog steeds gebukt, en sloop om de achterkant van de truck heen om de bestuurderskant te bereiken, die geblokkeerd was door het openstaande portier. De moordenaar kon niet hebben vermoed dat Brad in de truck was teruggekeerd en al in actie was gekomen.

Zonder tijd te verliezen haastte hij zich op de ballen van zijn voeten naar het portier aan de bestuurderskant. Keek naar binnen. Daar, onder een lichtblauwe deken die alleen haar hoofd vrijliet, staarde Eden met grote ronde ogen over het dashboard naar het toneel dat zich voor haar ontvouwde.

Levend.

Levend, bij kennis en zo te zien ongedeerd. Opluchting en paniek maakten zich meester van Brad. De moordenaar kon zich elk moment omkeren.

En wat als ze een kreet van verrassing slaakte bij het zien van Brad?

Hij keek naar het contactslot. Quinton had de sleutels verwijderd. Brad klopte op de stoel. Ze draaide haar hoofd om en knipperde met haar ogen, herkende hem toen met een schokje. Hij gebaarde koortsachtig dat ze zich stil moest houden. Hij reikte naar binnen, verwijderde een blikje Dr Pepper uit de bekerhouder uit de middenconsole en zette het op de vloer. De andere bekerhouder was leeg.

Hij duwde de middenconsole omhoog, zodat de twee gescheiden zitplaatsen weer in een bank veranderden waar ze overheen kon kruipen, gebaarde toen dat ze laag moest blijven.

Ze had geen verdere aanmoediging nodig. Met ogen zo rond als de maan zette ze haar ellebogen op de bank en werkte zich als een rups naar hem toe. Het geluid van haar snelle ademhaling was luid en Brads enige gedachte was dat ze elk moment betrapt konden worden.

De moordenaar stond nog steeds voor de truck als een goed onderzoeker het tafereel in zich op te nemen. Naar buiten rennen op zoek naar zijn ontsnapte slachtoffer alvorens het scenario volledig te reconstrueren zou onverstandig zijn, en Quinton Gauld was geen onverstandig man. Maar als hij terugkeek langs het felle licht van de koplampen, zou hij Brads voeten onder het portier kunnen zien.

Brad reikte naar Eden toen ze halverwege de bank was, haakte zijn handen onder haar oksels en trok haar tengere lijf uit de cabine alsof ze een pop was. Maar haar adem in zijn nek en de warmte van haar vlees tegen zijn armen waren allesbehalve die van een levenloze pop.

Hij trok haar naar zich toe, voorzichtig, om de truck niet te verstoren en Eden geen pijn te doen. Hij schoof zijn rechterarm onder haar benen en tilde haar naar zijn borst, wendde zich af van het portier en liep zo snel en stilletjes weg als hij kon.

Ze beefde in zijn armen en hij was bang dat er een snik aan haar zou ontsnappen. Dus legde hij zijn hand op haar achterhoofd en duwde haar gezicht zacht in zijn hals terwijl hij de schuur uit vluchtte.

Hij stond zichzelf pas weer toe adem te halen toen hij drie meter buiten de deur was. Toen kon hij zijn adem niet langer inhouden en liep hij naar links en zoog de nachtlucht op.

Eden begon te huilen tegen zijn schouder.

'Stil, nog niet, nog niet,' fluisterde hij. 'Hou vol...'

Als Quinton ontdekte dat ze waren ontsnapt, zou hij waarschijnlijk aannemen dat ze waren weggerend van de schuur en zuidwaarts een goed heenkomen zochten. Brad liep om de schuur en rende in de tegenovergestelde richting, noordwaarts, langs de zijkant, bedenkend dat hij Eden moest neerzetten en haar naast hem moest laten rennen zodat ze sneller weg zouden kunnen komen.

Maar hij kon haar nog niet loslaten. Niet nu, niet nadat hij haar één keer was kwijtgeraakt, niet na het leed dat hij haar had bezorgd, niet hier buiten, waar ze weerloos en bang was. Dus hield hij haar dicht tegen zich aan en rende verder.

Hij overwoog regelrecht het maïsveld dertig meter achter de schuur in te lopen. Maar dat konden ze niet doen zonder sporen in het drogende maïs achter te laten, en bij deze maan zou hun spoor te zien zijn. In plaats daarvan rende hij naar een groepje bomen aan de rand van de open plek. Toen hij daar aankwam, dook hij achter de verste boom, viel hard op zijn knieën en zette Eden als een invalide neer.

Haar armen klemden zich hardnekkig vast aan zijn nek. En nu snikte ze echt.

'Sssst... Het is oké. We mogen geen enkel geluid maken. Stil maar, alles komt goed.'

'Dank je,' fluisterde ze zachtjes. Ze drukte haar natte gezicht tegen zijn wang en kuste hem. 'Dank je, dank je, dank je.'

De emoties van de nacht zwollen in zijn borst en kookten over. Hij hield haar vast alsof hij zich vastklampte aan zijn laatste sprankje leven en liet zijn tranen de vrije loop.

Quinton zag de beweging door een spleet in de achterwand van de schuur, een vluchtige gedaante die voorbijschoot als een geest in de nacht, en zijn eerste gedachte was dat Rain Man eerder terug was gekomen dan verwacht. Een heilige geest. Of een vos. De man was op ditzelfde moment buiten de schuur, jagend als een vos op zoek naar de perfecte hoek om aan te vallen. Zijn oordeel moest zijn vertroebeld door zijn genegenheid voor de lieveling en nu rende hij in paniek rond om de bovenhand te krijgen. Maar gewapend met alleen een hamer had de man geen kans.

Kleingeestig en dwaas, maar bewonderenswaardig. Zoals een dier bewonderenswaardig was.

Quinton draaide zich om en haastte zich terug naar de truck om zijn wapenkoffer onder de stoel uit te halen en om te zien hoe het met Gods bruid stond, die hij al veel te lang alleen had gelaten. Onderweg naar het open portier bedacht hij dat hij het op slot had moeten doen. De aanblik van de gebroken stut had deze kleine beoordelingsfout veroorzaakt.

Hij liep om het portier en bleef staan.

De voorbank was leeg. De lieveling was verdwenen.

Aasgieren krijsten in zijn hoofd.

Hij wist onmiddellijk wat er gebeurd was.

Hij overwoog de mogelijkheid dat Eden er zelfstandig vandoor was gegaan, maar de heilige geest die hij had gezien, was te groot om toe te behoren aan de bruid.

Bij deze wending in de gebeurtenissen zou een normale man in paniek zijn geraakt. Maar ook dit was een test, en Quinton was van zins hem te doorstaan met een kalmte die zelfs de meest vileine en veeleisende meester zou imponeren.

Hij pakte de wapenkoffer, diepte de 9mm op, laadde het magazijn en doofde de koplampen. Het kostte hem veel moeite om zijn woede te beheersen, ondanks zijn geavanceerde kwaliteiten. Maar emotie vertroebelde je beoordelingsvermogen, een feit dat hij vannacht al tweemaal had bewezen. Eerst toen hij in een vlaag van woede Rain Man had achtergelaten in de veronderstelling dat hij de man dodelijk had verwond, en vervolgens opnieuw toen hij het portier open had gelaten na het zien van de gebroken stut.

Hij zou dezelfde vergissing niet nog eens begaan.

Helder denkend nu, liep hij naar de deur in de achterwand van de schuur. Rain Man was naar het noorden gelopen, niet naar het zuiden, de voor de hand liggende route. Dat betekende dat de man helder genoeg dacht om te doen wat hij dacht dat onverwacht was.

Maar Quinton kende deze omgeving, die hij in de loop van zijn selectieproces had verkend. Als Rain Man helder nadacht, zou hij de maïsvelden vermijden omdat deze variëteit aan kleine, dicht opeengeplante stengels groeide – ze zouden onvermijdelijk sporen van hun doortocht achterlaten. In plaats daarvan zou hij zijn schreden richten naar het bosje aan de rand van de open plek. Ongewapend en gehinderd door de bruid en zijn wond zou Rain Man makkelijk te vangen en te doden zijn.

Zonder angst stak hij de open plek over naar de bomen, met het pistool aan zijn zijde. Het gezoem in zijn hoofd hinderde zijn gehoor enigszins, iets wat Rain Man in staat moest hebben gesteld om met de bruid weg te sluipen. Maar nu luisterde hij zorgvuldig door het aanhoudende gezoem heen. Elke poging van hun kant om uit het bosje te vluchten zou hen dwingen door de velden te ploeteren.

Hij naderde de bomen met zijn wapen in de aanslag. Het maanlicht verleende de aarde een grijze aanblik en onthulde een bed van voethoog gras aan de voet van de stammen. Ze moesten naar de achterkant van het bosje zijn gegaan. Quinton liep om de bomen heen en tuurde tussen de stammen door om de heilige geest en zijn engeltje te spotten.

De grond achter de grootste boom was leeg. Hij overwoog dit een moment, wetend dat hij het niet fout had gehad. Niet nog eens, daar was hij te briljant voor. Ze waren hier langsgekomen, ze waren hier gestopt. In hun toestand zouden ze wel moeten, al was het maar om op adem te komen.

Hij liet zijn wapen zakken, bestudeerde de maïs en zag de gebroken stengels onmiddellijk. Dus ze waren er verderop in gedoken, nadat ze hier hadden gerust.

Nu kwam Quinton voor een dilemma te staan. Hij kon achter hen aan gaan en hen inhalen, wat ongetwijfeld zou lukken. Dood de vos. Pak de bruid. Of hij kon ze naar hem toe laten komen.

Hij nam de mogelijkheden door en verplaatste zich in zijn tegenstander. Ja, hij wist welke koers Rain Man zou varen. De man was een jager. Hij zou zich in de eerste plaats bekommeren om de veiligheid van de bruid, maar zodra hij het gevoel had dat hij die zeker gesteld had, zouden zijn gedachten teruggaan naar de tegenstander die hij al zo lang op de hielen zat.

Als hij helder dacht, zou Rain Man beseffen dat Quinton tegen de ochtend al lang weg zou zijn. Zijn sporen uitgewist, zijn truck nergens te vinden. De man moest weten dat iemand die zo uniek en bovenmenselijk was als Quinton niet te vinden zou zijn aan de hand van kentekengegevens en huurtransacties. Rain Man zou weten dat Quinton, nadat hij zo in de kijker was komen te staan, met de noorderzon zou vertrekken. Een andere staat, een ander land, een andere wereld, een ander universum.

En inderdaad. Quinton zou bij het eerste licht verdwenen zijn. Zo ver als oost van west was.

Bovendien zou zijn tegenstander concluderen dat hij onmogelijk voor zonsopkomst een telefoon of een begane weg zou kunnen bereiken. Het was nu man tegen man, geest tegen geest, engel tegen demon. Nu spande het erom, dit was het eindspel.

Om deze redenen en vanwege zijn nieuw ontdekte liefde voor de bruid zou Rain Man vannacht terugkomen in een poging een definitief einde te maken aan de demon die zijn wereld had betreden.

En als hij dat deed, zou Quinton hem opwachten.

38

Ze hadden nog geen minuut onder de boom gezeten of Brad besefte dat hun rauwe emoties hen hier, zo dicht bij de schuur, alleen maar zouden verraden. Eden kon niet ophouden met huilen en hij kon niet ophouden haar te troosten. Quinton was al op jacht en ze konden niet hier blijven in deze toestand.

Hij had haar bij de hand genomen en ze waren samen het maïsveld in gerend, een paar minuten onbezorgd, daarna gecalculeerder, toen ze bij de greppel kwamen die haaks op hun vluchtroute lag. Bij dit licht zou de moordenaar niet weten of ze naar rechts of naar links waren afgeslagen.

Brad had hen naar links geleid, in ganzenpas door het midden van de greppel. Honderd meter, meer niet. Van de plek waar ze hurkten konden ze nog net zien waar ze erin waren gedoken. Als Quinton hen volgde, zou de maan hem op de rand onthullen zonder hun gehurkte gestalten in de greppel te verraden.

Ze zouden hier uitrusten tot hij had bedacht wat de volgende stap moest worden. De zon zou binnen een paar uur opkomen en ze moesten een zekere afstand afleggen voordat het licht het makkelijk maakte hen op te sporen. Het kon uren duren voordat ze in veiligheid waren. Dus hoe verder ze wegkwamen, hoe beter.

Er was een tweede mogelijkheid. Hij kon Eden verstoppen en tot de aanval overgaan. Zelfs Quinton Gauld zou een dergelijke vermetele zet niet verwachten. Over een paar uur zou de moordenaar verdwenen zijn, en hoe meer Brad erover nadacht, hoe zekerder hij was dat Quinton voorgoed verdwenen zou zijn. Maar hij zou nooit werkelijk verdwenen zijn, want na één week of één maand of één jaar zou hij terugkomen voor degene die hem was ontglipt. Voor de laatste lieveling.

Voor Eden.

Maar voorlopig waren ze veilig.

Eden hing aan zijn arm en staarde nog nabibberend door de greppel.

'Alles goed?' vroeg hij, terwijl hij over haar rug wreef. Ze zag er anders uit. Zelfs bij maanlicht kon hij de verandering in haar zien. Haar haar zat nog steeds in de war, maar het was gewatergolfd en zo bijgeknipt dat het haar verfijnde trekken omlijstte. Ze droeg een rood shirt en een short van spijkerstof.

Ze keek hem met trillende lippen aan. 'Ik ben bang.'

'Dat weet ik. Maak je geen zorgen, ik beloof je dat we ons hier uit zullen redden.'

'Ben je voor mij teruggekomen?'

Hij aarzelde even. Toen knikte hij.

Haar tranen glinsterden in het maanlicht. 'Ik hou van je, Brad.'

Het was een simpele uitdrukking van inzicht, verstoken van enige verwachting of manipulatie. En Brads hart stroomde over van ditzelfde inzicht.

'En ik van jou, Eden.'

Maar haar gezicht verwrong van angst. 'Ik ben bang, Brad.'

'Nee, je hoeft niet bang meer te zijn. Ik heb je nu en ik laat je niet meer gaan.'

'Maar...' Ze kon amper spreken van emotie.

'Maar wat?'

'Kan dat wel?'

Het herinnerde hem aan de demonen die haar plaagden en die verdergingen dan de verschrikkingen van deze nacht. Haar angst voor nare herinneringen en de buitenwereld. Ieder mens zou instorten als hij door iemand als Quinton Gauld werd ontvoerd om aan een muur gelijmd te worden en leeg te bloeden. Maar Eden kampte met nog duizend demonen meer.

En gold dat niet voor iedereen? dacht hij. De worsteling met innerlijke demonen was heftig, persoonlijk en universeel.

Brad strekte zijn hand naar haar uit en Eden was amper in staat hem aan te nemen. Ze kon geen liefde accepteren van een man als hij. Nog niet. Ze zou het kunnen proberen, maar ze kampte met een geschiedenis die de wateren der liefde vertroebelde. Net als hijzelf, maar erger, veel erger. De waarheid ervan vervulde hem met schaamte over zijn egocentrisme. Te bedenken dat hij zo lang medelijden met zichzelf had gehad...

'Ja,' zei hij. 'Ja, dat kan.'

Toen boog hij voorover en drukte een kus op haar voorhoofd. Hij wilde haar lippen kussen. Hij wilde haar zachtjes vasthouden en zijn onsterfelijke liefde betuigen. Hij wilde haar hier weghalen en nooit meer uit het oog verliezen.

Maar ze was nog te kwetsbaar voor iets van dien aard. Te kostbaar. Te mooi en te zeldzaam, niet klaar voor zijn onbeholpenheid. Zij, niet hij, zou dicteren waar ze behoefte aan had en wanneer ze eraan toe was.

Dus kuste hij alleen haar voorhoofd, liet zijn lippen er een moment vertoeven, trok zich toen terug en zei: 'Je bent heel bijzonder, Eden. En ik hou van je zoals een man van een vrouw houdt.'

Eden hoorde de woorden en geloofde ze. Voor de eerste keer in haar leven geloofde ze echt dat een man van haar hield, niet van de *idee* van haar of van het beeld van wat ze zou kunnen zijn, maar van haar, Eden, de vrouw die huilend in de greppel een innerlijke demon bevocht die het haar onmogelijk had gemaakt om van een man te houden.

Ik ben een vrouw, dacht ze. *Ik ben een vrouw en Brad houdt van mij.*

Het was zo'n ongelooflijke openbaring dat ze even vergat te ademen.

Zijn hand beroerde haar wang. Misschien wilde hij haar kussen zoals een man een vrouw kust. Daar was ze veel te nerveus voor, maar in het geheim, zo geheim dat ze het zelfs niet aan zichzelf toegaf, smeekte ze hem haar op de lippen te kussen.

Maar nee, een prins zou wachten tot hij werd uitgenodigd door de prinses. En Eden wist niet hoe ze een prinses moest zijn.

'Gaat het?' vroeg hij opnieuw, met zijn hoofd scheef om in haar ogen te kijken.

Ze wist niet wat ze zeggen moest.

'Je bent veilig, Eden. Ik zweer het, zolang als ik leef, zal ik niet toelaten dat iemand je kwetst,' hoorde ze hem zeggen.

Maar je kunt me niet van mijzelf redden, dacht ze. *Mijn probleem ben ik zelf.*

Ze keek weer door de greppel. Geen spoor van Quinton. Haar gedachten gingen terug naar de bekentenis die hij in de truck had gedaan, toen hij dacht dat ze van de wereld was.

Mijn vader heeft mij ook beschadigd.

De opmerking had door haar hoofd gemaald. Quinton, de man die ze zich nu duidelijk herinnerde van haar eerste tijd in het Centrum, was net als zij. In elk geval in sommige opzichten. Ze waren uit hetzelfde hout gesneden. Hij was geboren in een gewelddadig gezin.

Misschien ben ik nog steeds in de war.

Hoe langer ze hadden gereden, hoe meer ze erover had gefantaseerd om dit alles te eindigen door te gaan zitten en Quinton een knuffel te geven. Absurd, natuurlijk. Een product van haar eigen intense angst en een diep verlangen om te overleven door goede maatjes met hem te worden.

Maar de gedachte liet haar niet los.

Mijn vader heeft mij ook beschadigd.

Ze probeerde zich voor te stellen op wat voor manieren de jonge Quinton kon zijn beschadigd. Het was geen wonder dat hij voor psycholoog had doorgeleerd. Zoals het geen wonder was dat Brad bij de FBI was gegaan vanwege zijn eigen pijn.

Als Quinton kon inzien en toegeven dat hij in de war was, zou hij dan het licht niet kunnen zien?

'Als hij de waarheid onder ogen ziet, verandert hij misschien,' zei ze hardop.

'Wat bedoel je?'

Eden keek hem aan. 'In de truck vertelde hij me dat zijn vader hem had beschadigd. Dat hij in de war was. Ik zat te denken...' Ze keek weer door de greppel. 'Heeft iemand hem ooit liefde betoond?'

'Ik weet welk soort liefde hij nodig heeft,' zei Brad. 'Het soort dat wordt toegediend in een stoel die is aangesloten op een heel krachtige generator.'

Ze hoorde hem amper. 'Hij is net als ik,' zei ze. De waarheid begon op zijn plek te vallen. Niet alleen over Quinton, maar over haarzelf. 'Soms moeten we onze demonen tegemoet treden.'

'En soms moeten we onze demonen doden.'

'Hij is psychotisch,' zei ze. 'Ik denk dat ik ook psychotisch zou kunnen zijn.'

'Hij is een psychopathische moordenaar. Hij is niet vergelijkbaar met Roudy of Casanova, en in de verste verte niet met jou.' Zijn stem had iets scherps gekregen. Hij leek diep verontrust door haar logica.

Maar er ging iets anders door haar heen. Deze crisis ging niet alleen over een psychopathische moordenaar die Quinton Gauld heette, of een schizofreen meisje dat Eden heette. Dit ging over een man die Brad Raines heette en over het feit dat hij van een vrouw hield die geen vrouw kon zijn omdat ze bang was voor zichzelf.

Het was haar plotseling duidelijk. Alsof de zon in haar opkwam. Ze kon zich details herinneren die ze zich nooit had herinnerd. Want nu zag ze haar verleden onder ogen. Ze was zelfs hier oké, hier buiten in de greppel met Brad, ver van de veiligheid van het CWI.

Maar tot ze het trauma dat haar zeven jaar geleden had verpletterd onder ogen zag, zou ze nooit vrij kunnen zijn om liefde te ontvangen of terug te geven. En er was niets in deze wereld wat Eden liever wilde dan te beminnen en bemind te worden.

'Ik moet terug,' zei ze, zelf beduusd van het inzicht.

'Wat?' Hij was ontzet. 'Geen denken aan.' Boos zelfs.

Eden trok haar arm zachtjes terug. 'Snap je het niet? Ik moet teruggaan voor mijzelf. Ik moet hem tegemoet treden en vergeven...'

'Nee!' Hij greep naar zijn rechterzij op een manier waardoor ze zich afvroeg of hij gewond was. 'Ik zal niet toelaten dat je teruggaat. Je zit ernaast, hij is een monster.'

Maar Brad wist niet hoe Eden dacht. Ze voelde een merkwaardige vastberadenheid. Deze greppel was gewoon een zoveelste kier in haar denken die zou leiden naar een nieuwe kier, en nog een, tot de hele wereld vol kieren zat. De schuur bereiken was de vrijheid bereiken.

'Het is niet aan jou om dat te bepalen,' zei ze. 'Als je...' Ze zweeg even, maar maakte haar zin toen toch af. 'Je moet me laten doen wat ik weet dat het beste voor me is.' Hij opende zijn mond om iets te zeggen, maar sloot hem weer.

'Het spijt me, ik bedoelde het niet zo. Maar ik moet met mezelf leven,' zei ze, terwijl ze opstond.

Brad greep haar hand, kwam op één knie overeind en probeerde haar tegen te houden. 'Alsjeblieft, Eden. Je denkt niet helder! Hij is een gewetenloze moordenaar. Hij ontvoert vrouwen zoals jij en boort gaten in hun voeten en laat hen doodbloeden! Alsjeblieft, ga zitten.'

'Je hebt gelijk, hij is al die dingen,' zei ze. 'En ik weet dat het je onbegrijpelijk voorkomt, maar je zult merken dat een heleboel dingen in mijn wereld niet onmiddellijk begrijpelijk voor je zijn. Ik leef al zeven jaar met de angst voor dit monster en het heeft me verzwakt. Nu ben ik buiten, staar het monster in het gezicht en moet het doden.'

'Het doden? Waarmee?'

'Met wat ik doe en zeg. Met wie ik ben.'

Hij keek over haar schouder naar het punt waar Quinton zou opduiken als hij hun sporen volgde. 'Ga zitten. Ga alsjeblieft zitten en luister een paar tellen naar me, Eden.'

Ze hurkte in de greppel.

'Oké, goed, je bent door een hel gegaan. Je denkt niet helder...'

'Ik ben nooit helderder geweest,' zei ze. Haar toon was stijfjes, maar zijn bezorgdheid om haar gaf haar een zwak gevoel. Dus zei ze er iets over. 'Wat je niet beseft, Brad, is dat hoe heldhaftiger jij bent, hoe meer ik moet gaan. Je bewijst alleen mijn gelijk.'

Wat ze zei was waar: Quinton was een monster. Maar dat was zíj ook. En zoals ze het nu zag, helder of niet, kon ze het ene monster alleen verslaan door het andere te verslaan. Ze stond opnieuw op, vastberaden en hopeloos tegelijk.

'Dat is het, hè?' zei Brad. 'Je hebt het gevoel dat je daarheen moet gaan om mij je waarde te bewijzen?'

Er sprongen tranen in haar ogen en ze keek weg. Hij maakte het alleen maar erger door nog meer begrip te tonen. Zag hij dat niet?

'Hou op,' zei ze.

'Waarmee? Met de waarheid te zeggen?'

'Met te proberen mij te redden. Je hebt me al genoeg gered.' Ze haalde diep adem en veegde de tranen weg onder haar ogen. 'Ik moet dit doen, Brad. Het is voor hem, maar het is voor mijn eigen bestwil. Begrijp je?'

'Nee, ik begrijp het niet. Ik begrijp het echt niet. Je hoeft het monster in jezelf niet te overwinnen, ik zie je schoonheid toch wel.'

Dat kon hij niet werkelijk menen. Geen man kon zo over haar denken.

'Moet je ons horen!' fluisterde hij. 'We zijn allebei zojuist aan dat beest ontsnapt en nu zitten we een paar honderd meter van zijn schuur te kibbelen over de vraag of je terug zou moeten gaan. Dat is te gek voor woorden.'

'Ik bén ook gek.'

Ze zwegen. Hij had natuurlijk gelijk. Teruggaan was van de gekke. Maar dat was zij ook, en ze wist, op de een of andere manier, dat dit vannacht in de schuur zou eindigen. Een verse stroom tranen vulde haar ogen. Ze kon niet eens naast hem staan zonder in te storten.

Waar was ze? Wat deed ze hier buiten? Een plotselinge duisternis kroop over haar horizon en ze voelde de vertrouwde tentakels van mist haar geest binnendrijven. Ze kon dit niet! Ze moest terug naar het Centrum!

De wereld sloot haar in en ze had al haar kracht nodig om rechtop te blijven staan. Brad had gelijk, alles wat ze had gezegd was kletskoek! Zelfs nu zei ze alleen dingen die bewezen dat ze niet goed bij haar hoofd was, dat ze hier niets voorstelde, dat ze nooit, nóóit op die manier bemind kon worden.

Brads arm daalde langzaam op haar schouder neer. Hij trok haar tegen zich aan en ze legde haar voorhoofd tegen zijn borst en deed haar uiterste best om niet in huilen uit te barsten. Maar het was bijna onmogelijk.

Hij kuste haar kruin. 'Ik wil je niet verliezen, Eden. Dat moet je begrijpen. Ik wil je niet opnieuw verliezen. We kunnen een andere manier zoeken waarop je je angsten tegemoet kunt treden en ze verslaan. Morgen, wanneer dit allemaal voorbij is. Maar ik kan het idee dat ik je naar die schuur terug laat gaan niet verdragen.'

Ze begaf het.

Ze sloeg haar armen om zijn middel, hield hem zo strak vast als ze durfde en vergoot lange bittere tranen in zijn overhemd. Ze wist dat ze dit soort liefde niet verdiende, maar het voelde als de hemel voor haar. Ze zou alles wat haar de afgelopen zeven jaar was overkomen overdoen voor dit gevoel. Om te worden bemind, al was het maar één minuut, zoals ze zich voorstelde dat Brad haar nu beminde.

Zoals ze *wíst* dat hij haar nu beminde.

Ze kon het hem niet vertellen, want er zat een prop in haar keel en ze kon geen woord uitbrengen. Ze kon alleen maar snikken terwijl hij haar haar streelde en haar kruin kuste.

Als God liefde was, zoals ze zeiden, had ze nooit kunnen vermoeden dat ze God zou vinden op de bodem van een greppel driehonderd meter van de man die zeven jaar geleden had geprobeerd haar te verkrachten.

De nacht leek ten einde te lopen of op zijn minst te talmen. Ze rustte lange tijd in zijn armen en wilde hem nooit meer loslaten.

Maar toen viel het haar op dat hij heel stil was geworden. En zijn ademhaling leek zwaarder. Ze kalmeerde zichzelf.

'Nog één ding,' zei Brad. Ze keek op en zag de gestaalde blik waarmee hij omkeek in de richting van de schuur. 'Dit moet vannacht eindigen.'

Nu was het haar beurt om te vragen: 'Wat bedoel je?'

Maar de blik van woede en vastberadenheid op zijn gezicht, het kloppen van zijn kaak, zijn felle blik in het maanlicht, zijn opeengeperste lippen, ze waren niet te miskennen. Ze bezorgden haar een rilling over haar rug.

Brad kuste haar voorhoofd opnieuw, nam toen zachtjes haar gezicht in zijn handen en keek in haar ogen. 'Luister naar me, Eden. Ik weet dat je dit moeilijk te begrijpen vindt, maar ik wil dat je iets voor me doet.'

'Wat?'

'Ik wil dat je hier op me wacht. Wacht vijftien minuten en als ik dan niet terug ben, wil ik dat je naar het westen rent, door deze greppel, zo snel en zo ver als je kunt. Ze zullen je vanuit de lucht zien, hij zal je niet...'

'Nee!' riep ze, terugdeinzend vol ongeloof. De gedachte dat hij haar alleen liet was als een trap van een muilezel tegen haar hoofd. 'Nee, dat kan ik niet.'

'Ssst, luister. Dat kun je wel. Hij zal je niet te pakken krijgen.'

'Je mag me niet in de steek laten!'

Hij liet een stilte vallen. 'Dat weet ik, en dat zal ik ook niet. Want ik ga terug om hier vannacht een eind aan te maken.'

'Je mag me niet in de steek laten!' zei ze opnieuw. 'Niet nu. Je hebt me net gevonden, je hebt net gezegd dat je van me houdt, je hebt me net...' De woorden kwamen er in een stroom uit, maar intussen zei haar verstand: *Hij moet, hij houdt van je, hij moet teruggaan en het monster doden, hij moet omdat hij van je houdt...*

'Je mag me niet alleen laten...'

En je moet hem laten gaan.

Hij staarde haar aan. 'Hij zal wegkomen als ik het niet doe, Eden. Hij zal verdwijnen om later terug te komen, en dat kan ik niet toestaan. Hij is geobsedeerd door jou. Hij zal niet rusten voordat hij je vermoord heeft. Begrijp je? Ik kan niet toelaten dat je met die dreiging boven je hoofd moet leven. Ik moet hier vannacht een eind aan maken.'

Je moet hem laten gaan omdat je van hem houdt, en je moet vertrouwen in wie hij voor je is...

Ze sloeg haar armen om hem heen om hem tegen te houden en ze rilde van angst, want ze wist dat hij niet anders kon. Hoe vaak had ze er niet naar verlangd om gered te worden, geschreven over de ridder op het witte paard die aanstormde om de jonkvrouw te redden... Maar nu ze de ridder op het witte paard had gevonden, moest ze er niet aan denken hem te verliezen.

'Eden...' Hij kuste haar hoofd opnieuw, maakte zich toen zachtjes los uit haar armen. 'Eden, alsjeblieft.' Hij kuste haar gezicht, haar lippen, heel licht. 'Alsjeblieft, ik hou van je. Ik kom terug. Hij verwacht me niet. Niemand die bij zijn volle verstand is zou teruggaan, dat weet hij ook.'

Ze keek alleen maar naar hem op, liet zijn gestamelde woorden langs zich afglijden omdat hij gelijk had, geen van beiden was bij zijn volle verstand: zij niet dat ze eerder wilde gaan, hij niet dat hij nu ging. Ze dachten met hun hart, en ze zou het voor niets willen inruilen.

'Sorry, zo bedoelde ik het niet,' zei hij.

Eden rekte haar hals en kuste hem op de lippen. Het was de eerste keer in haar leven dat ze een man op de lippen had gekust. Ze waren warm en zacht. En ze wilde zich aan hem vastklampen en huilen en hem nogmaals kussen.

In plaats daarvan zette ze haar dapperste gezicht op en keek in zijn ogen. 'Kom snel terug,' zei ze.

Hij knikte, één keer.

'Doe ik.'

39

Brad liep door de greppel, passeerde het punt waarop ze het veld hadden verlaten en bleef twintig meter verderop stilstaan om te luisteren. Krekels tjirpten in het zuidwaarts gelegen bosje. Een lichte bries ruiste door de velden, als opstuivend zand op deze eindeloze oever van maïs, verguld door een ronde witte maan.

Hij keek terug door de greppel. Als hij zijn verbeelding gebruikte, zag hij in de verte de ineengedoken gedaante van een vrouw tegen het talud van de greppel. Een schat van een vrouw genaamd Eden die zijn volledige toewijding verdiende, en die nu ook had.

Maar zonder zijn verbeelding kon hij haar niet zien, en de gedachte haar nooit terug te zien joeg hem de stuipen op het lijf.

Het was hem zwaar gevallen om haar daar moederziel alleen achter te laten. Maar hij wist dat hij misschien nooit een tweede kans zou krijgen om Eden te redden, werkelijk te redden. Zolang Quinton Gauld op vrije voeten was, was Edens leven in gevaar.

Hij draaide zijn gezicht naar het zuiden, naar het maïsveld. Er was maar één manier om de touwtjes in handen te houden. Hij moest steels en snel te werk gaan en met een meedogenloosheid die ooit alleen toebehoorde aan hen die hij had opgejaagd. Voor hetzelfde geld was Quinton Gauld al gevlucht. Maar aangenomen dat de man een poging deed de velden af te zoeken of nog steeds bezig was met opruimen, moest Brad handelen, en wel nu.

Hij stapte het veld in en zocht zich zo voorzichtig als hij kon een weg door de stengels. Bij dit tempo kon het geluid van zijn gang door de dichte beplanting worden opgemerkt, maar niet makkelijk worden onderscheiden van het lichte wuiven van de stengels in de wind. Hoe dan ook had hij weinig keus. Het maïsveld moest worden overgestoken.

Zijn plan was simpel. Zonder wapen maakte hij geen kans in welk soort confrontatie dan ook. Maar er was een andere manier. Een manier waarvoor hij ongezien de schuur binnen zou moeten komen. Maar als dat lukte, zou hij dit vannacht kunnen beslechten.

Met een hart dat bonsde als het gestamp van een groot konijn sloop hij naar voren. Snel, ineengedoken, zo rustig ademend als hij kon. Op drie meter van de rand van het veld bleef hij stilstaan om te luisteren of hij een ongewoon geluid hoorde.

Niets. Wat zou hij nu geven voor zijn pistool. Zelfs voor de hamer. Hij had iets mee kunnen grissen toen hij de schuur verliet. Een hark, een stok, een stuk pijp, een touw, een baksteen, wat dan ook. Maar behalve de hamer had hij niet zo gauw iets gezien om mee te nemen en het ook niet overwogen. En waarom zou hij ook? Alleen iemand die zijn verstand verloren had, zou terugkeren.

Brad sloop naar de rand van het veld en tuurde door de stengels. Nog steeds flakkerde er oranje licht achter twee bovenramen en door een aantal verticale spleten in de wand. Quinton was nog steeds hier.

De spleten tussen de oude verschrompelde planken waren breed genoeg om een alert persoon binnen een blik te bieden op iemand buiten. Dat zou hij in gedachten moeten houden. Nu hij erbij stilstond, bestond de mogelijkheid dat Quinton hen had gezien toen ze ontsnapten, in het licht van de krachtige koplampen van de truck die door de kieren heen straalden. Maar hij was hen niet achterna gekomen. Hoe het ook zat, het deed er niet meer toe.

Er waren minder kieren aan de rechterkant van de schuur. Brad bukte diep, stapte uit het maïsveld en rende over de open plek naar de achterkant van de schuur.

De schuur werd aardig verlicht door de maan en vanwaar Quinton zich bevond, vijftig meter van de zuidwesthoek, had hij perfect zicht op driekwart van het bouwsel, dat zich als een graftombe tegen de sterrenhemel aftekende. Hij zat met zijn benen gekruist in yogahouding, handpalmen omhoog, duim en wijsvinger tegen elkaar voor betere concentratie.

Hij ging op in het tarweveld achter hem, dat tot boven zijn hoofd reikte. De vlucht van Rain Man het veld in had hen naar het noordwesten gevoerd; aangenomen dat hij terugkwam, zou hij waarschijnlijk uit dezelfde richting komen. Zelfs als hij van een andere kant naderde, zou Quinton hem zien aankomen.

In de verwachting dat Quinton in de schuur als een waanzinnige aan het opruimen was, zou de vos door een van de kieren turen en van zijn stuk raken door het feit dat zijn prooi niet in zicht was. Vervolgens zou de vos om de schuur heen sluipen en Quinton proberen op te sporen voordat hij toesnelde om toe te slaan – aangenomen dat Rain Man zo slim was als Quinton dacht dat hij was.

Als Rain Man niet terugkwam, zou Quinton de boel opruimen en binnen een uur vertrekken, lang voordat de zon opkwam. En hij zou later terugkomen om af te maken wat hij begonnen was. Hij was een geduldig man. Hij had al zeven jaar gewacht, nog een paar maanden erbij zou geen probleem zijn.

Alles was in orde. Quinton zou die spiedende ogen in de nacht niet opnieuw teleurstellen. Vooral niet nu hij eindelijk zijn ware missie begreep.

Het enige wat ietwat vreemd was, was het geluid. Het gezoem in zijn brein was een geknars geworden. Het was nu zo luid dat hij het nauwelijks kon onderscheiden van de krekels. Niet dat zijn gehoor ertoe deed op dit moment. Hij zou op zijn ogen en zijn superieure intelligentie vertrouwen en zijn gehoor en emotie een tijdje opzijzetten.

Zijn geest was helder genoeg om de wereld te verlichten.

Zijn haat daarentegen was zo zwart dat hij zich was gaan verheugen op het idee Eden te vermoorden, alleen al om de geur en smaak van het bloed.

Zijn voordeel was niet beperkt tot deze sterke punten. Zijn zoemende intelligentie had hem ook precies getoond hoe de vos, gewapend met niets dan stokken en stenen, hem wilde doden.

Rain Man zou proberen de schuur af te branden met hem en zijn truck erin. En daarvoor zou hij alleen een welgemikte stok of steen nodig hebben. Zoals David Goliath had gedood.

Dit was de reden waarom Quinton wachtte waar hij wachtte, veilig buiten, klaar om in beweging te komen wanneer de tijd gekomen was. De truck in de schuur laten was een risico, maar hij kon hem niet weghalen zonder zich in de kaart te laten kijken. Hoe dan ook, in deze yogapositie tegen het tarweveld, zat Quinton in de perfecte positie.

Plotseling week de maïs aan de andere kant van de open plek en Rain Man schoot naar buiten, ineengedoken om een zo klein mogelijk doelwit voor kogels te zijn.

Quinton was al opgestaan. Daar ging de jagende vos.

Maar de Hellehond stond al klaar met ontblote hoektanden.

Brad kwam half glijdend tot stilstand bij de hoek van de schuur en drukte zijn rug tegen de planken, ademend door zijn neus. Hij had vijf keien uit de greppel in zijn zakken gepropt, twee in de rechter, drie in de linker, maar hij zou ze alleen gebruiken als hij niet iets groots kon vinden om de olielampen mee stuk te slaan.

Eenmaal gebroken zou de olie over de met hooi bezaaide grond en de nabije hooibalen stromen en binnen een paar seconden een vuur doen oplaaien dat te groot was om te bedwingen.

Vervolgens zou de truck aan de beurt komen. Hij had een tiental mogelijke scenario's overwogen om het voertuig onklaar te maken, maar ze vergden allemaal dat hij een voorsprong had als de hel losbrak. Het zou verrassend weinig hooibalen vergen om de truck lang genoeg te stoppen om een tweede lamp over de motorkap kapot te slaan of de radiateur onklaar te maken met een stuk gereedschap in de schuur.

Brad hoefde de man niet per se hier te doden. Een brandende schuur zou een seinvuur vormen dat kilometers ver zichtbaar was, en hier wegkomen kostte een aanzienlijke hoeveelheid tijd.

Het waren allemaal kleine kansen, maar als hij toeliet dat een sociopathisch monster van Quinton Gaulds intelligentie ontkwam, was de kans dat Eden overleefde nog kleiner.

De nacht was stil. Hij bewoog naar rechts en tuurde door een vrij brede spleet. De groene lak van de truck oogde donker in het gele licht. Beide lampen stonden nu op de houten tonnen aan weerszijden van de provisorische wand. Overal lagen hooibalen. Maar Brads zicht op de tafel werd er wel door geblokkeerd.

Geen spoor van de man. Hij moest de locatie van de moordenaar vaststellen, hem opsporen, de juiste gelegenheid afwachten, zijn afleiding aan de achterkant creëren, dan omlopen naar de voorkant en de schuur betreden met de truck tussen hem en Quinton, die naar de achterkant zou zijn gelokt door de afleidingsmanoeuvre.

Pas dan, en niet eerder, zou hij naar de dichtstbijzijnde lamp lopen en vervolgens naar de truck.

Maar er was geen spoor van Quinton. Vanuit deze hoek zag hij slechts een deel van de schuur, de laadbak van de truck, de dekens, maar verder heel weinig. De man kon overal zijn.

Nu hij erover nadacht, was Brad bang dat er iets verschrikkelijk fout zou gaan. Quinton Gauld was er de man niet naar om veel fouten te maken, en nadat hij er één of twee had gemaakt die Brad en Eden hadden toegestaan te ontsnappen, zou hij extra op zijn hoede zijn.

Diep ademhalend om zichzelf te kalmeren, sloop Brad ineengedoken langs de wand. Hij moest de andere kant bereiken om helder zicht op de tafel te krijgen. Zodra hij de man in de smiezen kreeg, zou een simpele bons op de wand zijn aandacht trekken terwijl Brad omliep naar de hoofdingang.

De details hamerden door zijn hoofd en repeteerden het onbekende. Zijn oren tintelden van spanning.

De achterdeur stond op een kier. Hij bleef staan en dacht erover na. Maar het was logisch – Quinton zou op zijn minst de directe omgeving hebben afgezocht voordat hij zich in de schuur terugtrok, misschien door deze deur. Dat was vijftien of twintig minuten geleden. Dus wat had hij sindsdien gedaan? Waarom was alles zo stil?

Brad bewoog zich voorwaarts op de ballen van zijn voeten. Hij moest de man in het vizier krijgen.

Een opening van zo'n tien centimeter tussen de deur en de oude rottende deurpost was nu gevuld met oranje licht, als het oog van een monster dat amper open is terwijl het sliep. Brad dacht erover om naar binnen te kijken, maar besloot dat de geringste beweging van de deur hem zou kunnen verraden.

Vlak naast de deur zat er een spleet tussen twee planken, hij zou...

De klap op zijn achterhoofd kwam uit het niets, alsof een enorme cobra zijn schedel verzwolg. Een felle pijn schoot door zijn ruggengraat. Toen, terwijl hij op de grond viel, wist hij waarom hij Quinton niet in de schuur had gezien.

De moordenaar was hier buiten bij hem.

40

Het was fascinerend en immens bevredigend tegelijk en nu wist Quinton waarom zijn onderbewuste hem de kleine vergissingen had toegestaan die Rain Man zijn korte vrijheid hadden gegund. Nadat hij een nederlaag had geleden en die te boven was gekomen door de vos weer te vangen, was hij nu in staat om met onvergelijkelijke voldoening van zijn ondergang te genieten.

Dit is wat Quinton Gauld zich voorhield terwijl hij naar het tafereel staarde dat hij weer in ere had hersteld. Daar zat Brad Raines, de man die zijn bruid wilde roven, vastgebonden aan dezelfde paal waaraan hij was ontsnapt, al was die nu niet meer dan een stomp.

Quinton was zelfverzekerd achter de man opgedoken en had het pistool op zijn achterhoofd gericht, gewoon voor het geval hij zich omdraaide. In dat geval zou Quinton hem hebben neergeschoten alvorens hem naar binnen te zeulen. In de praktijk had het bonzende hart van de man waarschijnlijk verhinderd dat hij Quintons vederlichte voetstappen op de zachte grond had gehoord.

Eén klap op zijn achterhoofd had de man uitgeschakeld en daarna had Quinton hem naar binnen gesleept en aan de paal vastgebonden. Een spoor van bloed liep over zijn nek uit de verse wond aan zijn schedel. Hij kwam eindelijk bij kennis om zijn rol te spelen. Het was betoverend. Prachtig.

Dit is wat Quinton zich voorhield, maar het gezoem in zijn brein weerhield hem ervan om zo van zijn overwinning te genieten als de bedoeling was.

Hij liep om de lijdende Rain Man heen, geïntrigeerd waarom

deze man zoveel riskeerde voor een vrouw die door de maatschappij in een inrichting was opgeborgen.

Hij keek neer op de gedaante die onderuitgezakt tegen de paal hing. ‘Ga rechtop zitten, alsjeblieft.’ Hij gaf de man een por met zijn voet. ‘Vooruit, we hebben niet de hele nacht. Het kost meer tijd dan je beseft om gaten in menselijke lichamen te boren en ze leeg te laten bloeden.’

Rain Man kreunde. Omdat zijn handen achter zijn rug waren gebonden, had hij moeite om zijn benen onder zijn lichaam te krijgen en te gaan zitten. De man mompelde een vloek.

‘Alsjeblieft, dat stadium zijn we toch wel voorbij? Hmm? Vloeken, brullen, spugen, aan je boeien rukken – dat is allemaal gedrag dat mensen zoals jij en ik alleen maar naar beneden haalt.’

Rain Man staarde met een donkere blik naar hem op alsof hij Quintons hoofd wilde laten ontploffen.

‘En hou op om me aan te staren alsof ik een monster ben. Ja, ik ben een monster, maar vloeken, schreeuwen, spugen, rukken aan je boeien of blikken als dolken zullen je net zomin helpen als ze Nikki hebben geholpen. Dus laten we heel even beschaafd zijn, oké?’

De boze blik van de man werd niet zachter. ‘Wat voor mannen zijn wij dan, Quinton?’

‘Echte mannen. Ontdaan van de façade waar sociale druk de massa mee behept. Wij zien de waarheid, jij en ik. Ik ben de hellehond en jij bent de sluwe vos die eropuit is mijn schat te stelen. Allebei herkennen we schoonheid en we houden allebei van Eden.’

‘Maar dat klopt toch niet? Ik hou van Eden. Jij haat haar. Weet je nog wel?’

‘Nou, dan hou ik ervan haar te haten. Hoe dan ook weten we allebei wat liefde is.’ Hij fronste naar zijn smekende karkas van een tegenstander. ‘Dit is het moment waarop jij bittere protesten begint te uiten in een poging mij te corrigeren. Eén of twee zou oké zijn, om ze uit je systeem te verwijderen.’

De man deed het niet, maar dat verwachtte Quinton ook niet. De vastberaden uitdrukking van Rain Man begon te verdwijnen en maakte plaats voor een van verslagenheid. Het was een beetje sneu. Zo’n waardige geest teruggebracht te zien tot deze verslagen homp vlees... Quinton moest zich bedwingen om hem geen kaakslag te verkopen. *Ontwaak, ontwaak, jij heilige geest! Laat niet zo over je heen lopen!*

'Wat zie jij er zielig uit, zeg,' zei hij.

Een traan welde op in het rechteroog van Rain Man. Zijn zwakheid was onverdraaglijk! Quinton overwoog zijn plan ter plekke om te gooien. Hij moest deze zielige schim van een geest met een klap op zijn hoofd uit zijn lijden verlossen. Een zwakke man om zijn leven zien smeken was te verwachten en daarom acceptabel. Een broze vrouw huilend om genade zien smeken was bevredigend, omdat ze alleen een rol speelde die de grotere zwakheid van de wereld weerspiegelde.

Maar deze vos van een geest te zien instorten ging alle perken te buiten. Net als de jongen die hij in Elway's eethuis een oplawaai had verkocht, had Brad Raines een flinke dreun op zijn kop nodig.

'Walgelijk,' zei Quinton.

'Je zult haar nooit in handen krijgen,' zei Rain Man. Zijn stem was krachtig en vol overtuiging.

Toen kwam het bij Quinton op dat de vos niet om zichzelf huilde. Zijn tranen golden Eden. Dit was niet een beeld van een bange muis die zijn nederlaag aanvaardde. Integendeel.

Verpletterd door het vooruitzicht dat het voorwerp van zijn liefde iets zou overkomen, gaf Rain Man niets meer om zijn eigen leven. Zijn tranen golden Eden, niet hemzelf. Dit was geen lafheid, maar nobelheid.

Dat besef sloeg Quinton zo uit het lood dat hij een paar tellen geen woord kon uitbrengen. Maar zelfs in die onthutste staat ontkwam hij er niet aan zich af te vragen waarom. En nog terwijl hij zich dit afvroeg, gaf zijn zoemende brein hem het antwoord.

Hij was jaloers op Rain Man.

Waanzinnig jaloers. Hij was in feite even jaloers op de liefde en nobelheid van Rain Man als op de schoonheid in Eden, Gods lieveling.

Het viel hem op dat zijn eigen handen trilden. Hij keek gebiologeerd op ze neer. Dit werd zijn belangrijkste test. Niet het ontvoeren van zeven bruiden, niet hen leeg te laten bloeden om hen smetteloos af te leveren, niet het vervullen van zijn ware levensdoel, niet het manipuleren van Rain Man voor zijn doel, zelfs niet het lokken van Eden door middel van Rain Mans pijnkreten.

Zijn grootste uitdaging was te zijn wie hij was. Te zijn wat de maatschappij wilde zijn, maar te laf was om in praktijk te brengen. Weerstand te bieden aan het respect en de eer die hem op ditzelfde moment lokten, en het kwaad te omhelzen dat hem achtervolgde.

'Ik walg van je,' zei hij, en hij liep naar de tafel, pakte de gele accuboor op en drukte de knop in.

De krachtige motor van de Black & Decker snorde soepel en vervulde hem met kalmte. Hij zou de spanning op de boorkop aanpassen, zodat de boor soepel, zonder vast te lopen, door het bot zou gaan.

Botten hádden iets. Iets wat de meeste mensen diep verontrustte aan het vooruitzicht dat er door de huid van het menselijk lichaam heen werd gedrongen en met het inwendige, verborgen zelf werd gerommeld. Niemand wilde dat zijn vernis werd beschadigd. Door te boren volbracht Quinton twee belangrijke taken tegelijk.

In de eerste plaats maakte hij een kleine opening door de hiel die de zwaartekracht toestond de bloedvoorraad van het lichaam efficiënt af te tappen. Maar in de tweede plaats drong het boren door de façade heen en legde het de essentie van de bruid tot op het merg bloot. Of, in dit geval, die van de man.

Tevreden dat de boor volledig operationeel was, liet hij hem langs zijn zijde zakken. Toen liep hij naar Rain Man, die hem met een merkwaardig neutrale blik gadesloeg. Kwam er dan geen einde aan de moed van de man? Hij kon zien dat er meer dan één of twee gaten nodig zouden zijn om hem aan het schreeuwen te krijgen.

'Nu moet je goed naar me luisteren,' zei Quinton. 'Dit is niet noodzakelijkerwijs persoonlijk...'

'Jawel.'

Even ademhalen. 'Oké, het is enigszins persoonlijk. Het punt is dat ik wil dat je schreeuwt. Je leven betekent niet veel voor mij. Maar ik wil dat de kleine bruid komt, snap je? Ik denk dat ze wel eens zo dom zou kunnen zijn dat ze voor je gevallen is nu je haar hebt gered. Dus wil ik dat je schreeuwt en gilt als een kleine jongen bij wie zonder verdoving een kies wordt geboord.'

Rain Man leek onverstoord. 'Je kunt haar niet hierheen lokken. Ze is weg. Ik kan het uitschreeuwen tot je me smeekt om te stoppen. Maar je zult Eden niet hierheen lokken.'

'Is het heus?' Quinton drukte de ontspanknop kort in. De boormachine gierde. 'Je schijnt te denken dat je haar heel goed kent.'

Rain Man was nog steeds niet onder de indruk. 'Zelfs als ze dichtbij genoeg was om mijn kreten te horen, weet ze dat ze je onmogelijk kan tegenhouden. Ze kan de schuur niet afbranden, ze kan je niet overhoopschieten, ze kan niet in de truck springen en wegrijden, ze is machteloos. Dat wist ze voordat we afspraken dat ze zou vluchten. Je kunt mij doden, maar je zult Eden nooit met één vinger aanraken.'

'Is dat zo? En wat weerhoudt mij ervan om haar volgende week op te sporen?'

'Zo dom ben ik nu ook weer niet. Waar zij heen gaat zul je haar nooit vinden. Wat jou aangaat bestaat Eden niet langer. Ze zal in een bunker zijn die zo ver bij je vandaan is dat geen enkele poging van jouw kant enig spoor zal opleveren.'

De oprechtheid in zijn stem verontrustte Quinton.

'Weet je, heel even was ik onder de indruk van je karakter. Maar nu ben je veranderd in een slechte leugenaar en heb ik een beter gevoel over mijn beslissing je te doden. Ik haat huichelaars.'

'Klets niet en boor nou maar, Quinton. Ik zal het uitschreeuwen en het zal je niet helpen.'

Kon de heilige vos hem opnieuw te slim af zijn geweest? Waarom verwelkomde hij pijn? Misschien was hij echt zijn verstand verloren. Quintons zenuwen waren ongewoon gespannen. Hij was diep verontrust.

Dus knielde hij, drukte op de ontspanknop van de boormachine en drukte de 0,25 inch boor met zijn diamanten punt tegen de platte kant van de scheen van de man. De motor gierde en ging toen over tot een lager gegrom. De boor pakte.

Hij richtte zich op en aanschouwde zijn werk. De man keek naar hem op met een wit gezicht, trillende lippen en een bloedend been. Maar hij schreeuwde niet, kreunde zelfs niet.

'Geen kik?'

Hij moest oppassen dat Rain Man niet flauwviel.

'Schreeuw, Rain Man. Schreeuw tot ik mijn vingers in mijn oren moet stoppen.'

Niets.

'Nee? Omdat je tegen me gelogen hebt, Rain Man. Je wilt niet schreeuwen omdat zij dat kan horen. Je bent bang dat ze zal komen als ze je hoort schreeuwen. Want dat doen mooie mensen, Rain Man, dat weten wij allebei. Die komen toesnellen om arme stakkers in nood te redden.'

Niets. Met elk moment dat verstreek respecteerde, haatte, bewonderde, verachtte Quinton de man meer.

'Ik ga je vol gaten boren, en als jij het niet uitschreeuwt, dan zal ik het doen, en dan zal ze aan komen rennen, en als ze dat doet, ga ik ook haar vol gaten boren.'

De ogen van Rain Man schoten over zijn schouder en sperden zich open.

'Hallo, Quinton.'

Behalve over de telefoon was het de eerste keer in zeven jaar dat hij haar stem had gehoord, en het geluid van die zoete, tedere stem sneed door hem heen zoals geen geluid aan deze zijde van hemel of hel ooit zou kunnen.

Hij draaide zich langzaam om naar de schuurdeur. Daar, gekleed in haar rode blouse en afgeknipte denim short, stond Eden. Haar armen hingen langs haar zijden en haar vaste blik hield hem gevangen.

Dit was ook de eerste keer dat Quinton in haar ogen had gekeken sinds die nacht zo lang geleden. Die adembenemend mooie ogen.

'Hallo, Eden,' zei hij.

41

Brad zat er verslagen bij en smeekte God om één laatste gunst. *Alstublieft, alstublieft, laat haar niet komen. Stuur haar ver weg. Laat haar niets horen.*

Hij zag de Bruidenvanger boven zich uit torenen met zijn boor, hoorde zijn dreigementen, maar zijn gedachten waren bij zijn wanhopige gebed tot God in de hemel, als Hij tenminste luisterde – en Brad moest nu geloven dat dat zo was.

Bescherm haar, ik smeek U. Ze is onschuldig, ze is naïef, ze zal zich uit liefde hierheen haasten, maar laat mijn liefde haar niet hierheen lokken. Niet nu, alstublieft, niet nu.

Toen knielde Quinton bij hem neer en drukte de boor op zijn scheen. De pijn was zo gemeen dat Brads hele been wild begon te schokken. Zijn maag draaide zich om en er trok een waas voor zijn ogen, maar hij kon niet toestaan dat de kreet die naar zijn keel steeg lucht kreeg.

Quinton richtte zich op. Hij sprak, maar Brad hoorde hem niet, zo wanhopig smeekte hij inwendig. *Alstublieft, alstublieft red haar. Red haar, alstublieft. Ze is Uw kind. Red haar...*

Een beweging in zijn linkerooghoek onderbrak zijn gebed. Hij keek en daar zag hij wat hij had gesmeekt niet te zien. Ze stond in de brede deuropening van de schuur, als een engel van genade.

Brads adem stokte in zijn keel.

'Hallo, Quinton.'

Quinton schrok. Toen draaide hij zich heel langzaam om. Een moment lang staarden ze elkaar aan en Brad kon alleen maar raden welke boosaardige gedachten door het hoofd van deze psychopaat gingen.

'Hallo, Eden.'

Brad wilde het uitschreeuwen. *Rennen, Eden! Weg hiervandaan! Hij is een monster en hij gaat je pijn doen. Je bent te naïef! Weg hiervandaan!*

Een kreun ontsnapte aan zijn mond, verder niets. Hij vocht om niet flauw te vallen. Het mocht niet zo eindigen! Ze moest hier weg.

Eden stond daar maar naar de moordenaar te staren. En Quinton staarde terug.

Brad vond zijn stem, hees en gespannen van angst. 'Vlucht...' Toen opnieuw, in een kreet. 'Vlucht, Eden, vlucht!'

'Nee, Brad. Dit keer niet.'

Haar stem was zo licht, zo lief, zo onschuldig. Een steek van angst vlijmde door zijn borstkas. Ze zou sterven omwille van hem! En ze was te koppig om het in te zien.

Quinton liep naar de tafel, legde de boormachine neer en pakte zijn pistool.

Eden keek naar Brad. Haar wangen waren nat van het huilen. Maar ze vertrok geen spier.

Hij rukte aan zijn boeien, wanhopig wensend dat ze vluchtte. 'Alsjeblieft, Eden, je kunt dit niet doen...' Maar ze luisterde niet. 'Alsjeblieft...'

Ze draaide haar hoofd terug naar Quinton, die midden op het met dekens bedekte toneel stond, voor de wand waaraan hij Eden van haar bloed wilde ontdoen.

Brad begon weer te spreken, maar kon niet. Zijn woorden waren louter kabaal in zijn hoofd. Een lange jammerklacht trok door hem heen.

Vergeef me, Eden! Het spijt me dat ik je van me liet houden. Het spijt me dat je gekwelde bestaan je hier naar mij heeft geleid, naar de eerste man die je enige liefde heeft getoond. Je hoeft je leven niet voor mij te geven! Zo werkt het niet! Dat zijn dwaze romantische ideeën uit verhalen. Ik ben het niet waard, ik ben een ellendeling. Het spijt me, het spijt me zo, Eden!

Zes meter naar het midden van de schuur scheidde hen nu. Quinton leek gevangen in een soort trance, alsof hij in het aangezicht van de verwezenlijking van zijn plannen niet de woorden kon vinden om de draagwijdte van het moment uit te drukken. Hij stond met zijn wapen langs zijn zij naar haar te staren. Geen wijze woorden, geen wellustige blikken, geen uitdrukking van haat, geen gevloek, zelfs geen zenuwtrek op zijn gezicht of een trilling in zijn hand.

Hij staarde haar alleen maar aan. Zonder een woord.

Misschien kon hij niet geloven dat ze echt dom genoeg was om terug te keren hoewel ze wist wat haar te wachten stond. Ja. Ja, dat moest het zijn. Hij en Quinton zagen hetzelfde. Alleen iemand die zo groen, zo idealistisch was, zou zich vrijwillig aan gevaar blootstellen zonder hoop het te overleven.

'Je vraagt je af waarom ik ben teruggekomen,' zei ze.

Ze stapte behoedzaam naar voren en bleef op drie meter afstand van hem staan. Haar gezicht toonde geen expressie, maar er welden nieuwe tranen op in haar ogen.

'Je begrijpt er niets van,' zei ze. 'Of wel?'

Het duurde even voor hij antwoordde. 'Je bent onschuldig en dom,' zei hij. 'Dat maakt je juist zo mooi. Daarom moet ik je doden.'

'Dan dood je het ene dat je wilt.'

Ze namen elkaar op.

'Ik heb erover nagedacht, Quinton. Dáárom kwam je die nacht naar me toe, zeven jaar geleden. Je wilde de onschuld en schoonheid die je in mij zag.'

'Je kunt mij niet manipuleren met je woorden. Je bent de mooiste vrouw ter wereld en ik ben uitgezonden om je te doden.'

'Omdat je me niet kunt bezitten?' zei ze met bevende stem.

'Omdat je Gods lieveling bent en niemand jou mag krijgen.'

'De waarheid is dat je bang voor me bent, Quinton. Ik jaag je angst aan.'

'Ik kan je breken als een pop.'

Maar ze was niet uit het veld geslagen. 'Ik jaag je angst aan omdat je bang bent dat je nooit zo mooi kunt zijn als ik. Je bent als een jaloerse jongen die een driftaanval krijgt.'

Brad staarde verbijsterd naar de uitwisseling tussen hen. Dit was de Eden die hem moeiteloos voor zich had ingenomen met haar simpele inzicht en logica. De Eden die sprak over iets wat alleen zij buiten het raam kon zien. Het naïeve meisje dat geesten kon zien wanneer anderen dat niet konden.

'Je was toen in de war en dat ben je nog steeds,' zei ze. 'Je bent een verdwaalde, eenzame jongen die is beschadigd door zijn vader. Net als ik door mijn vader.'

Haar woorden bereikten hem en op slag hield het zoemen op. De wereld viel stil, alsof iemand de stekker eruit had getrokken.

Ze wist dit? Het was natuurlijk een gok. Iedereen kon raden dat iemand als jongen beschadigd was. Was niet de halve wereld beschadigd? Maar in haar toon klonk zelfs geen zweem van een vraag door. Haar ogen reikten voorbij hem, naar de plek van geheimen. Dit was gewijde grond, een plek zo diep en heilig dat hij er zelf maar zelden een voet mocht zetten.

En toch wandelde ze er doodleuk naar binnen om hem op zijn ziel te trappen. Quinton voelde zich acuut en gewelddadig geschonden.

De stilte tussen hen duurde voort, en hij zocht naar het zoemen, de stemmen, de kalmte, de intelligentie, alles wat hem tot zo'n machtig en waardig dienaar had gemaakt. Hij haatte haar omdat ze hem dat alles afpakte.

En toen was het gezoem terug, brommend in zijn hoofd als een zwerm woedende horzels. Zijn hele lichaam spande zich en zijn vingers omklemden het pistool.

Hij had de demper verwijderd toen hij het wapen weer in de koffer had gelegd. Het schot daverde door de schuur en het pistool bokte in zijn hand en joeg een kogel in de grond bij zijn voeten.

Eden gaf geen krimp.

'Je vader heeft jou beschadigd zoals mijn vader mij heeft beschadigd. Dat is wat je in mij aantrok,' zei ze.

'Nee.'

'Ik had geen vader die me kon vertellen dat ik een van Gods lievelingen was,' zei ze.

Hij zag iets zo verontrustends dat hij het pistool zou hebben geheven en haar in haar voorhoofd hebben geschoten, als hij niet al heel lang van plan was haar te doorboren. Er stond medeleven in haar ogen.

'Maar dat is één ding waar jij gelijk in hebt, Quinton. Ik ben een van Gods lievelingen.'

'Hou alsjeblieft je mond.'

'Mijn vader heeft me nooit verteld wie ik was, precies zoals jouw vader jou nooit heeft verteld wie jij was.'

Waarom bewoog hij niet? Waarom schoot hij haar niet gewoon neer? Waarom pakte hij haar niet beet om haar vast te binden en haar vol gaten te boren? Waarom had hij het gevoel alsof de lijm die hem bijeenhield aan het oplossen was?

'Want ook jij bent een van Gods lievelingen, Quinton.'

Brad durfde geen woord uit te brengen. Niet nu, niet zolang Eden sprak en Quinton luisterde. De geringste verschuiving in spanning kon hem doen ontploffen, zoals momenten geleden was gebeurd toen zijn pistool afging.

Quinton stond er verstard bij. Het zweet stond op zijn voorhoofd. Zijn handen waren gebald tot vuisten en zijn bloedvaten liepen als gezwollen kabels over zijn onderarmen. Elk moment kon het allemaal afgelopen zijn. Brad wist wat Eden probeerde te doen, maar het zou niet werken!

De razernij in de moordenaar zou hem inhalen en dan zou hij haar vermorzelen. Ze was naïef genoeg om te geloven dat als ze gewoon haar hart voor hem opende, hij het zou begrijpen en zou veranderen.

Maar mannen als Quinton Gauld veranderden niet. Niet zonder een kosmische verschuiving in hun ziel die de macht van menselijke woorden of enige soort psychiatrische zorg te boven ging. Misschien zou hij het spel meespelen. Misschien zou hij zelfs kunnen toegeven aan de pijn die haar woorden zo overduidelijk opriepen. Maar uiteindelijk zou het monster zich weer oprichten en haar verscheuren.

Desondanks durfde Brad geen woord uit te brengen.

Hij trok wanhopig aan de touwen rond zijn polsen, maar er zat geen millimeter speling in. Hij rukte aan de paal, maar die was diep verankerd.

En toen, in de lange stilte, veranderde er iets. Eden begon te huilen. Haar smalle schouders begonnen te schokken.

Ze haalde diep adem. 'Ik wil dit niet meer.'

Wát zei ze?

'Ik heb zo lang met deze pijn geleefd. Ik kan het niet meer.' Ze snikte met lange uithalen en trillende lippen. 'Ik wil me niet meer in de kast verstoppen. Ik kan de duisternis niet meer verdragen. Ik kan de angst niet meer aan!'

Haar woorden klonken obsceen luid in de schuur. Trillend en happend naar lucht keek ze met smekende ogen naar Brad, toen terug naar Quinton.

'Ik kan het niet meer... Ik kan zo niet leven...'

Ze huilde om zichzelf, besefte hij. Ze had het gezegd in het maïsveld en nu zei ze het hier. Eden was hier zowel voor haar eigen heil als voor het zijne. Ze moest zich bevrijden uit de klauwen die haar hart doorboorden.

Dit ging niet over het manipuleren van de man die haar zeven jaar geleden had aangerand, in de hoop hem te vernietigen; dit ging over het afwerpen van haar eigen angst zodat ze vrij zou kunnen zijn.

'Ik kan niet meer bang voor je zijn, Quinton. Ik kan niet meer bang zijn voor mijn vader. Ik kan de haat en de angst die me proberen te doden niet meer dragen.'

Quinton stond met opengesperde ogen op de dekens. Zijn vuisten trilden.

'Ik vergeef je, Quinton.' Ze sprak de bekentenis snikkend uit en liep toen naar voren, bleef pal voor hem staan en stak langzaam haar hand uit.

Legde haar handpalm op zijn borst.

Zodra haar vingers contact met hem maakten, hapte ze kort naar adem. Maar ja, ze kon immers geesten zien? Ze zag nu iets. Of was ze alleen geschokt over haar eigen vermetelheid?

Quinton was zo ontsteld, zo verbluft door wat ze deed, dat hij zijn plannen leek te vergeten. Hij zag er angstig uit. Verloren.

Nu sprak Eden hem door haar tranen heen zachtjes toe. 'Hij probeert je te doden. Hetzelfde monster dat mij probeert te doden omdat ik Gods lieveling ben, probeert ook jou te doden.' Toen, heel zacht, zodat Brad haar amper kon horen: 'Jij bent zoals ik. Hij probeert ons allebei te doden.'

Er trok een lichte huivering door Quintons hele lijf. Brad wist niet wat hij moest zeggen. Hij wilde haar zeggen dat ze moest vluchten, dat ze in Quintons ogen moest krabben en vluchten. Om hem heen rennen, de lamp op de grond smijten en dan naar de achterdeur hollen.

In plaats daarvan sprak ze zachtjes, nu zonder tranen, als een engel die speciaal voor hem hierheen was gezonden. 'Het spijt me dat je door je vader bent beschadigd, Quinton. Maar je bent nog steeds een lieveling. Je hoeft jezelf niet te bewijzen voor God, of jaloers te zijn op Zijn lievelingen.'

Bij wat er toen gebeurde voelde Brad zijn bloed uit zijn gezicht trekken. De huivering die Quintons ledematen had bereikt werd heviger. Tranen vulden zijn ogen en liepen over zijn gezicht. Zijn mond verwrong van wanhoop en toen, met de hand van de zevende lieveling op zijn borst, begon Quinton te huilen.

En Eden huilde met hem mee.

Maar Brad kon geen reden voor dankbaarheid of opluchting zien. Hij kon alleen zien dat het schuldgevoel van dit monster werd blootgelegd door zijn eigen onschuldige slachtoffer, en het maakte hem ziek van angst.

'Eden...' Brad wist nog steeds niet wat hij zeggen moest, omdat het verkeerde zeggen even gemakkelijk haar einde teweeg kon brengen als haar redden. En ze besteedde geen enkele aandacht aan hem.

'Als ik Zijn lieveling ben, dan ben jij dat ook,' zei ze. 'En Hij houdt van ons allemaal. Zelfs van mij. Zelfs van jou.'

Nu kwam de man die boven Eden uittorende in beweging. Hij implodeerde, hij stortte in. Schuddend van het snikken zeeg hij langzaam neer. Zijn handen verslapten en spreidden zich dramatisch. Het pistool viel uit zijn verslapte vingers en hij zakte langzaam op zijn knieën.

Brad kon de alarmbellen die in zijn hoofd begonnen te rinkelen niet overschreeuwen.

Ren, Eden! Ren weg!

Ren, omdat je gelijk hebt en hij weet dat je gelijk hebt en hij niet met die wetenschap kan leven. Hij gaat breken, hij gaat je neermaaien, hij gaat je vermoorden, Eden! Ren!

Brads mond was open, maar hij kon niet het risico nemen dat hij haar poging tenietdeed. Hij kon alleen God om genade smeken.

Eden rende niet weg. Tot Brads aanhoudende afgrijzen legde ze haar hand op Quinton Gaulds schouder, en nu zakte hij terug op zijn hielen, een snikkende, snotterende, verslagen man.

Het was waar, Eden was de mooiste vrouw ter wereld. Zij, amper een meter vijftig lang en niet al te ervaren in de fijnere kneepjes van hygiëne, make-up en mode, was het meest verbluffende schepsel dat God had geschapen.

En Brad wist dat de Bruidenvanger haar zou vermoorden.

Quinton wist niet wat er gebeurd was, behalve dat hij zich diep geschonden voelde. Dezelfde vrouw die hij had geschonden, was teruggekomen en had met een paar simpele woorden de lagen afgepeld waarin hij zich door de jaren heen zo liefdevol had gewikkeld.

Hij was een man die de waarheid niet kon negeren, maar hij kon die waarheid evenmin accepteren, niet nu.

Hij kon alleen de effecten ervan voelen en zijn eigen pathetische aard betreuren, terwijl de vrouw aan wie God zo'n verheven status had verleend voor hem stond.

Hij had gelijk gehad. Ze was de allermooiste! Het was geen wonder dat hij als een blok voor haar was gevallen. En dat zou hij opnieuw, omdat de man die niet van Eden hield, die niet van haar móćht houden, op staande voet moest worden afgeschoten en bedolven onder een dikke laag beton.

En toen ze zei dat hij, Quinton Gauld, de man die haar had aangerand, evenzeer bemind werd... toen was de aarde onder zijn voeten verkruimeld en had de hel zelf hem verzwolgen. Het kon niet waar zijn. Hem met Eden vergelijken was het vergelijken van een naaktslak met een pauw, een doffer, een paradijsvogel.

Toch was het waar. Hij wist het zodra de woorden uit haar mond kwamen.

Toen ze hem vervolgens vertelde dat het Kwaad in hem werkte om hen allebei te bespotten, wist hij dat ook dit niet alleen waar was, maar dat hij niet bij machte was er iets aan te veranderen.

Dus zou hij haar moeten doden. Ze huilde met hem mee en haar hand lag op zijn schouder, en nu moest hij haar doden.

Eden raakte de man aan zoals ze zich voorstelde dat een moeder de berouwvolle criminele zoon van een andere moeder zou aanraken. Ze voelde geen intimiteit. Hij was nog steeds een monster.

Toen ze in de greppel had zitten wachten, was het bij haar opgekomen: misschien was de moordenaar dood, niet fysiek dood, maar psychisch en mentaal. Misschien was hij, net als zij, lang geleden gestorven toen zijn vader hem als jongen had gedood.

En toen haar hand contact maakte met zijn borst, had ze gezien dat ze in veel opzichten gelijk had: hij was dood. Omdat er op dat moment voor haar geestesoog een beeld verscheen van een kleine jongen die op zijn knieën zat te huilen terwijl een bebaarde man die tweemaal zo groot was met een stuk pijp in de aanslag boven hem uittorende.

Vóór deze nacht had ze alleen beelden gezien die doden hadden gezien, en dat slechts een paar keer. Hoewel Quinton niet begraven was, was hij inderdaad dood, omdat ze zich dit niet inbeeldde, toch?

Als ze Allison ooit terugzag, zou Eden haar smeken haar uit te leggen hoe dit werkte; waarom God haar toestond deze dingen te zien; wat Zijn macht was en wat de hare was.

Maar voorlopig wist ze alleen dat ze deze man moest liefhebben omdat hij, hoewel hij ziek was, ook het spiegelbeeld was van de lelijkheid in haar. De angst en de haat die haar zoveel jaren hadden achtervolgd, kwamen allemaal samen in deze man.

Hoe vaak had Allison tegen haar over Gods vergevende macht gesproken? Vaker dan ze kon tellen. *Oordeel niet opdat gij niet geoordeeld wordt*, placht ze te zeggen. *Heb je vijanden lief, vooral degenen die je afwijzen, want ze weten niet wat ze doen. Laat het licht van onze Heiland genade en vergeving in je hart uitstorten.* Deze onmogelijke uitspraken hadden pas hun volle betekenis gekregen toen Eden in de greppel zat te wachten.

Als het waar was en zij Gods lieveling was, dan was hij dat ook. En het enige wat hen zou redden was die gunst te beantwoorden.

Dus had ze gedaan wat Allison had gezegd dat God zou doen. Ze vergaf hem. En ze liet hem huilen op haar schouder terwijl ze het licht dat haar van hem bevrijdde omhelsde.

Het was als een gang over een pad van gloeiende kolen naar de gapende mond van de hel, en ze wist nog steeds niet of ze Quinton echt, tot in het diepst van haar hart, vergeven had.

Toen herinnerde ze zich Brad. Brad was daar, rechts van haar.

Ze knipperde met haar ogen, draaide haar hoofd en zag hem. En voor de eerste keer zag ze dat hij bloedde.

Hij ging knakken, hij ging breken, hij ging exploderen.

Maar hij knakte niet. Hij brak niet, hij explodeerde niet.

Eden liet hem zijn hoofd tegen haar schouder leggen en troostte hem zoals een zus een huilende broer zou troosten.

Na verscheidene lange, gespannen minuten, begeleid door het afschuwelijke geluid van smart en schuldgevoel, begon Brad voor het eerst de mogelijkheid te overwegen dat hij ongelijk had gehad. Een of andere macht, groter dan welke hij ooit had gezien, had hen beiden aangeraakt en deed wat geen FBI-agent ooit zou vermogen. Misschien was Quinton Gauld, de engel des doods, gezwicht voor de woorden van vergiffenis van een onschuldige jonge vrouw.

De man zag er beklagenswaardig uit en snikte met gebogen hoofd. Zijn handen klauwden nu en dan naar haar rug, maar zijn vingers waren te slap om haar shirt of rug vast te pakken. Zijn ogen waren gesloten en er waren vlokjes wit speeksel in zijn mondhoeken te zien. Wit snot liep uit de neus van de gebroken man. Hij was een hoopje ellende, een verschrompeld karkas dat ooit een man was geweest.

Eden leek tot dezelfde conclusie te zijn gekomen. Ze kalmeerde en keek naar de snotterende man voor haar, richtte haar blik toen op Brad, alsof ze zich hem weer herinnerde. Haar blik gleed naar de scheen waar Quinton een gat in had geboord.

Er was bloed uit de wond gestroomd, dat een plasje vormde op de grond onder zijn kuit. Hij was de pijn vergeten, maar de wond klopte nu om hem eraan te herinneren.

Toen Brad weer opkeek naar Eden, waren haar ogen nog

steeds op zijn scheen gevestigd en ze waren opengesperd van afschuw.

Haar mond ging open en ze zette een stap naar hem toe en liet Quinton alleen. Zodra ze hem de rug toekeerde, veranderde er iets.

Eerst was het subtiel, een happen naar adem, een verstilling van zijn snikken, alsof er een teken was gegeven en iemand 'cut' had geroepen. Brad zag het allemaal, maar hij weigerde het te geloven, want als Eden had gefaald, dan waren ze allebei ten dode opgeschreven.

Eden begon naar hem toe te lopen. 'Brad...' Haar stem was vol medeleven. 'Ik ben gekomen, Brad.'

Dit was de jonge, naïeve Eden en zijn hart liep over van warmte voor haar.

Maar de man achter haar was veel minder onschuldig, en toen die man zijn ogen opendeed en zich omdraaide om naar de vrouw te kijken die hem op zijn knieën had achtergelaten en nu naar de man liep die ze liefhad, wist Brad dat hij haar ging vermoorden.

'Eden!'

Quintons gezicht verwrong van razernij en hij reikte kalm naar het gevallen wapen bij zijn rechterknie.

Eden ijlde als een verpleegster op een slagveld naar de man die ze liefhad. 'Het spijt me, Brad. Ik kon niet weggaan...'

'Bukken!' schreeuwde Brad. 'Rennen, Eden!' Als ze wegrende, zou ze het kunnen redden. Misschien!

'Rennen!'

Eden stopte verward halverwege haar weg naar hem toe. 'Wat?'

Brad sloeg het tafereel gade alsof het zich in slow motion op een enorm scherm afspeelde. Zijn kreet kwam eruit als een lange kreun, vertraagd tot halve snelheid.

'Rennen!'

'Wat?'

Quinton had zijn wapen in zijn hand.

Hij bewoog het opzij om het op haar rug te richten.

Eden zag Brads ontstelde gezicht, draaide zich langzaam terug om zijn blik te volgen... en blokkeerde zijn zicht op de moordenaar. En daarmee op het daverende schot dat het einde van een tijdperk aankondigde.

Boem!

Brads hart stond stil.

Ze viel langzaam neer. Zijn ogen zochten de uitgangswond omdat hij getraind was die te zoeken, maar in zijn hart stierf hij met haar.

Eden zakte op haar knieën, rillend alsof ze zelfs nu weigerde te sterven, omdat ze zelfs nu onschuldig genoeg was om zich vast te klampen aan hoop waar alle hoop vervlogen was.

'Alles goed met u, meneer?'

De stem kwam van links, maar drong nauwelijks tot hem door. Wat wel doordrong was het feit dat Eden niet op de grond was gevallen.

Vervolgens, maar pas toen Eden zich snikkend vooroverboog, zag Brad achter haar de liggende gedaante van Quinton Gauld. Hij was door zijn hoofd geschoten.

Brad knipperde met zijn ogen.

Een stem kraakte over een portofoon. '...een ambulance hierheen. Eén dode, waarschijnlijk de verdachte in kwestie. Laat de FBI weten dat we de plaats delict hebben veiliggesteld.' Een in een bruin uniform geklede agent van de staatspolitie van Kansas deed zijn wapen in de holster en knikte Brad toe.

'Special agent Brad Raines?'

'Ja,' zei hij schor.

'Ik ben brigadier Robby Bitterman.' Hij wierp een blik op de man die hij had neergeschoten. 'Volgens mij heeft het maar een haar gescheeld.'

Toen stormde Eden op Brad af, viel op haar knieën en sloeg haar armen om zijn nek.

Ze zei niets; ze huilde alleen maar.

42

'Een ritje naar het strand, is dat wat?' vroeg Casanova, die in zijn lange kamerjas en pantoffels over het grasveld banjerde. 'Ik zou dolgraag een trip naar het strand maken. Niet om het een of ander, mijn beste Allison, dit park is prachtig, de ligging is mooi. De bergen, de hemel, de vogels, ze zijn allemaal perfect om de juiste sfeer te scheppen. Maar ik zou liever een ander soort vogels bekijken, als je begrijpt wat ik bedoel.'

Allisons ogen twinkelden. Ze keek naar haar vier kinderen, zoals ze het stel was gaan beschouwen. Roudy, de vasthoudende detective, had zich zoals altijd in geruite kleding gestoken (die hij voor tweed aanzag), met een vlinderdas en vandaag zelfs een pijp (al was die niet aangestoken), die Allison hem een week eerder cadeau had gedaan, nadat Eden was teruggevonden.

Andrea, de jongste, liet haar blonde haar wapperen in een briesje dat door het zomerse groen in het park ruiste. Haar ogen waren gericht op het skateboardpark tweehonderd meter heuvelafwaarts. 'Ik zie daar beneden anders ook een paar "vogels" vliegen,' zei ze.

'Ik had een variëteit in gedachten die in een natuurlijker staat verkeert,' zei Cass.

Andrea draaide haar gezicht naar de zelfverklaarde liefdesgoeroe. 'Je bent een vieze ouwe man, Cass. Het loutere feit dat een meisje een bikini draagt maakt haar nog niet natuurlijk. Helemaal niet.'

Casanova zei er meteen overheen: 'Jij zou naar de *hunks* kunnen kijken, Dre. Hoe het zweet afdruipt van de spierbundels van bodybuilders die op het strand met zware halters trainen. Terwijl ik hun tips geef over vogels kijken.'

'Klinkt stuitend,' zei ze.

Eden giechelde.

Allison keek naar het meisje dat ze nu simpelweg als haar lieveling zag, hoewel ze haar nooit hardop zo zou noemen, zeker niet waar de anderen bij waren. Eden zat in het gras met haar benen rechts van zich gevouwen en leunde met één gebogen arm op een knie van Brad Raines. Er waren twee dingen aan dit plaatje die Allison met meer vreugde vervulden dan een ex-non zich kon veroorloven.

Eén: Eden was in een park op vijfenzestig kilometer van het CWI. De agorafobie die ooit de stroom van haar leven had afgekneld, was nu verdwenen.

Twee: Eden was in de armen van een man, en nog wel een man als Brad Raines, die ze nu allemaal bijna als God in mensengedaante zagen, als je naging hoe ze aan zijn lippen hingen. In hun eigen ogen waren ze allemaal helden, maar Brad was de ware held. Zelfs in Allisons ogen.

Per slot van rekening hield hij van Eden. En Eden hield van hem. Alleen dat al maakte hen beiden tot helden.

Bovendien had hij de Bruidenvanger gepakt, al eiste Roudy een groot deel van de eer op voor het oplossen van de zaak. In Allisons ogen had Eden de moordenaar verslagen, evenzeer als Roudy of Brad.

Eden had het telefoontje gepleegd dat het zoekgebied van de autoriteiten had teruggebracht tot een smalle strook langs de grens van Kansas en Colorado, dicht bij de stad St. Francis. Binnen vijftien minuten hadden ze negentien potentiële locaties geïdentificeerd die pasten bij de werkwijze van de Bruidenvanger – verlaten schuren, loodsen, silo's, een paar oude boerderijen. Alles bij elkaar waren tweeëndertig agenten van staats- en gemeentepolitie ingezet en uitgestuurd naar die negentien locaties, met strikte orders met de grootste behoedzaamheid te naderen.

Vierenvijftig minuten nadat Temple het telefoontje naar het hoofd van politie van St. Francis had gepleegd, bracht brigadier Robby Bitterman zijn wagen tot stilstand op vijfenzeventig meter van Sam Warners oude, verlaten gereedschapsschuur aan de noordkant van zijn tarwevelden, verrast er licht te zien branden. Hij had ondersteuning ingeroepen, was te voet naar binnen gegaan en had voor de eerste maal in zijn vijftienjarige loopbaan zijn dienstwapen gebruikt om een man te doden. Een enkel schot door het hoofd van zeven meter afstand.

De agent had Quinton doodgeschoten, maar Eden had hem zijn macht al afgepakt. Zijn macht over haar, over hen allemaal. God had Zijn hand uitgestoken en Zijn lieveling gered. Waarom haar wel en de anderen niet, dat wist Allison niet.

Of Eden echt iets had gezien in Quintons ziel – zijn geest of zijn verleden – wist noch zij, noch Eden zeker. Deze dingen waren mysteries voor hen allen.

Nu ze Eden er zo bij zag zitten, nog geen week na die schokkende nacht, stralend zoals alle verliefde jonge vrouwen behoorden te stralen, was Allison niet zo zeker of ze wel een ander scenario voor hen allen had kunnen wensen. Eden was naar haar toe gestapt met de vraag of ze, nu ze zoveel over liefde leerde, non moest worden. Allison had haar onmiddellijk van die verplichting ontslagen, waarop Eden met een opgeluchte glimlach was weggerend.

'Heb je al met hem gepraat?' vroeg Roudy, die bij Brad kwam staan. 'Met de grote baas, bedoel ik.'

'Bedoel je Temple?'

'Die, ja. Ik denk echt dat ik het verdiend heb. Ik weet zeker dat je het daarmee eens bent.'

Allison kwam tussenbeide. 'We hebben de afgelopen twee weken allemáál veel verdiend, Roudy. Maar soms kost het tijd om aan onze nieuwe huid te wennen.'

Hij keek haar aan en trok een wenkbrauw op. 'Alsjeblieft, Allison, ik zit al van mijn geboorte lekker in mijn vel. Laat je door een paar excentriciteiten van mijn kant niet in de waan brengen dat ik me niet perfect thuis voel in recherchekringen.'

'Van mijn leven niet. Maar die wereld is nog steeds een nieuwe huid. Het kan tijd kosten voordat ze je... talenten volledig begrijpen. Niet?'

Dat gaf hem stof tot nadenken.

'Nou, ik zie je talenten,' zei Brad. 'En dat geldt ook voor

Temple. Om eerlijk te zijn, zou het jou wel eens tegen kunnen vallen om hún talenten te accepteren. Zij bekijken de wereld met andere ogen dan jij.'

'Klopt,' zei Roudy. Hij stak een vinger op. 'Ik snap wat je bedoelt.'

'Ik weet niet zeker of je het kantoor waar je om vroeg wel zou willen. Het zou veel gereis met zich meebrengen.'

'Dat is waar. Goed punt.'

'Ik denk dat het veel makkelijker zou zijn om kopieën van de onopgeloste zaken naar je toe te brengen, zodat je ze in je eigen tempo kunt doorpluizen, ongehinderd door de onhandige pogingen van minder begenadigde mannen en vrouwen. Denk je niet?'

'Als je het zo stelt, ja. Een heel goed punt.' Hij marcheerde terug naar Allison. 'In dat geval moeten we nodig teruggaan. Geen tijd te verliezen.'

Eden keek op naar Brad. Ze knipoogde naar hem. 'Niet zo snel, Roudy. Jij hoeft misschien niet te wennen aan je nieuwe huid, maar sommigen onder ons hebben misschien wat tijd nodig.'

'Ik stem voor het strand,' zei Cass.

'Betekent dat dat je vertrekt?' vroeg Andrea, knagend aan haar vingernagel.

'We vertrekken allemaal een keer.'

'Nee, ik niet.' Andrea liep op en neer over het gras, plotseling heel nerveus. 'Het is te gevaarlijk hier buiten! Ik denk niet dat ik ooit weer buiten kan leven.'

'Maar waarom zou je ook, mijn beste?' vroeg Roudy. 'Ik heb je nodig. Je verwacht toch niet dat ik de werklast waarmee mijn reputatie me nu zal overladen helemaal alleen zal dragen, of wel? We hebben zaken op te lossen, levens te redden!'

'Had je ooit gedacht dat Eden hier buiten zou zijn?' vroeg Allison, Roudy negerend.

'Nee.'

'Zie je nou wel. Alles en iedereen kan binnen één dag veranderen. Niet dat je zou willen veranderen.'

Andrea's ogen schoten naar Eden. 'Wil ik dat, Eden?'

Het meisje antwoordde niet onmiddellijk. Het werd stil op de heuvel.

'Ik weet het niet.' Ze keek naar de horizon en haar trekken werden zachter. Ze was nog steeds dezelfde Eden van wie Allison altijd had gehouden. Geen make-up, een spijkerbroek, T-shirt. Ze had een nieuwe interesse opgevat voor zelfverzorging en had besloten dat ze haar spijkerbroeken lang wilde, tot aan de grond, en haar blouses fleurig: vandaag een geel tanktopje over een witte.

Maar ze was hetzelfde meisje dat altijd al een buitengewone wijsheid en schoonheid had bezeten.

'Als je iemand vindt om van te houden, wil je misschien bij hem zijn.'

Het was een tedere uitdrukking van haar liefde voor Brad. Ze leken allemaal begrip en waardering te hebben voor de doorbraak die Eden had gemaakt, maar flirtten nog steeds met hun eigen wanen.

Niet van zins een kans te laten liggen verbrak Cass de stilte. 'En je weet dat ik je daarbij kan helpen, Andrea. Als je verliefd wilt worden of wilt zorgen dat een man smoorverliefd op je wordt, heb ik aan een dag of twee genoeg. Ze zullen in de rij staan.'

'Hè, nou bederf je een moment dat net zo mooi was,' riep Andrea.

'Ik kan het niet helpen. Ik ben in de war.' Maar Casanova glimlachte erbij.

'Zijn we dat niet allemaal?' zei Brad.

En dat legde hun allen het zwijgen op, ditmaal met een beslistheid die niemand van hen wilde verstoren. Ze waren allemaal hetzelfde, bedoelde hij. En hij had niets vriendelijkers tegen hen kunnen zeggen.

Brad kuste Eden op haar kruin. Hij ving Allisons blik, glimlachte en gaf haar een knipoog.

Ze knipoogde terug.

En daarmee, dacht ze, was alles gezegd.

Er zijn wel zestig koninginnen,
er zijn wel tachtig bijvrouwen,
er zijn ontelbare meisjes,
maar zoals mijn duifje is er maar één,
mijn duifje is volmaakt.

Zij was de lieveling van haar moeder,
ook in haar moeders ogen was zij de mooiste.
Meisjes prijzen haar gelukkig,
koninginnen en bijvrouwen zijn vol lof.

Hooglied 6: 8-9
(Groot Nieuws Bijbel)